L'ÉLUE

UN ROMAN DU BASTION CLUB

L'ÉLUE

STEPHANIE LAURENS

TRADUIT DE L'ANGLAIS PAR
SOPHIE BEAUME

Éditeur : François Doucet
Traduction : Sophie Beaume
Révision linguistique : Féminin Pluriel
Correction d'épreuves : Nancy Coulombe, Carine Paradis
Conception de la couverture : Matthieu Fortin
Photo de la couverture : © Thinkstock
Mise en pages : Bruno Dubois
ISBN papier 978-2-89667-385-8
ISBN numérique 978-2-89683-167-8
Première impression : 2011
Dépôt légal : 2011
Bibliothèque et Archives nationales du Québec
Bibliothèque Nationale du Canada

Éditions AdA Inc.
1385, boul. Lionel-Boulet
Varennes, Québec, Canada, J3X 1P7
Téléphone : 450-929-0296
Télécopieur : 450-929-0220
www.ada-inc.com
info@ada-inc.com

Diffusion

Canada :	Éditions AdA Inc.
France :	D.G. Diffusion Z.I. des Bogues 31750 Escalquens — France Téléphone : 05.61.00.09.99
Suisse :	Transat — 23.42.77.40
Belgique :	D.G. Diffusion — 05.61.00.09.99

Imprimé au Canada

Participation de la SODEC.
Nous reconnaissons l'aide financière du gouvernement du Canada par l'entremise du Programme d'aide au développement de l'industrie de l'édition (PADIÉ) pour nos activités d'édition.
Gouvernement du Québec — Programme de crédit d'impôt pour l'édition de livres — Gestion SODEC.

Éloges pour
L'ÉLUE

Numéro un chez Waldenbooks comme
meilleur roman d'amour en 2003

Prix Waldenbooks comme meilleur
roman d'amour historique original en 2003

« *L'élue* brille d'esprit et de tension sensuelle. De la première à la dernière page, je me suis laissé entraîner par les personnages forts et l'intrigue. Les aperçus des autres membres du "club" ont été suffisants pour aiguiser mon appétit pour le reste de la série. Mme Laurens a un autre best-seller à ajouter à sa liste, et les lecteurs d'histoires d'amour ont un autre roman remarquable à ajouter à leur bibliothèque. »
Paula Klug, ARomanceReview.com

« Les fans des romans d'amour populaires de Stephanie Laurens s'attendront à une grande aventure, aux scènes d'amour sensuelles et torrides qui sont sa signature, et ils ne seront pas déçus par ce livre puissant. »
Publishers Weekly

« Débordant de personnages fascinants, de passion et de suspense, avec des touches habiles d'humour pour détendre et épicer le tout, voici l'histoire de deux protagonistes indépendants et obstinés qui apprendront l'art délicat du compromis. Pour une magnifique aventure romantique, je recommande chaudement L'élue. »
America Online Romance Fiction Forum

LE BASTION CLUB

« LE DERNIER BASTION CONTRE
LES ENTREMETTEUSES DE LA VILLE »

MEMBRES

CHRISTIAN ALLARDYCE,
MARQUIS DE DEARNE

ANTHONY BLAKE,
VICOMTE DE TORRINGTON

JOCELYN DEVERELL,
VICOMTE DE PAIGNTON

GERVASE TREGARTH,

COMTE DE CROWHURST

JACK WARNEFLEET,

BARON WARNEFLEET
DE MINCHINBURY

TRISTAN WEMYSS

COMTE DE TRENTHAM

Prologue

Le Pavillon, Brighton
Octobre 1815

— Les ennuis de Son Altesse doivent effectivement être terribles s'il a besoin de faire appel aux meilleurs officiers de Sa Majesté britannique simplement pour jouir de la gloire ainsi reflétée.

Le commentaire, prononcé d'une voix traînante, contenait plus qu'un peu de cynisme. Tristan Wemyss, quatrième comte de Trentham, jeta un coup d'œil sur la salle de musique étouffante, bondée d'invités et de flagorneurs en tout genre.

Prinny se trouvait au centre d'un cercle d'admirateurs. Vêtu de galons dorés et de pourpre, avec des épaulettes ornées de franges, leur prince régent était d'excellente humeur, racontant des récits héroïques de bravoure tirés des expéditions des récentes batailles, notamment celle de Waterloo.

Tristan et le gentleman qui se tenait à côté de lui, Christian Allardyce, marquis de Dearne, connaissaient les vraies histoires. Ils y avaient participé. Se dégageant de la foule, ils se retirèrent sur le côté de la salle somptueuse pour éviter d'écouter ces malins mensonges.

C'est Christian qui avait parlé.

– En fait, murmura Tristan, je considère cette soirée plus de la nature d'une distraction, d'une feinte, si tu veux.

Christian haussa ses épais sourcils.

– Écoutez mes histoires sur la grandeur de l'Angleterre et ne vous inquiétez pas du vide des finances et de la famine du peuple, c'est ça ?

Tristan fit un rictus.

– Quelque chose comme ça.

Quittant des yeux Prinny et sa cour, Christian observa les autres personnes rassemblées dans la pièce circulaire. C'était une foule entièrement masculine, composée essentiellement des représentants de chaque principal régiment et corps de l'armée récemment actifs. La pièce était une mer d'uniformes colorés, de galons, de cuir lustré, de fourrure et même de plumes.

– Il est révélateur qu'il ait choisi d'organiser ce qui équivaut à une réception célébrant la victoire à Brighton plutôt qu'à Londres, tu ne crois pas ? Je me demande si Dalziel aurait quelque chose à dire là-dessus.

– D'après tout ce que j'ai pu apprendre, notre prince n'est pas bien vu à Londres, mais il semble que notre ancien commandant n'ait pris aucun risque en ce qui concerne les noms qu'il a choisis pour la liste d'invités de ce soir.

– Ah ?

Ils parlaient tranquillement, n'ayant pas perdu l'habitude de camoufler leurs conversations pour les faire ressembler à un simple échange amical entre deux connaissances.

Les habitudes avaient la vie dure, surtout parce que, jusqu'à récemment, de telles pratiques étaient vitales pour rester en vie.

Tristan sourit distraitement vers un gentleman qui regardait dans leur direction. L'homme décida de ne pas se présenter.

— J'ai vu Deverell à la table. Il était assis non loin de moi. Il a mentionné que Warnefleet et St-Austell étaient ici aussi.

— Tu peux ajouter Tregarth et Blake. Je les ai vus quand je suis arrivé.

Christian s'interrompit.

— Ah, je vois. Dalziel n'a permis qu'à ceux d'entre nous qui ont quitté leur poste de venir ?

Tristan attira son attention. Le sourire qui n'était jamais loin de ses lèvres expressives s'élargit.

— Peux-tu imaginer Dalziel permettant même à Prinny d'identifier ses agents les plus secrets ?

Christian cacha un sourire, porta son verre à ses lèvres et but.

Dalziel — il ne portait pas d'autre nom ni titre — était le maître exigeant du ministère de l'Intérieur qui, depuis son bureau caché dans les profondeurs du Whitehall, gérait le réseau d'espions de Sa Majesté à l'étranger, un réseau qui avait contribué à donner la victoire à l'Angleterre et à ses alliés à la fois dans la guerre d'Espagne et plus récemment à Waterloo. Avec un certain Lord Whitley, son homologue au Ministère, Dalziel était responsable de toutes les opérations secrètes à la fois en Angleterre et au-delà des frontières.

— Je n'avais pas réalisé que Tregarth ni Blake étaient dans le même bateau que nous deux, et je savais pour les autres seulement par les rumeurs.

Christian regarda Tristan.

— Es-tu sûr que les autres ont quitté le service ?

— Je sais que Warnefleet et Blake l'ont fait, presque pour les mêmes raisons que nous. Pour les autres, ce n'est que pure spéculation, mais je ne vois pas Dalziel compromettre un agent du calibre de St-Austell ou Tregarth ou Deverell d'ailleurs, juste pour satisfaire le dernier caprice de Prinny.

— C'est juste.

Christian regarda de nouveau la mer de têtes.

Tristan et lui étaient grands, larges d'épaules et minces, avec la force athlétique des hommes habitués à l'action, une force mal dissimulée par la coupe élégante de leurs tenues de soirée. Sous ces habits, tous deux portaient les cicatrices des années de service actif. Même si leurs ongles étaient parfaitement manucurés, il faudrait encore des mois avant que les traces révélatrices de leur ancienne profession, inhabituelle et souvent discourtoise, s'effacent de leurs mains — la corne, la rugosité, les paumes comme du cuir.

Leurs cinq collègues et eux ici présents avaient servi Dalziel et leur pays pendant au moins dix ans, Christian pendant presque quinze ans. Ils avaient servi sous toutes les apparences requises, qui allaient de l'aristocrate au balayeur de rue, en passant par l'ecclésiastique ou le terrassier. Ils avaient eu un succès certain en obtenant les renseignements qu'ils avaient été chargés de trouver derrière les lignes ennemies et en survivant assez longtemps pour les rapporter à Dalziel.

Christian soupira, puis finit son verre.

— Je vais m'ennuyer de tout ça.

Le rire de Tristan fut bref.

— C'est le cas de nous tous, non ?

— C'est ainsi, étant donné que nous ne faisons plus partie du personnel de Sa Majesté.

Christian déposa son verre vide sur un buffet à proximité.

— Je ne comprends pas ce que nous faisons ici à parler, alors que nous serions bien plus à l'aise à faire la même chose ailleurs…

Son regard gris rencontra les yeux d'un gentleman qui pensait visiblement à s'approcher. Le gentleman réfléchit de nouveau et se détourna.

— Et sans courir le risque d'avoir à parader pour qu'un quelconque flagorneur nous capture et nous demande de raconter notre histoire.

Jetant un œil sur Tristan, Christian haussa un sourcil.

— Qu'en penses-tu ? Devrions-nous partir pour un lieu plus agréable ?

— Oui, certainement.

Tristan tendit son verre vide à un valet qui passait.

— As-tu un lieu particulier en tête ?

— J'ai toujours eu un faible pour le Ship and Anchor. Il y a une arrière-salle très confortable.

Tristan inclina la tête.

— Au Ship and Anchor, alors. Pouvons-nous partir ensemble, tu crois ?

Christian sourit.

— Réfléchissons. Si nous parlons sérieusement à voix basse et sur un ton pressant et que nous nous dirigeons vers la porte discrètement mais résolument, je ne vois aucune raison pour que nous ne puissions pas traverser la pièce directement.

*

Ils le firent. Tous ceux qui les virent présumèrent que l'un avait été envoyé chercher l'autre dans un but secret mais hautement important. Les valets se pressèrent de leur donner leurs manteaux, puis ils sortirent dans la nuit fraîche.

Ils s'arrêtèrent tous les deux, prirent une profonde respiration afin de nettoyer leurs poumons de l'atmosphère étouffante du pavillon surchauffé, puis échangèrent de légers sourires avant de se remettre en route.

Quittant l'entrée très éclairée du pavillon, ils se retrouvèrent dans la rue North. Tournant à droite, ils marchèrent avec l'allure décontractée des hommes qui savent où ils vont vers la place Brighton et les petites rues plus loin. Atteignant les étroits passages pavés bordés de maisons de pêcheurs, ils se mirent à la file, changeant de place à chaque croisement, le regard toujours scrutateur, observant dans la noirceur... si l'un comme l'autre réalisait qu'ils étaient maintenant chez eux, en paix, plus en guerre, aucun ne commentait ni n'essayait de réprimer le comportement qui était devenu une seconde nature pour eux deux.

Ils se dirigèrent directement vers le sud, vers le bruit de la mer, qui murmurait dans l'obscurité au-delà du rivage. Ils finirent par tourner dans la rue Black Lion. Au bout de la rue s'étendait la Manche, la frontière au-delà de laquelle ils avaient vécu pendant la plus grande partie de la dernière décennie. Sous l'enseigne du Ship and Anchor qui se balançait, ils s'arrêtèrent tous les deux, les yeux rivés sur l'obscurité qui encadrait les maisons au bout de la rue. Ils jouirent de l'odeur de la mer, du vent salin et du parfum piquant et familier des algues.

Des souvenirs leur revinrent à tous les deux pendant un instant, puis ils se tournèrent simultanément. Christian poussa la porte, et ils entrèrent.

La chaleur les enveloppa, le son des voix des Anglais, l'odeur imprégnée du houblon de la bonne bière anglaise. Tous deux se détendirent. Une indéfinissable tension les quitta. Christian avança vers le bar.

— Deux pintes de votre meilleure bière.

Le patron hocha la tête en guise de salut et prépara rapidement leurs boissons.

Christian jeta un œil sur la porte à moitié fermée derrière le bar.

— Nous nous assiérons dans votre arrière-salle.

Le patron le regarda, puis posa les chopes moussantes sur le comptoir. Il jeta un rapide coup d'œil sur la porte de l'arrière-salle.

— Pour ça, Messieurs, vous êtes les bienvenus, bien sûr, mais il y a déjà un groupe de gentlemen là-bas, et ils pourraient ne pas apprécier les étrangers.

Christian haussa les sourcils. Il tendit le bras vers l'abattant du comptoir et le leva, avançant tout en prenant une chope.

— Nous prenons le risque.

Tristan cacha un sourire, jeta des pièces sur le comptoir pour la bière, prit la deuxième chope et suivit immédiatement Christian.

Il se trouvait à côté de Christian quand celui-ci ouvrit en grand la porte de l'arrière-salle.

Le groupe rassemblé autour des tables les regarda. Cinq paires d'yeux se rivèrent sur eux. Cinq sourires apparurent.

Charles St-Austell se cala sur sa chaise à l'extrémité de la table et leur fit signe d'entrer, d'un air magnanime.

– Vous avez plus de courage que nous ! Nous allions prendre les paris sur la durée de votre séjour là-bas.

*

Les autres se levèrent, de sorte qu'on réorganise les tables et les chaises. Tristan ferma la porte, posa sa chope, puis se joignit à la tournée des présentations.

Bien qu'ils eussent tous servi sous Dalziel, ils ne s'étaient jamais rencontrés tous les sept ensemble. Chacun connaissait certains des autres. Aucun ne les avait tous vus auparavant.

Christian Allardyce, le plus âgé et celui qui avait servi le plus longtemps, avait agi dans l'est de la France, souvent en Suisse, en Allemagne et dans les autres petits pays ou principautés. Avec sa belle apparence et sa facilité pour les langues, il avait été tout à fait à sa place dans ce travail.

Tristan lui-même avait servi d'une manière plus générale, souvent au cœur des choses, à Paris et dans les principales villes industrielles. Son aisance à s'exprimer en français, en allemand et en italien, ses cheveux et ses yeux bruns, et son charme évident lui avaient servi autant qu'à son pays.

Il n'avait jamais croisé le chemin de Charles St-Austell, en apparence le plus haut en couleur du groupe. Avec ses mèches noires retombantes et ses yeux bleu foncé éclatants, Charles était un véritable pôle d'attraction pour les jeunes ladies comme pour les plus vieilles. À moitié Français, il possédait à la fois la langue et l'intelligence pour profiter de ses attributs physiques. Il avait été l'agent principal de Dalziel dans le sud de la France, à Carcassonne et à Toulouse.

Gervase Tregarth, un natif des Cornouailles avec des cheveux bruns bouclés et des yeux noisette perçants, avait, comme Tristan l'apprit, passé la plupart des dix dernières années en Bretagne et en Normandie. Il avait connu St-Austell avant, mais ils ne s'étaient jamais rencontrés sur le terrain.

Tony Blake était un autre descendant de l'Angleterre qui était aussi à moitié Français. Les cheveux noirs, les yeux noirs, il était le plus élégant du groupe, encore qu'il y eût une brusquerie sous-jacente dans le doux vernis. Il était l'agent que Dalziel avait le plus souvent utilisé pour intercepter les chefs des services secrets français et contrecarrer leurs plans, une entreprise extrêmement dangereuse centrée sur les ports au nord de la France. Le fait que Tony était vivant témoignait de son courage.

Jack Warnefleet était extérieurement une énigme. Il semblait si ouvertement Anglais, d'une beauté saisissante avec ses cheveux châtains et ses yeux noisette, qu'il était difficile d'imaginer qu'il avait à maintes reprises réussi à infiltrer tous les niveaux de la flotte française et aussi de nombreuses affaires. Il était un vrai caméléon, encore plus que les autres, avec une cordialité, une gaieté et une familiarité extrême que peu perçaient.

Deverell fut le dernier homme à qui Tristan serra la main, un gentleman bien de sa personne avec un sourire décontracté, des cheveux brun foncé et des yeux verts. En plus d'être exceptionnellement beau, il avait le don de se mêler à n'importe quel groupe.

Les présentations terminées, ils s'assirent. L'arrière-salle était à présent pleine. Un feu brûlait agréablement dans un coin tandis que, dans la lumière vacillante, ils s'installaient autour de la table, presque côte à côte.

Ils étaient tous des hommes costauds. Ils avaient tous été à un certain moment les gardes d'un régiment ou d'un autre jusqu'à ce que Dalziel les trouve et les attire pour qu'ils servent le ministère de l'Intérieur.

Non pas qu'il ait dû faire preuve d'une grande persuasion.

Savourant sa première gorgée de bière, Tristan parcourut la table des yeux. Extérieurement, ils étaient tous différents, alors qu'ils étaient indubitablement identiques malgré les apparences. Chacun était un gentleman né d'une lignée aristocratique, chacun possédait des attributs, des capacités et des talents similaires même si l'équilibre relatif différait. Plus important toutefois, chacun était un homme capable de risquer sa vie, de relever le défi d'un engagement à la vie à la mort sans sourciller – plus encore, avec une confiance innée et une certaine arrogance insouciante.

Il y avait plus qu'un léger côté de l'aventurier sauvage en chacun d'eux. Et ils étaient extrêmement loyaux.

Deverell posa sa chope.

– Est-il vrai que nous avons tous quitté le service ?

Il y eut des hochements de tête et des regards partout autour. Deverell sourit.

— Serait-il poli de demander pourquoi ?

Il regarda Christian.

— Dans ton cas, je présume qu'Allardyce doit maintenant être devenu Dearne ?

Ironiquement, Christian inclina la tête.

— En effet. Quand mon père est mort et que j'ai hérité du titre, je n'ai pas eu d'autre choix. S'il n'y avait pas eu Waterloo, je serais déjà embourbé dans des problèmes afférents aux moutons et aux bovins, et aucun doute que je serais marié par-dessus le marché.

Son intonation, légèrement dégoûtée, entraîna des sourires compatissants sur les autres visages.

— Voilà qui semble bien trop familier, dit Charles St-Austell en regardant la table. Je ne m'attendais pas à hériter, mais tandis que j'étais au loin, mes deux frères aînés sont morts.

Il grimaça.

— Donc, maintenant je suis le comte de Lostwithiel et, comme mes sœurs, mes belles-sœurs et ma chère mère me le rappellent constamment, je devrais me marier sans tarder.

Jack Warnefleet rit, pas vraiment avec humour.

— Tout à fait subitement, j'ai joint le club aussi. Le titre était attendu — c'était celui du père —, mais les maisons et la fortune me sont venues d'une grand-tante. Je savais tout juste qu'elle existait, et maintenant, d'après ce qu'on m'a dit, je me classe en haut sur la liste des bons partis et je peux m'attendre à être poursuivi jusqu'à ce que je capitule et me marie.

— Moi aussi[1] !

---

1 N.d.T. En français dans le texte original.

Gervase Tregarth fit un signe de tête à Jack.

— Dans mon cas, ce fut un cousin qui succomba à la tuberculose et qui est mort ridiculement jeune, donc maintenant, je suis le comte de Crowhurst, avec une maison à Londres que je n'ai pas encore vue, et je dois, comme on me l'a fait comprendre, me marier et avoir un héritier, étant donné que je suis maintenant le dernier de la lignée.

Tony Blake émit un bruit de dédain.

— Au moins, tu n'as pas une mère française. Crois-moi, quand vient le temps de pousser quelqu'un vers l'autel, elles sont fortes !

— Santé !

Charles leva sa chope en direction de Tony.

— Mais est-ce que ça veut dire que, toi aussi, tu es revenu au pays pour te retrouver acculé ?

Tony fit la grimace.

— Grâce à mon père, je suis devenu vicomte de Torrington. J'avais espéré que ce serait dans des années, mais…

Il haussa les épaules.

— Ce que je ne savais pas, c'est que, pendant la dernière décennie, mon père s'était intéressé à divers investissements. Je m'attendais à hériter de moyens d'existence décents. Je ne m'attendais pas à hériter d'une véritable fortune. Et puis, j'ai découvert que la haute société de la ville le savait. En venant ici, je me suis arrêté brièvement en ville pour rendre visite à ma marraine.

Il haussa les épaules.

— J'ai presque été assailli. C'était épouvantable.

— C'est parce que nous avons perdu tellement de monde à Waterloo.

Deverell regarda dans sa chope. Ils restèrent tous silencieux un moment, à se souvenir des camarades disparus, puis tous levèrent leurs verres et burent.

— Je dois avouer que je me retrouve dans la même situation.

Deverell posa sa chope.

— Je n'avais aucune attente quand j'ai quitté l'Angleterre, mais j'ai découvert à mon retour qu'un cousin éloigné au deuxième degré avait passé l'arme à gauche et je suis maintenant le vicomte de Paignton, avec des maisons, des revenus et, tout comme vous tous, l'affreuse nécessité de me marier. Je peux m'occuper des terres et des fonds, mais les maisons, sans parler des obligations sociales, c'est bien pire que tout complot français.

— Et les conséquences d'un échec vous conduiraient tous à la tombe, ajouta St-Austell.

Il y eut de sombres murmures d'assentiment tout autour. Tous les yeux se tournèrent vers Tristan.

Il sourit.

— C'est une vraie litanie, mais je crains de surpasser tous vos récits.

Il baissa les yeux, faisant tourner sa chope dans ses mains.

— Moi aussi, je suis revenu pour me retrouver acculé au pied du mur — avec un titre, deux maisons et un pavillon de chasse, et une fortune considérable. Toutefois, les deux maisons sont des lieux où se retrouvent femmes, grands-tantes, cousines et autres membres de la famille plus éloignés. J'ai hérité de mon grand-oncle, le récemment défunt troisième comte de Trentham, qui exécrait son frère – mon grand-père – et aussi mon père et moi.

» Sa raison était que nous étions des gaspilleurs, des propres à rien qui allaient et venaient à leur gré, parcouraient le monde, et ainsi de suite. En toute justice, je dois dire que maintenant que j'ai rencontré mes grands-tantes et leur armée de femmes, je peux comprendre le point de vue de ce vieux garçon. Il devait se sentir coincé par son statut, condamné à vivre sa vie entouré d'une tribu de femmes séniles se mêlant de ce qui ne les regarde pas. »

Un frisson[2], un soubresaut, fit le tour de la table.

L'expression de Tristan devint sinistre.

– Par conséquent, quand le fils de son propre fils est mort, puis que son fils est décédé aussi, et qu'il a réalisé que j'hériterais de lui, il a ajouté une clause diabolique à ses volontés. J'hériterais du titre, des terres, des maisons et de la fortune pendant une année. Et si je ne trouve pas à me marier dans l'année, il me laisse le titre, les terres et les maisons – tout ce que ça implique –, mais la majeure partie de la fortune, les fonds nécessaires pour gérer les propriétés, sera donnée à diverses œuvres de charité.

Il y eut un silence, puis Jack Warnefleet demanda :

– Qu'arrivera-t-il à la horde de vieilles femmes ?

Tristan leva les yeux qu'il avait plissés.

– C'est le cœur du problème. Elles resteraient mes pensionnaires, dans mes maisons. Elles n'auraient nulle part ailleurs où aller, et je pourrais difficilement les mettre à la rue.

---

2 N.d.T. En français dans le texte original.

Tous les autres le regardèrent, leur visage revêtant une expression de compréhension par rapport à sa situation.

– C'est une chose ignoble.

Gervase s'arrêta, puis demanda :

– Quand finit la fameuse année ?

– En juillet.

– Donc, tu as la prochaine saison pour faire ton choix.

Charles posa sa chope et l'éloigna.

– Nous sommes tous, dans une large mesure, dans le même bateau. Si je ne trouve pas une femme d'ici là, mes sœurs, mes belles-sœurs et ma chère mère me rendront fou.

– Ce ne sera pas chose facile, je vous avertis.

Tony Blake regarda autour de la table.

– Après avoir échappé à ma marraine, j'ai cherché refuge au Boodles.

Il secoua la tête.

– Grosse erreur. En une heure, pas un mais deux gentlemen que je n'avais jamais rencontrés sont venus me voir et m'ont invité à dîner !

– Ça s'est passé dans ton club ?

Jack exprima leur choc commun.

L'air grave, Tony acquiesça.

– Et il y a pire. Je suis allé à la maison et j'ai découvert une pile d'invitations d'au moins trente centimètres de haut, je le jure. Le majordome a dit qu'elles avaient commencé à arriver le lendemain du jour où j'avais fait dire que j'étais là. J'avais averti ma marraine que je passerais.

Le silence tomba tandis qu'ils digéraient tout ça, extrapolaient, réfléchissaient…

Christian se pencha en avant.

– Qui d'autre est allé en ville ?

Tous les autres secouèrent la tête. Ils venaient juste de revenir en Angleterre et étaient allés directement à leurs propriétés.

– Très bien, continua Christian. Cela veut-il dire que la prochaine fois que nous nous montrerons en ville, nous serons traqués comme Tony ?

Ils imaginèrent tous la situation.

– En fait, dit Deverell, il est probable que ce soit moins prononcé. Beaucoup de familles sont endeuillées en ce moment – même si elles sont en ville, les entremetteuses ne vaquent pas à leurs occupations. Les invitations devraient avoir diminué.

Ils regardèrent tous Tony, qui secouait la tête.

– Je ne sais pas… Je n'ai pas attendu pour le découvrir.

– Mais comme Deverell le dit, ça doit être ainsi.

Le visage de Gervase se durcit.

– Mais un tel deuil finira à temps pour la prochaine saison, et les harpies sortiront à la recherche de victimes, plus désespérées et même plus déterminées.

– Bon sang ! dit Charles pour eux tous. Nous allons être – il fit un geste – précisément le genre de cibles que nous avons passé la dernière décennie à ne pas être.

Christian hocha la tête, sérieux et calme.

– Dans un autre théâtre, peut-être, mais cette façon dont les ladies de la ville jouent, c'est comme un genre de guerre.

Secouant la tête, Tristan se cala sur sa chaise.

– C'est un triste jour quand, ayant survécu à tout ce que les Français ont pu nous faire, nous, des héros anglais, revenons chez nous pour finalement devoir faire face à une menace encore plus grande.

— Une menace pour notre avenir comme aucune autre et une menace contre laquelle nous n'avons pas — grâce à notre dévotion au roi et au pays — autant d'expérience que la plupart des jeunes hommes, ajouta Jack.

Le silence tomba.

— Vous savez…

Charles St-Austell décrivit des cercles avec sa chope.

— Nous avons connu pire et nous avons gagné.

Il leva les yeux et regarda autour de lui.

— Nous sommes tous à peu près du même âge, c'est ça ? Il y a cinq ans entre nous, je crois. Nous faisons tous face à la même menace et nous avons le même but en tête pour des raisons similaires. Pourquoi ne pas nous allier ? Nous aider ?

— Un pour tous, tous pour un ? demanda Gervase.

— Pourquoi pas ?

Charles regarda de nouveau autour de lui.

— Nous avons assez d'expérience en stratégie. Nous pouvons sûrement, et nous le ferons, voir ceci comme une autre bataille.

Jack se redressa.

— Ce n'est pas comme si nous étions en compétition les uns contre les autres.

Lui aussi regarda autour de lui, rencontrant les yeux de tout le monde.

— Nous sommes tous semblables à un certain point, mais nous sommes tous différents aussi, car nous provenons de familles différentes, de régions différentes et il n'y a pas trop peu de ladies, mais beaucoup trop qui rivalisent pour avoir notre attention. C'est notre problème.

– Je crois que c'est une excellente idée.

Penchant ses avant-bras sur la table, Christian regarda Charles, puis les autres.

– Nous devons tous nous marier. Je ne sais rien de vous, mais je me battrai jusqu'à mon dernier souffle pour garder le contrôle de mon destin. Je choisirai ma femme. On ne me l'imposera pas, peu importe le moyen. Grâce à la reconnaissance fortuite de Tony, nous savons maintenant que l'ennemi attendra, prêt à bondir sur nous à l'instant où nous apparaîtrons.

Il regarda de nouveau autour de lui,

– Donc, comment allons-nous prendre l'initiative?

– De la même façon que nous l'avons toujours prise, répondit Tristan. L'information est la clé. Nous partagerons ce que nous apprendrons : les dispositions de l'ennemi, ses habitudes, ses stratégies préférées.

Deverell hocha la tête.

– Nous partagerons des tactiques qui fonctionnent et nous nous avertirons des pièges que nous percevrons.

– Mais ce que nous devons faire en premier, plus que tout, le coupa Tony, c'est trouver un lieu sûr. C'est toujours la meilleure chose que nous mettons en place quand on est en territoire ennemi.

Ils s'arrêtèrent tous pour réfléchir.

Charles grimaça.

– Avant vos renseignements, j'aurais pensé à nos clubs, mais ça ne fonctionnera manifestement pas.

— Non, et nos maisons ne sont pas sûres pour les mêmes raisons.

Jack fronça les sourcils.

— Tony a raison. Nous avons besoin d'un refuge où nous pouvons être sûrs d'être en sécurité, où nous pourrons nous rencontrer et échanger des renseignements.

Il haussa les sourcils.

— Qui sait ? Il y a des fois où il pourrait être à notre avantage de cacher nos liens avec les autres, du moins en société.

Les autres opinèrent, échangeant des regards.

Christian exprima leurs pensées.

— Nous avons besoin d'un club à nous. Pas pour y vivre, bien que nous puissions vouloir quelques chambres en cas de besoin, mais un club où nous pourrons nous rencontrer et à partir duquel nous pourrons planifier et mener notre bataille en toute sécurité sans avoir à surveiller nos arrières.

— Pas un abri, songea Charles. Plus un château…

— Un bastion au cœur du territoire ennemi.

Deverell hocha la tête résolument.

— Sans ça, nous serons trop exposés.

— Et nous avons été absents trop longtemps, grommela Gervase. Les harpies nous tomberont dessus et nous coinceront si nous sortons en ville non préparés. Nous avons oublié à quoi ça ressemble…, à condition que nous l'ayons déjà su.

C'était une connaissance tacite qu'ils voguaient en effet sur des eaux inconnues et donc dangereuses. Aucun d'eux n'avait passé beaucoup de temps en société après l'âge de vingt ans.

Christian regarda autour de la table.

– Nous avons cinq mois entiers avant d'avoir besoin de notre refuge. Si nous le trouvons vers la fin février, nous serons en mesure de revenir en ville et de nous glisser devant les entremetteuses en faction, puis de disparaître quand nous le désirerons…

– Ma maison est dans le Surrey.

Tristan rencontra le regard des autres.

– Si nous trouvons ce que nous voulons comme bastion, je pourrais venir en ville et faire les arrangements nécessaires en toute discrétion.

Les yeux de Charles se plissèrent. Son regard devint distant.

– Un endroit près de tout, mais pas trop près.

– Il doit être dans une zone facilement accessible, mais pas évidente.

Deverell tapotait la table en réfléchissant.

– Moins de gens dans le voisinage nous reconnaîtront, mieux ce sera.

– Une maison, peut-être…

Ils revirent leurs besoins et se mirent rapidement d'accord sur le fait qu'une maison dans un des quartiers les plus tranquilles à l'extérieur mais près de Mayfair, non loin du cœur de la ville, leur conviendrait le mieux. Une maison avec des salles de réception et suffisamment d'espace pour qu'ils puissent tous s'y retrouver, avec une pièce dans laquelle ils pourraient rencontrer des femmes si nécessaire, mais dont le reste devrait être libre de toute femme, avec au moins trois chambres à coucher en cas de besoin, des cuisines et du personnel sur place… du personnel qui comprendrait leurs besoins.

– C'est ça.

Jack tapa sur la table.

– Voilà !

Il prit sa chope et la leva.

– Vive Prinny et son impopularité ! Sans lui, nous ne serions pas ici aujourd'hui et nous n'aurions pas eu l'occasion de rendre notre avenir si sûr.

Revêtant de larges sourires, ils burent tous, puis Charles repoussa sa chaise, se leva et leva sa chope.

– Messieurs, vive notre club ! Notre dernier bastion contre les entremetteuses de la ville, notre base protégée d'où nous infiltrerons, identifierons et isolerons la lady que chacun de nous veut, puis nous prendrons la ville d'assaut et nous la capturerons !

Les autres l'acclamèrent, martelèrent la table et se levèrent.

Charles inclina la tête vers Christian.

– Vive le bastion qui nous permettra d'assumer la charge de notre destin et de régner sur nos propres foyers. Messieurs !

Charles leva sa chope haut dans les airs.

– Vive le Bastion Club !

Ils clamèrent tous leur approbation et burent.

Et c'est ainsi que naquit le Bastion Club.

Chapitre 1

Une femme sensuelle et vertueuse – seul un idiot pouvait associer les deux.

Tristan Wemyss, quatrième comte de Trentham, réfléchissait qu'on l'avait rarement traité d'idiot, pourtant il se tenait là, à regarder par la fenêtre une lady sans aucun doute vertueuse et à se livrer à toutes sortes de pensées érotiques.

Mais c'était peut-être compréhensible. La lady était grande, avait des cheveux foncés et possédait une silhouette élancée aux courbes gracieuses fort bien exhibée tandis que, errant dans le jardin à l'arrière de la maison voisine, elle s'arrêtait ici et là, se penchant pour examiner quelque feuillage ou quelque fleur dans des massifs luxuriants et étrangement désordonnés.

On était en février, et le temps était aussi maussade et frais que d'habitude, pourtant le jardin voisin exhibait une abondance certaine avec un feuillage dense dans des teintes de vert foncé et de bronze en provenance de plantes inhabituelles qui semblaient prospérer malgré le gel. Il est vrai que des arbres et des arbustes dépouillés étaient dispersés au milieu des massifs épais. Toutefois, le jardin dégageait une impression de vie hivernale totalement absente de la plupart des jardins de Londres en cette saison.

Ce n'était pas qu'il vouait un intérêt à l'horticulture. C'était la femme qui attirait son attention avec sa démarche légère et gracieuse, avec l'inclinaison de sa tête quand elle examinait une fleur. Ses cheveux, de la couleur riche de l'acajou, étaient enroulés dans une couronne sur le dessus de sa tête. À cette distance, il ne pouvait pas deviner son expression, mais son visage était ovale et pâle, ses traits délicats et purs.

Un chien-loup aux longs poils hirsutes et au pelage tacheté reniflait paresseusement à ses côtés. Il l'accompagnait habituellement chaque fois qu'elle sortait.

Les instincts de Tristan, bien aiguisés et fiables, l'informèrent qu'aujourd'hui, l'attention de la lady était superficielle, en suspens, qu'elle tuait le temps tandis qu'elle attendait quelque chose. Ou quelqu'un.

– Monsieur ?

Tristan se tourna. Il se trouvait à la baie vitrée de la bibliothèque, au premier étage, qui donnait à l'arrière, sur la terrasse du numéro 12 de la place Montrose. Lui et ses six coconspirateurs, les membres du Bastion Club, avaient acheté la maison il y a trois semaines. Ils étaient en train de l'aménager pour qu'elle leur serve de forteresse privée, leur dernier bastion contre les entremetteuses de la ville. Située dans ce quartier tranquille de Belgravia, à quelques pâtés de maisons au sud-est du parc, au-delà duquel se trouvait Mayfair, où ils possédaient tous des maisons, la propriété était parfaite pour leurs besoins.

La baie vitrée de la bibliothèque donnait sur le jardin à l'arrière et aussi sur celui à l'arrière de la maison voisine plus vaste, le numéro 14, dans laquelle vivait la lady.

Billings, le menuisier chargé des rénovations, se trouvait sur le seuil à étudier une liste froissée.

— Je pense que nous avons fait tous les travaux de construction, sauf les armoires dans le bureau.

Billings leva les yeux.

— Si vous pouviez jeter un œil et voir si ce que nous avons prévu vous convient, nous pourrions finir et ensuite nous commencerions la peinture, le vernis et le nettoyage pour que vos domestiques puissent s'installer.

— Très bien, dit Tristan, qui se déplaça. J'arrive tout de suite.

Il jeta un dernier coup d'œil au jardin voisin et vit un garçon aux cheveux blond filasse traverser la pelouse en courant vers la lady. Il la vit se tourner, regarder, attendre dans l'expectative... la nouvelle qu'elle voulait manifestement.

Il ignorait la raison pour laquelle il la trouvait attirante. Il préférait les blondes plus plantureuses, et malgré son besoin désespéré de trouver une épouse, la lady était trop âgée pour être encore sur le marché du mariage. Elle était certainement déjà mariée.

Il détourna son regard.

— Combien de temps cela prendra-t-il, d'après vous, avant que la maison soit habitable ?

— Encore quelques jours, peut-être une semaine. L'escalier de service est presque terminé.

Lui faisant signe d'avancer, Tristan passa la porte derrière lui.

*

— Mademoiselle, Mademoiselle ! Le gentleman est là !

« Enfin ! » Leonora Carling prit son souffle. Elle se redressa, raidissant sa colonne devant ce qui l'attendait, puis revêtit un sourire, qu'elle adressa au garçon.

— Merci, Toby. Est-ce le même gentleman qu'avant ?

Toby opina.

— Celui que Quiggs a décrit comme un des propriétaires.

Quiggs était un artisan charpentier qui travaillait à la maison voisine. Toby, toujours curieux, s'était lié d'amitié avec lui. C'est ainsi que Leonora en avait assez appris sur les plans des propriétaires d'à côté pour décider qu'elle devait en savoir plus. Beaucoup plus.

Toby, les cheveux en bataille, les joues rouges là où le vent l'avait pincé, sautait d'un pied sur l'autre.

— Vous devrez agir vite, si vous voulez le rencontrer. Quiggs a dit que Billings avait encore un mot à lui dire et qu'ensuite, le gentleman partirait probablement.

— Merci.

Leonora tapota l'épaule de Toby, l'incitant à venir avec elle tandis qu'elle se dirigeait rapidement vers la porte de derrière. Henrietta, son chien-loup, la suivit immédiatement.

— Je vais faire un tour maintenant. Tu as été très utile. Voyons si nous pouvons persuader la cuisinière que tu mérites une tartelette à la confiture.

— Mince alors !

Les yeux de Toby s'écarquillèrent. Les tartelettes à la confiture de la cuisinière étaient légendaires.

Harriet, la bonne de Leonora, qui était à son service depuis de nombreuses années, une femme agréable mais avisée avec une profusion de cheveux roux bouclés, attendait dans l'entrée, juste à côté de la porte de derrière. Leonora envoya Toby réclamer sa récompense. Harriet attendit que le garçon soit hors de portée de voix avant de demander :

— Vous n'allez rien faire d'idiot, n'est-ce pas ?

— Bien sûr que non.

Leonora baissa les yeux sur sa robe. Elle ajusta son corsage.

— Mais je dois découvrir si les gentlemen d'à côté sont ceux qui voulaient cette maison auparavant.

— Et si c'est le cas ?

— Alors, ils sont aussi derrière les incidents, auquel cas les incidents cesseront, ou sinon, ils ne savent rien de nos tentatives de cambriolage ni des autres choses, auquel cas…

Elle fronça les sourcils, puis passa devant Harriet.

— Je dois y aller. Toby a dit que l'homme partirait bientôt.

Ignorant le regard inquiet de Harriet, Leonora se pressa vers la cuisine. Écartant d'un geste les questions d'usage sur la maison de la part de la cuisinière, de Mme Wantage, leur gouvernante, et de Castor, l'ancien majordome de son oncle, elle promit de revenir sous peu et de tout régler. Elle passa la porte matelassée pour se retrouver dans l'entrée.

Castor la suivit.

— Dois-je demander un fiacre, Mademoiselle ? Ou voulez-vous qu'un valet… ?

— Non, non.

Prenant sa cape, elle la passa sur ses épaules et ferma rapidement les cordons.

— Je sors juste dans la rue une minute. Je reviendrai directement.

Prenant son bonnet sur le portemanteau, elle le posa sur sa tête. Puis, elle se regarda dans le miroir de l'entrée et attacha rapidement les rubans. Elle jeta un œil sur son apparence. Pas parfaite, mais ça suffirait. Interroger des gentlemen inconnus n'était pas quelque chose qu'elle faisait souvent. Néanmoins, elle n'allait pas se laisser impressionner. La situation était bien trop grave.

Elle se dirigea vers la porte.

Castor se tenait devant, un vague froncement de sourcils creusant son front.

– Où devrais-je dire que vous êtes allée si Sir Humphrey ou M. Jeremy le demande ?

– Ça n'arrivera pas. Sinon, dites-leur simplement que je suis allée voir les voisins.

Ils penseront qu'elle était allée au numéro 16, pas au numéro 12.

Henrietta était assise à côté de la porte, les yeux brillants braqués sur elle, les mâchoires ouvertes, la langue pendante, pleine d'espoir…

– Reste ici.

Poussant un geignement, la chienne s'affala sur les dalles et, avec un profond dégoût, posa sa grosse tête sur ses pattes.

Leonora l'ignora. Elle fit un geste impatient vers la porte. Castor l'ouvrit, et elle se pressa de sortir sur le porche principal carrelé. En haut des marches, elle s'arrêta pour regarder la rue. Elle était, comme elle l'espérait, déserte. Soulagée, elle descendit rapidement dans le jardin fantaisiste à l'avant.

Normalement, le jardin l'aurait distraite. Du moins, elle s'y serait attardée pour le regarder. Aujourd'hui, se pressant d'emprunter le chemin principal, elle vit à peine les buissons, les baies éclatantes dansant sur les branches nues et les étranges feuilles dentelées poussant à profusion. Aujourd'hui, la création fantastique de son cousin éloigné Cedric Carling ne réussit pas à ralentir sa course précipitée vers le portail d'entrée.

Les nouveaux propriétaires du numéro 12 étaient un groupe de lords. Du moins, d'après ce que Toby avait entendu, mais qui sait ? À tout le moins, ils étaient des gentlemen de la ville. Apparemment, ils rénovaient la maison, mais aucun d'eux ne prévoyait y vivre, ce qui était indiscutablement étrange et très louche. Si l'on y ajoutait tout ce qui s'était déroulé… Elle était résolue à découvrir s'il y avait un lien.

Pendant les trois derniers mois, sa famille et elle avaient été l'objet d'un harcèlement continu visant à les persuader de vendre leur maison. La première fois, ils avaient été abordés par un agent local. Après avoir vainement tenté de les persuader de façon obstinée, l'agent avait tenu des propos qui avaient dégénéré en agressivité et en pugnacité. Néanmoins, elle avait enfin convaincu l'homme, et vraisemblablement ses clients, que son oncle ne vendrait pas.

Son soulagement fut de courte durée.

En quelques semaines, il y avait eu deux tentatives de cambriolage. Toutes deux avaient été déjouées, une par le personnel, l'autre par Henrietta. Elle aurait écarté les faits comme une coïncidence, si elle n'avait pas subi elle-même des attaques par la suite.

Celles-ci avaient été bien plus effrayantes.

Elle n'avait parlé à personne excepté Harriet de ces incidents, ni à son oncle Humphrey, ni à son frère Jeremy, ni à un autre membre du personnel. Il n'y avait aucune raison d'énerver les domestiques, et pour son oncle et son frère, si elle parvenait à leur faire croire que les incidents étaient bien arrivés et qu'ils n'étaient pas un produit de sa douteuse imagination féminine, ils auraient décidé de restreindre ses mouvements, ce qui aurait compromis sa capacité de régler le problème. Elle voulait identifier les responsables et leurs raisons, et s'assurer qu'aucun autre incident n'aurait lieu.

Tel était son but. Le gentleman d'à côté lui permettrait, l'espérait-elle, de franchir un pas de plus.

Atteignant le grand portail en fer forgé inséré dans un haut mur de pierre, elle l'ouvrit et sortit immédiatement. Puis, elle tourna à sa droite, vers le numéro 12.

Tout à coup, elle percuta un monument en marche.

– Oh!

Elle avait heurté un corps dur comme de la pierre.

Il ne bougea pas d'un centimètre, mais agit aussi vite que l'éclair.

Des mains fermes agrippèrent les bras de Leonora au-dessus de ses coudes.

Des étincelles s'embrasèrent et grésillèrent, créées par la collision. La sensation surgit de l'endroit où ses doigts l'empoignaient.

Il la tint immobile, l'empêchant de tomber.

Dans cette position, elle était également sa captive.

Ses poumons se bloquèrent. Ses yeux, écarquillés, cillèrent, puis se rivèrent à un regard noisette intense, un regard étonnamment perçant. C'est alors qu'elle remarqua qu'il se mit à cligner des yeux. Ses paupières lourdes descendirent, cachant ses yeux. Les traits de son visage, jusqu'ici finement ciselés et durs comme du granite, s'adoucirent en une expression de charme décontracté.

Ce furent ses lèvres qui changèrent le plus, passant d'une ligne rigide et déterminée à une courbe expressive charmante.

Il souriait.

Elle ramena son regard sur ses yeux et rougit.

— Je suis vraiment désolée. Je vous prie de m'excuser.

Agitée, elle recula et se libéra.

Les doigts de l'homme la relâchèrent. Ses mains glissèrent de ses bras. Était-ce son imagination, ou il exécutait ce geste à contrecœur? Sa peau frissonna. Ses nerfs étaient à vif. Étrangement essoufflée, elle dit précipitamment :

— Je ne vous ai pas vu arriver...

Son regard se dirigea derrière lui, vers la maison du numéro 12. Elle remarqua la direction de laquelle il arrivait et les arbres le long du mur mitoyen entre le numéro 12 et le numéro 14, les seuls qui auraient pu le cacher pendant son rapide examen de la rue, un peu plus tôt.

Son agitation se dissipa tout à coup. Elle le regarda et demanda :

— Vous êtes le gentleman du numéro 12?

Il ne cligna pas des yeux. Pas le moindre signe de surprise devant de si étranges salutations — presque une accusation, étant donné son ton — n'apparut sur ce visage à l'apparence charmante. Il avait des cheveux brun clair, qu'il portait légèrement plus longs que ce qui était à la mode. Ses traits étaient nettement aristocratiques. Un instant, bref mais perceptible, passa, puis il inclina la tête.

— Tristan Wemyss. Trentham, malheureusement pour moi.

Son regard la dépassa pour se poser sur le portail ouvert.

— Je suppose que vous vivez ici ?

— En effet. Avec mon oncle et mon frère.

Levant le menton, elle respira difficilement, fixa ses yeux sur les siens aux reflets verts et dorés sous ses cils noirs.

— Je suis heureuse de vous rencontrer. Je voulais savoir si vos amis et vous étiez les acheteurs qui avaient tenté d'acheter la maison de mon oncle en novembre dernier, par l'intermédiaire de l'agent Stolemore.

Le regard de Tristan revint se poser sur son visage, l'étudiant comme s'il pouvait lire plus que ce qu'elle voulait bien laisser paraître. Il était grand et avait des épaules larges. Son regard scrutateur ne lui laissait aucune occasion de le juger davantage, mais l'impression qu'elle glana fut celle d'une élégance discrète, une apparence chic derrière laquelle se cachait une force inattendue. Ses sens avaient saisi la contradiction entre ce qu'il semblait être et ce qu'il avait ressenti à l'instant où elle lui était rentrée dedans.

Ni son nom ni son titre ne lui disaient quelque chose. Elle devrait vérifier avec Debrett plus tard. La seule chose qui détonnait et qui la frappa, c'était son teint légèrement hâlé… une idée lui vint, mais captive de son regard, elle ne put identifier son impression. Ses cheveux retombaient en mèches délicates autour de son visage, encadrant son front large au-dessus de ses sourcils bruns arqués, qui étaient à présent haussés.

— Non.

Il hésita, puis ajouta :

— Nous avons entendu parler de la vente du numéro 12 à la mi-janvier par une connaissance. Stolemore s'occupait de la vente, c'est vrai, mais nous avons traité directement avec les propriétaires.

— Ah!

Sa certitude se dissipa et son agressivité s'atténua. Néanmoins, elle se sentit obligée de demander :

— Donc, vous n'étiez pas derrière les offres précédentes? Ni les autres incidents?

— Les offres précédentes? J'en déduis que quelqu'un était désireux d'acheter la maison de votre oncle?

— En effet. Très désireux.

Ils l'avaient presque rendue folle.

— Mais si ce n'était pas vous ni vos amis...

Elle s'arrêta.

— Êtes-vous sûr qu'aucun de vos amis...?

— Tout à fait sûr. Nous sommes ensemble dans ce projet depuis le début.

— Je vois.

Déterminée, elle prit sa respiration, levant son menton encore plus haut. Il avait une bonne tête de plus qu'elle. Il était difficile d'adopter une attitude sévère.

— Dans ce cas, je crois que je devrais vous demander ce que vous avez l'intention de faire avec la maison du numéro 12, maintenant que vous l'avez achetée. J'ai su que ni vos amis ni vous n'y élirez domicile.

Ses pensées — ses soupçons — étaient là pour être lues, bien claires dans ses charmants yeux bleus. Leur forme était saisissante, comme la couleur. Ils n'étaient ni violets ni simplement bleus. Ils rappelaient à Tristan les pervenches au crépuscule. Son apparition soudaine, le bref – bien trop bref – moment de collision quand, contre toute attente, elle s'était ruée dans ses bras… à la lumière de ses pensées plus tôt à son sujet, de l'obsession qui s'était construite au cours des dernières semaines pendant que, depuis la bibliothèque du numéro 12, il l'avait regardée marcher dans son jardin, la brusque présentation le laissaient songeur.

La direction évidente des pensées de Leonora le ramena rapidement sur terre.

Il haussa un sourcil, de façon légèrement arrogante.

– Mes amis et moi voulions simplement un endroit tranquille où nous rencontrer. Je peux vous assurer que notre intérêt n'est en rien malfaisant, illicite ou…

Il allait dire « socialement inacceptable » ; les matrones de la ville ne seraient probablement pas d'accord. Soutenant son regard, il dit à la place avec désinvolture :

– À faire froncer les sourcils même des plus prudes.

Loin d'être remise à sa place, elle plissa les yeux.

– Je pensais que c'était ce à quoi servaient les clubs de gentlemen. Il y a bon nombre de ce genre d'établissements à seulement quelques pâtés de maisons d'ici, à Mayfair.

– En effet. Toutefois, nous apprécions notre intimité.

Il n'allait pas expliquer les raisons de leur club. Avant qu'elle puisse penser à une façon de sonder davantage, il saisit l'occasion :

– Ces gens qui ont essayé d'acheter la maison de votre oncle, à quel point ont-ils insisté ?

Le souvenir de ses ennuis apparut dans ses yeux.

– Trop insistants. Ils étaient – ou plutôt l'agent – de vrais empoisonneurs.

– Ils n'ont jamais abordé votre oncle directement ?

Elle fronça les sourcils.

– Non. Stolemore traitait toutes leurs offres, mais c'était assez douteux.

– Comment ?

Comme elle hésitait, il émit :

– Stolemore était l'agent pour la vente du numéro 12. J'étais en route pour lui parler. Était-ce lui qui était odieux ?

Elle grimaça.

– Je ne peux pas vraiment dire que c'était lui. En fait, je soupçonne que c'était le groupe pour lequel il agissait – aucun agent ne dure dans les affaires s'il se comporte de cette façon, et parfois, il semblait embarrassé.

– Je vois.

Il saisit son regard.

– Et quels autres « incidents » sont arrivés ?

Elle ne voulait pas lui dire, espérant qu'elle n'aurait jamais à les mentionner. C'était clair dans ses yeux, dans la façon dont elle pinçait ses lèvres.

Imperturbable, il attendit simplement. Son regard se riva sur le sien, et il laissa le silence s'étirer, maintenant une attitude paisible et inébranlable. Comme plusieurs l'avaient fait auparavant, elle déchiffra son message et répondit sèchement :

– Il y a eu deux tentatives de cambriolage chez nous.

Il fronça les sourcils.

– Deux tentatives après que vous avez refusé de vendre ?

– La première, une semaine après que Stolemore eut enfin accepté son échec et fut parti.

Il hésita, mais ce fut elle qui mit ses pensées en mots.

— Bien sûr, il n'y a rien qui relie les tentatives de cambriolage à la proposition d'acheter la maison.

Sauf qu'elle croyait qu'il y avait un lien.

— Je pensais, continua-t-elle, que si vos amis et vous aviez été les mystérieux acheteurs intéressés par notre maison, ça voulait dire que les tentatives de cambriolage et…

Elle se rattrapa et prit son souffle.

— …n'étaient pas liées et qu'elles étaient dues à autre chose.

Il inclina la tête. La logique de Leonora, pour autant que c'en fût, faisait clairement penser qu'elle ne lui disait pas tout. Il se demanda s'il devait insister, lui demander catégoriquement si les cambriolages étaient les seules raisons pour lesquelles elle lui avait foncé dedans, ne respectant résolument pas les raffinements mondains. Elle jeta un rapide coup d'œil sur le portail de son oncle. L'interroger pouvait attendre. À ce moment, Stolemore pourrait être plus affable. Quand elle le regarda de nouveau, il souriait. De façon charmante.

— Je crois que vous en savez beaucoup sur moi à présent.

Comme elle clignait des yeux en le regardant, il continua :

— Étant donné que nous allons devenir des voisins en quelque sorte, je crois qu'il serait approprié que vous me donniez votre nom.

Elle le regarda, non pas avec méfiance, mais d'un air songeur. Puis, elle inclina la tête et tendit la main.

— Mlle Leonora Carling.

Le sourire de Tristan s'élargit. Il saisit ses doigts un bref instant, affecté par une forte envie de les tenir plus longtemps. Elle n'était pas mariée du tout.

— Bonjour, Mlle Carling. Et votre oncle est ?

– Sir Humphrey Carling.

– Et votre frère ?

Ses yeux revêtirent un air de plus en plus agacé.

– Jeremy Carling.

Il maintint son sourire des plus réconfortants.

– Et vous vivez ici depuis longtemps ? Le voisinage est-il paisible comme il le semble à première vue ?

Le fait qu'elle plisse les yeux lui indiqua qu'elle n'avait pas été déçue. Elle répondit seulement à sa deuxième question.

– Très paisible.

« Jusqu'à récemment. » Leonora maintint son regard troublant tant il était perçant et ajouta, de façon aussi répressive qu'elle put :

– En espérant que ça le demeure.

Elle vit ses lèvres faire un rictus avant qu'il baisse les yeux.

– En effet.

D'un signe de la main, il l'invita à parcourir avec lui les quelques pas qui les séparaient du portail.

Elle se tourna pour réaliser que son acceptation était une reconnaissance tacite qu'elle était sortie uniquement pour le rencontrer. Elle leva les yeux et saisit son regard. Elle savait qu'il avait saisi ses actes comme un aveu. Tant pis. La lueur qu'elle capta dans ses yeux noisette, un éclair qui saisit ses sens, qui lui coupa le souffle, était infiniment plus troublante.

Mais ensuite, ses cils voilèrent ses yeux, et il sourit, de façon aussi séduisante qu'avant. Elle devint de plus en plus sûre que son expression était un masque.

Il s'arrêta devant le portail et lui tendit la main.

La courtoisie la poussa à lui présenter de nouveau ses doigts.

La main de Tristan se referma. Ses yeux perçants et trop clairvoyants emprisonnèrent son regard.

– J'attends avec impatience de faire plus ample connaissance, Mlle Carling. Je vous prie de transmettre mes amitiés à votre oncle. Je passerai lui présenter mes respects d'ici peu.

Elle inclina la tête, s'accrochant timidement à un certain raffinement tandis qu'elle avait très envie de libérer ses doigts. Il lui en coûta de ne pas les agiter dans sa main. Son contact, froid, ferme et légèrement trop fort, affectait son équilibre d'une façon fort particulière.

– Bonjour, Lord Trentham.

Il la libéra et la salua élégamment.

Elle se tourna, passa le portail, puis le ferma. Ses yeux rencontrèrent brièvement les siens tandis qu'elle faisait face à la maison.

Ce lien fugace fut suffisant pour lui bloquer de nouveau la respiration.

Remontant le chemin, elle essaya de forcer ses poumons à respirer, mais elle pouvait sentir son regard encore posé sur elle. Puis, elle entendit un raclement de bottes quand il tourna et le bruit de ses pas résolus tandis qu'il se dirigeait vers la chaussée. Elle finit par inspirer, puis elle expira de soulagement. Comment se faisait-il que ce Trentham lui mette les nerfs à fleur de peau ?

Et à quel point ?

La sensation de ses doigts fermes et de sa paume légèrement calleuse autour de sa main subsistait, un souvenir sensuel gravé dans son esprit. Ce souvenir la tracassait, mais comme avant, il s'avéra insaisissable. Elle ne l'avait jamais rencontré avant, ça, elle en était sûre. Pourtant, quelque chose à son sujet lui était légèrement familier.

Secouant intérieurement la tête, elle grimpa les marches jusqu'au porche et força résolument son esprit à se concentrer sur les tâches qui l'attendaient.

*

Tristan descendit la rue Motcomb vers les quelques magasins regroupés à mi-chemin de la route qui comprenait le bureau d'Earnest Stolemore, l'agent immobilier. Sa discussion avec Leonora Carling avait aiguisé ses sens, stimulant son instinct qui, jusqu'à récemment, s'était avéré un élément crucial de sa vie quotidienne. Jusqu'à récemment, sa vie avait dépendu de cet instinct, du fait de décoder précisément ses messages et de réagir correctement.

Il n'était pas certain de ce qu'il allait faire de Mlle Carling – Leonora comme il pensait à elle, ce qui se comprenait étant donné qu'il la regardait discrètement depuis trois semaines. Elle était physiquement plus attirante qu'il ne l'avait déduit de loin, ses cheveux d'un riche acajou dans lesquels des veines de grenat brillaient, ses grands yeux en amande d'un bleu peu commun sous des sourcils bruns finement dessinés. Son nez était droit, son visage délicat, ses pommettes saillantes, sa peau pâle et sans défaut. Mais c'étaient ses lèvres qui donnaient le ton à son apparence : pulpeuses, généreuses, rose mat, elles tenteraient tout homme, lui donnant envie de les prendre, de les goûter.

Sa réaction immédiate, et la sienne, ne lui avait pas échappé. La réaction de Leonora, toutefois, l'intriguait. C'était presque comme si elle n'avait pas pris cet éclair de chaleur sensuelle pour ce qu'il était.

Ce qui ne manqua pas de soulever certaines interrogations qu'il pourrait être tenté de vérifier plus tard. À présent, toutefois, c'étaient les faits pragmatiques qu'elle avait dévoilés qui le préoccupaient.

Ses craintes à propos des tentatives de cambriolage pouvaient n'être que le produit de son imagination féminine débridée éveillée par ce qu'il présumait avoir été des tactiques d'intimidation de la part de Stolemore pour essayer de vendre la maison.

Elle avait même pu complètement imaginer les incidents.

Son instinct lui disait que ce n'était pas le cas.

Dans sa précédente profession, lire dans les gens, les juger, avait été crucial. Il avait depuis longtemps maîtrisé ce don. Leonora Carling était, il pouvait le jurer, une femme adroite, obstinée, avec une bonne veine de bon sens. Assurément pas le genre à délirer, encore moins à imaginer des cambriolages.

Si sa supposition était juste et que les cambriolages étaient reliés à la volonté des clients de Stolemore d'acheter la maison de son oncle…

Ses yeux se plissèrent. La vision complète de la raison pour laquelle elle était sortie l'affronter se constitua dans son esprit. Il ne l'approuvait assurément pas. Le visage tendu, il continua à marcher.

Jusqu'à la façade peinte en vert de l'entreprise de Stolemore. Les lèvres de Tristan s'incurvèrent. Personne voyant ce geste ne l'aurait pris pour un sourire. Il jeta un œil sur son reflet dans le verre de la porte tandis qu'il tendait la main vers la poignée, qu'il la tournait, et substitua un visage plus rassurant. Stolemore, sans aucun doute, satisferait sa curiosité.

La sonnette sur la porte retentit.

Tristan entra. Le visage rond de Stolemore n'était pas derrière son bureau. Le petit local était vide. Une porte à l'opposé de la porte principale était masquée par un rideau. Elle menait dans la toute petite maison dont le bureau était la pièce principale.

Fermant la porte, Tristan attendit, mais il n'entendit aucun bruit de pas appartenant à la démarche pesante de l'agent solidement bâti.

– Stolemore ?

La voix de Tristan résonna, bien plus forte que le tintement de la sonnette. Il attendit de nouveau. Une minute passa, et toujours aucun bruit.

Rien.

Il avait un rendez-vous, un entretien que Stolemore n'aurait pas manqué. Il avait la traite de la banque pour le paiement final de la maison dans sa poche. La vente avait été organisée de façon à ce que la commission de Stolemore fasse partie de ce dernier paiement.

Les mains dans les poches de son pardessus, Tristan était parfaitement calme, dos à la porte, le regard fixé sur le mince rideau devant lui.

Manifestement, quelque chose n'allait pas.

Il concentra son attention, puis avança lentement, très silencieusement, vers le rideau. Levant le bras, il écarta brusquement l'étoffe et se plaça simultanément sur le côté de la porte.

Le tintement des anneaux du rideau cessa.

Derrière se trouvait un étroit corridor faiblement éclairé. Il y pénétra, gardant ses épaules de biais, son dos vers le mur. À quelques pas de là, il arriva à un escalier si étroit qu'il se demanda comment Stolemore pouvait y monter. Il hésita, mais n'entendant aucun bruit d'en haut, ne sentant aucune présence, il continua à avancer dans le couloir.

Il donnait sur une toute petite cuisine construite à l'arrière de la maison.

Un corps se trouvait affalé sur les carreaux, de l'autre côté d'une table branlante qui occupait la plus grande partie de l'espace.

Par ailleurs, la pièce était déserte.

Le corps était celui de Stolemore. Il avait été sauvagement battu.

Il n'y avait personne d'autre dans la maison. Tristan en était assez sûr pour se passer de faire preuve de prudence. D'après les bleus sur le visage de Stolemore, il avait été attaqué il y a quelques heures.

Une chaise lui avait été renversée dessus. Tristan l'ôta et fit le tour de la table. Puis, il se mit à genoux à côté de l'agent. Un bref examen lui confirma que Stolemore était vivant mais inconscient. Il sembla qu'il avait chancelé pour tenter d'atteindre la poignée de la pompe installée dans le comptoir au bout de la petite cuisine. Tristan se leva et trouva un bol, qu'il plaça sous le bec. Il mania la poignée.

Un grand mouchoir dépassait de la poche du manteau chic de l'agent. Tristan le prit et s'en servit pour essuyer le visage de Stolemore.

L'agent remua, puis ouvrit les yeux.

La tension était manifeste dans le visage rond. La panique surgit dans les yeux de Stolemore, puis il se concentra et reconnut Tristan.

– Oh. Argh…

Stolemore grimaça, puis s'efforça de se lever.

Tristan saisit son bras et souleva l'agent.

– N'essayez pas de parler pour l'instant.

Il hissa Stolemore sur la chaise.

– Avez-vous du cognac ?

Stolemore indiqua un placard. Tristan l'ouvrit, trouva la bouteille et un verre, et en versa une généreuse quantité. Il donna le verre à Stolemore, reboucha la bouteille et la déposa sur la table devant l'agent.

Glissant les mains dans les poches de son pardessus, il se pencha en arrière contre l'étroit comptoir, ce qui laissa une minute à Stolemore pour reprendre ses esprits.

Mais seulement une minute.

– Qui a fait ça ?

Stolemore plissa les yeux pour le regarder à travers un œil à moitié fermé. L'autre restait complètement clos. Il prit une autre gorgée de cognac, posa son regard sur le verre, puis murmura :

– Je suis tombé dans l'escalier.

– Vous êtes tombé dans l'escalier, vous êtes rentré dans la porte et vous vous êtes cogné la tête sur la table… Je vois.

Stolemore leva fugacement les yeux vers lui, puis baissa le regard sur le verre et l'y laissa.

– C'était un accident.

Tristan laissa un moment passer, puis dit doucement :

– Si vous le dites.

Devant l'intonation de sa voix, un ton menaçant qui le fit frissonner, Stolemore leva les yeux et ouvrit la bouche. Son œil étant à présent grand ouvert, il se dépêcha de dire :

– Je ne peux rien vous dire. Je suis tenu à la confidentialité. Et ça n'a rien à voir avec vous, Monsieur. Pas du tout. Je vous le jure.

Tristan lut ce qu'il put à partir du visage de l'agent, ce qui était difficile étant donné les enflures et les contusions.

– Je comprends.

Peu importe qui s'était attaqué à Stolemore, c'était un amateur. Lui ou n'importe lequel de ses anciens camarades aurait infligé bien plus de dommages et laissé beaucoup moins de preuves.

Mais c'était inutile, étant donné l'état actuel de Stolemore, d'aller plus loin dans cette voie. Il perdrait simplement encore connaissance.

Fouillant dans sa poche, Tristan sortit la traite de la banque.

– Je vous ai apporté le dernier paiement comme convenu.

Les yeux de Stolemore se jetèrent sur le morceau de papier tandis qu'il l'agitait entre ses doigts.

– Vous avez l'acte de propriété pour que je le prenne ?

Stolemore grommela.

– Il est en lieu sûr.

Lentement, il se repoussa de la table.

— Si vous attendez une minute, je vais aller le chercher.

Tristan opina. Il regarda Stolemore boitiller vers la porte.

— Inutile de vous presser.

Une petite partie de son esprit observait l'agent qui traversait la maison d'un pas lourd, identifiant l'endroit où se trouvait le « lieu sûr » comme étant sous la troisième marche. Le reste de son esprit, cependant, alors qu'il était toujours adossé contre le comptoir, regroupait ses informations.

Et il n'aima pas le résultat obtenu.

Quand Stolemore revint, l'acte de propriété scellé avec un ruban dans une main, Tristan se redressa. Il tendit une main imposante. Stolemore lui donna l'acte. Dénouant le ruban, il déroula l'acte, le vérifia rapidement, puis l'enroula et le glissa dans sa poche.

Stolemore, la respiration sifflante, se cala de nouveau sur la chaise.

Tristan croisa son regard. Il leva la traite entre deux doigts.

— Une question, et je vous laisse.

Stolemore, le regard presque absent, attendit.

— Si je vous disais que celui ou ceux qui ont fait ça étaient les mêmes personnes qui vous ont engagé l'an passé pour négocier l'achat du numéro 14 de la place Montrose, est-ce que je me tromperais ?

L'agent n'eut pas besoin de répondre. La vérité était là dans son visage bouffi tandis qu'il suivait les mots soigneusement espacés. Ce ne fut que lorsqu'il dut décider comment répondre qu'il cessa de réfléchir.

Il cligna des yeux, douloureusement, pour rencontrer le regard de Tristan. Le sien resta éteint.

— Je suis lié par la confidentialité.

Tristan laissa une demi-minute s'écouler, puis il inclina la tête. Il donna un petit coup avec ses doigts. La traite atterrit sur la table, glissant vers Stolemore. Il dégagea une main massive et la saisit.

Tristan s'écarta du comptoir.

— Je vous laisse à vos affaires.

*

Une demi-heure après être revenue chez elle, Leonora échappa aux exigences de la maison et se réfugia dans le jardin d'hiver. La pièce aux murs et au toit vitrés était son endroit favori dans la vaste maison, sa retraite.

Ses talons claquèrent sur le sol carrelé quand elle se dirigea vers la table en fer forgé et les chaises sises dans la fenêtre en saillie. Les griffes d'Henrietta, qui la suivait, claquèrent dans un doux contrepoint.

Chauffée à cause du froid extérieur, la pièce était remplie d'une profusion de plantes — des fougères, des plantes grimpantes exotiques et des herbes aux étranges odeurs. Mélangée à ces odeurs, la légère mais convaincante senteur de terre et d'engrais était calmante et rassurante.

S'affalant sur une des chaises couvertes de coussins, Leonora regarda le jardin dehors. Elle devrait mentionner à son oncle et à Jeremy qu'elle avait rencontré Trentham. S'il passait plus tard et le mentionnait, il semblerait étrange qu'elle n'ait rien dit. Humphrey et Jeremy s'attendraient à une description de Trentham, mais formuler en mots l'image de l'homme qu'elle avait rencontré sur le trottoir il y a moins d'une heure n'était pas simple. Les cheveux bruns, grand, les épaules larges, beau, élégant, et ce, au premier regard — les caractéristiques superficielles étaient simples à définir.

Il était moins évident de décrire l'impression qu'elle avait eue d'un homme extérieurement charmant et intérieurement plutôt différent.

Cette impression tenait plus à ses traits, à l'intensité de ses yeux aux paupières lourdes, pas toujours cachés par ses longs cils, à l'ensemble déterminé et presque amer de sa bouche et de son menton avant qu'il s'adoucisse, aux traits sévères de son visage avant qu'ils s'atténuent, adoptant un masque de charme saisissant. C'était une impression soulignée par d'autres attributs physiques, comme le fait qu'il n'ait même pas tressailli quand elle lui avait foncé dedans. Elle était plus grande que la moyenne. La plupart des hommes auraient au moins reculé d'un pas.

Pas Trentham.

Il y avait d'autres anomalies aussi. Son comportement en rencontrant une lady sur laquelle il n'avait jamais posé les yeux avant et dont il ne savait rien avait été trop autoritaire, trop catégorique. Il avait carrément eu l'audace de l'interroger et il l'avait fait en sachant qu'elle l'avait remarqué, sans hésiter.

Elle était habituée à diriger la maison, en fait de diriger toutes leurs vies. Elle avait réussi dans ce rôle depuis les douze dernières années. Elle était ferme, confiante, assurée, en aucun cas intimidée par les hommes quels qu'ils soient, mais Trentham… Qu'y avait-il en lui qui la rendait pas exactement méfiante, mais vigilante, prudente ?

Le souvenir des sensations de ce que leur contact physique avait évoqué, pas une fois mais à de multiples reprises, s'intensifia dans son esprit. Elle fronça les sourcils et le réprima. Sans doute une réaction confuse de sa part ; elle ne s'était pas attendue à le heurter, et c'était plus probablement un étrange symptôme dû au choc.

Un moment passa. Elle était assise à regarder à la fenêtre, distraitement, puis elle bougea, grimaça et se concentra pour déterminer où elle en était à présent avec son problème.

En dehors de la présence troublante de Trentham, elle avait soutiré tout ce dont elle avait besoin de cette rencontre. Elle avait obtenu la réponse à sa question la plus urgente – ni Trentham ni ses amis n'étaient derrière les offres pour acheter sa maison. Elle avait accepté sa parole sans équivoque. Il y avait ce quelque chose en lui qui ne laissait aucune place au doute. De même, ses amis et lui n'étaient pas responsables des tentatives de cambriolage ni des tentatives encore plus troublantes et infiniment plus déroutantes qui lui avaient fait si peur.

Elle en était donc encore à la question de trouver l'identité des coupables.

La serrure fit un déclic. Elle se tourna tandis que Castor entrait.

– Le comte de Trentham est ici, Mademoiselle. Il demande à vous parler.

Un flux de pensées jaillit dans son esprit. Une vague de sentiments inhabituels papillonna dans son estomac.

Grimaçant intérieurement, elle les étouffa et se leva. Henrietta fit de même et se secoua.

— Merci, Castor. Mon oncle et mon frère sont-ils dans la bibliothèque ?

— Oui, Mademoiselle.

Castor lui tint la porte, puis la suivit.

— J'ai laissé ce monsieur dans le petit salon.

La tête haute, elle alla dans l'entrée principale, puis s'arrêta. Elle regarda la porte fermée du petit salon.

Et sentit quelque chose à l'intérieur d'elle se contracter.

Elle s'arrêta. À son âge, elle n'avait vraiment pas besoin de se retrouver seule à minauder pendant un certain temps dans le petit salon avec un gentleman. Elle pouvait entrer, saluer Trentham, apprendre pourquoi il avait demandé à lui parler en privé, mais elle ne voyait vraiment pas ce qu'il pouvait avoir à lui dire qui nécessitait l'intimité.

La prudence était de mise. Elle eut la chair de poule.

— Je vais aller aviser Sir Humphrey et Monsieur Jeremy.

Elle regarda Castor.

— Donnez-moi un moment et conduisez Lord Trentham dans la bibliothèque.

— Entendu, Mademoiselle, dit Castor en s'inclinant.

Il valait mieux ne pas tenter certains personnages, et elle avait de forts soupçons que Trentham en faisait partie. Avec un bruissement de jupons, elle se dirigea vers la sécurité de la bibliothèque. Henrietta avança derrière elle.

Chapitre 2

S'étendant sur tout un côté de la maison, la grande bibliothèque possédait des fenêtres qui faisaient face à la fois aux jardins avant et arrière. Si son frère et son oncle avaient été conscients de ce qui se passait à l'extérieur, ils auraient pu remarquer l'imposant visiteur qui remontait l'allée principale.

Leonora présuma qu'il n'en était rien.

Ce qu'elle vit quand elle ouvrit la porte et qu'elle entra, puis la referma doucement, confirma sa supposition.

Son oncle, Sir Humphrey Carling, était assis dans un fauteuil de biais devant le foyer, un lourd ouvrage ouvert sur les genoux, un monocle au verre assez puissant déformant son œil bleu pâle tandis qu'il plissait les yeux devant les hiéroglyphes inscrits sur les pages. Il avait été autrefois un personnage imposant, mais l'âge avait voûté ses épaules, clairsemé sa chevelure auparavant abondante et amoindri sa force physique. Les années, toutefois, n'avaient eu aucun impact perceptible sur ses facultés mentales. Il était encore vénéré dans le milieu scientifique et des amateurs d'antiquités comme l'un des deux plus grands experts dans la traduction des langues obscures.

Sa tête blanche, avec ses cheveux raréfiés disposés au hasard et longs malgré tous les efforts de Leonora, était inclinée sur son livre, l'esprit manifestement concentré... Leonora croyait que le volume venait de Mésopotamie.

Son frère, Jeremy, son cadet de deux ans et le second des deux plus grands experts à traduire les langues obscures, était assis au bureau d'à côté. La surface du bureau était envahie de livres, certains ouverts, d'autres empilés. Toutes les bonnes de la maison savaient que si elles touchaient quoi que ce soit sur ce bureau, c'était à leurs risques et périls. Malgré le désordre, Jeremy s'en rendait toujours compte immédiatement.

Il avait douze ans quand, avec Leonora, il était venu vivre avec Humphrey après la mort de leurs parents. Ils avaient alors vécu dans le Kent. Bien que la femme de Humphrey fût déjà décédée, la famille élargie avait pensé que la campagne était un environnement plus convenable pour deux enfants encore en pleine croissance et en deuil, étant donné que tout le monde avait accepté le fait que Humphrey était leur proche préféré.

Ce n'était pas une grande surprise que Jeremy, studieux depuis toujours, ait été contaminé par la passion de Humphrey de déchiffrer les mots des hommes et des civilisations depuis longtemps disparus. À vingt-quatre ans, il était déjà en voie de trouver son créneau dans cette sphère de plus en plus compétitive. Sa réputation n'avait fait que s'accroître quand, il y a six ans, ils avaient emménagé à Bloomsbury pour que Leonora puisse être présentée à la haute société sous l'égide de sa tante Mildred, Lady Warsingham.

Mais Jeremy était encore son petit frère. Elle souriait quand elle saisissait ses larges mais délicates épaules. Sa crinière de cheveux bruns, en dépit d'avoir été brossée, était perpétuellement défaite – elle était certaine qu'il y passait ses mains, mais il jurait que non, et elle ne l'avait jamais surpris.

Henrietta se dirigea directement devant la cheminée. Leonora avança, pas étonnée qu'aucun des hommes ne lève la tête. Une bonne avait une fois fait tomber un centre de table en argent sur les carreaux devant la porte de la bibliothèque, et aucun ne s'en était rendu compte.

– Mon oncle, Jeremy… Nous avons un visiteur.

Tous deux levèrent les yeux, les clignèrent pareillement, d'un air absent.

– Le comte de Trentham est ici.

Elle continua à avancer vers le fauteuil de son oncle, attendant patiemment que leurs cerveaux reviennent au monde réel.

– C'est un de nos nouveaux voisins du numéro 12.

Tous deux la suivirent des yeux, toujours distraits.

– Je vous ai dit que la maison avait été achetée par un groupe de gentlemen. Trentham est l'un d'eux. Je suppose qu'il supervise les rénovations.

– Ah. Je vois.

Humphrey ferma son livre et le déposa avec son monocle.

– Il a bien fait de venir.

Se postant derrière le fauteuil de son oncle, Leonora ne rata pas l'expression plutôt perplexe dans les yeux bruns de Jeremy. Bruns, pas noisette. Rassurants, pas acérés.

Comme les yeux du gentleman qui avançait dans la pièce à la suite de Castor.

— Le comte de Trentham.

Les présentations faites, Castor s'inclina et se retira, fermant la porte.

Trentham s'était arrêté juste devant elle, balayant ses hôtes du regard. Quand la porte émit un déclic, il sourit. Son masque charmant en premier plan, il avança vers le groupe autour de la cheminée.

Leonora hésita, soudain peu sûre d'elle.

Le regard de Trentham s'attarda sur son visage, attendant… Puis, il regarda Humphrey.

Qui saisit le bras de son fauteuil, avec un effort évident, et entreprit de se lever. Leonora s'approcha rapidement pour lui offrir sa main.

— Je vous en prie, ne vous dérangez pas, Sir Humphrey.

D'un geste gracieux, Trentham fit signe à Humphrey de se rasseoir.

— Je vous remercie du temps que vous m'accordez.

Il salua, répondant au salut formel de Humphrey.

— Je passais et j'osais espérer que vous me pardonneriez ma familiarité du fait que nous sommes en réalité voisins.

— En effet, en effet. Heureux de faire votre connaissance. J'ai su que vous faisiez des changements au numéro 12 avant de vous installer, n'est-ce pas ?

— Purement esthétiques, pour rendre l'endroit plus habitable.

Humphrey fit un signe à Jeremy.

— Permettez-moi de vous présenter mon neveu, Jeremy Carling.

Jeremy, qui s'était levé, contourna le bureau et alla lui serrer la main. Il agit au départ poliment, mais quand son regard rencontra celui de Trentham, ses yeux s'écarquillèrent. L'intérêt s'éveilla dans son visage.

– Je sais ! Vous êtes militaire, n'est-ce pas ?

Leonora regarda Trentham fixement. Comment n'avait-elle pas remarqué ? Sa posture à elle seule aurait dû l'alerter, mais ajoutée à ce teint légèrement hâlé et à ses mains rugueuses…

Son instinct d'autoprotection s'éveilla et la fit reculer mentalement.

– Un ancien militaire.

Comme Jeremy attendait, voulant manifestement en savoir plus, Trentham ajouta :

– J'étais commandant dans la Garde royale.

– Vous avez quitté l'armée ?

Jeremy avait ce que Leonora considérait comme un intérêt malsain pour les récentes campagnes militaires.

– Après Waterloo, beaucoup de nous l'ont fait.

– Vos amis sont-ils d'anciens gardes aussi ?

– Oui.

Regardant Humphrey, Trentham continua :

– C'est pourquoi nous avons acheté le numéro 12. Un endroit pour nous rencontrer plus en privé et plus tranquille que nos clubs. Nous ne sommes plus habitués à l'agitation de la ville.

– Oui, eh bien, je peux le comprendre.

Humphrey, qui n'avait jamais fait partie de la vie de la haute société de la capitale, opina avec compassion.

— Vous êtes venu dans le bon coin de Londres pour la paix et la tranquillité.

Se tournant, Humphrey leva les yeux vers Leonora et sourit.

— Nous t'avions presque oubliée, ma chère.

Il regarda de nouveau Trentham.

— Ma nièce, Leonora.

Elle fit la révérence.

Le regard de Trentham maintint le sien tandis qu'il la saluait.

— En fait, j'ai rencontré Mlle Carling plus tôt dans la rue.

« Rencontré ? » Elle intervint avant que Humphrey ou Jeremy puissent l'interroger.

— Lord Trentham partait tandis que je sortais. Il a été assez généreux pour se présenter.

Leurs regards se rencontrèrent, directement, brièvement. Elle baissa les yeux vers Humphrey.

Son oncle évaluait Trentham. Il approuvait manifestement ce qu'il voyait. Il fit un geste vers la méridienne de l'autre côté de la cheminée.

— Mais je vous en prie, asseyez-vous.

Trentham la regarda et fit un geste vers la méridienne.

— Mlle Carling ?

Le fauteuil avait deux places. Il n'y avait pas d'autre siège. Elle devait s'asseoir à côté de lui. Elle croisa son regard.

— Peut-être devrais-je commander du thé ?

Le sourire de Trentham s'émoussa.

— Pas pour moi, merci.

— Ni moi, dit Humphrey.

Jeremy secoua simplement la tête, se calant dans son fauteuil.

Prenant une profonde respiration, la tête haute de façon dissuasive, elle quitta l'arrière du fauteuil et traversa la pièce vers le bout de la méridienne près du feu et d'Henrietta, couchée en boule devant la cheminée. Trentham attendit très poliment qu'elle s'asseye, puis prit place à côté d'elle.

Il n'avait pas l'intention de la coller exprès. Il n'eut pas à le faire. Grâce à la petite taille de la méridienne, son épaule frôlait la sienne.

Les poumons de Leonora se bloquèrent. Une chaleur se répandit lentement depuis leur point de contact, glissant sous sa peau.

— J'ai su, dit-il, dès qu'il installa élégamment ses longs membres, que certaines personnes portaient un intérêt considérable à acheter cette maison.

Humphrey inclina la tête. Son regard se riva vers elle.

Elle revêtit un sourire innocent et bougea légèrement.

— Lord Trentham était en route pour aller voir Stolemore. Je lui ai mentionné que nous le connaissions.

Humphrey grogna.

— En effet ! Le goujat ! Impossible de lui mettre dans le crâne que nous n'étions pas désireux de vendre ! Heureusement, Leonora l'a convaincu.

Cette dernière phrase fut dite avec un flou suprême. Tristan conclut que Sir Humphrey n'avait aucune idée de combien Stolemore avait été insistant ni de ce que sa nièce avait été forcée de faire pour dissuader l'agent.

Il regarda de nouveau les livres empilés sur le bureau, puis les tas similaires autour du fauteuil de Sir Humphrey, les papiers et le fatras, qui étaient très éloquents sur sa vie intellectuelle. Et ses distractions intellectuelles.

– Donc ! dit Jeremy en se penchant en avant, les bras croisés sur un livre ouvert. Vous étiez à Waterloo ?

– Seulement aux abords.

Loin. Dans le camp ennemi.

– C'était une bataille très étendue.

Les yeux illuminés, Jeremy le questionna et enquêta. Tristan avait il y a longtemps surmonté la difficulté de répondre aux questions habituelles sans hésiter, donnant l'impression qu'il avait été un officier de régiment normal quand, en fait, il ne l'avait pas été du tout.

– À la fin, les alliés méritaient de gagner et les Français, de perdre. Meilleure stratégie et meilleure implication.

Et en tout, trop de vies ont été perdues dans la bataille. Il regarda Leonora. Elle fixait le feu, se distançant manifestement de la conversation. Il était bien conscient que les mères prudentes avertissaient leurs filles contre les militaires. Étant donné l'âge de Leonora, elle avait sans doute entendu toutes sortes d'histoires. Il n'aurait pas été surpris de la voir revêtir un visage impassible et se tenir résolument à l'écart.

Pourtant…

– J'ai su… dit-il en reportant son attention sur Sir Humphrey, qu'il y avait eu un certain nombre de dérangements dans le quartier.

Les deux hommes le regardèrent, incontestablement intelligents, mais pas au courant de ce qu'il disait. Il fut forcé de poursuivre.

– Des tentatives de cambriolage, je crois ?

– Ah !

Jeremy sourit avec dédain.

— Ça ! Juste un voleur qui a tenté sa chance, je pense. La première fois, le personnel était encore là. Ils l'ont entendu et l'ont aperçu, mais nul besoin de dire qu'il ne s'est pas arrêté pour donner son nom.

— La deuxième fois — Sir Humphrey reprit le récit —, Henrietta ici a fait du tapage. Pas sûr qu'il y ait vraiment eu quelqu'un, hein, ma vieille fille ?

Il frotta la tête de la chienne somnolente avec sa chaussure.

— On a eu la frousse. Ça aurait pu être n'importe quoi, mais ça nous a tous réveillés, je peux vous le dire !

Tristan détourna son regard du chien placide vers le visage de Leonora et analysa ses lèvres pincées, son expression fermée, réservée. Ses mains étaient posées sur ses genoux. Elle ne fit aucun geste pour s'interposer.

Elle était trop bien élevée pour s'opposer à son oncle et à son frère devant lui, un étranger. Et elle pouvait aussi bien avoir renoncé à la bataille consistant à vaincre leur assurance détachée et distraite.

— Peu importe ce que c'était, conclut allègrement Jeremy, le cambrioleur n'est plus là. C'est aussi tranquille qu'une tombe par ici, la nuit.

Tristan croisa son regard et fut d'accord avec le jugement de Leonora. Il aurait besoin de plus de soupçons pour convaincre Sir Humphrey ou Jeremy de prendre en compte tout avertissement. C'est pourquoi il ne dit rien de Stolemore dans les minutes qui restèrent de sa visite.

La rencontre tirait à sa fin, et il se leva. Il fit ses adieux, puis regarda Leonora. Jeremy et elle s'étaient levés aussi, mais c'était à elle qu'il voulait parler. Seule.

Il maintint son regard sur elle, laissant le silence s'étirer. Sa résistance tenace était, pour lui, évidente, mais sa capitulation vint suffisamment vite pour que son oncle et son frère restent manifestement inconscients de la bataille qui se livrait littéralement devant leur nez.

– Je vais raccompagner Lord Trentham.

Le regard qui vint avec les mots saccadés exprimait un froid glacial.

Ni Sir Humphrey ni Jeremy ne le remarquèrent. Quand, avec un élégant signe de tête, il se détourna d'eux, il put voir dans leurs yeux qu'ils étaient déjà revenus au monde qu'ils habitaient ordinairement.

L'identité de la personne qui tenait la barre de cette maison était de plus en plus claire.

Leonora ouvrit la porte et conduisit Trentham dans l'entrée principale. Henrietta leva la tête, mais pour une fois, elle ne suivit pas. Elle se réinstalla devant le feu. Son abandon frappa Leonora comme étant inhabituel, mais elle n'avait pas le temps de s'y attarder. Elle avait un comte tyrannique à chasser.

Enveloppée d'un calme froid, elle se rendit à la porte d'entrée et s'arrêta. Castor passa devant et se mit en position d'ouvrir la porte. La tête haute, elle rencontra les yeux noisette de Trentham.

– Merci de votre visite. Je vous souhaite une agréable journée, Monsieur.

Il sourit avec quelque chose d'autre que du charme dans son expression et lui tendit la main.

Elle hésita. Il attendit… jusqu'à ce que les bonnes manières la forcent à introduire ses doigts dans sa main.

Son sourire douteux s'élargit tandis que sa main se refermait fermement autour de la sienne.

— Pourriez-vous m'accorder quelques minutes de votre temps ?

Sous ses paupières lourdes, son regard était dur et catégorique. Il n'avait aucune intention de la libérer avant qu'elle adhère à sa volonté. Elle essaya de libérer ses doigts. Sa main se referma légèrement, assez pour lui assurer qu'elle n'y parviendrait pas. Qu'elle ne le ferait pas. Pas avant qu'il le lui permette.

Sa colère s'intensifia. Elle laissa son incrédulité — « Comment osait-il ? » — se manifester dans ses yeux.

L'extrémité des lèvres de Tristan s'incurva.

— J'ai des nouvelles qui vous intéresseront.

Elle s'interrogea deux secondes, puis, sur le principe qu'on ne sciait pas la branche sur laquelle on était assis, elle se tourna vers Castor.

— Je vais raccompagner Lord Trentham au portail. Laissez la porte déverrouillée.

Castor s'inclina et ouvrit la porte. Elle laissa Trentham la conduire dehors. Il s'arrêta sur le porche. La porte se ferma derrière eux. Il regarda derrière lui tandis qu'il la libérait, puis il croisa son regard et fit un signe vers le jardin.

— Vos jardins sont surprenants. Qui les plante, et pourquoi ?

Présumant que, pour une raison quelconque, il voulait s'assurer qu'on ne les entendrait pas, elle descendit les marches à ses côtés.

— Cedric Carling, un cousin éloigné. C'était un herboriste célèbre.

— Votre oncle et votre frère, quel est le principal champ d'intérêt ?

Elle lui expliqua tandis qu'ils descendaient le chemin sinueux jusqu'au portail.

Les sourcils dressés, il la regarda.

— Vous venez d'une famille d'experts sur des sujets peu ordinaires.

Il la fixa de ses yeux noisette.

— Quelle est votre spécialité ?

La tête haute, elle s'arrêta et croisa directement son regard.

— Je crois que vous avez des nouvelles qui, d'après vous, m'intéresseraient.

Son ton était purement glacial. Il sourit. Pour une fois, sans charme ni ruse. Son expression, étrangement rassurante, la réchauffa. La fit fondre.

Elle en repoussa l'effet et garda les yeux sur les siens, qui l'observaient comme si toute légèreté était partie et que le sérieux avait pris le contrôle.

— J'ai rencontré Stolemore. Il avait reçu toute une raclée, très récemment. D'après ce qu'il a laissé transparaître, je crois que son châtiment était dû à son échec à réussir à obtenir la vente de la maison de votre oncle pour son mystérieux acheteur.

La nouvelle la bouleversa plus qu'elle ne voulut bien le dire.

— A-t-il donné une indication sur qui...?

Trentham secoua la tête.

— Aucune.

Ses yeux cherchèrent les siens. Elle pinça ses lèvres. Après un moment, il murmura :

— Je voulais vous avertir.

Elle étudia son visage et se força à demander :

— De quoi ?

Les traits de Tristan ressemblèrent de nouveau à du granite ciselé.

— Contrairement à votre oncle et votre frère, je ne crois pas que votre cambrioleur ait battu en retraite.

***

Il avait fait ce qu'il avait pu. Il n'avait pas l'intention d'en faire plus. En fait, il n'en avait pas le droit. Étant donné la situation familiale des Carling, il était plus avisé de ne pas s'impliquer.

Le lendemain matin, assis à l'extrémité de la table du petit salon de la propriété Trentham, Tristan lisait rapidement le journal, tout en gardant une oreille sur les jacassements des six femmes qui habitaient là et qui avaient décidé de se joindre à lui pour le thé et le petit déjeuner, et, par ailleurs, gardait la tête baissée.

Il devait, et il en était bien conscient, faire une reconnaissance dans la haute société pour trouver une femme qui lui conviendrait, mais il ne retirait aucun enthousiasme devant cette tâche. Bien sûr, toutes ces petites dames le regardaient comme des vautours, attendant un signe quelconque impliquant qu'il appréciait leur aide.

Elles le surprenaient en se montrant suffisamment sensibles pour ne pas pousser leur aide trop loin. Il espérait sincèrement qu'elles poursuivraient sur cette voie.

– Pouvez-vous me passer la marmelade, Millie ? Avez-vous su que Lady Warrington s'était fait copier son collier de rubis ?

– Copié ? Grand dieu ! Vous en êtes sûre ?

– Je le tiens de Cynthia Cunningham. Elle jure que c'est vrai.

Leur accent scandalisé s'atténua tandis que l'esprit de Tristan se reportait aux événements de la veille.

Il n'avait pas l'intention de retourner à la place Montrose après avoir vu Stolemore. Il avait quitté le bureau de la rue Motcomb en réfléchissant. Quand il avait ensuite levé les yeux, il était place Montrose, devant le numéro 14. Il avait cédé à son instinct et était entré.

Globalement, il était heureux de l'avoir fait. Le visage de Leonora Carling quand il lui avait parlé de ses soupçons était resté gravé en lui longtemps après son départ.

– Avez-vous vu Mlle Levacombe faire de l'œil à Lord Mott ?

Levant une des feuilles de son journal, il la tint devant son visage.

Il avait été choqué de son propre empressement, incontestable et immédiat, à utiliser la force afin d'extraire de l'information de Stolemore. Il est vrai qu'il avait été formé pour être complètement impitoyable dans la recherche de renseignements cruciaux. Ce qui le choquait, c'était que, par une certaine perversion de son esprit, l'information en lien avec les menaces contre Leonora Carling avait atteint le statut de

« cruciale » pour lui. Avant hier, un tel statut était réservé seulement au roi et au pays.

Mais il avait fait tout ce qu'il pouvait légitimement faire. Il l'avait avertie. Et peut-être que son frère avait raison et qu'ils ne reverraient plus de cambrioleurs.

— Monsieur, l'entrepreneur de la place Montrose a envoyé un garçon avec un message.

Tristan leva les yeux devant son majordome, Havers, qui était venu se placer près de son coude. Autour de la table, les discussions se turent. Il réfléchit, puis haussa intérieurement les épaules.

— Quel est le message ?

— L'entrepreneur pense qu'il y a eu une effraction. Rien de majeur, mais il voudrait que vous veniez voir avant d'agir.

Soutenant le regard de Tristan, Havers donnait l'impression que le message était plus grave.

— Le garçon attend dans l'entrée, si vous voulez envoyer une réponse.

Son mauvais pressentiment et son instinct poussèrent Tristan à poser sa serviette sur la table et à se lever. Il inclina la tête en direction d'Ethelreda, de Millicent et de Flora, toutes des cousines âgées très éloignées.

— Si vous voulez bien m'excuser, Mesdames, des affaires m'attendent.

Il se tourna, les laissant en émoi, la pièce s'enveloppant d'un silence éloquent.

Les jacassements devinrent un vrai déluge quand il passa dans le couloir.

Dans l'entrée, il enfila son pardessus et mit ses gants. Faisant un signe de tête au garçon de l'entrepreneur, qui semblait impressionné, les yeux écarquillés avec émerveillement tandis qu'il s'imbibait des riches ornements de l'entrée, Tristan se tourna vers la porte principale, qu'un valet ouvrit.

Il sortit et descendit les marches donnant sur la rue Green. Le garçon de l'entrepreneur sur les talons, il se dirigea vers la place Montrose.

*

— Vous voyez ce que je veux dire ?

Tristan opina. Billings et lui se tenaient dans la cour arrière du numéro 12. Il se pencha et examina les minuscules éraflures sur la fermeture de la fenêtre à l'arrière de ce qui, dans quelques jours, serait le Bastion Club. C'était une partie de l'« effraction » que Billings voulait qu'il voie.

— Votre artisan a de bons yeux.

— Oui. Et il y a une ou deux choses troublantes comme ça. Des outils que nous laissions toujours ici ont été déplacés.

— Ah ? dit Tristan en se redressant. Où ?

Billings fit un geste vers l'intérieur. Ensemble, ils entrèrent dans la cuisine. Billings prit un petit couloir menant à une porte secondaire sombre. Il fit un geste vers le sol devant celle-ci.

— Nous laissons nos affaires ici la nuit, hors de vue des curieux.

Le groupe d'ouvriers travaillait. Des bruits sourds et un régulier *scritch-scratch* descendaient des étages au-dessus. Quelques outils restaient devant la porte, mais des marques dans la fine poussière où d'autres se trouvaient étaient clairement visibles.

Avec des empreintes de pas, près du mur.

Tristan s'accroupit. Un regard plus proche confirma que les empreintes avaient été faites par les chaussures à semelle de cuir d'un gentleman, pas par les bottes de travail lourdes que les ouvriers portaient.

Il était le seul gentleman à être allé dans la maison récemment, certainement pendant la période où la couche de sciure de bois était tombée, et il ne s'était pas approché de cette porte. En plus, l'empreinte était trop petite. C'était assurément celle d'un homme, mais pas la sienne. Se levant, il regarda la porte. Une lourde clé était dans le verrou. Il la prit, se tourna et repartit vers la cuisine, où les fenêtres permettaient à la lumière de s'infiltrer.

Des taches de cire révélatrices étaient visibles, à la fois le long de la tige et sur son panneton.

Billings regarda autour de son épaule. Les soupçons assombrirent son visage.

— Une copie ?

Tristan grogna.

— On dirait bien.

— Je vais commander de nouvelles serrures.

Billings était indigné.

— Jamais une telle chose ne s'est produite avant.

Tristan fit tourner la clé dans ses doigts.

— Oui, commandez de nouvelles serrures. Mais ne les installez pas avant que je vous le dise.

Billings le regarda, puis opina.

— Bien, Monsieur. Je le ferai.

Il s'arrêta, puis ajouta :

— Nous finissons le deuxième étage, si vous voulez jeter un œil ?

Tristan leva les yeux et opina.

– Je vais juste remettre ceci.

Il aligna minutieusement la clé précisément comme elle était, de sorte qu'elle n'empêche pas une autre clé d'être insérée depuis l'extérieur. Faisant un signe à Billings d'avancer, il le suivit en haut de l'escalier de la cuisine vers le rez-de-chaussée. Là, les ouvriers étaient occupés à préparer ce qui serait un confortable salon et une salle à manger intime avec les dernières touches de peinture et de vernis. Les seules autres pièces à ce niveau étaient un petit salon à côté de la porte principale, dont les membres du club avaient voulu qu'elle soit à part pour rencontrer les femmes qu'ils pouvaient être forcés de recevoir, une loge pour le gardien et un bureau plus grand, vers le fond, pour le majordome du club.

Grimpant l'escalier dans le sillage de Billings, Tristan s'arrêta au premier étage pour jeter rapidement un œil sur la peinture et le vernis de la bibliothèque et de la salle de réunion, avant de se diriger au deuxième étage, où se situaient les trois chambres à coucher. Billings le conduisit dans chaque chambre, soulignant les finitions et les touches particulières qu'elles avaient nécessitées. Toutes étaient terminées.

Les chambres sentaient le neuf. Propres et fraîches, mais grandes et solides. Malgré le froid de l'hiver, il n'y avait aucune trace d'humidité.

– Excellent.

Dans la plus grande chambre, celle au-dessus de la bibliothèque, Tristan rencontra le regard de Billings.

– Je vous recommanderai, vos hommes et vous.

Billings inclina la tête, acceptant le compliment avec une fierté d'artisan.

— À présent — Tristan pivota vers la fenêtre ; comme la bibliothèque en dessous, elle offrait une excellente vue du jardin à l'arrière de la maison des Carling —, combien de temps cela prendra-t-il avant que le personnel puisse s'installer ? Étant donné notre visiteur nocturne, je veux que quelqu'un reste ici le plus tôt possible.

Billings réfléchit.

— Nous n'avons plus grand-chose à faire dans les chambres des combles. Nous pourrions les finir demain dans l'après-midi. La cuisine et l'escalier du bas prendront un jour ou deux de plus.

Le regard rivé sur Leonora, qui errait dans le jardin avec son chien à côté, Tristan hocha la tête.

— Ce sera parfait. Je vais envoyer chercher notre majordome. Il sera ici tard demain. Il se nomme Gasthorpe.

— M. Billings !

L'appel venait du bas de l'escalier. Billings se tourna :

— S'il n'y a rien d'autre, Monsieur, j'irais travailler.

— Merci, non. Tout me semble très satisfaisant. Je sortirai seul.

Tristan lui fit signe de se retirer et reçut un hochement de tête révérencieux en retour, avant que Billings parte.

Des minutes passèrent. Les mains dans les poches de son pardessus, Tristan resta devant la fenêtre à regarder la gracieuse silhouette qui flânait au loin dans le jardin en dessous. Et il essaya de comprendre ce qui le conduisait à agir comme il s'apprêtait à le faire. Il pouvait rationaliser ses actions, certainement, mais ses raisons logiques étaient-elles toute la vérité ? La vérité absolue ?

Il regarda le chien se presser contre Leonora et la vit baisser les yeux, puis tendre la main pour caresser l'énorme tête du chien, levée en signe d'adoration canine.

Il se détourna en maugréant. Jetant un dernier regard autour de lui, il se dirigea en bas.

***

— Bonjour.

Il adressa son sourire des plus charmants au vieux majordome, y ajoutant juste une pointe de sympathie masculine mêlée à un certain entêtement féminin.

— J'aimerais parler à Mlle Carling. Elle se promène dans le jardin derrière la maison en ce moment. Je vais l'y retrouver.

Son titre, son allure et la coupe parfaite de son manteau — ainsi que sa légère effronterie — finirent par gagner. Après une brève hésitation, le majordome inclina la tête.

— En effet, Monsieur. Si vous voulez bien me suivre ?

Il suivit le vieil homme dans l'entrée, puis dans un salon douillet. Un feu crépitait dans l'âtre. Une broderie à peine commencée était posée sur une petite desserte.

Le majordome indiqua les deux portes-fenêtres entrouvertes.

— Si vous voulez sortir.

Tristan opina et s'exécuta, émergeant sur une petite terrasse pavée qui donnait sur le jardin. Descendant les marches, il fit le tour de la maison et aperçut Leonora en train d'examiner des fleurs de l'autre côté du jardin principal. Elle regardait dans l'autre direction. Il se dirigea vers elle. Tandis qu'il approchait, la chienne le sentit et se tourna, sur le qui-vive, mais il attendit pour juger ses intentions.

Grâce à la pelouse, Leonora ne l'entendit pas. Il était encore à quelques mètres quand il dit :

– Bonjour, Mlle Carling.

Elle pivota. Elle le regarda, puis jeta un œil – presque accusateur – vers la maison.

Il cacha un sourire.

– Votre majordome m'a fait entrer.

– En effet ! Et à quoi dois-je ce plaisir ?

Avant de répondre à ses salutations froides et nettement piquantes, il tendit une main vers la chienne. L'animal l'observa, l'accepta, nicha sa tête sous sa paume, l'invitant à le caresser. Il le fit, puis se tourna vers la femme moins docile.

– Est-ce que je me trompe, ou votre oncle et votre frère ne sont pas au courant des menaces ininterrompues résultant des tentatives de cambriolage ?

Elle hésita et grimaça.

Il glissa ses mains dans les poches de son pardessus. Elle ne lui avait pas tendu la main, et il n'était pas assez idiot pour jouer avec le feu. Il scruta son visage. Comme elle restait silencieuse, il murmura :

– Votre loyauté est tout à votre honneur, mais dans les circonstances, elle pourrait ne pas être votre meilleur choix. D'après moi, il y a quelque chose – une action – dont les deux tentatives de rentrer ici font partie. Ce ne sont pas des actes limités en soi, mais des incidents faisant partie d'un tout qui n'est pas fini.

Cette description atteignit son but. Il vit l'apparition d'un lien dans ses yeux.

— Je soupçonne que des incidents ont déjà suivi et que d'autres sont certainement à venir.

Il n'avait pas oublié qu'il y avait plus, quelque chose en plus des cambriolages qu'elle ne lui avait pas encore dit. Mais c'était le maximum qu'il osait faire pour insister auprès d'elle. Elle n'était pas le genre qu'il pouvait intimider ou forcer. Il était très compétent dans les deux rôles, mais avec certains, ça ne fonctionnait jamais. Et il voulait qu'elle coopère, qu'elle ait confiance.

Sans ça, il ne pourrait pas découvrir tout ce qu'il avait besoin de savoir. Et pourrait ne pas réussir à ôter la menace qu'il sentait peser sur elle.

Leonora maintint son regard et se souvint qu'elle devait se méfier des militaires. Même les anciens militaires. Ils étaient assurément les mêmes. Des gens sur lesquels on ne pouvait pas compter. On ne pouvait pas non plus se fier à ce qu'ils disaient et encore moins à ce qu'ils promettaient. Mais alors, pourquoi était-il là ? Qu'est-ce qui l'avait poussé à revenir ? Elle inclina la tête, le regardant plus attentivement.

— Rien ne s'est passé récemment. Peut-être que le tout dont font partie — elle fit un geste — ces cambriolages ne se situe plus ici.

Il laissa un moment s'écouler, puis murmura :

— Ça ne semble pas être le cas.

Il se tourna, fit face à la maison et scruta son volume. C'était la plus vieille maison de la rue, construite sur une plus grande surface que les maisons qui, dans les dernières années, avaient été érigées de chaque côté, leurs murs étant mitoyens à la fois à gauche et à droite.

— Votre maison a des murs mitoyens, probablement des murs de fondation aussi, avec les maisons de chaque côté.

Elle suivit son regard, jetant un œil vers la maison, même si elle n'avait nul besoin de vérifier ce fait.

— Oui, dit-elle en fronçant les sourcils et en suivant sa logique.

Comme il n'ajouta rien, mais qu'il resta simplement à côté d'elle, elle serra ses lèvres et, plissant les yeux, elle le regarda.

Il attendit pour saisir son regard. Ils se fixèrent. Pas vraiment pour rivaliser, mais pour reconnaître leurs résolutions et leurs forces.

— Que s'est-il passé ?

Elle savait que quelque chose avait eu lieu ou qu'il avait découvert un nouvel indice.

— Qu'avez-vous appris ?

Malgré son apparente expression, son visage était difficile à décoder. Une seconde passa, puis il sortit une main de la poche de son pardessus.

Et prit la sienne.

Il glissa ses doigts autour de son poignet, puis sa main autour de la partie la plus fine et l'y enferma. En prit possession.

Elle ne l'arrêta pas, ne le pouvait pas. Tout en elle s'apaisa à son contact. Puis, elle frémit. La chaleur de sa main enveloppa la sienne. De nouveau, elle ne pouvait plus respirer.

Mais elle était de plus en plus habituée à sa réaction, assez pour prétendre l'ignorer. Levant la tête, elle fronça un sourcil, l'air nettement interrogateur.

— Venez. Marchez avec moi. Et je vous expliquerai.

Un défi. Ses yeux noisette restèrent rivés sur les siens, puis il l'attira vers lui, posa sa main sur sa manche tandis qu'il s'approchait à côté d'elle.

Elle respira avec difficulté, pencha la tête et se mit en marche à côté de lui. Ils traversèrent la pelouse, repartant en direction du petit salon. Ses jupes bruissèrent au contact des bottes de Tristan, dont la main maintenait la sienne sur son bras.

Elle était étonnamment consciente de sa force, de sa puissance purement masculine près, si près, d'elle. Il y avait de la chaleur aussi, une flamme dont la présence était attirante. Le bras sous ses doigts était comme de l'acier, mais chaud, vivant. Le bout de ses doigts lui démangeait, sa paume la brûlait. Toutefois, avec un effort de volonté, elle se força à fonctionner.

— Alors ?

Elle le regarda de biais, aussi froidement que possible.

— Qu'avez-vous découvert ?

Ses yeux noisette se durcirent.

— Il y a eu un curieux incident à la maison voisine. Quelqu'un est entré de force, mais prudemment. Ils ont agi le plus discrètement possible pour n'alerter personne et ils n'ont rien pris.

Il s'arrêta, puis ajouta :

— Rien, à part l'empreinte de la clé de la porte secondaire.

Elle digéra l'information et sentit ses yeux s'agrandir.

— Oh non, ils sont revenus.

Il opina, faisant un rictus. Il regarda le numéro 12, puis elle.

— Je vais rester pour surveiller.

Elle s'arrêta.

— Cette nuit ?

— Cette nuit et demain. Je doute qu'ils attendent longtemps. La maison est presque prête à être occupée. Peu importe ce qu'ils cherchent…

— Il serait préférable qu'ils en finissent maintenant, avant que votre personnel ne s'installe.

Elle pivota pour lui faire face, essayant de se servir de ce mouvement pour libérer sa main.

Il baissa son bras, mais referma sa main plus fermement sur la sienne.

Elle feignit de ne pas s'en rendre compte.

— Vous me tiendrez au courant — nous, en fait — de ce qui se passera ?

— Bien sûr.

Sa voix était légèrement plus basse, plus sonore, pénétrant en elle.

— Qui sait ? Nous pourrions même découvrir la raison derrière… tout ce qui s'est passé avant.

Elle garda les yeux grands ouverts.

— En effet. Ce serait un soulagement.

Quelque chose — une pointe non pas de rire, mais d'approbation narquoise — parut dans le visage de Tristan. Ses yeux restèrent rivés sur les siens. Puis, après réflexion, il bougea ses doigts et caressa la peau délicate à l'intérieur de son poignet.

Les poumons de Leonora se bloquèrent. Fortement. Au point qu'elle se sentit défaillir.

Elle n'aurait jamais cru qu'un simple contact puisse l'affecter autant. Elle dut baisser les yeux et regarder l'objet de son trouble. Réalisant à cet instant que cela ne devait pas se passer, elle se força à avaler sa salive, à masquer sa réaction et à laisser transparaître l'effet convenable souhaité.

Continuant à regarder la main qui tenait la sienne, elle déclara :

— Je sais que vous venez tout récemment de revenir dans la société, mais cela n'était vraiment pas la chose à faire.

Elle avait l'intention que sa déclaration soit froidement distante, rigoureusement sévère ; à la place, sa voix sembla tendue, crispée, même à ses propres oreilles.

— Je sais.

La teneur de ces mots ramena brusquement ses yeux sur son visage. Sur ses yeux. Et sur l'intention qu'ils contenaient.

Bougeant de nouveau avec une délibération qu'elle trouvait choquante, il soutint son regard stupéfait et porta sa main…

À ses lèvres.

Il effleura ses articulations, puis, soutenant toujours son regard, il tourna sa main, à présent ramollie, et déposa un baiser — chaud — dans sa paume.

Levant la tête, il hésita. Ses narines frémirent légèrement, comme s'il respirait son odeur. Puis, ses yeux se posèrent sur les siens. Les capturèrent. Les maintinrent ainsi tandis qu'il penchait la tête de nouveau et posait ses lèvres sur son poignet.

À l'endroit où son pouls battait comme celui d'une biche effrayée.

La chaleur émergea de son contact, remonta son bras et pénétra dans ses veines.

Si elle avait été une femme plus faible, elle se serait effondrée à ses pieds.

L'expression dans les yeux de Tristan la maintint debout, la faisant réagir en raidissant sa colonne et en redressant la tête. Màis elle n'osa pas ôter ses yeux des siens.

Son air de prédateur ne faiblit pas, mais finalement, ses cils descendirent, cachant ses yeux.

Sa voix, quand il parla, était plus grave, tel un grondement subtilement mais assurément menaçant.

— Occupez-vous de votre jardin.

Et de nouveau, il saisit son regard.

— Laissez-moi les cambrioleurs.

Il libéra sa main, puis il hocha la tête, se tourna et s'éloigna sur la pelouse vers le petit salon.

*

« Occupez-vous de votre jardin. »

Il n'avait pas parlé de plantes. « Occupez-vous de votre foyer » était l'injonction la plus commune qu'on adressait aux femmes pour qu'elles concentrent leur énergie dans la sphère de la société que l'on considérait comme appropriée pour elles — leur mari et leurs enfants, leur maison.

Leonora n'avait ni mari ni enfants et n'appréciait pas qu'on le lui rappelle. Surtout après les caresses expertes de Trentham et les réactions sans précédent qu'elles avaient provoquées.

Que pensait-il qu'il faisait ?

Elle soupçonnait qu'il le savait, ce qui ne fit qu'intensifier sa colère.

Elle s'occupa le reste de la journée, éliminant toute occasion de s'attarder sur ces moments passés dans le jardin, de réagir à l'incitation qu'elle avait sentie dans les mots de Trentham, de laisser le contrôle à sa colère et de la laisser la mener.

Même quand le capitaine Mark Whorton avait demandé à être libéré de leurs fiançailles alors qu'elle s'attendait à ce qu'il fixe le jour de leur mariage, elle ne s'était pas permis de perdre le contrôle. Elle avait depuis longtemps accepté la responsabilité de sa propre vie. S'orienter sur un chemin sûr lui permettait de garder la barre bien en main.

Et de ne permettre à aucun homme, peu importe son expérience, de la provoquer.

Après le déjeuner avec Humphrey et Jeremy, elle passa l'après-midi à rendre des visites de courtoisie, d'abord à ses tantes, qui furent ravies de la voir même si elle se présentait intentionnellement trop tôt pour rencontrer un des dandys qui honoreraient plus tard de leur présence le salon de sa tante Mildred, et par la suite, à un certain nombre de parents plus âgés à qui elle avait pour habitude de rendre visite. Qui sait quand les vieilles dames avaient besoin d'aide ?

Elle rentra à dix-sept heures pour superviser le dîner, s'assurant que son oncle et que son frère se souviendraient de manger. Une fois le repas consommé, ils se retirèrent dans la bibliothèque.

Elle se réfugia dans le jardin d'hiver.

Pour évaluer les révélations de Trentham et décider comment agir pour le mieux.

Assise sur sa chaise préférée, les coudes sur la table en fer forgé, elle ignora son décret et fit dévier son esprit vers les cambrioleurs.

Un point était incontestable. Trentham était un comte. Même si l'on était en février et que la haute société diminuait par conséquent dans les rues de la ville, il était sans doute attendu à des dîners ou autres, invité à des soirées élégantes. Sinon, il irait sûrement dans ses clubs pour jouer et profiter de la compagnie de ses pairs. Et sinon, il y avait toujours les demi-mondes. Étant donné l'aura de sexualité prédatrice qu'il dégageait, elle n'était pas assez naïve pour croire qu'il n'était pas habitué à ces lieux de prédilection.

Lui laisser les cambrioleurs ? Elle étouffa un grognement de dédain.

Il était vingt heures et il faisait noir derrière la vitre. La maison voisine, le numéro 12, se dressait là, un bloc noir dans l'obscurité. Sans lumière aux fenêtres ni rien qui filtrait entre les rideaux, il était facile de deviner qu'elle était inhabitée.

Elle s'était bien entendue avec le vieux M. Morrissey. Vieux chenapan irascible, il n'en demeurait pas moins content de ses visites. Il lui avait manqué quand il était mort. La maison était revenue à Lord March, un lointain parent qui, ayant une demeure parfaitement convenable à Mayfair, n'avait pas eu besoin de la maison de Belgravia. Elle n'avait pas été surprise qu'il la vende.

Trentham ou ses amis connaissaient apparemment ce monsieur. Comme lui, Trentham était probablement en ce moment en train de se préparer à passer une nuit en ville.

Se penchant en arrière sur sa chaise, elle tira sur le petit tiroir récalcitrant qui se trouvait sous la table ronde. Réussissant enfin à l'ouvrir, elle regarda la grande et lourde clé qui s'y trouvait, à moitié cachée par de vieilles listes et notes.

Elle fouilla dans le tiroir et en sortit la clé, qu'elle posa sur la table.

Trentham avait-il pensé à changer les serrures ?

Chapitre 3

Tristan ne pouvait risquer d'allumer une allumette pour regarder sa montre. Stoïquement, il appuya plus confortablement ses épaules contre le mur de la loge du gardien près de l'entrée principale et attendit.

Autour de lui, l'enceinte du Bastion Club demeurait silencieuse. Vide. À l'extérieur, un vent violent soufflait, envoyant des rafales de neige fondue se projeter sur les fenêtres. Il estima qu'il était plus de vingt-deux heures. Avec un temps si glacial, le cambrioleur n'attendrait probablement pas beaucoup après minuit.

Pour lui, attendre ainsi, silencieux et immobile dans le noir, pour voir ou rencontrer un criminel ou être témoin d'un événement illégal avait été banal jusqu'à récemment. Il n'avait pas oublié comment faire passer le temps, comment détacher son esprit de son corps pour qu'il soit telle une statue, les sens éveillés, sensible à tout ce qui l'entourait, prêt à réagir au moindre mouvement, alors que son esprit errait, le gardant occupé et éveillé mais ailleurs.

Malheureusement, cette nuit, il n'appréciait pas la direction dans laquelle son esprit voulait aller. Leonora Carling était une distraction certaine. Il avait passé la plus grande partie de la journée à se faire la leçon sur le manque de bon sens d'approfondir la réaction sensuelle qu'il suscitait chez elle — et qu'elle, de la même façon, voire plus fortement, suscitait chez lui.

Il était bien conscient qu'elle ne l'avait pas reconnue pour ce qu'elle était. Qu'elle ne l'avait pas vue comme un danger, en dépit de sa grande sensibilité. Une telle naïveté aurait normalement refroidi ses ardeurs. Mais pour une raison indue, elle ne faisait que stimuler son appétit.

Son attirance envers elle était une complication dont il n'avait assurément pas besoin. Il devait trouver une femme, et au plus vite. Il lui fallait une femme douce, docile, gentille, qui ne lui causerait aucune angoisse existentielle, qui gérerait ses maisons, tiendrait sa troupe de parentes âgées bien en main, et qui, en plus, se consacrerait à porter ses enfants et à les élever. Il ne s'attendait pas à ce qu'elle passe beaucoup de temps avec lui. Il avait été seul pendant trop longtemps. Il préférait maintenant qu'il en soit ainsi.

Avec le tic-tac de l'horloge qui lui rappelait constamment les termes scandaleux des volontés de son grand-oncle, il ne pouvait se permettre d'être distrait par une harpie irritable, entêtée et à l'esprit indépendant, le genre de femme qu'il soupçonnait être célibataire par choix et qui, de plus, devait posséder une langue acerbe et, quand elle choisissait de l'utiliser, une hauteur nettement glaciale.

Il était inutile de penser à elle.

Or, il ne semblait pas pouvoir s'arrêter.

Il bougea, détendit ses épaules, puis s'adossa de nouveau. Entre la gestion de son héritage, le fait de devoir s'habituer à avoir au quotidien une tribu de vieilles dames dans ses jambes, habitant ses propriétés et lui compliquant la vie, et en plus de devoir se préoccuper de la meilleure façon de protéger une femme, il avait écarté le sujet futile d'une maîtresse ou d'une autre solution pour assouvir sa sexualité.

Avec du recul, ce n'était pas une décision raisonnable.

Leonora l'avait bousculé et avait provoqué des étincelles. Leurs échanges subséquents n'avaient pas éteint la flamme. Son dédain altier avait été l'équivalent d'un défi éhonté, un de ceux auxquels il réagissait instinctivement.

Sa ruse de ce matin d'utiliser leur rapport sensuel pour la distraire des cambrioleurs, bien qu'étant une bonne tactique, s'était avérée imprudente pour lui. Il l'avait su immédiatement, pourtant il avait saisi de sang-froid la seule arme censée lui offrir la plus grande chance de succès. Sa priorité était de s'assurer que son esprit était rivé sur des choses autres que le présumé cambrioleur.

À l'extérieur, le vent hurlait. Il se redressa de nouveau, s'étira en silence, puis se réinstalla contre le mur.

Heureusement pour tous les deux, il était trop vieux, trop avisé et bien trop expérimenté pour laisser le désir dicter ses actions. Pendant la journée, il avait trouvé un plan pour affronter Leonora. Étant donné qu'il était tombé sur ce mystère et qu'elle, peu importe ce que son oncle et son frère pensaient, en était menacée, et étant donné sa formation et sa nature, il était compréhensible, voire juste et nécessaire, qu'il résolve le problème et écarte toute menace. Par la suite, il la laisserait seule.

Le frottement de métal sur de la pierre au loin le saisit. Ses sens se concentrèrent, s'aiguisèrent, se déployant pour saisir tout indice supplémentaire de la présence du cambrioleur à proximité.

C'était un peu plus tôt que ce qu'il aurait cru, mais peu importe qui il était, c'était très probablement un amateur.

Tristan était revenu à la maison à vingt heures, entrant par l'allée de derrière, où les ombres du jardin le cachaient. Pénétrant par la cuisine, il avait remarqué que les ouvriers avaient laissé seulement quelques outils rassemblés dans un coin. La porte secondaire était comme il l'avait laissée, la clé dans la serrure, mais pas tournée, le panneton non engagé. Tous les éléments réunis, il s'était retiré dans la loge du gardien, laissant la porte en haut de l'escalier de la cuisine ouverte par une brique.

La loge du gardien offrait une vue dégagée de l'entrée, de l'escalier menant en haut et de la porte de l'escalier de la cuisine. Personne ne pouvait entrer par le rez-de-chaussée ou les étages supérieurs et accéder au sous-sol sans qu'il le voie.

Non pas qu'il s'attendait à ce que quelqu'un entre de cette façon, mais il voulait laisser la voie libre pour surprendre le cambrioleur qui serait en bas. Il était prêt à parier que le «cambrioleur» se tiendrait quelque part au sous-sol. Il voulait que l'homme s'attelle à sa tâche avant d'intervenir. Il voulait la preuve qui confirmerait ses soupçons. Et ensuite, il avait l'intention d'interroger le «cambrioleur».

Il était difficile d'imaginer ce qu'un vrai cambrioleur pouvait s'attendre à voler dans une maison vide.

Ses oreilles saisirent le bruit léger de semelles de cuir sur la pierre. Brusquement, il se tourna et fit face à la porte principale.

Contre toute attente, quelqu'un arrivait par là.

Une silhouette hésitante apparut à la porte aux vitres gravées. Il sortit silencieusement de la loge du gardien et se fondit dans la noirceur.

*

Leonora introduisit la lourde clé dans la serrure et baissa les yeux vers sa compagne.

Elle s'était retirée dans sa chambre pour prétendument dormir. Les domestiques avaient fermé et étaient partis. Elle avait attendu que l'horloge sonne vingt-trois heures, pensant que la rue serait alors déserte, puis elle avait descendu l'escalier, évitant la bibliothèque, où Humphrey et Jeremy étaient encore plongés dans leurs volumes. Elle avait pris sa cape et était sortie par la porte principale.

Toutefois, il y avait un être qu'elle ne pouvait pas si facilement éviter.

Henrietta avait cligné des yeux en la voyant, ses longues mâchoires grandes ouvertes, prête à la suivre, peu importe où elle allait. Si elle avait essayé de la laisser dans l'entrée et qu'elle était sortie seule à cette heure, Henrietta aurait hurlé.

Leonora plissa les yeux dans sa direction.

— Maître chanteuse.

Son murmure se perdit dans le vent violent.

— Mais souviens-toi, continua-t-elle, plus pour se donner du courage à elle que pour donner un ordre à Henrietta, nous sommes ici seulement pour regarder ce qu'il fait. Tu dois absolument rester tranquille.

Henrietta regarda la porte, puis la poussa avec son museau.

Leonora introduisit la clé, contente qu'elle tourne facilement. Elle l'ôta, la mit dans sa poche, puis ajusta sa cape. Passant une main dans le collier d'Henrietta, elle saisit la poignée et la tourna.

Le verrou coulissa. Elle ouvrit la porte juste assez grande pour qu'Henrietta et elle passent à travers, puis elle se tourna pour la fermer. Elle sentit une rafale et dut libérer Henrietta pour utiliser ses deux mains et forcer la porte à se refermer – silencieusement.

Elle réussit. Poussant intérieurement un soupir de soulagement, elle se tourna.

L'entrée principale était voilée dans une obscurité impénétrable. Elle se tint immobile tandis que ses yeux commençaient à s'adapter et qu'un sentiment de vide – l'étrangeté d'un endroit connu dépouillé de tous ses meubles – la pénétrait.

Elle entendit un faible bruit.

À côté d'elle, Henrietta s'assit brusquement, se tenant droite, laissant échapper un gémissement étouffé non pas de douleur, mais d'excitation.

Leonora la regarda.

Elle sentit une bouffée d'air autour d'elle.

Ses poils se hérissèrent et ses nerfs se tendirent. Instinctivement, elle prit une profonde respiration…

Une paume ferme se plaqua sur ses lèvres.

Un bras d'acier se referma autour de sa taille et l'attira en arrière contre un corps tel un roc sculpté.

Sa force s'empara d'elle, la captura, la soumit.

Sans effort.

Une tête noire se rapprocha.

Une voix dans laquelle la fureur était à peine contenue siffla dans son oreille :

– Que diable faites-vous ici ?

***

Tristan pouvait à peine en croire ses yeux.

En dépit de l'obscurité, il pouvait voir ses yeux, écarquillés sous le choc. Il pouvait sentir l'emballement de son pouls, la panique qui l'avait saisie.

Il savait absolument qu'elle n'était due qu'en partie à la surprise. Il sentit d'ailleurs sa propre réaction.

Il dut impitoyablement la contrôler.

Levant la tête, il observa avec ses sens, mais ne put détecter aucun mouvement dans la maison. Toutefois, il ne pouvait pas lui parler dans l'entrée, même en murmurant. Dépouillée de ses meubles et avec ses murs polis et propres, elle ferait résonner tout bruit.

Resserrant son bras autour de sa taille, il la souleva et l'emporta vers le petit salon qu'ils avaient conçu pour recevoir des femmes. Il prit un instant pour se féliciter de leur prévoyance. Il dut ôter sa main de son visage pour tourner la poignée, puis ils entrèrent, et il ferma la porte.

Il la tenait toujours dans son bras, à quelques centimètres du sol, son dos collé à lui.

Elle se tortilla et siffla :

– Lâchez-moi !

Il hésita, puis, le regard sévère, il s'exécuta. Lui parler face à face serait plus simple. La garder en train de se tortiller le derrière contre lui était une torture inutile.

À l'instant où ses pieds touchèrent le sol, elle se tourna… et se retrouva devant le doigt de Tristan, qu'il pointait sous son nez.

– Je ne vous ai pas parlé de l'incident qui s'est produit ici pour que vous entriez joyeusement et que vous vous mettiez au milieu !

Surprise, elle cligna des yeux. Elle le regarda directement. Elle était assez stupéfaite. Jamais un homme n'avait utilisé un tel ton avec elle. Il prit l'initiative.

– Je vous ai dit de me laisser m'en occuper, murmura-t-il d'une voix grave et furieuse, à un niveau qui ne pouvait pas porter.

Ses yeux se plissèrent.

– Je me souviens de ce que vous avez dit, mais cette personne, peu importe qui elle est, est mon problème.

– C'est ma maison qu'il va cambrioler. Et de toute façon…

– En plus, continua-t-elle, comme si elle ne l'avait pas entendu, le menton levé, mais la voix toujours basse, vous êtes un comte. Je présumais naturellement que vous seriez sorti en société.

La remarque le frustra. Il marmonna :

– Je ne suis pas comte par choix et j'évite les réunions sociales autant que je le peux. Mais là n'est pas la question. Vous êtes une femme. Une sacrée bonne femme. Vous n'avez aucune raison de vous trouver ici. Surtout étant donné que j'y suis.

Elle resta bouche bée tandis qu'il saisit son coude et la tournait face à la porte.

– Je ne suis pas… !

— Continuez de parler à voix basse.

Il la fit avancer.

— Et vous l'êtes sans aucun doute. Je vais vous raccompagner à la porte d'entrée, et ensuite, vous rentrerez directement chez vous et vous y resterez, quoi qu'il arrive !

Elle se braqua.

— Et s'il est là, dehors ?

Il s'arrêta et la regarda. Il vit qu'elle fixait les yeux derrière la porte d'entrée, vers la cour sombre ensevelie sous les arbres. Il pensa à la même chose qu'elle.

— Bon sang !

Il la relâcha et répliqua avec un juron plus explicite.

Elle le regarda, et il en fit autant.

Il n'avait pas vérifié la porte principale. L'intrus pouvait avoir fait une empreinte de cette clé aussi. Il ne pouvait pas vérifier maintenant sans allumer une allumette, et ça, il ne pouvait pas le risquer. Néanmoins, il était parfaitement possible que le « cambrioleur » vérifie l'entrée de la maison avant de prendre l'allée de derrière. Il était déjà ennuyeux qu'elle fût venue, courant le risque de faire fuir le cambrioleur ou pire, qu'elle le rencontre, mais l'envoyer dehors maintenant serait de la folie.

L'intrus s'était déjà avéré violent.

Il prit une profonde respiration et hocha la tête avec brusquerie.

— Vous resterez ici jusqu'à ce que ce soit fini.

Il sentit qu'elle était soulagée, mais dans le faible éclairage, il n'en était pas certain.

Elle inclina la tête avec arrogance.

– Comme je le disais, c'est peut-être votre maison, mais le cambrioleur, c'est mon problème.

Il ne put s'empêcher de grogner :

– C'est discutable.

Pour lui, les cambrioleurs n'étaient pas un problème de femme. Elle avait un oncle et un frère.

– C'est ma maison – du moins, celle de mon oncle – qu'il a essayé de cambrioler. Vous le savez aussi bien que moi !

Cela était incontestable.

Ils entendirent un léger raclement en provenance de la porte d'entrée.

Redire « Bon sang ! » semblait redondant. Lui jetant un regard éloquent, il ouvrit la porte. Il la referma derrière la masse de poils qui entra.

– Deviez-vous emmener votre chien ?

– Je n'avais pas le choix.

La chienne se tourna pour le regarder, puis s'assit, levant sa grosse tête dans une pose innocente, comme s'il annonçait que Tristan, plus que quiconque, devait comprendre la présence de Leonora.

Il réprima un grognement de dédain.

– Asseyez-vous.

Il fit un geste à Leonora en direction d'un fauteuil près de la fenêtre, le seul endroit où l'on pouvait s'asseoir dans la pièce autrement vide. Heureusement, la fenêtre avait des stores. Alors qu'elle avançait pour s'exécuter, il continua :

– Je vais laisser la porte ouverte pour que nous puissions entendre.

Il pouvait deviner les problèmes s'il la laissait seule et retournait à son poste dans l'entrée. Le scénario qui l'intriguait était ce qui pourrait arriver quand le cambrioleur entrerait. Resterait-elle en place, ou sortirait-elle en vitesse ? De cette façon, au moins, il saurait où elle se trouve — derrière lui.

Ouvrant la porte silencieusement, il la laissa entrebâillée. Le chien-loup s'effondra sur le sol aux pieds de Leonora, un œil vers l'interstice de la porte. Tristan alla se placer derrière la porte, les épaules contre le mur, la tête tournée pour regarder l'entrée vide et sombre.

Puis, il revint à sa pensée du départ, celle qu'elle avait interrompue. Son instinct insistait lourdement pour lui faire comprendre que les ladies comme Leonora surtout ne devraient pas être exposées au danger et ne devraient pas faire partie d'affaires dangereuses. Tandis qu'il reconnaissait que de telles intuitions résultaient du temps où la femme d'un homme incarnait l'avenir de sa lignée, cet argument tenait toujours dans son esprit. Il se sentait sérieusement irrité qu'elle soit là, qu'elle soit venue, non pas tant par défi que par esprit de contradiction, pour aller à l'encontre de son oncle et de son frère, et de leur rôle légitime...

Jetant un coup d'œil sur Leonora, il serra les mâchoires. Elle le faisait probablement tout le temps.

Il n'avait aucun droit de juger Sir Humphrey ou Jeremy. S'il les avait bien perçus, ni Sir Humphrey ni Jeremy n'avait les capacités de contrôler Leonora. Et ils ne s'y risquaient même pas. Que ce soit parce qu'elle résistait et qu'elle les forçait à être d'accord ou qu'ils n'avaient pas pris soin d'insister assez dès le départ ou encore qu'ils étaient trop sensibles à son indépendance et à son obstination à ce sujet pour la contrôler, il ne pouvait pas le dire.

Néanmoins, pour lui, la situation était incorrecte, déséquilibrée. Ce n'était pas ainsi que les choses devaient être.

Des minutes passèrent, jusqu'à une demi-heure.

Il devait être près de minuit quand il entendit un bruit métallique – une clé qui tournait dans la vieille serrure en bas.

Le chien-loup leva la tête.

Leonora se redressa, alertée à la fois par l'attention soudaine d'Henrietta et la tension montante émanant de Trentham, jusqu'alors apparemment détendu contre le mur. Elle avait été consciente de ses regards, de son irritation, de ses froncements de sourcils, mais elle s'était juré de les ignorer. Son objectif était de connaître le but du cambrioleur, et avec la présence de Trentham, ils pouvaient réussir à attraper le brigand.

L'excitation la saisit, s'intensifia tandis que Trentham lui mentionnait de rester à sa place et de retenir Henrietta, puis il passa la porte d'un pas léger, comme un spectre.

Il avançait si silencieusement que si elle n'avait pas bien regardé, il aurait simplement disparu.

Immédiatement, elle se leva et le suivit, également silencieusement, remerciant les ouvriers, qui avaient étendu des draps partout, ce qui assourdissait le bruit des pattes d'Henrietta, qui la suivait de près.

Atteignant la porte d'entrée, elle scruta l'horizon. Elle aperçut Trentham tandis qu'il se fondait dans la nuit dense, en haut de l'escalier de la cuisine. Elle plissa les yeux tout en remettant sa cape autour de ses épaules. La porte des domestiques semblait ouverte.

– Aïe ! Ouille…

Une succession de jurons suivit.

– Attention ! Je suis là !

– Que diable faites-vous là, vieux fou ?

Les voix venaient d'en bas.

Trentham descendit l'escalier avant qu'elle puisse réagir. Relevant ses jupes, elle le suivit à la hâte.

L'escalier était complètement dans le noir. Elle se rua en bas sans réfléchir, ses chaussures claquant sur les marches en pierre. Derrière elle, Henrietta aboya, puis grogna.

Atteignant le palier à mi-chemin de l'escalier, Leonora saisit la rampe et regarda dans la cuisine. Elle vit deux hommes – un grand avec un pardessus et un autre, trapu mais plus vieux – se battre sur les dalles où la table de la cuisine se trouvait d'habitude.

Ils s'immobilisèrent devant le grognement d'Henrietta.

Le plus grand leva les yeux.

Au même moment qu'elle, il vit Trentham approcher.

Avec un énorme effort, le plus grand fit pivoter le plus vieux et le poussa vers Trentham.

Le vieil homme perdit l'équilibre et tituba.

Trentham avait le choix : laisser le vieil homme tomber sur les dalles de pierre, ou le rattraper. Regardant d'en haut, Leonora saisit sa décision et vit Trentham ne pas bouger et laisser le vieil homme tomber contre lui. Il le retint et l'aurait remis sur pied pour courir après le plus grand, déjà en train de se diriger vers un étroit corridor, mais le vieil homme s'accrocha à lui, se débattant…

— Restez tranquille !

L'ordre fut prononcé brusquement. Le vieil homme se raidit et obéit.

Trentham le laissa se redresser en chancelant et courut après l'homme plus grand.

Trop tard.

Une porte claqua tandis que Trentham disparaissait dans le couloir. Un instant plus tard, elle l'entendit jurer.

Se pressant en bas de l'escalier, elle passa devant le vieil homme et se rendit au fond de la cuisine, vers les fenêtres qui donnaient sur le chemin pour aller au portail de derrière.

Le grand homme — ce devait être leur « cambrioleur » — courait sur le côté de la maison pour atteindre le chemin. Pendant un instant, il fut éclairé par un rai de clair de lune. Les yeux grands ouverts, elle emmagasina tout ce qu'elle put, puis il disparut au-delà des haies bordant le jardin de la cuisine. Le portail de l'allée s'érigeait plus loin.

Poussant un soupir intérieur, elle recula et revit tout ce qu'elle avait vu, l'inscrivant dans sa mémoire.

Une porte claqua, puis Trentham apparut sur le dallage dehors. Les mains sur les hanches, il scrutait le jardin.

Elle tapa à la fenêtre. Quand il regarda dans sa direction, elle indiqua le chemin. Il se tourna, puis descendit les marches et partit à grandes enjambées vers le portail, sans courir.

Leur « cambrioleur » s'était échappé.

Se tournant vers le vieil homme, à présent assis en bas de l'escalier, la respiration toujours sifflante à essayer de reprendre son souffle, elle fronça les sourcils.

— Que faites-vous ici ?

Il parla, mais ne répondit pas, maugréant de nombreux mots d'excuse, sans toutefois parvenir à clarifier la question cruciale. Vêtu d'un vieux manteau en ratine, avec des chaussures tout aussi usées et des moufles effilochées à ses mains, il dégageait une odeur de boue et de terreau de feuilles facilement perceptible dans la cuisine fraîchement peinte.

Elle croisa les bras et tapota ses orteils sur le sol tandis qu'elle baissait les yeux sur lui.

— Pourquoi êtes-vous entré par effraction ?

Il bougea, maugréa et marmonna de nouveau.

Elle était à la limite de sa patience quand Trentham revint, entrant par la porte du fond du corridor.

Il semblait découragé.

— Il avait prévu de faire deux clés.

Le commentaire ne s'adressait à personne en particulier. Leonora comprenait que l'homme en fuite avait fermé la porte secondaire devant Trentham. Tandis qu'il s'arrêtait, les mains dans les poches, pour regarder le vieil homme, elle se demanda comment, sans clé, il avait réussi à passer par la porte verrouillée.

Henrietta était assise à un mètre du vieil homme. Il la regardait avec méfiance.

Puis, Trentham commença son interrogatoire.

Quelques questions bien formulées permirent d'obtenir l'information selon laquelle le vieil homme était un mendiant qui dormait habituellement dans le parc. La nuit était devenue si froide et humide qu'il avait cherché un abri. Il savait que la maison était vide et il était venu. Il avait essayé de passer par les fenêtres d'en arrière et en avait trouvé une dont le loquet était ouvert.

Avec Trentham qui se tenait comme un dieu vengeur d'un côté et Henrietta, les mâchoires aux dents pointues ouvertes, de l'autre, le drôle de vieux bonhomme sentit qu'il n'avait d'autre choix que de soulager sa conscience. Leonora réprima un reniflement d'indignation ; manifestement, elle n'avait pas semblé suffisamment intimidante.

– Je ne voulais rien faire de mal, Monsieur. Je voulais juste me protéger du froid.

Trentham soutint le regard du vieil homme, puis hocha la tête.

– Très bien. Une autre question. Où étiez-vous quand l'autre homme a trébuché sur vous ?

– Là, au milieu.

Le vieil homme montra la cuisine.

– Plus loin de la fenêtre, c'est plus chaud. Le camb… le type m'a traîné ici. Je suppose qu'il prévoyait de me jeter dehors.

Il indiqua une petite pièce.

Leonora regarda Trentham.

– La réserve derrière a des murs mitoyens avec le numéro 14.

Il hocha la tête et se tourna de nouveau vers le vieil homme.

– J'ai une proposition à vous faire. Nous sommes à la mi-février, et les nuits vont être froides pendant quelques semaines.

Il regarda autour de lui.

– Il y a des chiffons pour la poussière et d'autres couvertures par ici pour cette nuit. Vous pouvez dormir ici.

Son regard revint au vieil homme.

– Gasthorpe, qui sera le majordome ici, emménagera demain. Il apportera des couvertures et rendra cet endroit habitable. Toutefois, toutes les chambres des domestiques sont au grenier.

Tristan s'arrêta, puis reprit :

– À la lumière de l'intérêt de notre ami importun pour cette maison, je veux que quelqu'un dorme au sous-sol. Si vous voulez être notre gardien de nuit en bas, vous pourrez dormir ici toutes les nuits en toute légalité. Je donnerai des ordres pour que vous soyez traité comme un membre du personnel. Vous pourrez rester et vous réchauffer. Nous installerons une sonnette pour que tout ce que vous ayez à faire, si quelqu'un essayait de rentrer de nouveau, ce soit de sonner. Gasthorpe et les valets s'occuperont de l'intrus.

Le vieil homme cligna des yeux, comme s'il ne pouvait pas vraiment saisir la suggestion, pas certain de ne pas rêver.

Sans laisser aucune trace de compassion paraître, Tristan demanda :

– Dans quel régiment étiez-vous ?

Il vit les épaules du vieil homme se redresser tandis qu'il levait la tête.

– Neuvième. J'ai été réformé après la Corogne.

Il hocha la tête.

– Comme beaucoup d'autres. Ce n'était pas une de nos meilleures batailles. Nous avons de la chance de nous en être sortis.

Les vieux yeux chassieux s'écarquillèrent.

– Vous y étiez ?

– Oui.

— Ah, poursuivit le vieil homme en opinant, alors vous savez.

Tristan attendit un moment, puis demanda :

— Alors, le ferez-vous ?

— Garder l'œil pour vous chaque nuit ?

Le vieil homme le regarda, puis opina de nouveau.

— Oui, je le ferai.

Il regarda autour de lui.

— C'est étrange après toutes ces années, mais…

Il haussa les épaules et se releva de l'escalier.

Il inclina la tête révérencieusement devant Leonora, puis passa devant elle et regarda la cuisine avec de nouveaux yeux.

— Quel est votre nom ?

— Biggs, Monsieur. Joshua Biggs.

Tristan prit le bras de Leonora et l'incita à monter l'escalier.

— Nous vous laissons à votre tâche, Biggs, mais je doute qu'il y ait d'autres dérangements cette nuit.

Le vieil homme regarda en haut et leva une main en guise de salut.

— Oui, Monsieur. Mais je serai ici au cas où.

Fascinée par leur échange, Leonora se concentra de nouveau sur le présent tandis qu'ils regagnaient l'entrée principale.

— Pensez-vous que l'homme qui s'est enfui était notre cambrioleur ?

— Je doute sérieusement que plus d'un homme, ou d'un groupe d'hommes, ait l'intention de rentrer dans votre maison.

— Un groupe d'hommes ?

Elle regarda Trentham, maudissant l'obscurité qui cachait son visage.

— Le pensez-vous vraiment ?

Il ne répondit pas immédiatement. Bien que n'étant pas capable de le voir, elle était sûre qu'il fronçait les sourcils.

Ils atteignirent l'entrée principale. Sans la relâcher, il ouvrit la porte et croisa son regard tandis qu'ils sortaient sur le porche, Henrietta avançant derrière eux. La faible lumière de la lune les éclaira.

— Vous regardiez... Qu'avez-vous vu ?

Comme elle hésitait, rassemblant ses pensées, il continua :

— Décrivez-le-moi.

Il relâcha son coude et lui offrit son bras. Distraitement, elle posa sa main sur sa manche, et ils descendirent les marches. Le front plissé et concentrée, elle avança à côté de lui vers le portail principal.

— Il était grand. Ça, vous l'avez vu. Mais j'ai eu l'impression qu'il était jeune.

Elle le regarda de biais.

— Plus jeune que vous.

Il hocha la tête.

— Continuez.

— Il était facilement aussi grand que Jeremy, mais pas plus grand, et mince plutôt que corpulent. Il avançait avec le genre de grâce dégingandée que les hommes plus jeunes ont parfois... et il courait bien.

— Son visage ?

— Cheveux foncés, dit-elle en le regardant de nouveau. Je dirais même plus foncés que vous — peut-être noirs. Quant à son visage…

Elle regarda devant elle, revoyant dans son esprit l'aperçu fugace qu'elle avait eu de lui.

— De beaux traits. Pas aristocratiques, mais pas communs non plus.

Elle croisa le regard de Trentham.

— Je suis tout à fait sûre que c'est un gentleman.

Il n'argumenta pas. En fait, il ne semblait pas surpris.

Arrivant sur le trottoir contre le vent qui fendait la rue, il la rapprocha de lui pour que ses épaules la protègent. Ils baissèrent leur tête et parcoururent rapidement les quelques mètres jusqu'au portail du numéro 14.

Elle aurait pu s'arrêter et le laisser là, mais il ouvrit le portail et la conduisit rapidement à l'intérieur avant qu'elle réalise les difficultés potentielles s'il la regardait avancer jusqu'à la porte d'entrée de sa maison.

Mais le jardin, comme toujours, la calma et la convainquit qu'aucun problème ne surviendrait. Tels des plumeaux renversés, une profusion de feuilles dentelées bordait le chemin. Ici et là, une fleur semblant exotique gardait la tête haute sur une mince tige. Des buissons étaient regroupés en massifs et des arbres en soulignaient l'élégant agencement. Même en cette saison, quelques fleurs blanches immaculées émergeaient de l'abri protecteur d'épaisses feuilles vert foncé.

Bien que la nuit envoyât des volutes de froid le long du chemin sinueux, le vent se heurtait au haut mur de pierre et ne pouvait fouetter que les branches les plus hautes des arbres.

Au sol, tout était calme et serein. Comme toujours, le jardin l'étonna tant l'endroit était vivant, attendant patiemment, bienveillant dans le noir.

Contournant la dernière courbe, elle regarda devant elle et vit de la lumière briller dans les fenêtres de la bibliothèque à travers les buissons et les branches mouvantes. À l'extrémité de la maison, contiguë au numéro 16, la bibliothèque était assez loin pour qu'il n'y ait aucun danger que Jeremy ou Humphrey entendent leurs pas sur le gravier et regardent dehors.

Ils pouvaient, toutefois, entendre une altercation sur le porche principal.

Jetant un œil vers Trentham, elle vit que ses yeux aussi avaient été attirés par les fenêtres éclairées. Elle s'arrêta et ôta sa main de son bras avant de lui faire face.

— Je vous quitte ici.

Pour autant que Tristan pût voir, il avait trois options. Il pouvait accepter son congédiement, se tourner et partir. Sinon, il pouvait prendre son bras, la conduire en haut des marches jusqu'à la porte d'entrée, et après des explications appropriées et lourdes de sous-entendus, la confier aux soins de son oncle et de son frère.

Les deux options étaient lâches. La première, en se pliant à son refus d'accepter la protection dont elle avait besoin et en partant — quelque chose qu'il n'avait jamais fait de sa vie. La seconde, parce qu'il savait que ni son oncle ni son frère, peu importe combien il pourrait les scandaliser, n'étaient capables de la contrôler, pas plus qu'une journée.

Ce qui ne lui laissa pas d'autre option que la troisième.

Soutenant son regard, il laissa tout ce qu'il ressentait durcir son ton.

— Venir attendre le cambrioleur cette nuit était un acte complètement inconscient.

Elle haussa la tête. Ses yeux brillaient.

— Quoi qu'il en soit, si je ne l'avais pas fait, nous ne saurions même pas à quoi il ressemble. Vous ne l'avez pas vu… Moi, oui.

— Et que pensez-vous, dit-il avec le ton glacial qu'il aurait utilisé pour passer un savon à un subalterne imprudent sans raison, qui se serait produit si je n'avais pas été là ?

Sa réaction, pure et dure, le frappa. Jusqu'à cet instant, il ne s'était pas permis de penser à cette possibilité. Plissant les yeux sous la pression d'une réelle fureur, il avança vers elle, volontairement intimidant.

— Laissez-moi émettre une hypothèse et corrigez-moi si je me trompe. En entendant la bagarre en bas de l'escalier, vous vous seriez précipitée en bas — au centre des choses. Au milieu de la bataille. Et ensuite ?

Il fit un pas de plus, et elle céda du terrain, mais seulement un tout petit peu. Puis, elle se figea et leva sa tête encore plus haut. Elle rencontra son regard avec défi.

Baissant la tête et rapprochant ainsi leurs visages, Tristan riva ses yeux sur les siens. Il grommela :

— Indépendamment de ce qui est arrivé à Biggs et comme j'ai vu le travail du cambrioleur sur Stolemore, ça n'aurait pas été joli. Alors, que pensez-vous qui vous serait arrivé ?

Sa voix ne s'était pas levée, mais était devenue plus grave, plus rude, gagnant du pouvoir tandis que ses mots concrétisaient la réalité de ce qu'elle avait vraiment risqué.

Elle se raidit, le regard aussi froid que la nuit autour d'eux, et dit :

– Rien.

Il cligna des yeux.

– Rien ?

– J'aurais envoyé Henrietta sur lui.

Ses mots l'arrêtèrent. Il baissa les yeux vers le chien-loup, qui soupira fortement, puis s'assit.

– Comme je le disais, ces soi-disant intrus sont mon problème. Je suis parfaitement capable de faire face à ce qui m'arrive.

Il déplaça son regard du chien à Leonora.

– Vous n'aviez pas l'intention d'emmener Henrietta.

Leonora ne succomba pas à la tentation de faire dévier son regard.

– Néanmoins, quand c'est arrivé, elle était là. Alors, je ne courais aucun risque.

Quelque chose changea derrière son visage, derrière ses yeux.

– Vous ne couriez pas de risque simplement parce qu'Henrietta était avec vous ?

Sa voix s'était de nouveau modifiée. Froide, dure mais monocorde, comme si toute la passion qui l'avait envahie un moment plus tôt avait été aspirée, comprimée.

Elle repensa à ses mots, hésita, mais ne vit aucune raison de ne pas acquiescer.

– Précisément.

— Pensez-y encore.

Elle avait oublié combien il pouvait bouger vite. Combien il pouvait la faire se sentir complètement impuissante.

Combien elle était justement tout à fait impuissante, attirée tout à coup dans ses bras, collée contre lui et embrassée implacablement.

L'impulsion de se débattre s'embrasa, mais fut éteinte avant même de se concrétiser. Noyée sous un raz-de-marée de sentiments. Les siens et ceux de Tristan.

Quelque chose entre eux fut attisé. Pas la colère ni le choc, quelque chose de plus près d'une curiosité avide.

Elle approcha ses mains de son manteau, le saisit, le maintint tandis qu'une poussée de sensations la balaya, la captura, la maintint prisonnière. Pas juste de ses bras, mais d'une myriade de flammèches de fascination. Du jeu de ses lèvres, fraîches et fermes sur les siennes, de la flexion agitée de ses doigts sur le haut de ses bras comme s'il avait très envie d'aller plus loin, d'explorer et de toucher, qu'il avait très envie de l'attirer plus près de lui.

Des frissons montèrent en flèche en elle. Des accès d'excitation tourmentèrent ses nerfs, développant sa fascination. Elle avait déjà été embrassée auparavant, mais jamais comme ça. Jamais le plaisir ni la soif de continuer n'avaient été atteints par une caresse si simple.

Les lèvres de Tristan bougèrent sur les siennes, impitoyables, acharnées, jusqu'à ce qu'elle cède à la pression flagrante et ouvre les siennes.

Son monde chavira quand il les appuya davantage et que sa langue entra pour rencontrer la sienne.

Elle se crispa. Il l'ignora et la caressa, puis explora. Quelque chose en elle fut secoué, vacilla, puis se cassa. La sensation se répandit dans ses veines, circulant en elle, chaude, torride, éclatante.

Un autre éclair, un autre choc brutal de sensations. Elle faillit avoir le souffle coupé, mais il la pressa contre lui, glissant un bras autour d'elle pour la serrer davantage — la distrayant alors qu'il approfondissait le baiser.

Le temps qu'elle concentre de nouveau ses sens, elle fut trop captivée, trop empêtrée dans ces nouveaux plaisirs pour penser à se libérer.

Tristan le sentit, le reconnut au fond de lui, et essaya de ne pas profiter de son désir ardent. Elle avait été embrassée avant, mais il aurait risqué sa réputation qu'elle n'avait jamais abandonné sa bouche à un homme.

C'était maintenant à lui d'apprécier, de savourer son abandon et elle-même, du moins autant qu'un baiser pouvait le permettre.

C'était de la folie, bien sûr. Il le savait maintenant, mais pendant ce moment échauffé où elle avait confié avec insouciance sa protection à un chien — un chien qui restait patiemment assis tandis qu'il ravissait la douce bouche de sa maîtresse —, il avait vu rouge. Il n'avait pas réalisé combien son état vaporeux était dû au désir.

Il le savait maintenant.

Il l'embrassait pour lui montrer sa faiblesse sous-jacente.

Ce faisant, il découvrait la sienne.

Il avait faim; il mourait de faim. D'un certain bienfait du destin tout comme elle. Ils se trouvaient dans le jardin silencieux, collés l'un à l'autre, et appréciaient simplement, prenaient, donnaient. Elle était une débutante, mais cela ne faisait qu'ajouter du piquant, une délicate touche d'enchantement de savoir que c'était lui qui la conduisait sur des chemins qu'elle n'avait jamais empruntés.

Dans des royaumes qu'elle n'avait jamais explorés.

Sa chaleur, la souplesse de son corps, les courbes ouvertement féminines appuyées contre sa poitrine, le fait qu'il la tienne dans ses bras pénétra ses sens et occasionna des pensées bien plus suggestives.

Jusqu'à ce qu'il sache exactement ce qu'il voulait, qu'il sache hors de tout doute quelle boîte de Pandore il avait ouverte.

Leonora se collait à lui tandis que le baiser se poursuivait, qu'il progressait, s'étendait, ouvrant de nouveaux horizons, éduquant ses sens. Une partie de son esprit confus savait qu'elle ne courait absolument aucun danger, que les bras de Trentham étaient un refuge pour elle.

Qu'elle pouvait accepter le baiser et tout ce qu'il entraînait, si ce n'est avec impunité, du moins sans risque.

Qu'elle pouvait saisir le bref aperçu de passion qu'il lui offrait, saisir le moment et, affamée comme elle l'était, apaiser sa faim au moins comme ça, accepter de vouloir plus sans crainte, sachant que, lorsque ça finirait, elle serait capable – aurait la liberté – de prendre du recul. De rester elle-même dans son univers sécuritaire.

Seule.

Ainsi, elle ne fit aucun geste pour terminer le baiser.

Jusqu'à ce qu'Henrietta geigne.

Trentham leva la tête immédiatement, baissa les yeux vers Henrietta, mais ne relâcha pas Leonora.

Rougissant, très heureuse de la noirceur, elle recula et sentit sa poitrine, chaude et ferme, sous ses mains. Les sourcils toujours froncés, regardant autour de lui dans l'obscurité, il libéra sa prise.

Éclaircissant sa gorge, elle recula, quitta ses bras et mit une nette distance entre eux.

– Elle a froid.

Il la regarda, puis Henrietta.

– Froid ?

– Son poil rêche n'est pas comme de la fourrure.

Il la regarda. Elle croisa son regard et, soudain, se sentit terriblement embarrassée. Qu'était-elle en train de dire à un gentleman qui venait juste de… ?

Elle baissa les yeux vers Henrietta et fit claquer ses doigts.

– Je ferais mieux de la faire rentrer. Bonne nuit.

Il ne dit rien tandis qu'elle se tournait et commençait à monter les marches. Puis, soudain, elle le sentit bouger.

– Attendez.

Elle se tourna et haussa un sourcil de façon aussi hautaine qu'elle le pouvait.

Le visage de Tristan se durcit.

– La clé.

Il tendit la main.

– Pour la porte d'entrée du numéro 12.

La chaleur monta à ses joues de nouveau. Fouillant dans sa poche, elle la sortit.

– J'avais l'habitude de rendre visite au vieux M. Morrissey. Il avait de terribles ennuis à faire les comptes de sa maison.

Il prit la clé et la soupesa dans sa paume.

Elle leva les yeux. Il saisit son regard.

Après un moment, il dit très calmement :

– Rentrez.

Il faisait trop sombre pour lire dans ses yeux, pourtant elle perçut un certain avertissement lui indiquant d'obéir. Inclinant la tête, elle se tourna vers l'escalier. Elle grimpa les marches, ouvrit la porte qu'elle avait laissée déverrouillée, entra et la referma sans bruit derrière elle, consciente tout le long de son regard sur son dos.

Glissant la clé dans sa poche, Tristan se tenait sur le chemin au milieu des feuilles mouvantes à la regarder jusqu'à ce que son ombre disparaisse dans la maison. Puis, il jura, se tourna et partit dans la nuit.

Chapitre 4

Ce n'était pas la première fois dans sa carrière qu'il commettait une erreur tactique. Il devait l'oublier, faire comme si ça ne s'était pas produit et s'en tenir à sa stratégie de secourir cette satanée bonne femme, puis passer à autre chose en s'occupant de la lourde tâche de se trouver une épouse.

Le lendemain matin, tandis qu'il remontait la longue allée vers la porte du numéro 14, Tristan se répéta cette litanie avec le souvenir marqué qu'une lady d'âge mûr ergoteuse, obstinée et extrêmement indépendante n'était assurément pas le genre de femme qu'il voulait.

Même si elle goûtait l'ambroisie et produisait une impression de paradis dans ses bras.

Quel âge avait-elle en fin de compte ?

Approchant du porche, il repoussa immédiatement cette question. Si cette matinée se déroulait comme prévu, il serait bien mieux placé pour s'en tenir à sa stratégie.

S'arrêtant en bas des marches, il leva les yeux vers la porte principale. Il avait tourné dans son lit toute la nuit, non seulement à cause des effets inévitables de ce baiser peu judicieux, mais encore plus parce que, agitée par les événements qui s'étaient déroulés plus tôt dans la soirée, sa conscience ne pouvait se calmer. Peu importe la vérité sur le « cambrioleur », l'affaire était sérieuse. Son expérience le poussait à le croire, et son instinct l'en convainquait. Même s'il n'avait aucune intention de laisser Leonora régler cela toute seule, il ne se sentait pas à l'aise d'alerter Sir Humphrey et Jeremy Carling du danger.

Il était résolu à tenter vraiment de leur faire comprendre la véritable teneur de la situation. C'était leur droit de protéger Leonora. Il ne pouvait en tout honneur usurper leur rôle en les laissant dans l'ignorance.

Redressant les épaules, il monta les marches.

Le vieux majordome arriva quand il cogna à la porte.

— Bonjour.

Faisant ressortir son charme, il sourit.

— J'aimerais parler à Sir Humphrey ainsi qu'à M. Carling, s'ils sont disponibles.

Le comportement guindé de l'homme s'atténua. Il ouvrit grand la porte.

— Si vous voulez bien attendre dans le petit salon, Monsieur, je vais me renseigner.

Tristan pénétra au milieu du petit salon et pria pour que Leonora ne l'ait pas entendu arriver. Ce qu'il voulait réaliser serait plus facile si ça se passait entre hommes, sans la présence gênante de l'objet central de leur discussion.

Le majordome revint et le conduisit à la bibliothèque. Il entra et trouva Sir Humphrey et Jeremy seuls. Il poussa un petit soupir de soulagement.

— Trentham ! Bienvenue !

Assis, tout comme lors de la précédente visite de Tristan, dans le fauteuil près du feu avec — Tristan en était presque certain – le même livre ouvert sur les genoux, Humphrey lui fit signe vers la méridienne.

– Asseyez-vous, asseyez-vous et dites-nous ce que nous pouvons faire pour vous.

Jeremy aussi leva les yeux et fit un signe en guise de salut. Tristan le salua à son tour tandis qu'il s'asseyait. De nouveau, il eut l'impression que peu de choses avaient changé sur le bureau de Jeremy sauf, peut-être, la page qu'il étudiait.

Captant son regard, Jeremy sourit.

– En effet, je serais heureux d'un peu de répit.

Il fit un geste vers le livre devant lui.

– Déchiffrer l'écriture sumérienne est fichtrement dur pour les yeux !

Humphrey ronchonna.

– C'est mieux que ça.

Il indiqua le volume sur ses genoux.

– Plus d'un siècle plus tard, mais ce n'est pas plus clair. Pourquoi n'utilisaient-ils pas de bonnes plumes ?

Il s'interrompit, puis sourit de manière encourageante en regardant Tristan.

– Mais vous n'êtes pas venu ici pour entendre ça. Vous ne devriez pas nous laisser commencer là-dessus, sinon nous parlerons des écritures pendant des heures.

L'esprit de Tristan avait du mal à imaginer ça.

– Alors ! dit Humphrey, qui referma le livre sur ses genoux. Comment pouvons-nous vous être utiles, hein ?

– La question n'est pas vraiment de m'aider.

Il avançait à tâtons, hésitant sur la meilleure approche à utiliser.

— Je pensais que je devrais vous faire savoir qu'il y a eu une tentative de cambriolage au numéro 12, la nuit dernière.

— Mon Dieu !

Humphrey fut interloqué, comme Tristan pouvait l'imaginer.

— Satanés goujats ! Ils ont des idées de grandeur, ces temps-ci.

— En effet.

Tristan reprit le contrôle avant que Humphrey s'emballe.

— Mais dans ce cas, les ouvriers avaient remarqué qu'il y avait eu effraction la nuit d'avant, alors nous avons monté la garde hier soir. Le criminel est revenu et est entré dans la maison. Nous aurions pu l'attraper, mais nous avons dû faire face à des obstacles inattendus. Comme les choses se sont compliquées, il s'est échappé, mais il semble qu'il était… qu'il nous laisse à penser qu'il n'est pas le genre de voleur de bas étage supposé. En fait, il revêtait tous les signes d'un gentleman.

— Un gentleman ? dit Humphrey, stupéfait. Un gentleman qui cambriole des maisons ?

— On dirait bien.

— Mais que chercherait un gentleman ?

Fronçant les sourcils, Jeremy rencontra le regard de Tristan.

— Cela me semble absurde.

Le ton de Jeremy était dédaigneux. Tristan répliqua immédiatement :

— En effet. Il est encore plus surprenant qu'un voleur pénètre par effraction dans une maison complètement vide.

Il regarda Humphrey, puis Jeremy.

— Il n'y a absolument rien au numéro 12, et étant donné le bazar des ouvriers et leur présence durant la journée, le vide de la maison doit être des plus flagrants.

Humphrey et Jeremy ne firent que sembler tous deux plus étonnés, comme si l'ensemble du sujet les dépassait complètement. Tristan était un expert en matière de tromperie. Il commençait à soupçonner qu'il assistait à une interprétation expérimentée. Sa voix se durcit.

— Il m'apparaît que la tentative d'accéder au numéro 12 pourrait être en lien avec les deux tentatives de cambriolage ici.

Les deux visages se tournèrent vers lui, toujours absents et distraits. Trop absents et trop distraits. Ils comprenaient tout, mais ils refusaient indéfectiblement de réagir.

Il laissa délibérément le silence s'installer lourdement. Jeremy finit par s'éclaircir la gorge.

— Comment ?

Il faillit céder. Seuls une détermination puissante alimentée par quelque chose qui ressemblait beaucoup à de la colère et le fait qu'il ne voulait pas qu'il leur soit si facilement permis de renoncer à leurs responsabilités et de se retirer dans leur monde mort depuis longtemps, laissant Leonora se débrouiller seule dans celui-ci, le firent se pencher en avant, son regard saisissant le leur.

— Et si le cambrioleur n'était pas le genre de voleur habituel, ce que tous les indices suggèrent, mais qu'il cherche plutôt quelque chose de particulier — un produit ayant de la valeur pour lui. Si ce produit est ici, dans cette maison, alors…

La porte s'ouvrit.

Leonora entra. Ses yeux trouvèrent les siens. Elle sourit.

— Monsieur ! C'est un plaisir de vous revoir.

Tristan se leva et rencontra son regard. Elle n'était pas heureuse, mais dans un état de panique. Elle avança. Intérieurement indigné de la façon dont les choses s'étaient déroulées, il saisit l'avantage de sa venue et tendit la main.

Elle cligna des yeux en la regardant, mais après seulement une légère hésitation, y abandonna ses doigts. Il la salua. Elle s'inclina. Les doigts de Leonora frémirent dans les siens.

Une fois les salutations exécutées, il la conduisit vers la méridienne pour s'y asseoir à côté de lui. Elle n'eut pas d'autre choix que d'obtempérer. Tandis que, tendue et énervée, elle se cala sur le damas, Humphrey dit :

— Trentham vient juste de nous apprendre qu'il y a eu un cambriolage à la maison voisine… la nuit dernière. La canaille s'est échappée malheureusement.

— Vraiment ?

Les yeux écarquillés, elle se tourna vers Tristan, qui se rasseyait de profil par rapport à elle, de sorte qu'elle puisse voir son visage.

Il saisit son regard.

— C'est exact.

Son ton sec n'eut aucun effet sur elle.

— Je suggérais juste que la tentative de pénétrer au numéro 12 devait être liée aux précédentes tentatives d'entrer ici.

Il savait qu'elle en était arrivée à la même conclusion, et ce, depuis quelque temps.

— Je continue de ne pas voir de lien.

Jeremy s'appuya sur son livre et fixa Tristan avec un regard posé, mais toujours dédaigneux.

– Je veux dire que les cambrioleurs essaient où ils peuvent, non ?

Tristan opina.

– C'est pourquoi il semble étrange que ce « cambrioleur » – et je crois que nous pouvons assurément présumer que toutes les tentatives ont été commises par la même personne – continue de tenter sa chance place Montrose malgré ses échecs jusqu'ici.

– Hum, oui, eh bien, peut-être qu'il a compris et qu'il partira, étant donné qu'il ne peut rentrer dans nos maisons.

Humphrey haussa les sourcils avec optimisme.

Tristan maintint son humeur.

– Le simple fait qu'il a essayé trois fois laisse entendre qu'il ne partira pas, que, quoi qu'il cherche, il est déterminé à l'obtenir.

– Oui, mais justement, dit Jeremy en s'installant comme il faut et en écartant les mains. Que diable veut-il ?

Tristan répondit :

– Là est la question.

Or, toute suggestion que le « cambrioleur » puisse chercher quelque chose appartenant à leurs recherches, une information cachée ou non, ou un volume étonnamment précieux rencontra rejet et incompréhension. À part supposer que le malfaiteur puisse en avoir après les perles de Leonora, quelque chose que Tristan trouvait difficile à croire – et à en voir l'expression sur son visage, Leonora aussi –, ni Humphrey ni Jeremy n'eurent d'idées à avancer.

Il était clair qu'ils ne manifestaient aucun intérêt à résoudre le mystère du cambrioleur et que tous deux pensaient qu'ignorer l'affaire était le meilleur chemin à suivre pour y mettre un terme.

Du moins pour eux.

Tristan n'approuvait pas, mais il connaissait leur genre. Ils étaient égoïstes, absorbés par leurs propres intérêts jusqu'à l'exclusion de tout le reste. Au fil des années, ils avaient appris à laisser Leonora s'occuper de tout. Comme elle l'avait toujours fait, ils percevaient à présent ses efforts comme légitimes. Elle se débattait dans le monde réel tandis qu'eux restaient plongés dans leur univers intellectuel.

Une admiration pour Leonora – extrêmement peu enthousiaste, car c'était sans aucun doute quelque chose qu'il ne voulait pas ressentir – ainsi qu'une profonde compréhension et le sentiment insidieux qu'elle méritait mieux germèrent en lui et l'envahirent.

Il ne pourrait pas progresser avec Humphrey et Jeremy. Il finit par concéder la défaite. Toutefois, il exigea la promesse qu'ils se penchent sur la question et l'informent immédiatement s'ils pensaient à quelque chose qui pourrait être le but du cambrioleur.

Saisissant le regard de Leonora, il se leva. Il avait tout le temps été conscient de la tension en elle, du fait qu'elle le regardait comme un faucon prêt à intervenir et à le faire dévier de sa route ou à compliquer tout commentaire qui pourrait révéler son rôle dans les activités de la nuit passée.

Il soutint son regard. Elle saisit son message et se leva aussi.

– Je vais raccompagner Lord Trentham.

Avec des sourires décontractés, Humphrey et Jeremy lui firent leurs adieux. Tristan suivit Leonora jusqu'à la porte, puis s'arrêta sur le seuil et regarda derrière lui.

Les deux hommes avaient déjà la tête baissée, de retour dans le passé.

Il regarda Leonora. Son expression déclarait qu'elle savait ce qu'il avait vu. Elle redressa un sourcil moqueur, comme si elle était ironiquement amusée qu'il ait cru pouvoir changer les choses.

Il sentit son visage se durcir. Il lui fit signe d'avancer et la suivit, fermant la porte derrière eux.

Elle le conduisit à l'entrée principale. Arrivant au niveau de la porte du petit salon, il toucha son bras.

Il croisa son regard tandis qu'elle levait ses yeux sur lui.

— Allons marcher dans le jardin de derrière.

Comme elle n'acquiesça pas immédiatement, il ajouta :

— Je veux vous parler.

Elle hésita, puis inclina la tête. Elle le conduisit à travers le petit salon. Il remarqua la pièce de broderie exactement comme il l'avait vue avant. Puis, ils passèrent les portes-fenêtres et descendirent sur la pelouse.

La tête haute, elle avança. Il marcha à côté d'elle en silence. Il attendit qu'elle demande de quoi il voulait parler, saisissant le moment pour élaborer une stratégie visant à la convaincre de lui laisser cette histoire de mystérieux cambrioleur.

La pelouse était luxuriante et bien entretenue, les parterres qui l'entouraient étaient remplis d'étranges plantes qu'il n'avait jamais vues avant. Feu Cedric Carling devait avoir été un collectionneur en plus d'un expert en horticulture…

– Depuis combien de temps votre cousin Cedric est-il mort?

Elle le regarda.

– Plus de deux ans.

Elle s'arrêta, puis continua :

– Je ne crois pas qu'il y ait quoi que ce soit de valeur dans ses papiers, sinon nous l'aurions su il y a longtemps.

– Probablement.

Après Humphrey et Jeremy, son ouverture d'esprit était rafraîchissante.

Ils parcoururent la pelouse sur la largeur. Elle s'arrêta à l'endroit où un cadran solaire était sis sur un piédestal juste à la limite d'un profond massif. Il s'arrêta à côté d'elle, un peu en arrière. Il la regarda tendre une main et tracer du bout des doigts le motif de la gravure dans le cadran en bronze.

– Merci de ne pas avoir mentionné ma présence au numéro 12 la nuit dernière.

Sa voix était basse, mais claire. Elle garda les yeux sur le cadran.

– Ni ce qui s'est passé dans l'allée.

Elle prit une profonde respiration et leva la tête.

Avant qu'elle puisse ajouter autre chose – lui dire que le baiser ne signifiait rien, qu'il avait été une erreur idiote ou une absurdité du même genre qu'il se serait senti obligé d'infirmer –, il leva sa main, posa un doigt sur sa nuque et descendit lentement, délibérément, sa colonne jusqu'à atteindre sa taille.

Elle eut le souffle coupé, puis elle pivota pour lui faire face, ses yeux bleu pervenche grands ouverts.

Il saisit son regard.

– Ce qui s'est passé la nuit dernière, notamment ces instants dans l'allée, c'est entre vous et moi.

Comme elle continuait à le regarder, à scruter ses yeux, il développa :

– Vous embrasser et le dire à quelqu'un ne fait pas partie de mon code de conduite, et cela n'est assurément pas mon style.

Il vit sa réaction immédiate dans ses yeux, la vit se questionner férocement sur ce qu'était son style, mais la prudence la retint de parler. Elle leva la tête, puis l'inclina hautainement pour regarder ailleurs.

Le moment allait devenir embarrassant, et il n'avait pas encore pensé à une approche capable de la détourner des cambrioleurs. Cherchant dans sa tête, il regarda devant elle et vit la maison au-delà du mur du jardin, la maison voisine qui, comme le numéro 12, partageait aussi un mur avec le numéro 14.

– Qui vit là ?

Elle leva les yeux et suivit son regard.

– La vieille Mlle Timmins.

– Elle vit seule ?

– Avec une gouvernante.

Il baissa les yeux pour regarder ceux de Leonora. Ils étaient déjà remplis de spéculations.

– J'aimerais rendre visite à Mlle Timmins. Pourriez-vous me la présenter ?

*

Elle était très heureuse de pouvoir le faire. De laisser le moment déroutant dans le jardin – son cœur qui s'était emballé devait ralentir pour retrouver un rythme normal – et de se plonger à la place dans d'autres investigations. Aux côtés de Trentham.

Leonora ignorait totalement pourquoi elle trouvait sa compagnie si stimulante. Elle n'était même pas sûre qu'elle approuverait ou que sa tante Mildred, encore moins sa tante Gertie, le feraient, si elles savaient. Après tout, c'était un militaire. Les jeunes filles pouvaient se laisser tourner la tête par de larges épaules et un magnifique uniforme, mais les ladies telles qu'elle étaient censées être trop raisonnables pour succomber aux ruses de tels gentlemen. Ils étaient invariablement des seconds fils, ou des fils de seconds fils, cherchant à trouver leur voie dans le monde à travers un mariage avantageux… sauf que Trentham était à présent un comte.

Intérieurement, elle fronça les sourcils. Cela le dispensait vraisemblablement d'un rejet général.

Néanmoins, tandis qu'elle marchait d'un bon pas dans la rue à côté de lui, sa main gantée sur sa manche, le sentiment de sa force l'enveloppa, l'excitation des recherches bouillonnait dans ses veines, et il ne faisait aucun doute dans son esprit qu'elle se sentait infiniment plus en vie quand elle était avec lui.

Quand elle avait su qu'il était venu, elle avait paniqué. Elle était certaine qu'il était venu se plaindre de son infraction en allant au numéro 12. Et peut-être, encore pire, qu'il aurait mentionné – peu importe comment – leur aventure dans l'allée. À la place, il n'avait pas fait la moindre allusion à son rôle dans les activités de la nuit ; même si elle était sûre qu'il avait senti son agitation, il n'avait rien dit ni fait pour la tourmenter.

Elle s'était attendue à bien pire de la part d'un militaire.

Atteignant le portail du numéro 16, Trentham l'ouvrit en grand, et ils entrèrent. Ils remontèrent l'allée et grimpèrent côte à côte les marches menant à un petit porche. Elle actionna la sonnette et l'entendit loin dans la maison, plus petite que le numéro 14, avec une terrasse d'un style similaire au numéro 12.

Ils entendirent des bruits de pas, puis le son de la serrure. La porte s'ouvrit légèrement, et une gouvernante au visage agréable apparut.

Leonora sourit.

— Bonjour, Daisy. Je sais qu'il est un peu tôt, mais si Mlle Timmins avait quelques minutes, nous avons un nouveau voisin, le comte de Trentham, qui aimerait faire sa connaissance.

Les yeux de Daisy devinrent tout ronds quand elle vit Trentham, coupant la lumière du soleil, à côté de Leonora.

— Oh oui, Mademoiselle. Je suis sûre qu'elle vous recevra… Elle aime toujours savoir ce qui se passe.

Ouvrant complètement la porte, Daisy leur fit signe d'entrer.

— Si vous voulez bien attendre dans le petit salon. Je vais lui dire que vous êtes ici.

Leonora se dirigea la première dans le petit salon et s'assit dans un fauteuil.

Trentham ne s'assit pas. Il fit les cent pas, regardant les fenêtres.

Examinant les fermetures.

Elle fronça les sourcils.

– Que…

Elle s'interrompit quand Daisy entra à la hâte.

– Elle dit qu'elle sera ravie de vous recevoir.

Elle fit une petite révérence à Trentham.

– Si vous voulez bien venir par ici, je vous conduirai à elle.

Ils empruntèrent l'escalier à la suite de Daisy. Leonora était consciente des regards de Trentham dirigés ici et là. Si elle ne le connaissait pas aussi bien, elle aurait pensé qu'il était le cambrioleur et qu'il cherchait le meilleur moyen de…

– Oh.

S'arrêtant en haut de l'escalier, elle se tourna pour lui faire face. Elle murmura :

– Pensez-vous que le cambrioleur pourrait essayer ici la prochaine fois ?

Il fronça les sourcils et lui fit signe d'avancer. Avec Daisy qui prenait de la distance, Leonora dut se tourner et se presser de la rattraper. Trentham allongea simplement le pas. Elle pénétra dans le salon de Mlle Timmins avec Tristan sur les talons.

– Leonora, ma chère.

La voix de Mlle Timmins chevrotait.

– Comme je suis heureuse de votre visite !

Mlle Timmins était âgée, frêle, et s'aventurait rarement à l'extérieur. Leonora passait souvent. Au cours de la dernière année, elle avait remarqué que l'éclat de ses doux yeux bleus s'estompait, comme une flamme qui brûlerait moins.

Souriant en retour, elle prit la main crochue, puis recula.

– Je suis venue avec le comte de Trentham. Lui et quelques amis ont acheté la maison à côté de la nôtre. Le numéro 12.

L'air incertain, Mlle Timmins, dont les cheveux gris étaient parfaitement brossés et coiffés et dont la gorge était ornée de perles, donna timidement la main à Trentham. Elle murmura nerveusement une salutation.

Trentham s'inclina.

– Comment allez-vous, Mlle Timmins ? J'espère que vous allez bien malgré ces mois froids ?

Mlle Timmins se troubla, mais resta cramponnée à la main de Trentham.

– Oui, en effet.

Elle semblait hypnotisée par ses yeux. Après un moment, elle s'aventura :

– C'est un hiver si déplaisant.

– Plus froid que d'habitude, c'est certain.

Trentham sourit, plein de charme.

– Pouvons-nous nous asseoir ?

– Oh, oui, bien sûr ! Je vous en prie.

Mlle Timmins se pencha en avant.

– J'ai appris que vous étiez militaire, Monsieur. Dites-moi, étiez-vous à Waterloo ?

Leonora s'installa dans un fauteuil et le regardait, étonnée, tandis que Trentham – un militaire avoué – charmait la vieille Mlle Timmins, qui n'était habituellement pas à l'aise avec les hommes. Pourtant, Trentham semblait savoir exactement quoi dire, ce dont une vieille lady aimait qu'on lui parle et le genre de bavardages qu'elle aimait entendre.

Daisy apporta le thé. Tandis qu'elle buvait, Leonora se demandait cyniquement quel but poursuivait Trentham.

Sa réponse vint quand il déposa sa tasse de thé et qu'il prit une attitude plus sérieuse.

— En fait, il y a une raison à ma visite en dehors du plaisir de vous rencontrer, Madame.

Il saisit le regard de Mlle Timmins.

— Il y a eu un certain nombre d'incidents dans la rue récemment. Des cambrioleurs ont essayé d'entrer par effraction.

— Oh, mon Dieu !

Mlle Timmins posa bruyamment sa tasse dans la soucoupe.

— Je dois dire à Daisy de s'assurer de bien fermer chaque porte.

— Justement, je me demandais si vous accepteriez que je regarde le rez-de-chaussée et le sous-sol pour m'assurer qu'il n'y a aucun moyen facile de rentrer ? Je dormirais bien mieux si je savais que votre maison, où vous vivez seule avec Daisy, est un lieu sûr.

Mlle Timmins cligna des yeux, puis lui adressa un grand sourire.

— Mais bien sûr, mon cher. C'est si gentil à vous.

Après quelques commentaires supplémentaires de nature plus générale, Trentham se leva. Leonora fit de même. Ils se mirent en route tandis que Mlle Timmins indiquait à Daisy que le comte allait jeter un œil dans la maison pour s'assurer que tout était sûr.

Daisy sourit aussi.

En partant, Trentham assura à Mlle Timmins que s'il découvrait la moindre serrure inadéquate, il s'occuperait de la remplacer. Ainsi, elle n'aurait pas à se tracasser.

D'après l'expression des yeux âgés de Mlle Timmins quand elle prit fermement sa main pour lui dire au revoir, le comte avait fait une conquête.

Perturbée alors qu'ils atteignaient l'escalier et que Daisy menait devant, Leonora s'arrêta et saisit le regard de Trentham.

— J'espère que vous avez l'intention de respecter votre promesse.

Le regard de Tristan était immuable et le resta. Il finit par répondre :

— Je le ferai.

Il étudia son visage, puis ajouta :

— Je pensais ce que j'ai dit.

La dépassant, il descendit l'escalier.

— Je dormirai mieux si je sais que cet endroit est sûr.

Derrière lui, elle fronça les sourcils — cet homme était un vrai mystère —, puis le suivit en bas des marches.

Elle resta derrière lui tandis qu'il vérifiait systématiquement chaque fenêtre et porte du rez-de-chaussée, puis qu'il descendit au sous-sol et fit de même. Il était minutieux et, à ses yeux, d'un calme professionnel, comme si rendre un lieu sûr contre des intrus avait été une tâche habituelle dans son ancienne profession. Il était de plus en plus difficile de le rejeter comme étant « juste un autre militaire ».

À la fin, il fit un signe à Daisy.

— C'est mieux que ce que je croyais. A-t-elle toujours craint les intrus ?

– Oh oui, Monsieur. Depuis que je suis arrivée à son service, et ça doit faire six ans maintenant.

– Eh bien, si vous fermez chaque serrure et que vous tirez chaque loquet, vous serez aussi en sécurité que possible.

Laissant une Daisy reconnaissante et rassurée, ils empruntèrent l'allée du jardin. Atteignant le portail, Leonora, qui avait continué le fil de ses propres pensées, regarda Trentham :

– La maison est-elle vraiment sûre ?

Il la regarda, puis ouvrit le portail.

– Aussi sûre qu'elle puisse l'être, car il n'y a aucun moyen d'arrêter un intrus déterminé.

Il se plaça à côté d'elle tandis qu'ils avancèrent sur le trottoir.

– S'il utilise la force – casser une fenêtre ou forcer une porte –, il entrera, mais je ne crois pas que notre homme se montre si direct. Si nous avons raison de penser que c'est au numéro 14 qu'il veut accéder, puis y entrer par la voie du numéro 16, il aura besoin de quelques nuits sans se faire voir pour creuser un tunnel dans les murs du sous-sol. Il n'y parviendra pas si sa façon de procéder pour rentrer est trop évidente.

– Donc, tant que Daisy est vigilante, tout devrait bien aller.

Comme il ne dit rien, elle le regarda. Il sentit son regard et fit de même. Il grimaça.

– Pendant la conversation, je me demandais comment faire entrer un homme dans le personnel de cette maison, du moins jusqu'à ce que nous attrapions ce cambrioleur. Elle a peur des hommes, n'est-ce pas ?

— Oui.

Elle était étonnée qu'il soit si perspicace.

— Vous êtes un des rares que je connais à lui avoir dit autre chose que des banalités.

Il hocha la tête et baissa les yeux.

— Elle est si mal à l'aise avec un homme sous son toit que c'est une chance que les serrures soient si efficaces. Nous pouvons nous y fier.

— Et faire tout ce que nous pouvons pour attraper vite ce cambrioleur.

La détermination de Leonora résonna dans sa voix.

Ils atteignirent le portail du numéro 14. Tristan s'arrêta et croisa son regard.

— Je suppose qu'il n'y a aucune chance, même si j'insiste, pour que vous me laissiez m'occuper de ce cambrioleur ?

Ses yeux bleu pervenche se durcirent.

— Aucune.

Il expira et regarda la rue. Il irait jusqu'à mentir pour la bonne cause. Il irait jusqu'à détourner son attention, peu importe comment, malgré le danger inhérent.

Avant qu'elle puisse s'éloigner, Tristan prit sa main. Il tourna la tête et capta son regard, puis le maintint tandis qu'il tâtonnait avec ses doigts. Il les passa dans son gant pour en agrandir l'ouverture. Ensuite, il porta son poignet, le côté intérieur à présent exposé, à ses lèvres.

Il sentit un frémissement la parcourir, vit sa tête se lever et ses yeux s'obscurcir.

Il sourit, lentement, largement. Puis, il décréta doucement :

— Ce qui se passe entre nous reste entre vous et moi. Ce n'est pas fini.

Elle pinça les lèvres. Elle tenta de retirer sa main, mais il ne la libéra pas. À la place, avec son pouce, il caressa langoureusement l'endroit qu'il venait d'embrasser.

Elle prit son souffle, puis siffla :

— Je ne suis pas intéressée par le badinage.

Les yeux posés sur les siens, il haussa un sourcil.

— Pas plus que moi.

Il voulait la distraire. Il valait mieux pour eux qu'elle se concentre sur lui plutôt que sur le cambrioleur.

— Dans l'intérêt de notre amitié — dans l'intérêt de son propre équilibre mental —, je vais vous proposer un marché.

La suspicion brilla dans ses yeux.

— Quel marché ?

Il choisit minutieusement ses mots.

— Si vous promettez de ne pas faire plus que de garder vos yeux et vos oreilles ouverts, de ne pas faire plus que de regarder et d'écouter et de tout me rapporter la prochaine fois que nous nous verrons, j'accepte de partager avec vous tout ce que je découvrirai.

L'expression de Leonora devint dédaigneuse d'une superbe façon.

— Et si vous ne découvrez rien ?

Il continua à sourire, mais il laissa son masque glisser et son vrai moi apparaître brièvement.

— Oh, je trouverai, comptez sur moi.

Sa voix était douce, à peine menaçante. Son ton la saisit.

De nouveau, lentement, délibérément, il porta son poignet à ses lèvres.

Maintenant son regard, il l'embrassa.

— Sommes-nous d'accord ?

Elle cligna des yeux, se concentra sur son regard, puis ses seins se gonflèrent tandis qu'elle prenait une profonde respiration. Elle opina.

— Très bien.

Il libéra son poignet. Elle faillit résister.

— Mais à une condition.

Il haussa les sourcils, à présent aussi hautain qu'elle.

— Laquelle ?

— Je regarderai, écouterai et ne ferai rien d'autre si vous promettez de venir me dire ce que vous découvrez aussitôt que vous le découvrez.

Le regard de Tristan se riva sur le sien. Il réfléchit, puis détendit ses lèvres. Il inclina la tête.

— Aussitôt que ce sera faisable, je partagerai mes découvertes avec vous.

Elle était apaisée et surprise de l'être. Il dissimula un sourire et la salua.

— Bonne journée, Mlle Carling.

Elle maintint son regard pendant encore un moment, puis inclina la tête.

— Bonne journée, Monsieur.

*

Des jours passèrent.

Leonora regardait et écoutait, mais rien ne se passa. Elle était contente de leur marché. En fait, elle ne pouvait pas faire grand-chose à part regarder et écouter. Et puis, le fait de savoir que, si quelque chose arrivait, Trentham savait qu'il devait le partager était étonnamment réjouissant. Elle était habituée à agir seule, à éviter l'aide des autres, qui, en général, risquait plus de la gêner. Or, Trentham était indéniablement capable de réussir. Du fait de son implication, elle était certaine de résoudre l'affaire des cambriolages.

Le personnel commença à apparaître au numéro 12. Trentham y passait à l'occasion, comme le rapportait dûment Toby, mais ne s'aventurait pas à cogner à la porte d'entrée des Carling.

Le seul facteur qui perturbait sa sérénité était le souvenir de ce baiser dans la nuit. Elle avait essayé de l'oublier, de simplement l'écarter de son esprit comme une aberration de leur part, mais oublier la façon dont son pouls s'accélérait chaque fois qu'il s'approchait était bien plus dur. Et elle n'avait absolument aucune idée de la façon d'interpréter son commentaire sur le fait que ce qu'il y avait entre eux n'était pas fini.

Voulait-il dire qu'il avait l'intention de poursuivre ?

Mais ensuite, il avait déclaré qu'il n'était pas intéressé par le badinage plus qu'elle. Malgré l'ancienne profession de Tristan, elle avait appris à prendre ses paroles pour argent comptant.

En effet, sa façon de traiter avec beaucoup de tact le vieux soldat Biggs, sa discrétion en ne parlant pas de ses aventures nocturnes et l'efficacité de son charme sans précédent sur Mlle Timmins, pour prendre soin de la rassurer et de veiller à la sécurité de la vieille femme, avaient en grande partie contré ses préjugés.

Trentham était peut-être un de ceux dont l'existence confirmait la règle : un militaire fiable, quelqu'un sur qui l'on pouvait compter, du moins sur certains points.

Malgré cela, elle n'était pas tout à fait certaine qu'elle puisse compter sur lui pour lui dire tout ce qu'il découvrirait. Néanmoins, elle lui aurait laissé quelques jours de plus, si cela n'avait été du guetteur.

Au début, ce ne fut qu'une simple sensation, une légère nervosité, le sentiment étrange et inquiétant d'être observée. Pas juste dans la rue, mais dans le jardin de derrière aussi. C'est là que ça l'avait le plus perturbée. La première des attaques qu'elle avait subies s'était passée juste devant le portail de l'entrée. Elle ne se promenait plus dans le jardin à l'avant de la maison.

Elle avait commencé à emmener Henrietta partout où elle allait, et si ce n'était pas possible, un valet.

Avec le temps, ses nerfs s'étaient assurément calmés, apaisés.

Mais ensuite, errant dans le jardin de derrière en fin d'après-midi tandis que le crépuscule du court mois de février tombait, elle aperçut un homme qui se tenait presque au fond du jardin, au-delà de la haie qui divisait le long terrain en deux. Au milieu de l'arche centrale dans la haie, une silhouette mince et sombre drapée d'une houppelande noire se trouvait parmi les parterres de légumes — et la regardait.

Leonora se figea. Ce n'était pas le même homme qui l'avait accostée en janvier, la première fois au portail, la seconde dans la rue. Celui-ci était plus petit, plus mince. Elle avait été capable de le repousser, de s'en libérer.

L'homme qui la regardait maintenant semblait infiniment plus menaçant. Il était silencieux, calme, mais c'était le calme d'un prédateur attendant le bon moment. Il n'y avait qu'une étendue de pelouse entre eux. Elle dut combattre l'envie pressante de porter une main à sa gorge et dut lutter contre l'instinct de se tourner et de s'enfuir. Elle savait que si elle le faisait, il se jetterait sur elle.

Henrietta avança tranquillement, vit l'homme et se mit à grogner. L'avertissement sonore continua, s'intensifiant subtilement. Les poils hérissés, le chien se plaça entre Leonora et l'homme.

Il resta immobile un instant de plus, puis se tourna rapidement. Sa houppelande claqua, et il disparut de la vue de Leonora.

Le cœur battant la chamade, elle baissa les yeux sur Henrietta. Le chien-loup restait alerte, les sens en éveil. Puis, un bruit sourd plus loin atteignit les oreilles de Leonora. Un instant plus tard, Henrietta aboya et se détendit avant de se tourner pour revenir tranquillement aux portes du salon.

Un frisson parcourut la colonne de Leonora. Les yeux écarquillés, scrutant l'obscurité, elle se pressa vers la maison.

*

Le lendemain matin, à onze heures – l'heure la plus matinale à laquelle il était acceptable de rendre visite –, elle sonna à la porte de l'élégante maison de la rue Green qui, d'après le gamin qui nettoyait le coin de la rue, appartenait au comte de Trentham.

Un imposant mais apparemment gentil majordome ouvrit la porte.

– Oui, Madame ?

Elle se redressa.

– Bonjour. Je suis Mlle Carling, de la place Montrose. J'aimerais parler à Lord Trentham, si c'était possible.

Le majordome sembla sincèrement désolé.

— Malheureusement, Monsieur est absent.

— Oh.

Elle avait présumé qu'il serait là, que, comme la plupart des hommes en vue, il ne franchissait probablement pas la porte avant midi. Après un moment immobile à ne voir aucune autre action possible, elle leva les yeux vers le visage du majordome.

— Est-il censé revenir bientôt ?

— Il devrait revenir d'ici une heure, Mademoiselle.

La détermination de Leonora était visible. Le majordome ouvrit plus grand la porte.

— Si vous voulez bien entrer pour l'attendre ?

— Merci.

Leonora laissa une pointe d'approbation se manifester dans sa réponse. Le majordome revêtit un visage des plus sympathiques. Elle passa le seuil et fut immédiatement frappée par l'espace et la clarté de l'entrée, mis en valeur par les meubles élégants. Quand le majordome ferma la porte, elle se tourna vers lui.

Il sourit de manière encourageante.

— Si vous voulez bien me suivre, Mademoiselle ?

Imperceptiblement rassurée, Leonora inclina la tête et le suivit dans le couloir.

*

Tristan revint dans la rue Green un peu après midi, pas plus avancé et de plus en plus inquiet. Grimpant l'escalier, il sortit sa clé et entra. Il n'était pas encore habitué à attendre que Havers ouvre la porte, le soulage de sa canne et de son manteau, toutes des choses qu'il était parfaitement capable de faire lui-même.

Il posa sa canne dans le portemanteau de l'entrée, mit son manteau sur une chaise et se dirigea à pas feutrés vers son bureau. Il espérait passer devant les arches du petit salon sans se faire remarquer par les vieilles dames. Un espoir extrêmement faible. Malgré leurs occupations, elles semblaient toujours sentir sa présence, même discrète, et levaient les yeux juste à temps pour lui sourire et le harponner.

Malheureusement, il n'y avait aucun autre moyen d'atteindre le bureau. Son grand-oncle, qui avait remodelé la maison, était, il l'avait compris il y a longtemps, un masochiste.

Le petit salon était une pièce remplie de lumière construite en annexe de la maison principale. À quelques marches en contrebas du couloir, il en était séparé par trois grandes arches. Deux d'entre elles accueillaient d'énormes arrangements floraux dans des urnes, ce qui le dissimulait légèrement, mais l'arche du milieu était l'entrée, ouverte aux yeux de tous.

Aussi silencieux qu'un voleur, il approcha de la première arche, hors de vue, et s'arrêta pour écouter. Il entendit un brouhaha de voix de femmes. Le groupe était à l'extrémité de la pièce, où une fenêtre en saillie permettait à la lumière du matin de se propager sur deux méridiennes et divers fauteuils. Il lui fallut un moment pour adapter son oreille et distinguer chacune des voix. Ethelreda était là, Millie, Flora, Constance, Helen, et oui, Edith aussi. Toutes les six. À discuter de points — de points de nœuds ; c'était quoi ? —, de points de nervure…

Elles discutaient broderie.

Il fronça les sourcils. Elles brodaient toutes comme si c'était une corvée, mais c'était le seul domaine dans lequel une réelle compétition s'imposait entre elles. Il ne les avait jamais entendues discuter de leur intérêt commun avant, encore moins avec un tel enthousiasme.

Puis, il entendit une autre voix, et sa surprise fut totale.

— J'ai peur de ne pas être capable de passer les fils comme ça.

Leonora.

— Eh bien, ma chère, ce que vous devez faire…

Il ne saisit pas le reste du conseil d'Ethelreda. Il était trop occupé à spéculer sur la raison de la présence de Leonora.

La discussion dans le petit salon continuait, Leonora demandant des conseils, et les chères vieilles dames prenant un réel plaisir à les lui prodiguer.

Il avait encore bien en tête la pièce de broderie abandonnée dans le salon de la place Montrose. Leonora devait n'avoir aucun talent en broderie, mais il aurait juré qu'elle n'y portait aucun intérêt non plus.

La curiosité le titilla. L'arrangement floral le plus près était assez grand pour le cacher. Deux pas rapides, et il serait derrière. Espionnant entre les lys et les chrysanthèmes, il vit Leonora assise au milieu d'une des méridiennes entourée de tous les côtés par sa ribambelle de vieilles dames.

La lumière du soleil d'hiver filtrait par la fenêtre derrière elle, envoyant une faible lueur au-dessus d'elle, faisant ressortir des reflets grenat de sa couronne de cheveux foncés, mais laissant son visage et ses traits délicats dans une légère et mystérieuse ombre.

Dans sa robe de promenade rouge foncé, elle ressemblait à une madone médiévale, une incarnation de la vertu et de la passion féminine, de la force et de la fragilité des femmes.

La tête inclinée, elle examinait une têtière brodée posée sur ses genoux.

Il l'observa encourager son public âgé à lui en dire plus, à participer. Il la vit aussi intervenir, anéantissant rapidement un soudain accès de rivalité, calmant les parties avec des observations pleines de tact.

Elle les avait captivées.

« Et pas seulement elles. »

Il entendit les mots dans sa tête.

Il maugréa intérieurement.

Mais il ne se détourna pas. Silencieux, il resta immobile à regarder à travers l'écran de fleurs.

— Ah, Monsieur !

Avec des réflexes incomparables, il recula et se tourna, dos au petit salon. On pouvait le voir, mais son mouvement faisait penser qu'il venait juste d'arriver.

Il regarda son majordome avec un œil résigné.

— Oui, Havers ?

— Une lady est venue vous rendre visite, Monsieur. Une demoiselle Carling.

— Ah ! Trentham !

Il se tourna tandis qu'Ethelreda l'appelait.

Millie se leva et lui fit signe.

— Mlle Carling est ici.

Toutes les six le saluèrent. Congédiant Havers d'un geste, il descendit et se dirigea vers le groupe, pas tout à fait sûr de l'impression qu'il ressentait. C'était presque comme si elles croyaient qu'elles gardaient Leonora là, prisonnière, piégée, avec un certain ravissement, juste pour lui.

Elle se leva, un léger rougissement sur les joues.

— Vos cousines ont été très gentilles de me tenir compagnie.

Elle croisa son regard.

— Je suis venue parce qu'il y a eu certains événements place Montrose que, d'après moi, vous devriez connaître.

— Oui, bien sûr. Merci de votre visite. Allons à la bibliothèque, ainsi vous pourrez m'informer.

Il tendit la main vers elle. Elle inclina la tête et lui céda la sienne.

Il la fit quitter ses championnes plus âgées, qu'il salua.

— Merci d'avoir distrait Mlle Carling pour moi.

Il n'avait aucun doute sur leurs pensées derrière leurs sourires éclatants.

— Oh, ce fut un plaisir.

— Elle est si délicieuse…

— Revenez quand vous voulez, ma chère.

Elles sourirent largement et saluèrent. Leonora les remercia, puis laissa Tristan prendre sa main pour la poser sur sa manche et la conduire hors du petit salon.

Ils remontèrent côte à côte l'escalier du couloir. Nul besoin qu'il se retourne pour savoir que six paires d'yeux les regardaient encore avec avidité.

Tandis qu'ils passaient dans l'entrée, Leonora le regarda.

— Je n'avais pas réalisé que vous aviez une si grande famille.

— Ce n'était pas le cas.

Il ouvrit la porte de la bibliothèque et la conduisit à l'intérieur.

– C'est le problème. Il n'y a que moi, et elles. Et le reste.

Ôtant sa main de sa manche, elle se tourna pour le regarder.

– Le reste ?

Il fit un signe vers les fauteuils en angle devant le feu qui flambait dans la cheminée.

– Il y en a huit autres au domaine Mallingham, ma maison du Surrey.

Elle fit un rictus, se tourna et s'assit.

Le sourire de Tristan s'effaça. Il s'affala dans le fauteuil en face.

– Et maintenant, venons-en aux faits. Pourquoi êtes-vous ici ?

Leonora leva les yeux vers son visage et y vit tout ce qu'elle était venue trouver : du réconfort, de la force, des compétences. Prenant son souffle, elle se cala dans son fauteuil et lui raconta.

Il ne l'interrompit pas. Quand elle eut fini, il posa des questions, clarifiant l'endroit et le moment où elle s'était sentie observée. En aucun cas il ne chercha à exclure ses certitudes intuitives. Il traitait tout ce qu'elle rapportait comme des faits et non pas comme le fruit de son imagination.

– Et vous êtes sûre que c'était le même homme ?

– Tout à fait. Je n'en ai eu qu'un aperçu quand il a bougé, mais il avait la même démarche souple.

Elle soutint son regard.

– Je suis certaine que c'était lui.

Il hocha la tête. Son regard la quitta tandis qu'il réfléchissait à tout ce qu'elle avait dit. Finalement, il la regarda.

— Je suppose que vous n'en avez pas parlé à votre oncle ni à votre frère ?

Elle haussa les sourcils, d'un air faussement supérieur.

— Je l'ai fait quand ça s'est produit.

Comme elle ne dit rien de plus, il insista :

— Et ?

Le sourire de Leonora n'était pas aussi enjoué qu'elle aurait aimé.

— Quand j'ai mentionné mon sentiment d'être observée, ils ont souri et m'ont dit que je réagissais de façon excessive aux récents événements troublants. Humphrey a tapoté mon épaule et m'a dit que je ne devais pas me tracasser avec de telles choses, qu'il n'y avait vraiment nul besoin de le faire, que tout allait très bientôt se calmer.

» Comme pour l'homme au fond du jardin, ils étaient sûrs que je me trompais. Un jeu de lumière, une ombre qui bouge. Une imagination débordante. Je ne devrais décidément plus lire les romans de Mme Radcliffe. En plus, comme Jeremy l'a souligné — à la manière de quelqu'un qui détient la vérité absolue —, le portail de derrière est toujours fermé.

— L'est-il ?

— Oui.

Elle croisa le regard noisette de Trentham.

— Mais le mur est couvert des deux côtés par de vieilles vignes. Tout homme le moindrement agile n'aurait aucune difficulté à l'escalader.

— Ce qui expliquerait le bruit que vous avez entendu.

— Tout à fait.

Il se rassit. Le coude sur le bras d'un fauteuil, le menton posé sur son poing, un long doigt tapotant paresseusement ses lèvres, il fit dévier son regard de Leonora. Les yeux brillants, durs, avec une intensité presque cristalline sous ses lourdes paupières, il savait qu'elle était là, ne l'ignorait pas, mais était en ce moment même absorbé.

Elle n'avait pas encore eu l'occasion de l'étudier, de réaliser pleinement la force de son corps imposant, d'apprécier la largeur de ses épaules camouflées par son magnifique manteau sur mesure – Shultz, bien sûr – ou ses longues et minces jambes aux muscles soulignés par ses hauts-de-chausse en daim très ajustés, qui disparaissaient dans ses bottes de Hesse cirées. Il avait de très grands pieds.

Il était toujours élégamment vêtu, mais c'était une élégance discrète. Il n'avait pas besoin d'attirer l'attention sur lui ou ne le voulait pas – en fait, il évitait toute occasion de le faire. Même ses mains – pour elle, c'était sa plus belle caractéristique – étaient seulement ornées d'une chevalière simple en or.

Il avait parlé de son style. Elle pouvait le définir sans aucun doute comme une force élégante et sereine. Comme une aura autour de lui, pas quelque chose dérivant de ses habits ou de ses manières, mais quelque chose d'inhérent, d'inné, qui se manifestait à travers lui.

Elle trouvait une telle force étonnamment séduisante. Réconfortante, aussi.

Sa bouche revêtait un doux sourire quand le regard de Tristan revint vers elle. Il haussa un sourcil, mais elle secoua la tête et resta silencieuse. Ils maintinrent leurs regards l'un sur l'autre. Détendus dans leur fauteuil dans la sérénité de la bibliothèque, ils s'étudiaient.

Et quelque chose changea.

Une excitation, un plaisir insidieux glissa lentement en elle, un très léger choc, une tentation d'aller vers un ravissement illicite. Une sensation de chaleur naquit, et ses poumons se comprimèrent lentement.

Leurs yeux restaient figés. Aucun ne bougeait.

Ce fut elle qui rompit le charme. Elle fit dévier son regard vers les flammes dans la cheminée et inspira. Elle se souvint de ne pas être ridicule. Ils étaient dans sa maison, dans sa bibliothèque. Il pouvait difficilement la séduire sous son propre toit avec ses domestiques et ses vieilles cousines à côté.

Il bougea et se redressa.

— Comment êtes-vous venue ici ?

— J'ai marché dans le parc.

Elle le regarda.

— Cela m'a semblé le moyen le plus sûr.

Il opina et se leva.

— Je vais vous raccompagner. Je dois aller au numéro 12.

Elle l'observa tandis qu'il agitait la sonnette, puis donnait des ordres à son majordome quand le brave homme arriva. Quand il se retourna vers elle, elle demanda :

— Avez-vous appris quelque chose ?

Tristan secoua la tête.

— J'ai enquêté sur plusieurs pistes à la recherche de rumeurs sur des hommes qui se seraient informés sur la place Montrose.

— Et vous avez appris quelque chose ?

– Non.

Il croisa son regard.

– Je ne m'y attendais pas. Cela aurait été trop facile.

Elle grimaça, puis se leva tandis que Havers revenait dire que le fiacre était arrivé.

Alors qu'elle mettait sa pelisse, qu'il passait son pardessus et envoyait un valet chercher ses gants de cuir, Tristan se creusait les méninges pour trouver toute avenue qu'il n'aurait pas explorée, toute possibilité qu'il n'aurait pas suivie. Il avait même demandé de l'information à bon nombre d'ex-militaires, dont certains qui servaient encore ayant des compétences variées. Il était à présent certain qu'ils faisaient face à quelque chose de propre à la place Montrose. Il n'y avait aucune rumeur de bandes d'individus se comportant de cette manière ailleurs dans la capitale.

Ce qui ne faisait qu'ajouter du poids à leur supposition que le mystérieux cambrioleur voulait quelque chose qui se trouvait au numéro 14.

Tandis qu'ils roulaient autour du parc dans son fiacre, il lui expliqua ses déductions.

Leonora fronça les sourcils.

– J'ai demandé aux domestiques.

Levant la tête, elle repoussa une mèche de cheveux volant dans le vent.

– Personne ne sait rien de quelque chose qui pourrait avoir une valeur particulière.

Elle le regarda.

– Au-delà de la réponse classique de ce qui se trouve dans la bibliothèque.

Il saisit son regard, puis regarda ses chevaux. Après un moment, il demanda :

— Est-il possible que votre oncle et votre frère cachent quelque chose d'important ? Par exemple, serait-il possible qu'ils aient fait une découverte et qu'ils veuillent la garder secrète pendant un moment ?

Elle secoua la tête.

— J'agis souvent comme hôtesse pour leurs dîners entre savants. Il y a une grande compétition et de la rivalité dans leur domaine, mais pas au point de garder leurs découvertes secrètes. La démarche habituelle consiste à crier toute nouvelle découverte, peu importe combien elle est mineure, sur tous les toits et dès que possible. Tout en revendiquant des droits, si vous voyez ce que je veux dire.

Il opina.

— Donc, c'est peu probable.

— En effet, mais… si vous suggérez que Humphrey ou Jeremy sont tombés par hasard sur quelque chose de précieux et qu'ils ne l'ont simplement pas pris pour ce que c'est — ou plutôt qu'ils l'ont identifié, mais qu'ils n'y attribuent pas la juste valeur —, je ne peux qu'être d'accord, dit-elle en le regardant.

— Très bien.

Ils atteignirent la place Montrose. Il ralentit devant le numéro 12.

— Nous devrons présumer que quelque chose de ce genre est au cœur de cette affaire.

Lançant les rênes à son garçon d'écurie qui avait sauté derrière eux et se précipitait, il descendit sur le trottoir, puis aida Leonora à descendre.

Ils entrelacèrent leurs bras, et il la conduisit jusqu'au portail du numéro 14.

Devant le portail, elle recula pour lui faire face.

– Que pensez-vous que nous devrions faire ?

Il la regarda dans les yeux, sans revêtir le moindrement son masque habituel. Un instant passa, puis il dit doucement :

– Je ne sais pas.

Son regard dur soutint le sien. Sa main se posa sur la sienne, ses doigts s'entremêlant aux siens.

Le cœur de Leonora s'accéléra à son contact.

Il leva sa main et posa délicatement ses lèvres sur ses doigts.

Il continua à la regarder par-dessus ses doigts.

Puis, lentement, il reposa ses lèvres sur sa peau, savourant ouvertement l'instant.

L'évanouissement la menaça.

Les yeux de Tristan cherchèrent les siens, puis il murmura, la voix grave et basse :

– Laissez-moi y réfléchir attentivement. Je passerai vous voir demain, et nous discuterons de ce que nous devrions faire.

La peau de Leonora était enflammée là où il avait posé ses lèvres. Elle réussit à opiner et recula. Il laissa ses doigts glisser des siens. Poussant le portail en fer, elle entra et le ferma. Puis, elle le regarda à travers.

– À demain, alors. Au revoir.

Le pouls tambourinant dans ses veines et battant dans ses doigts, elle se tourna et avança sur l'allée.

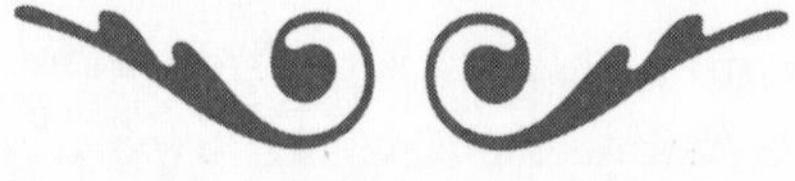

Chapitre 5

– Est-ce ici ?

Tristan hocha la tête et regarda Charles St-Austell en tendant la main vers la poignée de l'établissement de Stolemore. Lorsqu'il était passé à un de ses plus petits clubs, le Guards, la veille au soir, il avait déjà décidé d'aller voir Stolemore et de se montrer plus persuasif. Il avait rencontré Charles, revenant de la campagne pour affaires, qui s'était aussi réfugié au club. C'était une trop belle occasion pour la laisser passer.

Tous deux savaient se montrer assez menaçants pour persuader quiconque de parler. Ensemble, il ne faisait aucun doute que Stolemore leur dirait tout ce que Tristan voulait savoir.

Il n'avait eu qu'à mentionner l'affaire à Charles, et il avait accepté. En fait, il avait sauté sur l'occasion d'aider, d'exercer de nouveau ses talents particuliers.

La porte s'ouvrit. Tristan entra le premier. Cette fois, Stolemore était derrière son bureau. Il leva les yeux tandis que la cloche sonnait, le regard aiguisé tandis qu'il reconnut Tristan.

Tristan avança tranquillement, son regard s'attardant sur le malheureux agent. Les yeux de Stolemore s'écarquillèrent. Son regard dévia sur Charles. L'agent pâlit, puis se tendit.

Derrière lui, Tristan entendit Charles bouger. Il ne regarda pas autour de lui. Ses sens l'informèrent que Charles avait tourné l'enseigne de bois sur la porte pour indiquer « fermé », puis il entendit le cliquetis des anneaux sur le bois. La lumière s'affaiblit tandis que Charles tirait les rideaux des fenêtres à l'avant.

L'expression de Stolemore, les yeux remplis d'appréhension, indiquait qu'il avait très bien compris la menace. Il saisit le bord de son bureau et repoussa sa chaise.

Du coin de l'œil, Tristan observait Charles traverser nonchalamment la pièce, puis s'adosser les bras croisés contre le montant de la porte garnie de rideaux qui menait plus loin dans la maison. Son sourire était digne du diable.

Le message était clair. Pour échapper à son petit bureau, Stolemore devait passer à côté de l'un ou de l'autre. Même si l'agent était un homme massif, plus lourd que Tristan ou Charles, il ne faisait aucun doute pour personne qu'il ne le ferait jamais.

Tristan sourit, pas avec humour mais assez gentiment.

— Tout ce que nous voulons, c'est de l'information.

Stolemore s'humecta les lèvres, le regard oscillant de lui à Charles.

— Sur quoi ?

Sa voix était âpre, avec une tonalité grinçante reflétant une peur sous-jacente.

Tristan s'arrêta comme s'il la savourait, puis répondit doucement :

— Je veux le nom et tous les détails que vous connaissez sur ceux qui voulaient acheter le numéro 14 de la place Montrose.

Stolemore avala sa salive. Il recula de nouveau, son regard naviguant entre les deux.

— Je ne peux pas parler de mes clients. Ma réputation est en jeu.

Tristan attendit de nouveau, sans jamais quitter le visage de Stolemore des yeux. Comme le silence était tendu, tout comme les nerfs de Stolemore, il demanda doucement :

— Et que croyez-vous qu'il vous en coûtera de ne pas nous répondre ?

Stolemore pâlit davantage. Les bleus subsistant des coups administrés par ceux-là même qu'il protégeait étaient clairement visibles sur sa peau terreuse. Il se tourna vers Charles, comme s'il évaluait ses chances. Un instant plus tard, il regarda de nouveau Tristan. La confusion transparaissait derrière ses yeux.

— Qui êtes-vous ?

Tristan répondit d'un ton calme et monocorde.

— Nous sommes des gentlemen qui n'aiment pas qu'on s'attaque à des gens innocents. Inutile de vous dire que les récentes activités de votre client ne nous conviennent pas très bien.

— En fait, ajouta Charles d'une voix ténébreuse, tu pourrais dire qu'il nous a profondément énervés.

Les derniers mots étaient chargés de menaces.

Stolemore regarda Charles, puis il retourna rapidement à Tristan.

— Très bien. Je vais vous le dire, mais à la condition que vous ne lui disiez pas que c'est moi qui vous ai donné son nom.

— Je peux vous assurer que lorsque nous l'attraperons, nous ne perdrons pas notre temps à discuter de la façon dont nous l'avons trouvé.

Tristan haussa les sourcils.

— En fait, je peux vous garantir qu'il devra répondre à des demandes bien plus pressantes.

Stolemore étouffa un grognement nerveux. Il tendit la main vers un tiroir de son bureau.

Tristan et Charles avancèrent silencieusement, gravement. Stolemore se figea, puis les regarda nerveusement, à présent placé de sorte qu'il était directement entre eux.

— C'est juste un livre, grommela-t-il. Je le jure !

Une seconde passa, puis Tristan fit un signe de tête.

— Sortez-le !

Respirant à peine, Stolemore retira très lentement un registre du tiroir.

La tension se relâcha un instant. L'agent plaça le livre sur le bureau et l'ouvrit. Il le feuilleta, se pressant de passer les pages, puis il fit descendre son doigt sur l'une d'elles et s'arrêta.

— Notez-le.

Stolemore s'exécuta.

Tristan avait déjà lu le nom et l'avait mémorisé. Quand Stolemore eut fini et qu'il eut posé le morceau de papier avec l'adresse sur le bureau, il sourit — de façon charmante, cette fois — et le prit.

— Comme ça, dit Tristan en soutenant le regard de Stolemore tandis qu'il insérait le papier dans la poche intérieure de son manteau, si quelqu'un le demande, vous pourrez jurer en toute conscience que vous n'avez dit à personne son nom ni son adresse. Et maintenant... À quoi est-ce qu'il ressemble ? Il n'y a bien qu'un homme, c'est ça ?

Stolemore opina dans la direction où le papier avait disparu.

— Juste lui. Un sale type. Il ressemble à un gentleman — des cheveux noirs, une peau claire, des yeux bruns. Bien habillé, mais pas de la qualité de Mayfair. Je suppose que c'est un aristocrate de la campagne. Il se comportait aussi de façon arrogante. Assez jeune, mais avec un fond de méchanceté. Il s'emportait facilement.

Stolemore leva une main vers les bleus autour de son œil.

— J'espère bien ne jamais le revoir.

Tristan inclina la tête.

— Nous verrons ce que nous pourrons faire pour arranger ça.

Il se tourna et avança vers la porte. Charles le suivit de près.

Ils s'arrêtèrent à l'extérieur, sur le trottoir.

Charles grimaça.

— J'aurais bien aimé aller jeter un œil sur ce bastion, dit-il en revêtant un sourire diabolique. Et aussi sur ta charmante voisine, mais je dois me dépêcher de rentrer en Cornouailles.

— Merci, dit Tristan en lui tendant la main.

Charles la serra.

— De rien.

Une pointe d'autodérision teinta son sourire.

— À la vérité, j'ai aimé ça, même si ce n'était pas grand-chose. Je me sentais littéralement rouiller à la campagne.

— L'adaptation n'est jamais facile, encore moins pour nous que pour les autres.

— Au moins, tu as quelque chose qui t'occupe. Tout ce que j'ai, ce sont les moutons, les vaches et mes sœurs.

Tristan rit devant l'évident dégoût de Charles. Il lui tapa sur l'épaule, et ils se séparèrent, Charles retournant vers Mayfair tandis que Tristan allait dans la direction opposée.

Place Montrose. Il n'était pas encore dix heures. Il s'informerait auprès de Gasthorpe, l'ancien sergent qu'ils avaient engagé comme majordome du Bastion Club et qui supervisait les dernières étapes de la préparation du club pour ses patrons, puis il irait rendre visite à Leonora comme promis.

Comme promis, il discuterait de la suite.

*

À onze heures, il cogna à la porte du numéro 14.

Le majordome le conduisit dans le petit salon. Leonora se leva quand il entra.

— Bonjour.

Elle fit une révérence tandis qu'il s'inclinait au-dessus de sa main.

Le soleil avait réussi à se libérer des nuages. Les rayons du soleil qui jouaient dans le feuillage du jardin à l'arrière de la maison attirèrent le regard de Tristan.

— Venez marcher avec moi dans le jardin.

Il maintint sa main dans la sienne.

— J'aimerais voir votre mur au fond du jardin.

Elle hésita, puis inclina la tête. Elle aurait pris la tête, mais il ne libéra pas ses doigts. À la place, il incurva sa main plus nettement autour de la sienne. Elle lui lança un rapide coup d'œil tandis qu'ils avancèrent côte à côte vers les portes-fenêtres. Ils les ouvrirent et les franchirent. Tandis qu'ils descendaient les marches, il passa sa main sur son bras.

Il était conscient de son pouls qui s'emballait, à la façon dont il battait sous ses doigts.

Elle leva la tête.

— Nous devons traverser cette arche dans les haies, dit-elle en la montrant. Le mur est au fond du potager de la cuisine.

Le potager était vaste. Avec Henrietta derrière eux, ils descendirent l'allée centrale, passèrent devant des rangées de choux suivies d'interminables rangs s'étendant sur de longs remblais en jachère couverts de feuilles et d'autres déchets en attente, en sommeil jusqu'à ce que le printemps revienne.

Il s'arrêta.

— Où se trouvait-il quand vous l'avez vu ?

Leonora regarda autour d'elle, puis montra un endroit juste un peu plus loin devant, à environ six mètres du mur du fond.

— Ça devait être à peu près là.

Il la libéra et se tourna pour regarder l'allée derrière lui à travers l'arche sur la pelouse.

— Vous avez dit que vous l'aviez tout à coup perdu de vue. Dans quelle direction est-il allé ? A-t-il tourné pour retourner vers le mur ?

— Non. Il est allé de biais. S'il avait tourné pour repartir sur l'allée, j'aurais pu le voir plus longtemps.

Il hocha la tête, observant le sol dans la direction qu'elle avait indiquée.

— C'était il y a deux jours.

Il n'avait pas plu depuis.

— Est-ce que votre jardinier a travaillé ici ?

— Pas ces derniers jours. Il n'y a pas grand-chose à faire ici l'hiver.

Il mit une main sur son bras et appuya légèrement.

— Restez ici.

Il se remit à avancer dans l'allée, marchant prudemment sur le bord.

— Dites-moi quand je serai là où il se trouvait.

Elle regarda, puis dit :

— Par là.

Il arpenta la zone, les yeux rivés sur le sol, puis se déplaça entre les parterres éloignés du chemin dans la direction que l'homme avait prise.

Il trouva ce qu'il cherchait à une trentaine de centimètres de la base du mur, où l'homme avait marché d'un pas lourd avant d'escalader la vigne épaisse. Il s'accroupit, et Leonora arriva à la hâte. L'empreinte était nettement délimitée.

— Hum… Oui.

Il leva les yeux et la vit penchée à étudier la marque.

Elle saisit son regard.

— Ça doit être ça.

Il se leva. Elle se redressa.

– C'est la même taille et la même forme que l'empreinte que j'ai trouvée dans la poussière près de la petite porte du numéro 12.

– La porte par laquelle le cambrioleur est entré ?

Il opina et se tourna vers le mur recouvert de vigne. Il le regarda minutieusement, mais ce fut Leonora qui trouva l'indice.

– Ici.

Elle leva une brindille cassée qu'elle laissa ensuite tomber.

– Et ici.

Il indiqua plus haut, où la vigne avait été délogée du mur. Il jeta un œil sur le portail massif.

– Je suppose que vous n'avez pas la clé ?

Le regard qu'elle lui lança était froidement supérieur. Elle sortit une vieille clé de sa poche.

Il la lui prit des mains et feignit de ne pas voir l'accès d'irritation dans ses yeux. Il passa devant elle et inséra la clé dans l'énorme serrure ancienne, puis la tourna. Le portail gémit de protestation tandis qu'il le poussait.

Deux empreintes bien nettes dans l'allée menaient derrière les maisons, dans la terre qui s'était accumulée sur les dalles rugueuses. Un rapide coup d'œil fut suffisant pour confirmer qu'elles provenaient des mêmes bottes, faites par l'homme qui avait escaladé le mur. Par la suite, toutefois, plus de traces nettes.

– C'est assez concluant.

Il prit le bras de Leonora et la ramena vers le portail.

Ils retournèrent dans le potager, Leonora poussant Henrietta devant eux. Tristan referma le portail à clé.

Leonora était la seule à se promener dans le jardin. Il l'observait depuis assez longtemps pour en être certain. Que le cambrioleur l'ait choisie comme proie l'inquiétait. Cela lui rappela sa conviction du début qu'elle ne lui avait pas tout dit.

Se détournant du portail, il tendit la clé. Elle la prit et baissa les yeux pour la glisser dans sa poche.

Il regarda autour de lui. Le portail donnait sur un côté du chemin non aligné avec l'arche dans la haie. Ils étaient hors de vue de la pelouse et de la maison. Grâce aux arbres fruitiers longeant les murs de côté, ils étaient aussi cachés de tous les voisins.

Il baissa les yeux tandis que Leonora levait la tête.

Il sourit avec toute l'intensité qu'il était capable de mettre dans ce geste.

Elle cligna des yeux, mais, à son grand dépit, sembla moins confuse qu'il l'espérait.

— Au cours des précédentes tentatives de cambriolage ici…, le cambrioleur ne vous a pas vue, n'est-ce pas ?

Elle secoua la tête.

— La première fois, il n'y avait que les domestiques. La seconde, quand Henrietta nous a avertis, nous sommes tous descendus précipitamment, mais il était déjà parti.

Elle n'ajouta rien de plus. Ses yeux bleu pervenche restaient clairs, limpides. Elle n'avait pas reculé. Ils étaient près, le visage de Leonora relevé de sorte qu'elle puisse regarder le sien.

L'attirance s'éveilla et le parcourut.

Il n'en fit pas de cas, la laissant s'intensifier sans essayer de la réprimer. Elle se manifesta dans son visage, dans ses yeux.

Les siens, rivés sur ceux de Tristan, s'écarquillèrent. Elle s'éclaircit la gorge.

— Nous devions discuter de ce que nous allions faire.

Les mots étaient prononcés d'une voix essoufflée, avec une faiblesse peu habituelle.

Il s'arrêta une seconde, puis s'approcha davantage.

— J'ai décidé que nous devrions agir en fonction des circonstances.

— Des circonstances ?

Ses cils papillonnèrent tandis qu'il approchait encore.

— Euh… Suivons notre instinct.

Ce qu'il fit précisément en baissant la tête et en posant ses lèvres sur les siennes.

Elle se figea. Elle l'avait regardé, nerveuse, mais n'avait pas prévu une attaque si directe.

Il était trop expérimenté pour annoncer ses intentions. Pas sur un champ de bataille.

Ainsi, il ne la prit pas immédiatement dans ses bras. À la place, il l'embrassa simplement, ses lèvres sur les siennes, la tentant subtilement.

Jusqu'à ce qu'elle écarte les siennes et le laisse entrer. Jusqu'à ce qu'il prenne délicatement son visage, qu'il plonge profondément dans sa bouche, s'en abreuve, la savoure, la prenne.

Ce ne fut qu'à ce moment-là qu'il tendit les bras vers elle et l'attira contre lui, sans surprise, tandis que sa langue s'enchevêtrait avec la sienne, qu'elle avançait vers lui sans réfléchir. Sans aucune hésitation.

Elle était captive de ce baiser.

Tout comme lui.

D'une chose si simple… C'était juste un baiser. Pourtant, quand Leonora sentit ses seins toucher sa poitrine et ses bras se refermer autour d'elle, il semblait y avoir bien plus. Plus qu'elle n'avait jamais senti, qu'elle n'avait jamais même su qui existait avant. Comme la chaleur qui les parcourait – pas juste elle, mais lui aussi. Une soudaine tension, pas due au rejet, pas due à un recul, mais due à un désir.

Les mains de Leonora se levèrent pour se poser sur ses épaules. À travers ce contact, elle sentit sa réaction, à la fois une aisance dans ce domaine, une expertise, et en deçà, un désir plus profond.

Sa main dans son dos, ses doigts forts écartés sur sa colonne l'attirèrent encore plus près. Elle obtempéra, et les lèvres de Tristan l'accaparèrent. Dominantes. Elle les rencontra, offrit sa bouche et sentit le premier soulagement du désir de Trentham. Contre elle, son corps était comme un chêne, fort et inflexible, mais ses lèvres mobiles, qui maintenaient les siennes, qui jouaient, taquinaient et la rendaient avide, étaient si vivantes, si assurées.

Elles créaient une telle dépendance.

Elle était sur le point de se laisser aller contre lui, de céder délibérément davantage à son envoûtement, quand elle le sentit se calmer, qu'elle sentit ses mains glisser jusqu'à sa taille et la saisir plus légèrement.

Il interrompit le baiser et leva la tête.

La regarda dans les yeux.

Pendant un instant, elle ne put que cligner des yeux, se demandant pourquoi il avait arrêté. Le regret surgit dans les yeux de Tristan, remplacé par la résolution, une lueur intense dans son regard noisette. Comme s'il n'avait pas voulu arrêter, mais qu'il y était obligé.

Une folie fugace la saisit, un fort désir de tendre sa main jusqu'à sa nuque et de l'attirer vers elle. De pousser ses lèvres captivantes à revenir aux siennes.

Elle cligna de nouveau des yeux.

Il la remit sur ses pieds et la retint.

— Je devrais partir.

Elle retrouva soudainement ses esprits, revint dans le vrai monde.

— Comment avez-vous décidé de procéder ?

Il la regarda. Elle aurait pu jurer qu'il était intérieurement troublé. Ses lèvres s'amincirent. Elle attendit, le regard fixe.

Il finit par répondre :

— Je suis allé voir Stolemore ce matin.

Il prit sa main, passa son bras sur le sien, et ils repartirent sur l'allée.

— Et ?

— Il a consenti à me donner le nom de l'acheteur si désireux d'avoir votre maison. Un certain Montgomery Mountford. Le connaissez-vous ?

Elle regarda devant elle, se remémorant toutes les connaissances de sa famille.

— Non. Ce n'est pas un des collègues de Humphrey ni de Jeremy. Je les aide dans leur correspondance, et ce nom ne s'est jamais présenté.

Comme il n'ajouta rien, elle le regarda.

— Avez-vous son adresse ?

Il opina.

— Je vais y aller pour voir ce que je peux apprendre.

Ils atteignirent l'arche. Elle s'arrêta.

— Où est-ce ?

Il croisa son regard, et elle eut de nouveau l'impression qu'il était irrité.

— Bloomsbury.

— Bloomsbury ? dit-elle. C'est là où nous vivions.

Il fronça les sourcils.

— Avant ici ?

— Oui. Je vous ai dit que nous avions emménagé ici il y a deux ans, quand Humphrey a hérité de cette maison. Au cours des quatre années précédentes, nous vivions à Bloomsbury. Dans la rue Keppell.

Elle saisit sa manche.

— Peut-être que c'est quelqu'un du coin, qui, pour une raison quelconque…

Elle fit un geste.

— Pour quelle raison, je l'ignore, mais il doit y avoir un lien.

— Peut-être.

— Allez !

Elle se dirigea vers les portes du petit salon.

— Je viens avec vous. Il reste beaucoup de temps avant le déjeuner.

Tristan refoula un juron et la suivit.

— Nul besoin de…

Elle lui lança un regard impatient.

– Comment saurez-vous si ce M. Mountford est d'une manière quelconque en lien avec notre passé ?

Il n'y avait pas de bonne réponse à ça. Il l'avait embrassée en espérant à la fois éveiller sa curiosité sensuelle et ainsi la distraire suffisamment pour le laisser enquêter sur le cambrioleur tout seul. Manifestement, il avait échoué dans ses deux desseins. Ravalant son irritation, il la suivit en haut des marches.

Et passa les portes-fenêtres.

Exaspéré, il s'arrêta. Il n'était pas habitué à suivre qui que ce soit, encore moins à être sur les talons d'une lady.

– Mlle Carling !

Elle s'arrêta devant la porte. La tête levée, la colonne droite, elle lui fit face. Ses yeux rencontrèrent les siens.

– Oui ?

Il lutta pour masquer son regard réprobateur. L'intransigeance brillait dans les beaux yeux de Leonora, allant jusqu'à marquer sa posture. Il hésita un instant, puis, comme tout commandant expérimenté qui fait face à une situation inattendue, il adapta sa stratégie.

– Très bien.

Indigné, il lui fit signe d'avancer. Céder sur un point relativement mineur pourrait bien renforcer son pouvoir plus tard.

Elle lui adressa un sourire étincelant, puis ouvrit la porte et le conduisit dans l'entrée.

Les lèvres fermement serrées, il suivit. Ce n'était que Bloomsbury après tout.

*

En fait, à Bloomsbury, sa présence à son bras s'avéra être un atout. Il avait oublié que, dans le quartier de classe moyenne où les conduisit la résidence de Mountford, un couple attirait moins l'attention qu'un gentleman seul et élégant.

La maison de la rue Taviton était haute et étroite. Cela signifiait qu'il s'agissait d'une pension. La logeuse ouvrit la porte. Vêtue d'une tenue noire bien nette et austère, elle plissa les yeux quand il s'informa au sujet de Mountford.

– Il est parti la semaine dernière.

Après la tentative ratée au numéro 12, Tristan feignit une légère surprise.

– A-t-il dit où il allait ?

– Non. Il m'a juste donné mes shillings en partant.

Elle grimaça.

– Je ne les aurais pas eus si je ne m'étais pas trouvée juste ici.

Leonora se rapprocha.

– Nous essayons de trouver un homme qui pourrait avoir quelque chose à voir avec un incident à Belgravia. Nous ne sommes pas certains que M. Mountford soit la bonne personne. Est-il grand ?

La logeuse l'étudia, puis se détendit.

– Oui. Moyen-grand.

Ses yeux dévièrent vers Tristan.

– Pas aussi grand que votre mari, mais assez grand.

Un léger rougissement teinta la peau délicate de Leonora. Elle se pressa de demander :

– Plutôt mince que corpulent ?

La logeuse opina.

— Les cheveux noirs, un brin trop pâle pour être en bonne santé. Des yeux marron, mais glacials, si vous voulez mon avis. Assez jeune en apparence, mais dans la mi-vingtaine, je dirais. Avec une haute opinion de lui-même et pas très sociable non plus.

Leonora leva les yeux par-dessus son épaule.

— Ça ressemble à l'homme que nous recherchons.

Tristan croisa son regard, puis tourna les yeux vers la logeuse.

— A-t-il eu de la visite ?

— Non, et c'était étrange. Habituellement, avec de jeunes gentlemen comme ça, je dois leur parler sévèrement par rapport aux visites, si vous voyez ce que je veux dire.

Leonora sourit légèrement. Il la fit reculer.

— Merci pour votre aide, Madame.

— Oui, eh bien, j'espère que vous l'attraperez et qu'il pourra vous aider.

Ils quittèrent le tout petit porche. La logeuse allait fermer la porte, mais elle s'arrêta.

— Attendez une minute. Je viens de me souvenir…

Elle adressa un signe de tête à Tristan.

— Il a eu un visiteur, une fois, mais il n'est pas entré. Il est resté sur le porche comme vous et a attendu que M. Mountford sorte le rejoindre.

— À quoi ressemblait le visiteur ? Connaissez-vous son nom ?

— Il ne me l'a pas dit, mais je me suis rappelé avoir pensé en montant chercher M. Mountford que je n'en avais pas besoin. Je n'avais qu'à lui dire que le gentleman était étranger, et d'après moi, il saurait de qui il s'agissait.

– Étranger?

– Oui. Il avait un accent qu'on ne peut pas rater. Un de ceux qui nous donnent l'impression qu'on vous grogne après.

Tristan resta immobile.

– À quoi ressemblait-il?

Elle fronça les sourcils et haussa les épaules.

– À n'importe quel gentleman impeccable. Je me souviens qu'il était très soigné.

– Comment se tenait-il?

Le visage de la logeuse se détendit.

– Maintenant, je peux vous le dire. Il se tenait raide comme la justice. Il était si raide que je me suis dit qu'il casserait s'il se courbait.

Tristan sourit de façon charmante.

– Merci. Vous nous avez été d'une grande aide.

La logeuse prit une teinte rosée. Elle fit une révérence.

– Merci, Monsieur.

Après un instant, elle détourna le regard vers Leonora.

– Je vous souhaite bonne chance, Madame.

Leonora inclina la tête gracieusement et laissa Trentham l'éloigner. Elle aurait aimé demander à la logeuse ce qu'elle voulait dire par « bonne chance ». Trouver Mountford, ou faire respecter à Trentham ses prétendus vœux?

L'homme était une vraie menace avec son sourire redoutable.

Elle leva les yeux vers lui, puis enfouit cette pensée avec le reste de ce que la journée avait apporté. Mieux valait ne pas s'y attarder tandis qu'il était à ses côtés.

Il avança, impassible.

– Que pensez-vous du visiteur de Mountford ?

Tristan la regarda.

– Ce que j'en pense ?

Les yeux de Leonora se plissèrent, ses lèvres se pincèrent. Le regard qu'elle lui adressa lui indiqua qu'elle n'était pas née de la dernière pluie.

– De quelle nationalité pensez-vous qu'il est ? Vous avez manifestement une idée.

Cette femme était bien trop perspicace. Toutefois, il n'y avait aucun mal à lui dire.

– Allemand, Autrichien ou Prussien. Sa posture particulièrement raide ainsi que sa diction suggèrent une des trois.

Elle fronça les sourcils, mais ne dit rien de plus. Il héla un fiacre et l'aida à monter. Ils repartaient vers Belgravia quand elle demanda :

– Pensez-vous que cet étranger puisse être derrière les cambriolages ?

Comme il ne répondit pas immédiatement, elle continua :

– Qu'est-ce qui pourrait bien attirer un Allemand, un Autrichien ou un Prussien au numéro 14 de la place Montrose ?

– Ça, admit-il à voix basse, j'aimerais bien le savoir.

Elle le regarda avec intérêt, mais comme il ne dit spontanément rien de plus, elle le surprit en regardant devant elle et en gardant ses intentions pour elle.

Il la fit descendre devant le numéro 14. Elle attendit tandis qu'il payait le cocher, puis passa son bras dans le sien tandis qu'ils se tournaient vers le portail. Elle garda les yeux baissés quand il l'ouvrit, et ils entrèrent.

— Nous organisons une petite réception pour le dîner… Juste quelques amis de Humphrey et de Jeremy.

Elle leva brièvement les yeux sur lui, ses joues étant légèrement colorées.

— Je me demandais si vous voudriez vous joindre à nous. Cela vous donnerait l'occasion de vous forger une opinion sur le genre de secrets sur lesquels Humphrey ou Jeremy pourraient être tombés.

Il cacha un sourire cynique et redressa les sourcils comme s'il réfléchissait innocemment.

— Ce n'est pas une mauvaise idée.

— Si vous êtes libre… ?

Ils atteignirent l'escalier du porche. Tristan prit sa main et s'inclina.

— J'en serais ravi.

Il rencontra son regard.

— À vingt heures ?

Elle pencha la tête.

— Vingt heures.

Tandis qu'elle se détournait, ses yeux croisèrent les siens.

— Je me réjouis de vous revoir, alors.

Tristan la regarda monter les marches et attendit jusqu'à ce qu'elle disparaisse par la porte, sans regarder derrière elle, puis il se tourna et revêtit un sourire.

Elle était aussi transparente que le verre. Elle voulait le questionner sur ses soupçons par rapport à l'étranger…

Son sourire s'estompa. Son visage reprit son air impassible habituel.

Allemand, Autrichien ou Prussien. Il en savait assez sur ces trois possibilités pour être alerté, mais il n'avait pas encore assez d'information pour faire quelque chose de décisif, en dehors de fouiller davantage.

Qui sait ? Le fait que Mountford connaisse cet étranger pouvait être une pure coïncidence.

Tandis qu'il atteignait le portail d'entrée et qu'il l'ouvrait, une sensation familière parcourut l'arrière de ses épaules.

Il ne croyait pas aux coïncidences.

*

Leonora passa le reste de la journée agitée. Une fois qu'elle eut donné ses instructions pour le dîner et qu'elle eut informé avec désinvolture Humphrey et Jeremy de leur invité supplémentaire, elle se réfugia dans le jardin d'hiver.

Pour se calmer et décider de la meilleure tactique.

Pour revoir tout ce qu'elle avait appris ce matin.

Comme le fait que Trentham ne répugnait pas à l'embrasser. Et qu'elle ne répugnait pas à y répondre. C'était certainement un changement, car elle n'avait jamais trouvé quoi que ce soit de particulièrement fascinant dans cet acte auparavant. Mais avec Trentham…

Se calant dans les coussins de la chaise en fer forgé, elle dut admettre qu'elle le suivrait joyeusement partout où il la mènerait, du moins dans la limite du raisonnable. L'embrasser s'était avéré très agréable.

Ce n'était pas plus mal qu'il se soit arrêté.

Plissant les yeux en direction d'une orchidée blanche qui s'était inclinée légèrement tandis qu'elle avait bougé, elle revécut tout ce qui s'était passé, tout ce qu'elle avait senti. Tout ce qu'elle avait ressenti.

Il s'était arrêté non pas parce qu'il le désirait, mais parce qu'il l'avait planifié. Son appétit en voulait plus, mais sa volonté avait décrété qu'il devait interrompre le baiser. Elle avait vu ce rapide duel dans ses yeux, saisi la lueur noisette vive quand sa volonté avait triomphé.

Mais pourquoi ? Elle bougea de nouveau, pleinement consciente de la façon dont le bref épisode subsistait, telle une abrasion tenace, dans son esprit. Peut-être que la réponse reposait là… L'interruption du baiser l'avait laissée… sur sa faim. À un certain point, elle n'avait pas été consciente à ce moment-là de son insatisfaction.

Elle en voulait plus.

Elle fronça les sourcils et tapota distraitement un doigt sur la table. Avec ses baisers, Trentham lui avait ouvert les yeux et avait éveillé ses sens. Il les avait taquinés avec la promesse de ce qui pourrait être, et puis, il les avait laissés comme ça.

Délibérément.

Après lui avoir dit de suivre leur instinct.

Elle était une lady. Il était un gentleman. Théoriquement, il ne serait pas correct de sa part d'insister davantage, sauf si elle sollicitait ses attentions.

Ses lèvres sourirent cyniquement. Elle réprima un léger grognement. Elle était peut-être inexpérimentée, mais elle n'était pas idiote. Il n'avait pas écourté leur baiser conformément à des mœurs sociales. Il s'était arrêté volontairement pour l'aguicher, pour développer sa conscience, pour provoquer sa curiosité.

Pour stimuler son envie.

Ainsi, la prochaine fois, quand il en voudrait plus, qu'il voudrait passer à la prochaine étape, elle serait avide de poursuivre.

« Séduction. » Le mot se faufila dans son esprit avec la promesse d'une excitation illicite et d'une fascination.

Trentham la séduisait-il ?

Elle avait toujours su qu'elle était assez belle. Attirer l'attention des hommes n'avait jamais été difficile. Pourtant, elle n'avait jamais souhaité le faire auparavant, jouer à aucun de ces jeux reconnus. Elle n'y avait jamais vu quoi que ce soit d'excitant.

Mais maintenant qu'elle avait vingt-six ans, au grand désespoir de sa tante Mildred, elle avait assurément passé l'âge de se faire séduire.

Trentham était arrivé et avait tourmenté ses sens, puis il les avait laissés en éveil et avides de plus. Une jouissance anticipée d'un genre qu'elle n'avait jamais connu avant l'avait saisie, mais elle n'était pas encore certaine de ce qu'elle voulait, de ce qu'elle attendait de leur interaction.

Elle prit son souffle et expira lentement. Elle n'avait pas encore à prendre de décisions. Elle pouvait se permettre d'attendre, d'observer et d'apprendre… De suivre son instinct et de décider si elle approuvait la direction que cela prenait. Elle ne l'avait pas découragé ni porté à croire qu'elle n'était pas intéressée.

Parce qu'elle l'était. Très intéressée.

Elle croyait que cet aspect de la vie était fini pour elle, que les circonstances avaient laissé ces plaisirs hors de sa portée.

Pour elle, le mariage n'était plus une option. Peut-être que le destin lui avait envoyé Trentham comme consolation.

*

Quand elle se tourna et qu'elle le vit traverser le salon jusqu'à elle, ses mots résonnèrent dans son esprit.

Si c'était une consolation, quel en était le prix ?

Ses larges épaules étaient vêtues d'une tenue de soirée noire, le manteau étant un chef-d'œuvre d'élégance raffinée. Son gilet de soie grise luisait légèrement à la lueur des bougies. Une épingle en diamant brillait sur sa cravate. Comme elle s'y attendait, il avait évité toute complexité. La cravate était attachée dans un style simple. Les cheveux bien coiffés et lustrés, entourant ses traits prononcés, chaque élément de son apparence – ses habits, son assurance et ses manières –, tout le proclamait un gentleman de la haute société de la ville, habitué à commander, habitué à ce qu'on lui obéisse.

Habitué à agir à sa manière.

Elle fit la révérence et lui donna la main. Il la prit et s'inclina, puis haussa un sourcil en la regardant tandis qu'il se redressait et la relevait.

Le défi brillait dans ses yeux.

Elle sourit, satisfaite de croiser son regard, sachant qu'elle paraissait bien dans sa robe en soie abricot.

– Permettez-moi de vous présenter, Monsieur.

Il inclina la tête et plaça sa main sur sa manche, laissant sa main sur la sienne.

De manière possessive.

Sereine, sans montrer le moindrement qu'elle s'en était rendu compte, elle le mena là où se trouvaient Humphrey et ses amis, M. Morecote et M. Cunningham, qui étaient déjà en grande discussion. Ils s'interrompirent pour être présentés à Trentham et échanger quelques mots, puis elle le conduisit devant Jeremy, M. Filmore et Horace Wright.

Elle avait l'intention de s'arrêter là, de laisser Horace, leur connaissance érudite qui avait le plus d'entrain, les entretenir tandis qu'elle jouerait le rôle de la lady discrète, mais Trentham avait d'autres idées. Avec son habituelle prise de pouvoir, il la fit délicatement quitter la conversation et la ramena à leur position initiale, près de la cheminée.

Aucun des autres, absorbés dans leurs discussions, ne le remarqua.

Prudente, elle ôta sa main de sa manche et se tourna pour lui faire face. Il la regarda dans les yeux. Ses lèvres décrivirent un sourire éclatant en signe d'appréciation. Par rapport à ses intentions, mais aussi par rapport à elle – à ses épaules qui se soulevaient de la large encolure de sa robe, à ses cheveux frisés dont les boucles tombaient autour de ses oreilles et de sa nuque.

Voyant ses yeux la parcourir, elle sentit ses poumons se comprimer et lutta pour réprimer un frisson – pas de froid. La chaleur monta sur ses joues. Elle espéra qu'il penserait que c'était dû au feu.

Nonchalamment, le regard de Tristan remonta et revint à ses yeux.

L'expression dans ses vifs yeux noisette l'ébranla, lui coupant le souffle. Puis, les paupières de Tristan descendirent, des cils épais cachant ce regard troublant.

– Vous occupez-vous de la maison pour Sir Humphrey depuis longtemps ?

Il avait adopté la voix traînante habituelle utilisée en société, la voix languissante de quelqu'un qui s'ennuie manifestement. Réussissant à reprendre son souffle, elle inclina la tête et répondit.

Elle profita de cette ouverture pour détourner leur conversation vers une description de la région du Kent, où ils avaient vécu auparavant. Louer les joies de la campagne semblait plus sûr que s'exposer au vil dessein présent dans ses yeux.

Il répondit en mentionnant sa propriété dans le Surrey, mais ses yeux lui indiquèrent qu'il jouait avec elle.

Comme un très gros chat devant une souris particulièrement succulente.

Elle garda le menton redressé, refusant de reconnaître s'en être aperçue par le moindre signe. Elle soupira de soulagement quand Castor apparut et annonça le repas. Toutefois, elle réalisa à cet instant qu'elle était la seule lady. Trentham l'accompagnerait naturellement.

Le regardant droit dans les yeux, elle plaça sa main sur la manche qu'il lui présentait et le laissa lui faire franchir les portes menant dans la salle à manger.

Il l'assit à l'extrémité de la table, puis prit la chaise à sa droite. À la faveur des échanges enjoués des autres gentlemen, il croisa son regard et haussa un sourcil.

– Je suis impressionné.

– Ah oui ?

Elle regarda autour d'elle, comme pour vérifier que tout était en ordre, comme si c'était la table qui avait motivé son commentaire.

Il sourit dangereusement et se pencha plus près, avant de murmurer :

– Je pensais que vous craqueriez plus tôt.

Elle croisa son regard.

– Craquer ?

Les yeux de Tristan s'écarquillèrent.

— J'étais certain que vous seriez déterminée à me soutirer ce que serait notre prochaine étape.

Son expression restait innocente. Ses yeux étaient impassibles. Chacune de ses expressions avait deux sens, et elle ne pouvait pas dire duquel il s'agissait.

Après un moment, elle murmura :

— J'avais pensé me retenir jusqu'à plus tard.

Baissant les yeux, elle secoua sa serviette tandis que Castor déposait son plat de soupe devant elle. Elle prit sa cuillère et, froidement — bien plus froidement que ce qu'elle pensait —, elle croisa le regard de Trentham.

Il soutint son regard alors que le valet le servait, puis sourit.

— Cela est assurément plus raisonnable.

— Ma chère Mlle Carling, je voulais vous demander…

Horace, de l'autre côté de Leonora, attira son attention. Trentham se tourna vers Jeremy avec un certain intérêt. Comme toujours dans de tels rassemblements, la conversation en vint rapidement aux écritures anciennes. Leonora mangea, but et observa, surprise de voir Trentham se joindre aux autres, jusqu'à ce qu'elle réalise qu'il cherchait subtilement l'indice d'un secret dans le groupe.

Elle tendit l'oreille. Quand l'occasion se présenta, elle posa une question, ouvrant ainsi une nouvelle avenue de possibilités au sujet des ruines de la Perse antique. Mais peu importe la direction que Trentham ou elle prenaient, les six intellectuels étaient manifestement inconscients d'une découverte potentiellement précieuse.

Finalement, les plats furent enlevés, et elle se leva. Les gentlemen firent de même. Comme à leur habitude, son oncle et Jeremy voulurent conduire leurs amis à la bibliothèque pour boire du porto et du cognac tout en se plongeant dans leurs dernières recherches. Habituellement, c'est à ce moment-là qu'elle se retirait.

Naturellement, Humphrey invita Trentham à rejoindre leur congrégation masculine.

Trentham croisa le regard de Leonora. Elle le soutint, voulant qu'il décline la proposition et qu'il la laisse l'accompagner à la porte…

Il sourit et se tourna vers Humphrey.

— En fait, j'ai remarqué que vous aviez un vaste jardin d'hiver. J'avais pensé en ajouter un à ma maison de ville et je me demandais si je pourrais vous demander de me laisser examiner le vôtre.

— Le jardin d'hiver ?

Humphrey revêtit un large sourire et la regarda.

— Leonora en connaît plus là-dessus. Je suis sûr qu'elle sera ravie de vous faire visiter.

— Oui, bien sûr. Je serais heureuse de…

La teneur du sourire de Trentham n'était que pure séduction. Il avança vers elle.

— Merci, ma chère.

Il regarda de nouveau Humphrey.

— Je dois partir bientôt, toutefois, alors au cas où je ne vous reverrais pas, je vous remercie de votre hospitalité.

— Ce fut un réel plaisir, Monsieur.

Humphrey lui serra la main.

Jeremy et les autres échangèrent des salutations.

Puis, Trentham se tourna vers elle. Il haussa un sourcil et fit un signe vers la porte.

– Nous y allons ?

Le cœur de Leonora battit plus vite, mais elle inclina calmement la tête. Et le conduisit hors de la pièce.

Chapitre 6

Le jardin d'hiver était son domaine. En dehors du jardinier, personne d'autre n'y venait. C'était son sanctuaire, son refuge, son lieu sûr. Tandis qu'elle ouvrait la voie dans l'allée centrale et qu'elle entendit la porte émettre un déclic derrière elle, pour la première fois dans ces murs de verre, elle ressentit un frisson de danger.

Ses chaussons claquaient légèrement sur les carreaux et ses jupes de soie bruissaient. Puis vint le bruit de pas encore plus faible de Trentham, qui la suivait dans l'allée.

Elle fut saisie à la fois d'excitation et de quelque chose de plus intense.

– L'hiver, la pièce est réchauffée par la vapeur en provenance de la cuisine.

Atteignant le bout de l'allée, elle s'arrêta dans la courbe la plus profonde de la fenêtre en saillie et prit une profonde respiration. Son cœur battait la chamade si bruyamment qu'elle pouvait l'entendre, sentir ses pulsations dans ses doigts. Elle tendit la main et toucha le verre du bout du doigt.

– Il y a un double vitrage pour garder la chaleur à l'intérieur.

La nuit dehors était noire. Elle se concentra sur le carreau et vit Trentham qui approchait, son image se reflétant dans la vitre. Deux lampes brûlaient faiblement de chaque côté de la pièce. Elles diffusaient suffisamment de lumière pour avoir une idée des plantes.

Trentham diminua la distance entre eux, avançant d'un pas lent avec sa silhouette imposante et extrêmement prédatrice. Elle ne douta à aucun instant qu'il l'observait. Son visage resta dans l'ombre jusqu'à ce qu'il s'arrête près d'elle et qu'il lève les yeux pour rencontrer les siens dans la vitre.

Il riva son regard sur le sien.

Ses mains se glissèrent autour de sa taille, se refermèrent et la tinrent.

La bouche de Leonora était sèche.

— Êtes-vous vraiment intéressé par les jardins d'hiver ?

Son regard descendit.

— Je suis intéressé par ce que les jardins d'hiver contiennent.

— Les plantes ?

Sa voix était faible.

— Non, vous.

Il la tourna, et elle se retrouva dans ses bras. Il pencha la tête et recouvrit ses lèvres, comme s'il en avait le droit. Comme si, d'une façon étrange, elle lui appartenait.

Elle posa sa main sur son épaule et la serra quand il écarta ses lèvres et pénétra dans sa bouche. Il la tint ancrée devant lui tandis qu'il la savourait, tranquillement, comme s'il avait tout le temps du monde.

Et qu'il avait l'intention de l'utiliser.

Son geste lui fit tourner la tête. Agréablement. Une chaleur se répandit sous sa peau. Le goût de lui – dur, viril, dominant – s'engouffra en elle.

Pendant un long moment, ils ne firent que prendre, donner, explorer tandis que quelque chose en eux se renforçait.

Il interrompit le baiser, leva la tête, mais juste assez pour la rapprocher davantage. Sa main parcourut son dos, brûlante à travers la soie délicate de sa robe. Il la regarda dans les yeux. Il avait les paupières lourdes, presque somnolentes.

– De quoi vouliez-vous me parler ?

Elle cligna des yeux, s'efforçant de rassembler ses esprits. Elle le vit la regarder tenter de retrouver ses moyens. Demander des éclaircissements sur la prochaine étape était assurément tentant. Il attendait la question.

– Aucune importance.

Hardiment, elle leva le bras et ramena ses lèvres sur les siennes.

Il souriait tandis qu'elle posait sa bouche sur la sienne, mais il s'exécuta. Ensemble, ils replongèrent dans leur échange, le laissant les amener plus loin. Il recula de nouveau.

– Quel âge avez-vous ?

La question calma ses sens et atteignit son cerveau. Ses lèvres vibrèrent, encore avides. Elle effleura celles de Tristan avec les siennes.

– Est-ce important ?

Il leva les paupières. Leurs regards se rencontrèrent. Un moment passa.

– Pas matériellement.

Elle s'humecta les lèvres et regarda les siennes.

– Vingt-six.

Il revêtit son sourire redoutable. Une fois encore, le danger la fit frissonner.

– Assez vieille.

Il l'attira vers lui, contre lui. De nouveau, il pencha la tête. Une fois encore, elle le rencontra.

Tristan sentit son empressement, son enthousiasme. Pour ça, au moins, il avait gagné. Elle lui servait la situation sur un plateau. C'était trop tentant pour ne pas en profiter. Une autre occasion de développer sa connaissance, d'étendre ses horizons. Du moins suffisamment pour que, la prochaine fois qu'il cherchera à la distraire sensuellement, il ait une chance de réussir.

Elle s'était sortie de son emprise trop aisément cet après-midi, s'était évadée de son piège, s'était libérée de toute fascination prolongée bien trop facilement à son goût.

Sa nature avait toujours été dictatoriale. Tyrannique. Prédatrice.

Il était issu d'une longue lignée d'hommes hédonistes qui avaient toujours, à quelques exceptions près, obtenu ce qu'ils voulaient.

Il la voulait assurément, mais d'une façon quelque peu différente, avec une intensité qui lui était peu familière. Quelque chose en lui avait changé ou ressortait peut-être plus justement. Une partie de lui contre laquelle il n'avait jamais pensé lutter auparavant. Jamais avant une femme ne l'avait éveillée.

Elle le faisait. Sans effort. Mais elle n'avait aucune idée de ce qu'elle faisait, encore moins de ce qu'elle tentait.

Sa bouche était un ravissement, une caverne de douceur sucrée, chaude, captivante, extrêmement aguicheuse. Elle enfouit ses doigts dans ses cheveux. Sa langue provoqua la sienne, apprenant rapidement, avide d'expérimenter.

Il lui donna ce qu'elle voulait, mais réfréna ses ardeurs démoniaques. Elle se colla davantage, l'invitant presque à approfondir le baiser. Une invitation qu'il ne voyait aucune raison de décliner.

Élancés, souples, légèrement découpés, ses membres doux et sa chair lisse étaient une tentation féminine puissante pour son besoin entièrement masculin. La sentir dans ses bras nourrissait son désir, alimentait les flammes sensuelles qui avaient surgi entre eux.

« Agir en fonction des circonstances. » Suivre son instinct. Le moyen le plus simple d'avancer.

Elle était si différente de la femme qu'il avait imaginée, de la femme qu'une partie de lui insistait encore obstinément à lui montrer comme le genre qu'il devrait rechercher, qu'il n'était pas encore prêt à revoir complètement sa position, du moins pas ouvertement.

Il plongea plus profondément dans sa bouche, l'attirant encore plus près, savourant sa chaleur et la promesse de ce qui suivrait.

Il serait temps d'examiner où ils en étaient une fois qu'ils y seraient rendus. Il devait laisser les choses se développer normalement tout en s'occupant du mystérieux cambrioleur. Voilà ce qui était judicieux. Peu importe ce qui se développait entre eux, sa priorité était incontestablement très claire. Éliminer la menace suspendue au-dessus d'elle était sa principale préoccupation. Rien, non rien, ne devait le détourner de ce but. Il était trop expérimenté pour permettre une quelconque interférence.

Il serait temps, une fois qu'il aurait accompli cette mission et qu'elle serait en sécurité, de tourner son esprit vers le désir qu'un destin étonnant avait semé entre eux.

Il pouvait sentir ce désir s'intensifier, prendre de l'essor, se faire plus vorace avec chaque minute qu'elle passait dans ses bras. Il était temps d'arrêter. Il n'avait aucun scrupule à étouffer ses démons, à mettre fin peu à peu à leur échange.

Il leva la tête. Elle cligna des yeux en le regardant, hagarde, et prit une vive respiration avant de regarder autour d'elle. Il relâcha sa prise, et elle recula, ramenant son regard sur son visage.

Elle sortit sa langue pour parcourir sa lèvre supérieure.

Il fut soudain conscient d'une douleur bien nette. Il se redressa et prit son souffle.

– Que…

Elle s'éclaircit la gorge.

– … Que planifiez-vous par rapport au cambrioleur ?

Il la regarda et se demanda ce qu'il lui faudrait pour lui faire perdre complètement la tête.

– Le nouveau registre qu'ils établissent à Somerset House. Je veux savoir qui est Montgomery Mountford.

Elle réfléchit un instant, puis hocha la tête.

– Je viendrai avec vous. Deux personnes sont plus rapides qu'une pour ce genre de recherches.

Il resta silencieux, comme s'il réfléchissait, puis inclina la tête.

– Très bien. Je viendrai vous chercher à onze heures.

Elle le regarda fixement. Il ne pouvait pas lire dans ses yeux, mais il savait qu'elle était surprise.

Il sourit. De façon charmante.

L'expression de Leonora devint soupçonneuse.

Son sourire s'approfondit en un geste sincère, cynique et amusé. Capturant sa main, il la porta à ses lèvres.

— À demain.

Elle croisa son regard et haussa les sourcils d'un air hautain.

— Ne deviez-vous pas vous informer du jardin d'hiver ?

Il soutint son regard, tourna sa main et déposa un lent baiser dans sa paume.

— J'ai menti. J'en ai déjà un.

Il relâcha sa main et recula.

— Rappelez-moi de vous le montrer, un jour.

Il fit un dernier geste de la tête et lui lança un ultime regard de défi, avant de la quitter.

*

Elle était encore suspicieuse quand il arriva pour la chercher dans son fiacre le lendemain matin.

Il croisa son regard, puis la fit monter. Elle adopta un air hautain et feignit de ne rien remarquer. Il grimpa, prit les rênes et fit avancer ses chevaux gris.

Elle avait belle apparence dans sa pelisse d'un bleu profond boutonnée sur une robe de promenade bleu ciel. Son bonnet entourait son visage, ses traits fins teintés d'une couleur délicate, comme si un artiste avait peint une porcelaine de grande qualité. Tandis qu'il guidait la paire de chevaux nerveux dans les rues bondées, il n'arrivait pas à comprendre pourquoi elle ne s'était jamais mariée.

Tous les hommes de la haute société de Londres ne pouvaient pas être si aveugles. S'était-elle cachée pour une raison quelconque ? Ou est-ce que ses dispositions à diriger, son indépendance incisive, sa propension à prendre le contrôle s'avéraient un trop gros défi ?

Il était parfaitement conscient de ses caractéristiques les moins attirantes, mais pour une raison insondable, la partie de lui selon laquelle elle et seulement elle l'attirait insistait sur le fait de les voir non pas comme quelque chose d'aussi modéré qu'un défi, mais plus comme une déclaration de guerre. Comme si elle était un adversaire qui le défiait ouvertement. Il savait que c'était absurde, mais cette conviction devenait de plus en plus profonde.

Cela avait en partie déterminé sa dernière tactique. Il avait accepté sa requête de l'accompagner à Somerset House — et de toute façon, il l'aurait suggéré si elle ne l'avait pas fait —, car il n'y avait là aucun danger.

Avec lui, elle était en sécurité. Mais hors de sa vue, laissée à elle-même, elle essaierait indubitablement de s'attaquer au problème — à son problème, comme elle l'avait si catégoriquement déclaré — d'un autre angle. Lui ordonner de cesser d'enquêter à sa manière, la forcer à le faire, était au-delà de ses pouvoirs actuels. La garder avec lui autant que possible était incontestablement la meilleure manière.

Descendant le Strand, il grimaça intérieurement. Ses arguments rationnels semblaient si logiques. L'envie irrésistible derrière eux — l'envie d'utiliser de tels arguments pour se justifier — était nouvelle et nettement troublante. Déconcertante. La soudaine prise de conscience que le bien-être d'une femme de son âge indépendante d'esprit était à présent crucial pour sa sérénité était légèrement choquante.

Ils arrivèrent à Somerset House. Laissant le fiacre aux soins de son garçon d'écurie, ils entrèrent dans l'édifice, leurs pas résonnant sur la pierre froide. Un assistant assis derrière un comptoir les regarda. Tristan fit sa demande, et ils furent dirigés dans un couloir menant à une vaste salle. Des rangées de classeurs en bois remplissaient l'espace. Chaque placard possédait de multiples tiroirs.

Un autre assistant, avisé de leurs recherches, indiqua un ensemble de classeurs en particulier. Les lettres « MOU » étaient inscrites en doré sur le devant en bois ciré.

– Je vous suggère de commencer par là.

Leonora avança d'un bon pas vers les classeurs. Il suivit plus lentement, pensant à ce que les tiroirs devaient contenir, estimant combien d'extraits pouvaient se trouver dans chaque tiroir.

Ses suppositions se confirmèrent quand Leonora ouvrit le premier tiroir.

– Bon sang !

Elle regarda fixement la masse de papiers entassés dans l'espace.

– Ça peut prendre des jours !

Il ouvrit le tiroir à côté du sien.

– Heureusement que vous vous êtes invitée !

Elle émit un son suspect, comme un grognement étouffé, et commença à vérifier les noms. Ce n'était pas aussi mauvais qu'ils l'avaient craint. Assez rapidement, ils trouvèrent le premier Mountford, mais le nombre de gens nés en Angleterre avec ce nom était décourageant. Ils persévérèrent et finirent par découvrir que oui, en effet, il existait un Montgomery Mountford.

— Mais…

Leonora regarda l'extrait de naissance.

— … ça voudrait dire qu'il a soixante-treize ans !

Elle fronça les sourcils, puis replaça l'extrait de naissance et regarda le suivant et le suivant... et le suivant.

— Il y en a six, marmonna-t-elle, son ton exaspéré confirmant ce qu'il pensait. Et pas un ne correspond. Les cinq premiers sont trop vieux, et celui-ci a treize ans.

Il mit une main sur son épaule.

— Vérifiez attentivement de chaque côté, au cas où un extrait aurait été mal classé. Je vais voir l'assistant.

La laissant grimacer et fouiller dans les extraits, il se rendit au bureau du responsable. Un petit mot, et le responsable envoya immédiatement un de ses assistants. Trois minutes plus tard, un individu soigné portant un costume sobre de fonctionnaire arriva.

Tristan expliqua ce qu'il cherchait.

M. Crosby hocha la tête.

— Effectivement, Monsieur. Toutefois, je ne crois pas que ce nom soit un de ceux qui sont protégés. Me permettez-vous de vérifier ?

Tristan fit un geste, et Crosby repartit dans la salle.

Découragée, Leonora ferma les tiroirs. Elle retourna à ses côtés, et ils attendirent que Crosby réapparaisse.

Il salua Leonora, puis regarda Tristan.

— C'est bien ce que vous pensiez, Monsieur. À moins qu'il ne manque un extrait — ce dont je doute fortement —, il n'y a aucun Montgomery Mountford de l'âge que vous recherchez.

Tristan le remercia et accompagna Leonora à l'extérieur. Ils s'arrêtèrent en haut des marches, et elle se tourna vers lui.

Elle rencontra son regard.

— Pourquoi quelqu'un utiliserait-il un faux nom ?

— Parce que, dit-il en mettant ses gants de cuir et en serrant les mâchoires, il prépare un mauvais coup.

Reprenant le coude de Leonora, il la conduisit en bas de l'escalier.

— Venez ! Allons faire un tour.

***

Il la conduisit dans le Surrey, à la propriété Mallingham, qui lui appartenait à présent. Il le fit si impulsivement qu'il pensa la distraire, ce qui, d'après lui, était de plus en plus nécessaire. Un criminel qui utilise un faux nom était de très mauvais augure.

Du Strand, il traversa le fleuve, l'avisant immédiatement du changement de direction. Mais quand il expliqua qu'il devait s'occuper de ses affaires à sa propriété afin de pouvoir revenir en ville libre de poursuivre la question de Montgomery Mountford, le cambrioleur fantôme, elle accepta l'arrangement sans hésiter.

La route était directe et en excellente condition. Les chevaux gris étaient pleins d'entrain et avides de se détendre les jambes. Il fit passer le fiacre entre les élégants portails de fer forgé à temps pour le déjeuner. Faisant remonter l'allée aux chevaux, il remarqua que l'attention de Leonora était fixée sur l'énorme maison devant, sise au milieu des pelouses entretenues avec soin et des parterres à la française. L'allée de gravier menait à une cour circulaire devant les imposantes portes d'entrée.

Il suivit son regard. Il soupçonnait qu'il voyait la maison comme elle, car il devait encore s'habituer à l'idée qu'elle était sienne à présent. La propriété s'érigeait là depuis des siècles, mais son grand-oncle l'avait entièrement rénovée avec ferveur. Ils se trouvaient donc à présent devant une demeure palladienne faite de grès couleur crème avec des frontons à chacune de ses longues fenêtres et de faux créneaux au-dessus de la longue ligne de la façade.

Les chevaux gris pénétrèrent dans l'avant-cour. Leonora soupira.

– C'est magnifique. Tellement raffiné.

Tristan hocha la tête, ce qui lui permit de le reconnaître, d'admettre que son grand-oncle ne s'était pas trompé.

Un garçon d'écurie accourut tandis qu'il mettait pied à terre. Tristan laissa le fiacre et les chevaux aux soins de son garçon d'écurie et aida Leonora à descendre. Puis il la conduisit en haut des marches.

Clitheroe, le majordome de son grand-oncle, à présent le sien, ouvrit les portes avant qu'ils y arrivent et les salua cordialement, comme à son habitude.

– Bienvenue chez vous, Monsieur.

Clitheroe inclut Leonora dans son sourire.

– Clitheroe, voici Mlle Carling. Nous resterons pour le dîner. Ensuite, je m'occuperai de mes affaires avant que nous repartions en ville.

– Entendu, Monsieur. Devrais-je informer les ladies ?

Ôtant son pardessus, Tristan réprima une grimace.

– Non. Je leur présenterai Mlle Carling. Je suppose qu'elles sont dans le petit salon ?

– Oui, Monsieur.

Il ôta la pelisse de Leonora de ses épaules et la tendit à Clitheroe. Puis, il plaça sa main sur sa manche, et avec l'autre main, il fit un geste vers le bout de l'entrée.

– Je crois vous avoir mentionné que j'ai de nombreuses femmes – de la famille et des relations – qui résident ici ?

Elle le regarda.

– En effet. Sont-elles des cousines comme les autres ?

– Certaines, mais les deux plus remarquables sont mes grands-tantes Hermione et Hortense. À ce moment de la journée, le petit groupe se trouve sans aucun doute dans le petit salon.

Il croisa son regard.

– À cancaner.

Il s'arrêta et ouvrit une porte. Comme pour confirmer ce qu'il venait de dire, la discussion agitée des femmes cessa immédiatement.

Tandis qu'il accompagnait Leonora dans la longue pièce agrémentée d'une série de fenêtres le long d'un mur, toutes donnant sur un décor bucolique de pelouses descendant vers un lac au loin, elle fut l'objet d'yeux écarquillés qui ne cillaient pas. Les ladies – elle en compta huit – étaient assurément en émoi.

Toutefois, elles ne désapprouvaient pas.

Ce fut immédiatement évident quand Trentham, avec son raffinement habituel, la présenta à sa plus vieille grand-tante, Lady Hermione Wemyss. Lady Hermione rayonna et lui souhaita sincèrement la bienvenue. Leonora fit une révérence et lui répondit.

Ils poursuivirent ainsi avec le groupe de visages alignés, qui exprimaient tous divers degrés de joie. Elles étaient tout aussi ravies de la rencontrer que les six vieilles ladies de sa maison de Londres. Sa première pensée, selon laquelle peut-être, pour une raison qu'elle ignorait, elles ne s'aventuraient pas dans la société et qu'ainsi, elles se retrouvaient privées de visites, et par conséquent, qu'elles auraient été ravies que n'importe qui vienne les voir, s'éteignit totalement. Tandis qu'elle s'installait dans le fauteuil que Trentham lui présentait, Lady Hortense se lança en effet dans un récit de leur dernière tournée de visites et de l'excitation entourant la kermesse.

— Il se passe toujours quelque chose par ici, vous savez, confia Hortense. On ne s'ennuie pas du tout.

Les autres opinèrent et l'interrompirent avec impatience, lui parlant des attractions locales et des charmes de la propriété et du village avant de l'inviter à leur parler d'elle.

Complètement rassurée en une telle compagnie, elle répondit facilement, leur parlant de Humphrey, de Jeremy et de leurs activités, ainsi que des jardins de Cedric — le genre de choses que les ladies plus âgées aimaient savoir.

Trentham était resté près de son fauteuil, une main sur son dossier. Il recula.

— Si vous voulez bien m'excuser, Mesdames, je vous retrouverai pour le déjeuner.

Elles furent toutes ravies et hochèrent la tête. Leonora leva les yeux et rencontra son regard. Il inclina la tête, puis son attention fut attirée par Lady Hermione. Il se pencha pour l'écouter. Leonora ne put entendre ce qu'ils se disaient. Trentham hocha la tête et se redressa, puis quitta la pièce. Elle regarda son dos élégant disparaître par la porte.

– Ma chère Mlle Carling, dites-nous…

Leonora se retourna vers Hortense.

Elle aurait pu se sentir abandonnée, mais cela s'avéra impossible en telle compagnie. Les vieilles ladies entreprirent manifestement de la divertir. Elle ne pouvait s'empêcher de répondre. En fait, elle était intriguée par la myriade de bribes de conversation concernant Trentham et son prédécesseur, son grand-oncle Mortimer. Elle réunit assez d'information pour comprendre comment Trentham avait hérité et sut par Hermione les dispositions fâcheuses de son frère et son insatisfaction par rapport à cette branche de la famille de Trentham.

– Il a toujours maintenu que c'étaient des gaspilleurs, marmonna Hermione. C'est ridicule, bien sûr. Il était juste jaloux qu'ils puissent se promener partout tandis qu'il devait rester chez lui à s'occuper des terres de la famille.

Hortense opina de la tête avec componction.

– Et le comportement de Tristan ces derniers mois a prouvé combien Mortimer avait eu tort.

Elle capta le regard de Leonora.

– C'est un homme très bien, ce Tristan. Pas de ceux qui fuient leurs responsabilités, quelles qu'elles soient.

Cette déclaration fut accueillie par des hochements de tête approbatifs de partout. Leonora soupçonna qu'il y avait plus que ce qu'elle avait dit, mais avant qu'elle puisse réfléchir à un moyen de se renseigner avec tact, elle fut distraite par une description colorée du pasteur et du presbytère.

Une partie d'elle aimait, voire se délectait de ces simples bavardages de la vie à la campagne. Quand le majordome arriva pour annoncer que le déjeuner les attendait, elle se leva, surprise, réalisant combien elle avait apprécié cet interlude inattendu.

Bien que les ladies eussent été de charmante compagnie, c'était le sujet principal qui l'avait intéressée, soit les propos sur Trentham et un récit général des événements de la campagne.

Elle réalisa combien elle s'en ennuyait.

Trentham attendait dans la salle à manger. Il tira une chaise et installa Leonora à côté de lui.

Le repas était excellent. La conversation ne faiblit pas, mais elle ne fut jamais tendue. Malgré sa composition inhabituelle, la maisonnée semblait détendue et satisfaite.

À la fin du repas, Tristan attira l'attention de Leonora, puis repoussa sa chaise et regarda autour de la table.

— Si vous voulez bien nous excuser. Je dois m'occuper de certaines autres affaires, et ensuite, nous devons retourner en ville.

— Oh, en effet.

— Oh, bien sûr. Heureuse de vous avoir rencontrée, Mlle Carling.

— J'espère que Trentham vous invitera de nouveau, ma chère.

Il se leva, prit la main de Leonora et l'aida à se lever. Conscient de son impatience, il attendit qu'elle échange ses adieux avec la tribu de vieilles dames, puis la conduisit hors de la pièce jusqu'à son aile privée.

D'un commun accord, les résidentes ne pénétraient pas dans son domaine privé. Il conduisit Leonora sous l'arche et dans le long couloir, qui, de façon irrationnelle, l'apaisait.

Il l'avait laissée avec le groupe en sachant que les vieilles dames l'amuseraient et en pensant qu'il pourrait se concentrer sur ses affaires. Il croyait pouvoir s'en occuper de façon bien plus efficace s'il pouvait se passer de sa présence physique. Mais c'était sans compter sur sa compulsion irrationnelle, celle qui le poussait à vouloir savoir non seulement où elle était, mais comment ça se passait.

Ouvrant une porte, il l'introduisit dans son bureau.

– Si vous voulez bien vous asseoir quelques minutes, j'aurais quelques affaires à régler. Ensuite, nous pourrons partir.

Elle inclina la tête et avança vers le fauteuil en angle près du feu. Il la regarda s'installer confortablement, les yeux rivés sur le feu. Son regard resta posé sur elle pendant un moment, puis il se tourna et marcha jusqu'à son bureau.

Avec elle dans la pièce – en sécurité, satisfaite et tranquille –, il trouva plus facile de se concentrer. Il approuva rapidement diverses dépenses, puis se mit à vérifier un certain nombre de rapports. Même quand elle se leva et marcha jusqu'à la fenêtre pour regarder la vue sur les pelouses et les arbres, il leva à peine les yeux, juste assez pour remarquer ce qu'elle faisait, puis il retourna à sa tâche.

Quinze minutes plus tard, il avait suffisamment avancé dans son travail pour pouvoir rester à Londres pendant les quelques prochaines semaines et vouer toute son attention au cambrioleur fantôme de Leonora. Et, par la suite, si les choses continuaient à avancer dans ce sens, à elle.

Repoussant son fauteuil, il leva les yeux et la vit appuyée contre le châssis de la fenêtre à le regarder.

Son regard bleu pervenche était impassible.

— Vous ne ressemblez pas du tout à un de ces personnages en vue de la société.

Il soutint son regard, également direct.

— Je ne le suis pas.

— Je pensais que tous les comtes — surtout les célibataires — l'étaient par définition.

Il arqua un sourcil tout en se levant.

— Pour ce qui est du comte, je ne m'attendais pas à ce titre.

Il avança vers elle.

— Je n'aurais jamais imaginé l'avoir.

Elle haussa un sourcil également, les yeux interrogatifs, tandis qu'il arrivait près d'elle.

— Et le comte célibataire ?

Il baissa les yeux vers elle et dit, après un moment :

— Comme vous venez de le faire remarquer, cet adjectif n'a de prestige que lorsqu'il est attaché au titre.

Elle scruta son visage, puis détourna les yeux.

Il suivit son regard tourné vers l'extérieur, vers le décor serein au loin. Puis, il baissa les yeux vers elle.

— Nous avons le temps de nous promener avant de repartir.

Elle lui jeta un coup d'œil, puis, de nouveau, regarda la campagne légèrement vallonnée.

— Je pensais justement combien je m'ennuyais des plaisirs de la campagne. J'aimerais bien m'y promener.

Il la conduisit dans le petit salon adjacent, et ils passèrent les portes-fenêtres menant à une terrasse retirée. Des marches descendaient vers la pelouse encore verte malgré la dureté de l'hiver. Ils entamèrent leur promenade. Les yeux rivés sur elle, il demanda :

– Voudriez-vous votre pelisse ?

Elle le regarda, sourit et secoua la tête.

– Il ne fait pas si froid au soleil, même s'il est faible.

Le volume de la maison les protégeait du vent. Il se tourna pour la contempler, puis regarda en avant. Il vit qu'elle le fixait.

– Cela a dû être un choc de découvrir que vous aviez hérité de tout ça, dit-elle en faisant un geste qui englobait plus que le toit et les murs. Étant donné que vous ne vous y attendiez pas.

– En effet.

– Vous semblez plutôt bien vous débrouiller. Les ladies semblent très satisfaites.

Il revêtit un sourire.

– Oh, elles le sont.

Le fait qu'il l'eut emmenée ici l'avait confirmé.

Il regarda devant lui vers le lac. Elle suivit son regard. Ils marchèrent jusqu'au rivage, puis flânèrent sur la rive. Leonora aperçut une famille de canards. Elle s'arrêta, faisant de l'ombre sur ses yeux avec sa main pour mieux les voir.

S'arrêtant à quelques pas d'elle, il l'examina, laissa son regard s'attarder sur l'image qu'elle offrait près de son lac, dans la lumière tachetée du soleil, et ressentit une satisfaction qu'il n'avait jamais connue auparavant le réchauffer. Il semblait absurde de prétendre que l'impulsion de l'emmener ici n'avait pas été provoquée par un instinct primitif de la voir en sécurité entre des murs qui lui appartenaient.

La voir ici, être avec elle ici, était comme découvrir un autre morceau de son puzzle encore incomplet.

Elle s'y insérait parfaitement.

Et cela le gênait grandement.

Il ne supportait habituellement pas l'inaction; or, il était content de marcher à ses côtés, de ne rien faire. Comme si être avec elle lui octroyait le droit de simplement être, comme si elle était une raison suffisante à son existence, du moins en ce moment. Aucune autre femme n'avait jamais eu cet effet sur lui. Le réaliser ne fit qu'intensifier son besoin de mettre fin à la menace qui pesait sur elle.

Comme si elle sentit son soudain durcissement, elle le regarda, scrutant son visage de ses yeux grands ouverts. Il mit son masque et sourit avec décontraction.

Elle fronça les sourcils.

Avant qu'elle puisse l'interroger, il prit son bras.

— Allons par là.

Le jardin de roses même en hibernation la divertit. Il la mena dans les vastes massifs d'arbustes à la française, faisant lentement le tour pour revenir vers la maison. Un petit temple de marbre, d'un classique austère, s'érigeait au centre des arbustes.

Leonora avait oublié combien il était agréable de marcher dans un vaste jardin si bien conçu et entretenu. À Londres, la création fantastique de Cedric manquait de perspectives apaisantes, d'horizons magnifiques qui ne pouvaient être que le lot de la campagne, et la vue des parcs était trop limitée et trop chargée. Assurément pas apaisante. Ici, en marchant avec Trentham, la paix s'infiltrait comme une drogue dans ses veines, comme si une source presque tarie se remplissait de nouveau.

Situé à la jonction des chemins parmi les arbustes, le temple était simplement parfait. Levant ses jupes, elle monta les marches. À l'intérieur, le sol était fait d'une délicate mosaïque noir, gris et blanc. Les colonnes ioniques qui soutenaient le toit en dôme étaient blanc veiné de gris.

Leonora se tourna et regarda la maison derrière, entourée de hautes haies. La perspective était superbe.

— C'est magnifique.

Elle sourit à Trentham tandis qu'il s'arrêtait à côté d'elle.

— Peu importe les difficultés, vous ne pouvez que vous réjouir que ceci vous appartienne.

Elle tendit les bras, les mains, pour inclure les jardins, le lac et la campagne environnante dans sa déclaration.

Il croisa son regard, le soutint un long moment, puis dit doucement :

— En effet. Je m'en réjouis.

Elle saisit son intonation, la présence d'une signification plus profonde dans ses mots. Elle fronça ouvertement les sourcils.

Les lèvres de Tristan, jusqu'ici droites, aussi sérieuses que son expression, revêtirent un sourire qu'elle trouva un brin ironique. Il tendit un bras et s'empara de son poignet, puis fit glisser sa main pour la refermer autour de la sienne.

Il la leva et porta son poignet à ses lèvres. Ses yeux restant rivés sur les siens, il laissa ses lèvres s'attarder tandis que le pouls de Leonora s'accélérait, puis s'emballait.

Comme si cela était le signal qu'il attendait, il tendit son bras vers elle pour l'attirer plus près. Elle le laissa faire, alla dans ses bras, manifestement curieuse et empressée.

Il inclina sa tête, et Leonora battit des paupières. Elle leva ses lèvres, et il les lui prit. Il se glissa doucement entre elles, prit possession de sa bouche et de ses sens.

Elle les lui offrit facilement, totalement sans crainte. Elle était tout à fait confiante dans son interprétation de Tristan. Il ne lui ferait jamais de mal. Mais là où il se dirigeait avec ses baisers enivrants – ce qui viendrait après, et quand –, elle l'ignorait encore. Elle n'avait aucune expérience sur laquelle se fonder.

Elle n'avait jamais été séduite avant.

S'il s'agissait de son but ultime, elle l'acceptait. Elle ne pouvait voir aucune autre raison qui expliquerait ses actes. Il lui avait demandé son âge et avait déclaré qu'elle était assez vieille. À vingt-cinq ans, elle était considérée comme une vieille fille. À présent qu'elle en avait vingt-six, elle était, autant dans l'esprit de Tristan que dans le sien, son propre maître. Une célibataire dont la vie ne regardait personne en dehors d'elle. Ses actions ne concernaient personne d'autre, et elle prenait elle-même ses décisions.

Non pas qu'elle voulait nécessairement accéder aux désirs de Tristan. Elle se déciderait si l'occasion se présentait et à ce moment-là seulement.

Ce ne serait pas aujourd'hui, pas dans un temple ouvert visible de sa maison. Libre de toute perspective d'avoir à réfléchir, elle plongea dans ses bras et l'embrassa.

Elle se livra à un duel avec lui, s'abandonnant dans l'échange, et sentit une chaleur émerger entre eux, accompagnée d'une tension saisissante – une contraction qui provoquait une excitation dans ses nerfs, un plaisir anticipé sous sa peau.

Son corps se durcit. La chaleur s'intensifia et s'étendit.

Encouragée, elle remonta ses mains sur ses épaules et les glissa autour de sa nuque. Déployant ses doigts, elle les enfonça lentement dans ses mèches foncées. Elles étaient épaisses et lourdes, et s'inséraient à travers et sur ses doigts, alors même que la langue de Tristan s'introduisait plus profondément.

Il inclina sa tête et rapprocha davantage Leonora jusqu'à ce que ses seins se retrouvent plaqués contre sa poitrine, que ses cuisses effleurent les siennes, que ses jupes s'entortillent autour de ses bottes. Ses bras se refermèrent autour d'elle, la soulevant contre lui. Sa force la captura. Le baiser s'approfondit dans un mélange de bouches, un échange bien plus intime. Elle s'attendait un peu à être choquée – pensait devoir l'être –, mais à la place, tout ce qu'elle découvrit fut cette chaleur croissante, une certaine assurance à la fois en lui et en elle, et une faim débordante.

Cette faim sans cesse grandissante était la leur – pas celle de Leonora ni celle de Tristan, mais quelque chose qui grossissait entre eux.

Elle les attirait.

Les aguichait.

Nourrissait le besoin de Tristan.

Mais c'était son besoin à elle avec lequel il jouait, qu'il observait et jaugeait, et qui finalement lui fit relâcher sa prise sur elle. Il la prit dans un bras tandis qu'il levait une main vers son visage. Pour dessiner sa joue, décrire sa mâchoire, la maintenant immobile tandis qu'il la pillait avec méthode. Pourtant, à aucun moment il ne chercha à l'accabler, car il savait que ce n'était pas la bonne façon de la piéger.

La séduire était un instinct qu'il ne cherchait plus à combattre. Il ôta ses doigts de la courbe délicate de sa mâchoire et les fit descendre, jouant avec ses sens jusqu'à ce que les lèvres de Leonora deviennent exigeantes, puis il la caressa légèrement, assez pour éveiller son imagination, pour calmer son appétit, mais pas assez pour le rassasier.

Ses seins se gonflèrent sous son toucher. Il brûlait d'envie d'en réclamer davantage, mais se retint. La stratégie et les tactiques étaient son point fort. Dans cela et dans toute chose, il jouait pour gagner.

Quand les doigts de Leonora se plantèrent sur son crâne, il consentit à prendre son sein dans sa paume, à le caresser toujours légèrement, toujours de façon à exciter plus qu'à satisfaire. Il sentit ses sens se stimuler, ses nerfs se tendre. Il sentit son mamelon se durcir dans sa paume.

Il dut prendre une profonde respiration et la maintenir, puis, graduellement, il se retira du baiser. Graduellement, il détendit les muscles qui la retenaient contre lui. Graduellement, il la laissa revenir du baiser.

Mais il n'ôta pas sa main de son sein.

Quand il libéra ses lèvres et qu'il leva la tête, il la caressait encore légèrement, décrivant de façon taquine le contour de son mamelon gonflé. Elle battit des paupières, puis ouvrit les yeux et le regarda.

Ses lèvres étaient légèrement gonflées, ses yeux écarquillés.

Il baissa les yeux.

Elle suivit son regard.

Les poumons de Leonora se comprimèrent.

Il compta les secondes avant qu'elle se souvienne de respirer, sachant qu'elle devait être étourdie. Mais elle ne recula pas.

Ce fut lui qui déplaça la main qui la caressait sur le haut de son bras, le tenant doucement avant de glisser sa main vers la sienne. Il la porta à ses lèvres et rencontra son regard tandis que, les joues légèrement colorées, elle levait les yeux vers lui.

Il sourit, mais cacha la véritable teneur de ce geste.

— Venez.

Posant sa main sur sa manche, il la fit tourner vers la maison.

— Nous devons repartir en ville.

*

Le trajet fut une bénédiction. Leonora profita pleinement de l'heure durant laquelle Trentham était absorbé par la route, louvoyant lentement dans les encombrements qui augmentaient au fur et à mesure qu'ils entraient dans la capitale, pour calmer ses esprits. Pour essayer de rétablir — de récupérer — son assurance habituelle.

Elle le regarda souvent, se demandant ce qu'il pensait, mais en dehors de coups d'œil occasionnels énigmatiques, qui lui assuraient qu'il s'amusait en partie, mais qu'il était encore absorbé, il ne dit rien. En plus, son garçon d'écurie était debout derrière eux, trop proche pour permettre toute discussion intime.

En fait, elle n'était pas sûre d'en vouloir une. De vouloir une explication. Non pas qu'il eut montré un quelconque signe de vouloir lui en fournir une, mais il semblait que ça faisait partie du jeu.

Comme une part de l'ivresse naissante, de l'excitation. De l'envie.

Elle ne s'était pas attendue à cette dernière, mais elle l'avait assurément ressentie. Elle pouvait comprendre à présent ce qu'elle n'avait jamais pu avant — ce qui faisait que les femmes, même les ladies au bon sens remarquable, satisfaisaient aux demandes physiques des gentlemen.

Non pas que Trentham ait émis la moindre réelle demande. Toutefois, c'était son point de vue sur le sujet.

Si elle pouvait savoir quand il le ferait, et ce que serait sa demande, elle serait mieux placée pour choisir sa réponse.

Pour l'instant, elle ne pouvait que spéculer.

Elle était plongée dans ses suppositions quand le fiacre ralentit. Elle cligna des yeux, regarda autour d'elle et découvrit qu'ils étaient arrivés. Trentham conduisit le fiacre jusqu'au numéro 12. Donnant les rênes au garçon d'écurie, il descendit, puis la souleva pour l'aider à faire de même.

Les mains autour de sa taille, il baissa les yeux sur elle.

Elle le regarda et ne fit aucune tentative pour bouger.

Il sourit et écarta ses lèvres.

Des pas crissèrent sur le gravier à proximité. Tous deux se tournèrent pour regarder.

Gasthorpe, le majordome, un homme trapu avec des cheveux frisés poivre et sel, arriva à la hâte dans l'allée en provenance du numéro 12. Il s'arrêta près d'eux et la salua.

— Mlle Carling.

Elle n'avait pas manqué de rencontrer Gasthorpe le lendemain où il avait élu résidence ici. Elle sourit et inclina la tête.

Il se tourna vers Trentham.

— Monsieur, pardonnez-moi de vous interrompre, mais je voulais m'assurer que vous rentreriez. Les charretiers ont livré les meubles pour le premier étage. Je vous serais reconnaissant si vous pouviez jeter un œil et me dire si vous approuvez le choix.

— Oui, bien sûr. Je viens dans un instant…

— En fait, dit Leonora en saisissant le bras de Trentham et en attirant son regard vers son visage, j'aimerais beaucoup voir ce que vous avez fait de la maison de M. Morrissey. Puis-je entrer tandis que vous vérifierez les meubles ?

Elle sourit.

— Je serais heureuse de rendre service. L'œil d'une lady est souvent très différent pour ce genre d'affaires.

Trentham la regarda, puis jeta un œil à Gasthorpe.

— Il est plutôt tard. Votre oncle et votre frère…

— Ils n'ont même pas remarqué que j'ai quitté la maison.

Sa curiosité était intense. Elle garda les yeux grands ouverts, rivés sur le visage de Trentham.

Il fit un rictus, puis se raidit. Il regarda de nouveau Gasthorpe.

— Si vous insistez.

Elle prit son bras, et il se dirigea vers l'allée.

— Mais seul le premier étage est meublé pour l'instant.

Elle se demanda pourquoi il était si inhabituellement réservé, puis le mit sur le compte qu'il était un gentleman plus ou moins chargé de meubler une maison. Ce qui était une chose pour laquelle il se sentait sans doute peu qualifié.

Ignorant sa réticence, elle avança dans l'allée à côté de lui. Gasthorpe était en tête et tenait la porte. Elle passa le seuil et s'arrêta pour regarder autour d'elle. Elle avait déjà eu un aperçu de l'entrée dans l'obscurité de la nuit, quand les chiffons des peintres avaient été déposés au sol, la pièce étant nue.

La transformation était à présent terminée. L'entrée était étonnamment éclairée et spacieuse, pas sombre ni morose – une impression qu'elle associait aux clubs des gentlemen. Toutefois, il n'y avait pas un seul objet raffiné pour adoucir les lignes austères et rigoureuses ; aucun papier peint à motifs, pas même des volutes. C'était plutôt froid, presque maussade tant il n'y avait rien de féminin, mais elle pouvait comprendre que des hommes – des hommes comme Trentham – s'y retrouvaient.

Ils ne remarquaient pas la douceur qui manquait.

Trentham ne lui offrit pas de lui montrer les pièces du rez-de-chaussée. D'un geste, il la dirigea vers l'escalier. Elle monta, remarquant l'éclat de la rampe et l'épaisseur du tapis de l'escalier. Il était clair que les dépenses n'avaient pas été prises en considération.

Au premier étage, Trentham passa devant elle et la conduisit vers la pièce à l'avant de la maison. Une grande table en acajou se trouvait au milieu avec huit chaises assorties rembourrées de velours ocre tout autour. Un buffet était placé contre un mur et un long bureau contre un autre.

Tristan regarda autour de lui, observant rapidement leur salle de réunion. Tout était comme ils l'avaient envisagé.

Attirant l'attention de Gasthorpe, il hocha la tête, puis, d'un geste, invita Leonora à quitter la pièce et à traverser le palier.

Le petit bureau meublé d'un secrétaire avec des tiroirs et de deux chaises ne nécessitait pas plus qu'un rapide coup d'œil. Ils se rendirent dans la pièce à l'arrière de la maison — la bibliothèque.

Le commerçant à qui ils avaient acheté les meubles, M. Meecham, supervisait l'emplacement des grandes étagères. Il regarda brièvement dans leur direction, puis reporta immédiatement son attention vers ses deux assistants, faisant signe dans un sens jusqu'à ce qu'ils aient placé la lourde bibliothèque à l'endroit de son choix. Ils la déposèrent en poussant des grognements audibles.

Meecham se tourna vers Tristan avec un large sourire.

— Eh bien, Monsieur…

Il le salua, puis regarda autour de lui avec une satisfaction manifeste.

— Je me flatte que vos amis et vous serez parfaitement à votre aise ici.

Tristan ne vit aucune raison de discuter. La pièce semblait invitante, nette et dépouillée malgré de nombreux fauteuils ici et là et diverses tables basses attendant de supporter un verre d'excellent cognac. Il y avait deux étagères, actuellement vides. Bien que la pièce soit la bibliothèque, il était peu probable qu'ils s'y retirent pour lire des romans. Des journaux assurément, des périodiques et des rapports, ainsi que des magazines de sport. La fonction essentielle de la bibliothèque serait d'être un endroit de détente et de sérénité où, si des mots devaient y être prononcés, ils ne seraient pas plus forts qu'un murmure.

Regardant autour de lui, Tristan pouvait tous les imaginer ici, tranquilles, sereins, entretenant des liens amicaux même pendant les silences. Reportant son regard sur Meecham, il hocha la tête.

— Vous avez bien travaillé.

— En effet, en effet.

Satisfait, Meecham fit signe à ses deux ouvriers de quitter la pièce.

— Nous vous laissons apprécier ce que nous avons fait jusqu'à présent. Le reste des meubles vous sera livré dans la semaine.

Il fit une révérence. Tristan lui donna congé d'un hochement de tête.

Gasthorpe saisit son regard.

— Je vais raccompagner M. Meecham, Monsieur.

— Merci, Gasthorpe. Je n'ai plus besoin de vous. Nul besoin de nous raccompagner.

Opinant et revêtant un regard expressif, Gasthorpe partit.

Tristan grimaça intérieurement, mais que pouvait-il faire ? Expliquer à Leonora que les femmes n'étaient pas censées se trouver à l'intérieur du club, pas au-delà du petit salon à l'entrée, entraînerait inévitablement des questions que lui — et ses amis membres du club — préférait ne pas se voir poser. Y répondre serait trop risqué et équivaudrait à tenter le sort.

Il valait bien mieux céder du terrain quand ça n'avait pas grande importance et que ça ne risquait pas de faire de mal plutôt que d'expliquer ce qui se cachait derrière la formation du Bastion Club.

Leonora s'était éloignée de lui. Après avoir laissé traîner ses doigts le long du dossier d'un fauteuil, à observer l'aménagement, d'après lui avec approbation, elle s'était dirigée vers la fenêtre et regardait à présent dehors.

Vers son propre jardin, à l'arrière de sa maison.

Il attendit, mais elle ne se retourna pas. Poussant un soupir intérieur plutôt résigné, il traversa la pièce, le riche tapis turc assourdissant ses pas. Il s'arrêta à côté de la fenêtre et s'appuya contre le châssis.

Elle tourna la tête et croisa son regard.

– Vous aviez pour habitude de vous tenir ici et de me regarder, n'est-ce pas ?

Chapitre 7

Il envisagea toutes les options avant de répondre :

– Parfois.

Ses yeux restèrent fixés sur lui, puis elle regarda de nouveau le jardin.

– C'est ainsi que vous avez su qui j'étais quand je vous ai bousculé le premier jour.

À cela, il ne dit rien, puis se demanda quelle piste son cerveau suivait.

Après un long moment, le regard de Leonora se fixa au-delà de la vitre, et elle murmura :

– Je ne suis pas très douée dans ce genre d'affaires.

Elle remua légèrement, agitant sa main entre eux.

– Je n'ai pas vraiment d'expérience dans ce domaine.

Il grimaça intérieurement.

– C'est bien ce que je pensais.

Elle tourna la tête et rencontra son regard.

– Vous allez devoir m'apprendre.

Tandis qu'elle lui faisait face, il se redressa. Elle diminua la distance entre eux. Il fronça les sourcils, et ses mains encerclèrent instinctivement sa taille.

– Je ne suis pas certain…

— Je suis tout à fait prête à apprendre.

Son regard dévia vers les lèvres de Tristan. Elle sourit, naïvement sensuelle.

— J'ai même hâte.

Levant les yeux vers les siens, elle se redressa, posa ses paumes sur sa poitrine et leva ses lèvres vers les siennes avant de murmurer :

— Mais vous le savez déjà.

Et elle l'embrassa.

L'invitation était si flagrante qu'il en fut complètement saisi. Il mit temporairement sa raison de côté et se laissa aller à la merci de ses sens.

Or ses sens étaient impitoyables. Ils en voulaient plus.

Plus d'elle, du doux et succulent refuge de sa bouche, de ses lèvres dociles et naïvement captivantes. De son corps, appuyé timidement mais résolument contre le sien, plus ferme.

Le fait que leurs corps soient collés ainsi le secoua suffisamment pour qu'il retrouve ses esprits et reprenne le contrôle. Ce qu'elle pensait, il l'ignorait, mais avec ses lèvres sur les siennes, sa bouche toute à lui, sa langue s'entremêlant de plus en plus passionnément à la sienne, il ne pouvait suffisamment réfléchir pour suivre les contorsions de son esprit.

Plus tard.

À présent..., tout ce qu'il pouvait faire — tout ce qu'il pouvait forcer son corps et ses sens à faire — était de la laisser mener et de la suivre.

Et de lui en apprendre davantage.

Il la laissa se coller davantage, se logeant entièrement dans ses bras. Il la laissa sentir son corps se durcir contre le sien, la laissa sentir ce qu'elle provoquait, la réaction que son corps souple, bien fait et ouvertement attirant, ainsi que toute sa douceur et sa chaleur féminines entraînaient.

Au cours de leur visite de la maison, elle avait ouvert sa pelisse. Il glissa une main sous la laine épaisse et mit sa paume sur son sein. Il ne le caressa pas légèrement comme il l'avait fait auparavant, mais le massa de façon possessive. Il lui offrait à présent ce que leur aventure un peu plus tôt avait promis en le taquinant, ce qu'il avait annoncé d'un air railleur.

Elle haleta, se cramponna, mais à aucun moment, elle n'hésita. Ses lèvres étaient collées aux siennes, innocemment accaparantes. Elle n'avait pas peur, n'était aucunement effarouchée. Elle était au contraire déterminée, enchantée, voire saisie, totalement fascinée. Il approfondit le baiser et la caressa.

Il sentit les flammes commencer à se consumer, le désir monter lentement, se déployer avec langueur jusqu'à devenir ardent.

Leonora sentit aussi, bien qu'elle ne pût la nommer, cette impression de vide chaud et intense s'approfondir. Ce désir l'animait tout comme lui. Il les intriguait et les attirait. Les piégeait. Elle dut se rapprocher, se plonger plus profondément dans leur échange. Elle fit remonter ses mains et les rejoignit autour de son cou, puis soupira quand, dans son mouvement, son sein se plaqua davantage dans sa paume ferme.

La main de Tristan se referma, et les sens de Leonora en furent ébranlés. Il bougea ses doigts, cherchant, trouvant, et l'esprit de Leonora, son être profond, s'apaisa.

Puis il se fractura, se rompit, tandis que ces doigts connaisseurs serraient, serraient… jusqu'à ce qu'elle eût le souffle coupé au milieu de leur baiser.

La pression de ses doigts diminua, et la chaleur l'envahit, une vague déferlante qu'elle n'avait jamais ressentie. Ses seins se gonflèrent. Le corsage de sa robe de promenade fut soudain trop serré. Le tissu délicat de sa chemise l'irrita.

Il semblait savoir. Il défit les minuscules boutons de son corsage avec une facilité expérimentée, et elle put respirer de nouveau. Mais seulement pour prendre son souffle pendant un accès de plaisir, une pointe de jouissance anticipée alors qu'il faisait audacieusement glisser sa main sous la robe béante pour la caresser. Son toucher sur la soie délicate intensifia de nouveau son désir de sorte qu'elle eut soif d'un contact plus net. Elle brûlait de sentir sa peau contre la sienne, désespérait d'en sentir toujours plus.

Ses lèvres étaient avides, ses demandes claires. Tristan ne put résister. Il n'essaya pas.

Deux petits coups rapides, et sa chemise fut détachée. Passant un doigt entre ses seins gonflés, il fit descendre le délicat tissu.

Puis, il plaça sa main sur son sein.

Il ressentit au plus profond de lui le vif frisson qui ébranla Leonora.

Il referma sa main, avide et possessive, et elle sentit son cœur s'emballer.

Le sien suivit.

Il la suivit dans une fournaise d'abandon gourmand et impatient, de possession sensuelle, d'appréciation et dans une reconnaissance naissante de leur besoin mutuel.

Leurs mains et leurs lèvres nourrissaient la faim, le désir, l'attirance. Elles les enchantaient.

Leur interaction était différente. Il le sentit, surpris de se trouver lui-même, bien que toujours en contrôle, en train de ne plus imposer leur jeu. L'assurance que développait Leonora, son intérêt et sa compréhension investissaient ses lèvres, dirigeaient la façon dont elle agissait avec lui ; la lente et sensuelle caresse de sa langue contre la sienne, le contact aguicheur de ses doigts dans ses cheveux, la façon ouvertement confiante et résolument envoûtante avec laquelle elle se collait contre lui, avec ses membres souples et sa douce chaleur, tout baignait dans les flammes d'une conflagration mutuelle qu'il n'aurait jamais imaginé partager avec une femme ingénue.

« Une femme sensuelle et vertueuse. »

Cette pensée résonna dans son cerveau alors que Leonora sustentait ses sens. Elle était plus que ce qu'il aurait pensé tout comme lui devait être autre chose que ce qu'elle avait pensé. Quelque chose au-delà de son expérience, et elle, quelque chose au-delà de la sienne.

Les flammes entre eux étaient nettes, réelles, ardentes, telles des pensées brûlantes de passion, d'une plus grande intimité, de la satiété de ce besoin mutuel.

Il ne lui était pas venu à l'esprit qu'ils puissent voyager si loin si tôt. Il ne le regrettait en aucun cas, pourtant…

Son instinct profondément tenace le ramena à lui, le calma. Il ralentit ses caresses, les modéra, laissant les flammes retomber peu à peu.

Il leva la tête et regarda ses yeux. Il vit ses paupières se lever, puis rencontra son regard bleu clair si saisissant.

Le décrypter ne fut pas un choc. Il n'y lut pas la moindre trace d'un recul ou d'une agitation, mais plutôt un intérêt naissant. Une question.

Et ensuite ?

Il savait, mais ce n'était pas encore le moment d'explorer cette avenue. Il se souvint de l'endroit où ils étaient et de sa mission. Il sentit son visage se durcir.

— Il commence à faire noir. Je vous raccompagne.

Leonora grimaça intérieurement, mais ensuite son regard passa de son épaule à la fenêtre. La nuit commençait en effet à tomber. Elle cligna des yeux, recula, et il la libéra.

— Je n'avais pas réalisé qu'il était si tard.

Naturellement. Elle avait perdu le sens de la réalité. Une perte agréable, une agitation qui lui avait considérablement plus ouvert les yeux. Ignorant sa chemise, refusant farouchement de laisser son esprit s'attarder sur ce qui venait de se passer — plus tard, quand il ne serait pas dans les alentours pour la voir rougir —, elle ajusta et rattacha son corsage, puis boutonna sa pelisse.

Le regard de Tristan, perçant comme toujours, ne la quitta pas. Elle leva la tête et le regarda en face. Il scruta ses yeux, puis haussa un sourcil.

— J'en déduis, dit-il tandis que son regard la quittait pour balayer la pièce, que vous approuvez le décor ?

Elle haussa aussi fièrement un sourcil.

— Je dirais qu'il est tout à fait convenable pour votre but.

« Peu importe ce qu'il était. »

La tête haute, elle se tourna vers la porte. Elle sentit son regard sur son dos tandis qu'elle traversait la pièce, puis il bougea et la suivit.

*

Elle avait très peu d'expérience concernant les hommes. Surtout les hommes comme Trentham. Cela, d'après Leonora, était sa plus grande faiblesse, une lacune qui constituait un désavantage injuste chaque fois qu'elle était avec lui.

Réprimant un grognement, elle passa sa douce couverture sur ses épaules et prit place dans le vieux fauteuil devant le feu brûlant dans sa chambre. Il faisait très froid dehors, trop froid même pour s'asseoir dans le jardin d'hiver et réfléchir. En plus, une couverture et un fauteuil devant le feu semblaient bien plus appropriés, étant donné les problèmes auxquels elle était déterminée à réfléchir.

Trentham l'avait raccompagnée chez elle et avait demandé à parler à son oncle et à Jeremy. Elle l'avait conduit dans la bibliothèque et écouté tandis qu'il les interrogeait pour savoir s'ils avaient trouvé quelque chose sur le but possible du cambrioleur. Elle aurait pu lui dire qu'aucun d'eux n'avait passé de temps à réfléchir au cambrioleur, encore moins à son but, depuis que lui, Trentham, avait mentionné le sujet la dernière fois. Et il s'avéra qu'elle avait raison. Aucun n'avait ni idée ni suggestion. L'expression de surprise dans leurs yeux révélait clairement qu'ils étaient étonnés qu'il s'intéresse encore à cette affaire.

Il l'avait remarqué, tout comme elle. Il avait serré les mâchoires, mais les avait remerciés et quittés de façon assez polie.

Seule Leonora avait senti son mécontentement. Son oncle et son frère étaient restés résolument inconscients, comme toujours.

Avec Henrietta qui marchait à pas feutrés à côté d'elle – un signe de reconnaissance canin de la transparence de Trentham –, elle s'était dirigée avec lui vers l'entrée. Comme elle avait congédié Castor un peu plus tôt, ils s'étaient retrouvés seuls dans le doux éclairage, dans un endroit où elle s'était toujours sentie en sécurité.

Puis, Trentham l'avait regardée, et elle ne s'était plus sentie en sécurité du tout. Elle s'était sentie fébrile. Une sensation de chaleur s'était infiltrée sous sa peau. Un léger rosissement avait teinté ses joues. Tout cela en réaction à l'expression dans ses yeux, aux pensées qu'elle pouvait voir derrière eux.

Ils se tenaient près l'un de l'autre. Il avait levé une main, dessiné sa joue, puis glissé un doigt sous son menton et remonté son visage. Il avait placé ses lèvres sur les siennes pour l'embrasser promptement, ce qui l'avait laissée frustrée.

Levant la tête, il avait saisi son regard. Il l'avait maintenu un moment, puis avait murmuré :

– Prenez soin de vous.

Il l'avait quittée juste quand Castor était arrivé à la hâte depuis les profondeurs. Il était parti sans un regard derrière lui, la laissant se questionner, spéculer. Planifier.

Si elle osait.

Cela, décida-t-elle en se blottissant dans la chaleur de sa couverture, était la question cruciale. Oserait-elle satisfaire sa curiosité ? C'était, en fait, plus que de la curiosité. Elle ressentait le désir brûlant de savoir, de vivre tout ce qui pouvait se passer physiquement et émotionnellement entre un homme et une femme.

Elle s'était toujours attendue à apprendre ces faits à un certain moment de sa vie. Mais le destin et la société avaient conspiré pour la garder ignorante, étant donné l'adage communément accepté que seules les femmes mariées pouvaient participer, expérimenter et ainsi savoir.

D'accord pour les jeunes filles, mais à vingt-six ans, elle ne rentrait plus dans cette description. Pour elle, la proscription ne s'appliquait plus.

Personne n'avait jamais avancé d'explication sur la logique morale derrière l'acceptation de la société que les ladies mariées, une fois qu'elles avaient donné un héritier à leur mari, pouvaient se livrer à des aventures aussi longtemps qu'elles restaient discrètes.

Elle avait l'intention d'être la discrétion même et elle ne risquait de rompre aucun vœu.

Si elle voulait profiter de l'offre de Trentham, qui voulait l'initier aux plaisirs desquels elle avait jusqu'à présent été écartée, il n'y avait, selon son point de vue, aucune convention sociale qu'elle devait considérer. Pour la question un peu vague de tomber enceinte, il devait y avoir des moyens de l'empêcher, ou Londres serait envahie de bâtards et la moitié des matrones de la haute société seraient perpétuellement enceintes. Elle était certaine que Trentham saurait s'arranger.

En fait, c'était en partie son expérience, cet air de compétence et de savoir-faire, qui l'attirait, qui avait rendu possible que, cet après-midi, elle ait pu saisir l'invitation qu'il lui avait faite.

Manifestement, elle avait décrypté cette invitation correctement. L'avancement subtil, pas à pas, de leur liaison, à partir d'un simple contact jusqu'à des baisers puis des caresses sensuelles, le confirmait. À présent qu'elle avait fait le premier pas dans ses bras, il lui en avait assez montré pour qu'elle ait une certaine idée de ce qu'elle avait manqué, de ce qui l'attendait.

Il l'avait conduite à un degré d'intimité qui était clairement le prélude à tout ce qu'elle espérait savoir. Il avait l'intention d'être son partenaire dans l'aventure, son mentor dans ce domaine. De la guider, de lui enseigner, de lui montrer. En retour, bien sûr… Mais elle comprenait cela, et après tout, pour qui se gardait-elle ?

Le mariage et la dépendance qui y était associée formaient une paire qui ne lui correspondait tout simplement pas. Accepté il y a des années, son seul véritable regret, un regret silencieux et quelque peu réprimé, avait été qu'elle ne pourrait jamais connaître d'intimité physique ni ce genre particulier de plaisir sensuel.

À présent, Trentham était là, lui faisant miroiter la tentation.

Les yeux rivés sur les flammes vives dans la cheminée, elle pensa devoir la saisir.

Si elle n'agissait pas maintenant et ne saisissait pas l'occasion que le destin avait fini par lui offrir, qui sait combien de temps l'intérêt de Tristan, et donc, son offre, durerait ?

Les gentlemen militaires n'étaient pas renommés pour leur constance. Elle en avait déjà fait l'expérience.

Son esprit dériva, évaluant les possibilités, distrait par celles-ci. Le feu mourut lentement pour former des braises rougeoyantes.

Quand la fraîcheur de l'air finit par pénétrer sa concentration, elle avait pris sa décision. Son esprit avait été pendant quelque temps aux prises avec deux questions.

Comment exprimerait-elle cette décision à Trentham ?

Et comment s'organiserait-elle pour conserver le contrôle dans leur relation ?

*

Tristan reçut la lettre par le premier courrier le lendemain matin.

Après les salutations habituelles, Leonora avait écrit :

Pour ce qui est de ce que le cambrioleur recherche, j'ai décidé qu'il serait judicieux que je fouille l'atelier de feu mon cousin Cedric. La pièce est assez vaste, mais elle est fermée depuis des années. En fait, elle l'était avant que nous prenions possession de la maison. Ce sera peut-être une recherche qui permettra de mettre en évidence un objet d'une véritable valeur même s'il est ésotérique. Je commencerai mes recherches immédiatement après le déjeuner. Si je découvre quelque chose de notable, je vous en informerai, bien sûr.

Cordialement, etc.
Leonora Carling

Il lut la lettre trois fois. Son instinct bien rodé lui assurait qu'il y avait plus dans celle-ci que la signification superficielle des mots, mais le programme secret de Leonora lui échappait. Décidant qu'il avait été un agent secret pendant trop longtemps et qu'il voyait maintenant des intrigues là où il n'y en avait manifestement pas, il mit la lettre de côté et se concentra résolument sur ses affaires.

Les siennes et celles de Leonora.

Il régla celles de Leonora d'abord, faisant la liste des diverses avenues possibles pour identifier l'homme qui se faisait passer pour Montgomery Mountford. Après avoir réfléchi à la liste, il écrivit une convocation et envoya un valet la livrer, puis il se mit à écrire une série de lettres que les destinataires préféreraient ne pas recevoir. Néanmoins, les dettes étaient des dettes, et il les convoquait pour la bonne cause.

Une heure plus tard, Havers accompagnait un individu quelconque, habillé de façon plutôt miteuse, dans son bureau. Tristan se cala dans son fauteuil et lui indiqua une chaise.

— Bonjour, Colby. Merci d'être venu.

L'homme était méfiant, mais pas servile. Il baissa la tête et s'assit sur la chaise, jetant un coup d'œil autour de lui tandis que Havers fermait la porte, puis il reposa ses yeux sur Tristan.

— Bonjour, Monsieur. Je vous demande pardon, c'est Monsieur le Comte, n'est-ce pas ?

Tristan sourit simplement.

La nervosité de Colby augmenta.

— En quoi puis-je vous être utile ?

Tristan le lui dit. En dépit de son apparence, Colby était un fameux malfaiteur, dont les activités couvraient le territoire de Londres, y compris la place Montrose. Tristan avait fait sa connaissance, ou plutôt s'était assuré que Colby le connaissait, quand ils s'étaient installés au numéro 12 pour leur club.

En entendant parler des étranges événements de la place Montrose, Colby avait passé la langue sur ses dents et revêtu un air grave. Tristan n'avait jamais pensé que les tentatives de cambriolage étaient l'œuvre de voyous du coin. La réaction de Colby et son assurance subséquente le lui confirmaient.

Les yeux plissés, Colby ressemblait maintenant davantage au spécimen potentiellement dangereux qu'il était.

— J'aimerais bien rencontrer votre cambrioleur.

— Il est pour moi.

Tristan émit platement cette déclaration.

Colby le regarda, le jaugeant, puis hocha la tête.

— Je ferai circuler le bruit que vous voulez lui dire un mot. Si un de mes hommes en entend parler, soyez assuré que je vous le ferai savoir.

Tristan inclina la tête.

— Quand j'aurai mis la main dessus, vous ne le reverrez plus.

Colby opina de nouveau, concluant le marché. L'information en échange d'être débarrassé d'un concurrent. Tristan sonna Havers, qui raccompagna Colby.

Tristan finit ses dernières demandes d'information, puis les donna à Havers avec la stricte instruction de les remettre.

— Pas de serviteur. Utilisez le valet le plus imposant.

— Entendu, Monsieur. J'en déduis que nous allons devoir faire une démonstration de force. Collison serait le meilleur à cet égard.

Tristan opina, réprimant un sourire tandis que Havers se retirait. L'homme était une bénédiction, s'occupant de la myriade de demandes des vieilles dames et, avec un aplomb égal, satisfaisant le côté plus dur des affaires de Tristan.

Ayant accompli tout ce qu'il pouvait en lien avec Montgomery Mountford, Tristan se concentra sur les affaires quotidiennes pour garder la tête au-dessus de l'eau avec les demandes et les détails inhérents au titre de comte. Mais le temps passa sans qu'il avance réellement dans les affaires du comté.

Pour quelqu'un de son tempérament, cela était irritant.

Il demanda à Havers de lui apporter son déjeuner sur un plateau et continua à réduire la pile de lettres administratives. Il finit en gribouillant une note pour son intendant et soupira en repoussant la pile enfin complétée.

Puis, il fit dévier résolument son esprit vers le mariage.

Vers sa future femme.

Il se dit qu'il ne pensait pas à elle comme à une future épouse, mais comme à sa femme. Leur liaison n'était pas fondée sur des valeurs sociales superficielles, mais constituait une interaction judicieuse et quotidienne non futile. Il pouvait facilement l'imaginer à ses côtés, comme sa comtesse s'occupant des exigences de leur vie future.

Il devrait, pensa-t-il, avoir envisagé tout un éventail de candidates. S'il le leur demandait, ses entremetteuses à domicile seraient ravies de lui fournir une liste. Il joua avec l'idée, mais se dit que recourir aux autres pour l'aider dans une décision personnelle si cruciale n'était simplement pas son genre.

C'était aussi inutile, une perte de temps.

À droite du sous-main se trouvait la lettre de Leonora. Son regard se riva sur elle, sur la délicate écriture qui lui rappelait son auteure. Il s'assit et rumina ses pensées, tournant l'extrémité de sa plume entre ses doigts.

L'horloge sonna quinze heures. Il leva les yeux, puis posa la plume, repoussa sa chaise, se leva et se dirigea vers l'entrée.

Havers l'y rencontra. Il l'aida à mettre son pardessus, lui tendit sa canne, puis ouvrit la porte.

Tristan sortit, descendit rapidement les marches et se dirigea vers la place Montrose.

*

Il trouva Leonora dans l'atelier, une vaste pièce nichée au sous-sol du numéro 14. Les murs étaient en pierre, épais et froids. Une rangée de fenêtres en hauteur sur un mur donnaient au ras du sol vers le devant de la maison. Elles avaient déjà laissé filtrer suffisamment de lumière, mais elles étaient à présent obscurcies et fissurées.

Tristan remarqua immédiatement qu'elles étaient trop petites pour que même un enfant puisse se faufiler à travers.

Leonora ne l'entendit pas entrer. Elle avait le nez plongé dans un livre qui sentait le moisi. Il fit racler une semelle sur les dalles. Elle leva les yeux… et sourit en signe d'accueil chaleureux.

Il sourit en retour et laissa son simple geste le réchauffer. Il avança et regarda autour de lui.

– Je croyais que vous aviez dit que cet endroit avait été fermé pendant des années ?

Il n'y avait pas de toiles d'araignée, et toutes les surfaces – les tables, le sol, et les étagères – étaient propres.

– J'ai chargé les domestiques de faire le ménage ce matin.

Elle croisa son regard tandis qu'il se tournait vers elle.

– Je ne suis pas particulièrement proche des araignées.

Il remarqua une pile de lettres poussiéreuses entassées sur l'établi à côté d'elle. Sa désinvolture s'effaça.

– Avez-vous trouvé quelque chose ?

– Rien de particulier.

Elle referma le livre. Un nuage de poussière s'échappa des pages. Elle fit un geste vers l'étagère en bois entre les bibliothèques et les casiers recouvrant le mur derrière l'établi.

– Il était soigneux, mais pas méthodique. Il semble avoir tout gardé, tout conservé au fil des années. Dans le courrier, j'ai retiré les factures et les comptes, et j'ai aussi trié les listes de courses et les brouillons d'articles savants.

Il prit le vieux parchemin en haut de la pile. C'était une lettre où l'encre des inscriptions était décolorée. Il pensa tout d'abord qu'il s'agissait de l'écriture d'une femme, mais le contenu était nettement scientifique. Il regarda la signature.

– Qui est A. J. ?

Leonora s'approcha davantage pour examiner la lettre. Son sein frôla son bras.

– A. J. Carruthers.

Elle s'éloigna, reposant le vieux manuel en haut sur l'étagère. Il réprima le vif désir de l'attirer vers lui, de rétablir le contact sensuel.

— Carruthers et Cedric correspondaient fréquemment. Il semble qu'ils travaillaient à certains articles avant que Cedric ne meure.

Une fois le livre bien rangé, Leonora se tourna. Il continua à feuilleter les lettres. Le regard sur la pile de parchemins, elle s'approcha. Évaluant mal la distance et bougeant trop vite, elle l'effleura, de l'épaule à la cuisse.

Le désir s'enflamma, flambant entre eux.

Tristan essaya d'inspirer. Il ne réussit pas. Les lettres glissèrent de ses doigts. Il se dit de reculer.

Toutefois, ses pieds ne bougèrent pas. Son corps avait trop envie de ce contact pour le renier.

Elle leva fugitivement les yeux vers lui, puis, comme si elle était gênée, elle recula légèrement, créant un espace de moins de trois centimètres entre eux.

Beaucoup, mais pas assez. Il leva les bras pour la ramener vers lui quand il réalisa ce qu'il faisait et les baissa.

Elle se précipita vers les lettres et les étala.

— Je m'apprêtais… dit-elle d'une voix enrouée.

Elle s'arrêta pour s'éclaircir la gorge.

— … à les classer. Il pourrait y avoir quelque chose dans celles-là qui nous mènerait à une découverte.

Il lui fallut plus de temps qu'il n'aurait aimé pour se concentrer de nouveau sur les lettres. Il avait manifestement été abstinent pendant trop longtemps. Il inspira, puis expira. Il retrouva ses esprits.

— En fait, elles pourraient nous permettre de décider si Mountford cherche quelque chose que Cedric aurait découvert. Nous ne devons pas oublier qu'il voulait acheter la maison. C'est quelque chose qu'il s'attendait à y retrouver.

– Ou quelque chose à quoi il aurait pu avoir accès en tant qu'acheteur, avant que nous déménagions.

– C'est juste.

Il étala les lettres sur l'établi, puis leva les yeux vers les grands casiers. S'éloignant de la tentation, il avança dans la pièce, suivant la table de travail, scrutant les étagères au-dessus, à la recherche de plus de lettres. Il sortit tout ce qu'il vit, les laissant sur l'établi.

– Je voudrais que vous examiniez chaque lettre que vous pourrez trouver et que vous classiez toutes celles écrites dans l'année précédant la mort de Cedric.

Le suivant, Leonora fronça les sourcils dans son dos, puis essaya de voir son visage.

– Il y en a des centaines.

– Peu importe combien il y en aura, vous devez toutes les examiner. Ensuite, dressez une liste des correspondants et écrivez à chacun d'eux pour leur demander s'ils sauraient si Cedric travaillait à quelque chose qui pourrait avoir une importance commerciale ou militaire.

Elle cligna des yeux.

– Une importance commerciale ou militaire ?

– Ils sauront. Les scientifiques peuvent être aussi absorbés par leur travail que votre oncle et votre frère, mais ils reconnaissent habituellement l'importance de ce à quoi ils travaillent.

– Hum.

Le regard fixé entre ses omoplates, elle continua à le suivre de près.

– Donc, je dois écrire à chaque contact qu'il aurait eu la dernière année.

— Chacun d'eux. S'il y a quelque chose d'importance, quelqu'un le saura.

Il arriva au bout de la pièce et pivota. Elle baissa les yeux et le bouscula. Il la saisit, et elle leva les yeux, feignant la surprise.

Elle n'avait pas à simuler son pouls qui s'accélérait, son cœur se mettant soudainement à battre la chamade.

Il était concentré sur ses lèvres. Le regard de Leonora se posa sur les siennes.

Puis, il jeta un œil vers la porte.

— Tout le personnel est occupé.

Elle s'en était assurée.

Le regard de Tristan se reposa sur son visage. Elle le croisa, mais brièvement. Comme il ne bougea pas immédiatement, elle libéra ses mains et les leva, en glissant une sur sa nuque et insérant les doigts de l'autre dans son revers.

— Arrêtez d'être si guindé et embrassez-moi !

Tristan cligna des yeux. Puis, elle bougea dans ses bras, taquinant involontairement la partie de son anatomie la plus sensible par sa proximité.

Sans réfléchir davantage, il pencha la tête.

*

Il partit presque une heure plus tard, se sentant nettement perplexe. Cela faisait des années — des dizaines d'années — qu'il avait cédé à un tel comportement légèrement immoral. Or c'était loin de l'ennuyer, et ses sens étaient des plus satisfaits, savourant ces plaisirs volés.

Marchant dans l'allée principale, il passa sa main dans ses cheveux et espéra que c'était acceptable. Leonora avait développé une tendance à complètement dépeigner sa coupe habituellement élégante. Non pas qu'il s'en plaignait. Quand elle le décoiffait, il la savourait.

Il savourait sa bouche, ses courbes.

Baissant son bras, il remarqua une traînée de poussière sur sa manche. Il l'épousseta. Les domestiques avaient nettoyé toutes les surfaces, mais ils n'avaient pas nettoyé les lettres. Quand ils avaient fini par se quitter, il avait dû ôter les traces révélatrices à la fois sur lui et sur Leonora. Dans le cas de Leonora, pas juste sur ses vêtements.

L'image de la façon dont elle était apparue à ce moment traversa son esprit. Ses yeux étaient brillants mais noircis, ses paupières lourdes, ses lèvres gonflées sous ses baisers. Attirant son attention davantage sur sa bouche — une bouche qui évoquait de plus en plus d'images mentales qu'on n'associait généralement pas à des dames vertueuses.

Fermant le portail derrière lui, il réprima un petit sourire en coin typiquement masculin et ignora l'effet que de telles pensées suscitaient inévitablement. Les découvertes de l'après-midi avaient amélioré son humeur de façon significative. Revoyant la journée, il sentit qu'il avait gagné sur plusieurs fronts.

Il était venu voir l'atelier de Cedric déterminé à faire avancer l'enquête sur les cambriolages. Son impatience se faisait de plus en plus tenace. C'était son devoir de se marier et ainsi d'éviter la misère à sa tribu de vieilles dames, mais avant qu'il puisse épouser Leonora, il devait annuler la menace envers elle. Éliminer cette menace était sa priorité. Elle était trop immédiate et précise pour qu'il lui octroie la seconde place. Jusqu'à ce qu'il termine sa mission avec succès, il devait d'abord se concentrer là-dessus et toujours le demeurer.

Donc, ayant approfondi sa propre enquête parmi les diverses couches de la pègre, il était venu pour évaluer quelles avenues pourraient suggérer l'atelier de Cedric.

Les lettres de Cedric seraient en effet utiles. D'abord en éliminant ses travaux comme une cible potentielle pour le cambrioleur, ensuite en divertissant Leonora.

En fait, peut-être pas en la divertissant, mais certainement en l'occupant. Trop occupée pour avoir le temps de se lancer sur une autre piste.

Il avait accompli beaucoup de choses aujourd'hui. Satisfait, il avança et orienta son esprit sur le lendemain.

*

Concevoir sa propre séduction, ou du moins la stimuler activement, s'était avéré plus difficile que Leonora l'avait pensé. Elle s'était attendue à aller plus loin dans l'atelier de Cedric, mais Trentham avait omis de fermer la porte quand il était entré. Traverser la pièce et la fermer elle-même aurait été trop flagrant.

Non pas que leur liaison n'avait pas progressé, mais elle n'avait pas progressé aussi loin qu'elle le voulait.

Et maintenant, il l'avait chargée de la tâche de passer à travers la correspondance de Cedric. Au moins, il avait restreint leur recherche à la dernière année de la vie de Cedric.

Elle avait passé le reste de la journée à lire et à trier, plissant les yeux sur les écritures décolorées, déchiffrant des dates illisibles. Ce matin, elle avait monté toutes les lettres pertinentes dans le petit salon et les avait éparpillées sur des tables d'appoint. Le petit salon était la pièce dans laquelle

elle menait les affaires de la maison. Assise à son bonheur-du-jour, elle inscrivait scrupuleusement tous les noms et les adresses sur une liste.

Une longue liste.

Puis, elle composa une lettre de demande de renseignements, avisant le destinataire de la mort de Cedric et demandant qu'on la contacte s'il avait de l'information sur quelque chose de valeur, des découvertes, des inventions ou des possessions qui pourraient résider dans les effets de son défunt cousin. Au lieu de mentionner l'intérêt du cambrioleur, elle déclarait qu'en raison de contraintes d'espace, il était prévu que tous les papiers, les objets et les équipements sans valeur seraient brûlés.

D'après ce qu'elle savait des savants, s'ils savaient qu'il y avait quelque chose de valeur, l'idée que ce soit brûlé leur ferait prendre leur plume.

Après le déjeuner, elle se lança dans la tâche ardue de copier sa lettre, adressant chaque copie à un des noms sur sa liste.

Quand l'horloge sonna et qu'elle vit qu'il était quinze heures trente, elle déposa sa plume et étira son dos douloureux.

Assez pour aujourd'hui. Même Trentham ne s'attendrait pas à ce qu'elle passe à travers toutes les demandes d'information en une journée.

Elle sonna pour le thé. Quand Castor emporta le plateau, elle versa le thé et but.

Tout en pensant aux façons de séduire.

À ses façons.

Un sujet vraiment émoustillant, surtout pour une vierge de vingt-six ans réticente mais résignée. C'était une bonne description de ce qu'elle avait été, mais elle n'était plus résignée. L'occasion s'était présentée, et elle était déterminée à la saisir.

Elle jeta un œil vers l'horloge. Trop tard pour rendre visite à Trentham chez lui pour le thé de l'après-midi. En plus, elle ne voulait pas se retrouver entourée de ses vieilles dames. Cela ne ferait pas avancer sa cause.

Mais perdre toute une journée à ne pas agir n'était pas son style non plus. Il devait y avoir un moyen, une excuse qu'elle pourrait utiliser pour aller voir Trentham et l'avoir pour elle seule dans un endroit approprié.

*

— Aimeriez-vous que je vous fasse visiter, Mademoiselle ?

— Non, non.

Leonora passa le seuil du jardin d'hiver de la propriété de Trentham et adressa un sourire rassurant au majordome de Trentham.

— Je vais juste me promener dans le coin et attendre le comte. Êtes-vous certain qu'il reviendra bientôt ?

— Je suis certain qu'il reviendra avant la nuit.

— Dans ce cas…

Elle sourit, fit un geste montrant la pièce autour d'elle et avança davantage.

— Si vous avez besoin de quoi que ce soit, la sonnette est à gauche.

Serein et imperturbable, le majordome la salua et la quitta.

Leonora regarda autour d'elle. Le jardin d'hiver de Trentham était bien plus vaste que le leur. En fait, il était immense. Se souvenant de son supposé besoin d'information sur de telles pièces, elle maugréa. Le sien n'était pas seulement plus grand, la température y était bien plus constante et le sol était magnifiquement recouvert de mosaïques bleues et vertes. Une petite fontaine émettait un clapotis quelque part. Elle ne pouvait pas la voir à travers la végétation ingénieusement arrangée, luxuriante et verdoyante.

Une allée l'attira. Elle la prit.

Il était seize heures. À l'extérieur de la verrière, la lumière s'estompait rapidement. Trentham ne serait manifestement pas long, mais elle ne parvenait pas à comprendre ce qui le poussait à rentrer chez lui à la tombée de la nuit. Le majordome, toutefois, avait été tout à fait catégorique sur ce point.

Elle arriva au bout de l'allée et entra dans une clairière entourée de hauts massifs d'arbustes et de buissons en fleurs. Un étang circulaire était creusé dans le sol. La petite fontaine à son centre était responsable du clapotis. Au-delà de l'étang, près de la fenêtre, se trouvait une grande banquette recouverte de nombreux coussins, qui suivait la courbe du mur vitré. Quand on s'y asseyait, on pouvait à la fois voir l'extérieur ou l'intérieur, et contempler l'étang et le jardin d'hiver bien fourni.

Se dirigeant vers la banquette, elle se cala dans les coussins. Ils étaient épais, confortables, parfaits pour satisfaire ses besoins. Elle réfléchit, puis se leva et se mit à marcher, empruntant une autre allée qui suivait le mur courbe extérieur. Il valait mieux qu'elle rencontre Trentham debout.

Ainsi, elle serait petite à côté de lui. Elle pourrait le conduire vers la banquette près de la fenêtre et…

Un mouvement soudain dans le jardin attira son attention. Elle s'arrêta et regarda, mais ne vit rien d'inhabituel. L'obscurité s'était approfondie pendant qu'elle avait marché. Le noir s'étendait maintenant sous les arbres.

Puis, un homme émergea d'une de ces poches d'obscurité. Grand, brun, mince, il portait un manteau dépenaillé et des hauts-de-chausse en velours tachés, ainsi qu'un chapeau cabossé enfoncé sur la tête. Il regarda furtivement autour de lui tandis qu'il se dirigeait rapidement vers la maison.

Leonora inspira. La pensée folle qu'il puisse s'agir d'un autre cambrioleur traversa son esprit. Le souvenir de l'homme qui l'avait attaquée deux fois lui coupa le souffle. Cet homme était bien plus imposant. S'il posait ses mains sur elle, elle serait incapable de s'en dégager.

Ses longues jambes le conduisirent directement vers le jardin d'hiver.

La panique l'immobilisa dans l'obscurité des nombreuses plantes. La porte devrait être fermée, se dit-elle. Le majordome de Trentham était un excellent…

L'homme atteignit la porte, saisit la poignée et la tourna.

Une légère lumière en provenance du couloir plus loin l'éclaira tandis qu'il fermait la porte, se tournait et se redressait.

— Bon sang !

L'exclamation explosa depuis la poitrine serrée de Leonora. Elle le regarda, incapable d'en croire ses yeux.

La tête de Trentham s'était tournée rapidement à son premier mot.

Il la regarda, puis ses lèvres se pincèrent, et il fronça les sourcils. Il l'avait bel et bien reconnue.

— Chut !

Il lui fit signe de se taire, regarda vers le couloir, puis, à pas feutrés, il approcha.

— Au risque de me répéter, que diable faites-vous ici ?

Elle le regarda simplement, scrutant la crasse sur son visage et sa barbe brune de quelques jours masquant sa mâchoire. Une trace de suie remontait d'un de ses sourcils et disparaissait sous ses cheveux retombant à présent plats et sans tonus sous son chapeau — une horreur en tartan usé, qui était encore pire de près.

Le regard de Leonora descendit pour se porter sur son manteau, déguenillé et pas vraiment propre, ses hauts-de-chausse et ses bas en tricot, puis sur les grosses bottes de travail qu'il portait aux pieds. Une fois arrivée en bas, elle s'arrêta, puis fit remonter son regard jusqu'à ses yeux… et rencontra son regard irrité.

— Répondez à ma question, et je répondrai à la vôtre. Qui diable êtes-vous censé être ?

Tristan se pinça les lèvres.

— De quoi ai-je l'air ?

— D'un terrassier des bas quartiers les plus dangereux de la ville.

Une odeur caractéristique l'atteignit. Elle renifla.

— Peut-être de la zone des quais.

— Très perspicace, grogna Tristan. Et maintenant, qu'est-ce qui vous amène ici ? Avez-vous découvert quelque chose ?

Elle secoua la tête.

— Je voulais voir votre jardin d'hiver. Vous aviez dit que vous me le montreriez.

La tension — l'appréhension — qui s'était subitement manifestée en lui quand il l'avait vue là s'évanouit. Il baissa les yeux pour se regarder et grimaça.

— Vous êtes venue à un mauvais moment.

Elle fronça les sourcils, le regard de nouveau posé sur ses vêtements miteux.

— Mais que faisiez-vous ? Où étiez-vous, habillé comme ça ?

— Comme vous l'avez si bien deviné, sur les quais.

À la recherche d'un indice, d'une piste, d'une rumeur sur un certain Montgomery Mountford.

— Vous êtes un peu vieux pour vous déguiser.

Elle leva les yeux et saisit son regard.

— Faites-vous fréquemment ce genre de choses ?

— Non.

Plus maintenant. Il n'aurait jamais pensé revêtir ces habits de nouveau, mais en le faisant ce matin, il avait pensé particulièrement judicieux de ne pas les avoir jetés.

— Je suis allé dans le genre de repaires où pourraient se cacher des cambrioleurs potentiels.

— Oh, je vois.

Elle leva les yeux vers lui avec un intérêt à présent impatient.

— Avez-vous appris quelque chose ?

— Pas directement, mais j'ai passé le mot…

— Oh, serait-elle ici alors, Havers ?

Ethelreda. Tristan jura discrètement.

– Nous lui tiendrons compagnie jusqu'à ce que ce cher Tristan arrive.

– Nul besoin qu'elle se morfonde ici toute seule.

– Mlle Carling ? Êtes-vous là ?

Il jura de nouveau. Elles étaient toutes là, à se diriger vers eux.

– Pour l'amour du ciel ! marmonna-t-il.

Il allait saisir Leonora, puis se souvint que ses mains étaient crasseuses. Il garda ses paumes éloignées d'elle.

– Vous allez devoir les distraire.

C'était une demande catégorique. Il croisa son regard et y infiltra chaque bribe de candeur suppliante qu'il était capable de mettre dans son expression.

Elle le regarda.

– Elles ne savent pas que vous êtes sorti déguisé en malfrat ?

– Non. Et elles piqueront une crise si elles me voient comme ça.

Une crise serait le moindre mal de ce qui pourrait arriver. Ethelreda avait une fâcheuse tendance à s'évanouir.

Ils jetèrent un œil sur les allées, les entendant s'approcher inexorablement.

Il tendit les mains, suppliant.

– S'il vous plaît.

Elle sourit. Lentement.

– Très bien. Je vais vous sauver.

Elle se tourna et avança vers la source du bavardage féminin, puis regarda derrière son épaule. Elle saisit son regard.

– Mais vous me devrez une faveur.

— Tout ce que vous voudrez.

Il soupira de soulagement.

— Sortez-les d'ici. Emmenez-les dans le salon.

Le sourire de Leonora s'élargit. Elle se tourna et partit. Tout ce qu'elle voulait, avait-il dit. C'était un excellent résultat pour une opération autrement inutile.

Chapitre 8

Leonora était tout à fait certaine que se laisser séduire n'était pas censé être difficile. Le lendemain, assise dans le petit salon à copier sa lettre, copie après copie, passant obstinément à travers les correspondants de Cedric, elle réévalua sa position et considéra toutes les possibilités à l'avance.

L'après-midi précédent, elle avait poliment détourné les cousines de Trentham vers le salon. Il les avait rejointes un quart d'heure plus tard, propre, sans taches, avec son air nonchalant habituel. Ayant utilisé son intérêt pour les jardins d'hiver afin de justifier sa visite aux dames, elle lui avait posé diverses questions d'usage. Cependant, il avait nié avoir des connaissances à ce sujet et, à la place, il avait suggéré qu'elle rencontre son jardinier.

Lui demander de lui faire visiter aurait été infructueux, car ses cousines les auraient accompagnés.

Ce fut avec regret qu'elle avait enlevé le jardin d'hiver de Tristan de sa liste de lieux de rendez-vous convenant à son entreprise de séduction. Elle aurait pu s'arranger pour trouver un moment approprié, et la banquette près de la fenêtre était un excellent endroit, mais leur intimité n'aurait jamais pu être assurée.

Trentham avait fait venir sa voiture, l'avait aidée à y monter et l'avait raccompagnée chez elle. Insatisfaite. Encore plus avide que lorsqu'elle était partie.

Encore plus déterminée.

Pourtant, l'excursion n'avait pas été totalement infructueuse. Elle avait à présent un atout en main et elle avait l'intention de l'utiliser judicieusement. Cela voulait dire trouver le moment et l'endroit, et éliminer les obstacles à leur intimité simultanément. Elle n'avait aucune idée de la façon d'y réussir des séducteurs. Peut-être qu'ils attendaient simplement que l'occasion se présente avant d'agir.

Après avoir attendu patiemment toutes ces années et avoir fini par s'y faire, elle n'était pas encline à se rasseoir et à attendre plus longtemps. Une bonne occasion, voilà ce dont elle avait besoin. Si nécessaire, elle la créerait.

C'était très bien, mais elle ne parvenait pas à trouver comment.

Leonora se creusa la cervelle toute la journée et le lendemain aussi. Elle avait même pensé accepter l'offre permanente de sa tante Mildred de l'accompagner partout dans la haute société. Malgré son désintérêt pour les bals et les réceptions de la capitale, elle était consciente que de tels événements fournissaient des lieux de rencontre où les gentlemen et les ladies pouvaient se voir en privé. Toutefois, d'après les bribes de conversation qu'elle avait surprises entre ses cousines, ainsi que d'après ses propres commentaires caustiques, elle avait compris qu'il montrait peu d'enthousiasme pour les tournées sociales. Inutile de faire un tel effort elle-même s'il n'aimait pas y assister et qu'elle ne pouvait l'y rencontrer, que ce soit en privé ou autrement.

Quand l'horloge sonna seize heures, elle posa sa plume et étira ses bras au-dessus de sa tête. Elle en était presque à la fin de son exercice d'écriture de lettres quand elle en arriva à étudier les lieux de rendez-vous possibles où elle pourrait le séduire. Mais elle resta bloquée.

— Il doit bien y avoir un endroit !

Elle se leva subitement de sa chaise, irritée et impatiente. Frustrée. Son regard se porta sur la fenêtre. La journée avait été belle, mais venteuse. À présent, le vent avait cessé. Le jour finissait, doux mais frais.

Elle se dirigea vers l'entrée, saisit sa grande cape sans se soucier de prendre son bonnet. Elle ne sortirait pas longtemps. Elle regarda autour d'elle, s'attendant à voir Henrietta, mais réalisa que le chien était sorti pour sa promenade dans le parc d'à côté avec un des valets.

— Bon sang !

Elle espéra avoir le temps de les rejoindre.

Les jardins, ceux d'en avant et de derrière, étaient protégés. Elle voulait — devait — marcher à l'extérieur. Elle avait besoin de respirer, de sentir l'air frais la rafraîchir, d'expulser sa frustration et de revigorer son cerveau.

Elle n'était pas allée marcher seule dehors depuis des semaines. Pourtant, le cambrioleur pouvait difficilement l'observer tout le temps.

Faisant bruire ses jupes, elle se tourna, ouvrit la porte et sortit.

Elle laissa la porte déverrouillée et descendit les marches, puis suivit l'allée jusqu'au portail. Une fois arrivée, elle regarda attentivement autour d'elle. Il faisait encore clair. Dans les deux directions de la rue, qui était toujours tranquille, elle ne vit personne. C'était assez sûr. Elle ouvrit le portail et le passa avant de le fermer derrière elle, puis elle se mit à marcher sans tarder sur le trottoir.

Passant devant le numéro 12, elle y jeta un coup d'œil, mais ne vit aucun signe de mouvement. Elle avait appris par Toby que Gasthorpe avait embauché du nouveau personnel, mais que la plus grande partie n'était pas encore sur place. Biggs, toutefois, y revenait chaque nuit, et Gasthorpe lui-même quittait rarement la maison. Il n'y avait donc plus d'activité criminelle.

En fait, depuis la dernière fois où elle avait vu l'homme au bout de leur jardin et qu'il s'était enfui, il n'y avait plus eu d'incidents du genre. Le sentiment d'être épiée s'était estompé. Bien qu'occasionnellement, elle se sentît encore sous surveillance, cette impression était plus distante, moins menaçante.

Elle avança, réfléchit et s'interrogea sur Montgomery Mountford et sur ce qu'il avait tant l'intention de prendre dans la maison de son oncle. Même si trouver un moyen de séduire était assurément une distraction, elle n'avait pas oublié M. Mountford.

Peu importe qui il était.

Cette pensée en évoqua d'autres. Elle se souvint des recherches récentes de Trentham. Il était direct et efficace, savait prendre des décisions et agir. En dépit de ses efforts, elle ne pouvait imaginer un autre gentleman se déguiser comme il l'avait fait.

Il avait semblé très à l'aise dans son déguisement.

Il avait aussi semblé encore plus dangereux qu'habituellement.

Cette image la tourmenta. Elle se souvint d'avoir entendu parler de ladies qui se livraient à des liaisons passionnées avec des hommes aux manières nettement plus rudes que les leurs. Pouvait-elle — pourrait-elle plus tard — être sensible à de telles envies ?

Elle n'en avait sincèrement aucune idée, ce qui ne faisait que confirmer combien elle avait encore à apprendre, pas juste sur la passion, mais sur elle-même aussi.

Chaque jour qui passait, elle devenait plus consciente d'elle-même justement.

Elle atteignit le bout de la rue et s'arrêta au coin. Le vent y était plus fort. Sa grande cape se gonfla. Elle la rabaissa et regarda vers le parc, mais elle ne vit aucun chien dégingandé revenant accompagné d'un valet. Elle pensa attendre, mais le vent était trop froid et assez violent pour la décoiffer. Elle se tourna et emprunta le même chemin pour revenir, se sentant considérablement revigorée.

Le regard sur le trottoir, elle fit dévier résolument son esprit vers la passion, particulièrement sur le moyen de la vivre.

L'obscurité s'approfondissait. La nuit approchait.

Elle avait atteint la limite du numéro 12 quand elle entendit des bruits de pas rapides derrière elle.

La panique l'envahit. Elle se tourna vivement, s'adossa contre le haut mur de pierre derrière elle quand son esprit lui souligna calmement l'improbabilité de toute attaque.

Un regard sur le visage de l'homme qui courait vers elle, et elle sut que son esprit l'avait trompée.

Elle ouvrit la bouche et cria.

Mountford grogna et la saisit. Ses mains se refermant cruellement autour de ses bras, il la tira vers le milieu du large trottoir et la secoua.

– Hé !

Le cri émergea de l'autre extrémité de la rue. Mountford s'arrêta. Un homme au physique imposant courait dans leur direction.

Mountford jura. Ses doigts s'enfoncèrent brutalement dans ses bras tandis qu'il se tournait pour regarder de l'autre côté.

Il jura de nouveau, un juron vulgaire avec une pointe de peur. Sa bouche fit un rictus rageur.

Leonora regarda et vit Trentham approcher rapidement. Derrière lui arrivait un autre homme, mais ce fut l'expression de Trentham qui la renversa et qui, momentanément, pétrifia Mountford.

Il se libéra de ce regard assassin, la fixa, puis la tira vers lui et la rejeta énergiquement en arrière. Dans le mur.

Elle hurla. Le cri cessa quand sa tête heurta la pierre. Elle ne fut que vaguement consciente de glisser lentement à terre et de s'écrouler en un amas de jupes sur le trottoir.

À travers un brouillard blanc, elle vit Mountford traverser la rue, évitant les hommes qui couraient depuis les deux extrémités. Trentham ne le pourchassa pas et se dirigea directement vers elle.

Elle l'entendit jurer et comprit vaguement que ses jurons s'adressaient à elle, pas à Mountford, puis elle se retrouva enveloppée dans sa force et hissée. Il la tint contre lui, la supportant. Elle était debout, mais il portait presque tout son poids.

Elle cligna des yeux. Sa vision s'éclaircit, lui permettant de regarder un visage dans lequel une émotion primitive voisine de la fureur entrait en conflit avec une certaine inquiétude.

À son grand soulagement, l'inquiétude gagna.

— Est-ce que ça va ?

Elle opina et avala sa salive.

— Juste un peu étourdie.

Elle leva une main à l'arrière de sa tête, toucha délicatement, puis sourit, bien que timidement.

— Juste une petite bosse. Rien de grave.

Il pinça ses lèvres et plissa ses yeux en la regardant. Puis, il regarda en direction de l'endroit où Mountford s'était enfui.

Elle fronça les sourcils et essaya de se libérer de sa prise.

— Vous auriez dû le suivre.

Il ne la relâcha pas.

— Les autres sont après lui.

Les autres ? Deux et deux…

— Avez-vous des hommes qui surveillent la rue ?

Il la regarda furtivement.

— Bien sûr.

Pas étonnant qu'elle ne se soit pas sentie menacée d'être encore observée.

— Vous auriez dû me le dire.

— Pourquoi ? Pour que vous puissiez commettre un acte stupide comme celui-ci ?

Elle ignora sa question et regarda de l'autre côté de la rue. Mountford était entré dans le jardin de la maison d'en face. Les deux autres hommes, tous deux plus massifs et plus lents, l'avaient suivi.

Personne ne réapparut.

Les lèvres de Trentham formèrent une moue grave.

— Y a-t-il une allée derrière ces maisons ?

— Oui.

Il ravala un son. Elle soupçonna que ce fut un autre juron. Il la regarda en la jaugeant, puis consentit à détendre le bras qu'il avait passé autour d'elle.

— Je pensais que vous aviez plus de bon sens…

Elle leva une main, l'arrêtant dans sa phrase.

— Je n'avais absolument aucune raison de penser que Mountford serait ici dehors. En plus de ça, si vos hommes observaient depuis les deux extrémités de la rue, pourquoi l'ont-ils laissé passer devant eux ?

Il regarda de nouveau dans la direction que ses hommes avaient prise.

— Il a dû les repérer. Probablement vous a-t-il atteinte depuis la même direction qu'il a empruntée pour se sauver, une allée et le jardin de quelqu'un.

Son regard revint sur son visage et le scruta.

— Comment vous sentez-vous ?

— Assez bien.

Mieux qu'elle pensait. Mieux qu'elle l'aurait cru. La prise brutale de Mountford l'avait secouée plus que le choc avec le mur. Elle inspira, puis expira.

— Juste un peu chancelante.

Il hocha la tête sèchement.

— Le choc.

Elle le fixa.

— Que faisiez-vous ici ?

Acceptant le fait que ses hommes n'étaient pas près de revenir avec Mountford, Tristan la relâcha et prit son bras.

— Les meubles du troisième étage ont été livrés hier. J'avais promis à Gasthorpe que je vérifierais et que je donnerais mon accord. Aujourd'hui, c'est son jour de congé. Il est parti dans le Surrey rendre visite à sa mère et il ne reviendra pas avant demain. J'ai pensé faire d'une pierre deux coups en vérifiant la maison ainsi que les meubles.

Il scruta son visage, encore trop pâle, puis la fit pivoter sur le trottoir. Marchant lentement, il la conduisit le long du mur du numéro 12 vers le numéro 14, plus loin.

— Je suis parti plus tard que prévu. Biggs devrait être arrivé maintenant, alors tout devrait bien aller jusqu'au retour de Gasthorpe.

Elle hocha la tête, marchant à ses côtés, appuyée sur son bras. Ils arrivèrent au niveau du portail du numéro 12, et elle s'arrêta.

Elle prit une profonde respiration, puis croisa son regard.

— Si cela ne vous dérange pas, peut-être pourrais-je entrer et vous aider à vérifier les meubles.

Elle sourit, assurément timidement, avant de regarder ailleurs. Puis, elle ajouta en haletant :

— Je préférerais rester avec vous encore un peu pour me remettre avant de rentrer et de faire face à mon personnel.

Elle dirigeait le personnel de son oncle. Il était certain que ses gens attendaient pour lui parler dès qu'elle rentrerait.

Il hésita, mais Gasthorpe n'était pas dans le coin pour désapprouver. Et sur la liste des activités probables pour qu'une femme se rétablisse, voir de nouveaux meubles arrivait probablement en tête.

— Si vous voulez.

Il lui fit passer le portail et emprunter l'allée vers la porte. Pendant qu'elle regarderait le mobilier, il utiliserait ce temps pour trouver un meilleur moyen de la protéger. Il ne pouvait malheureusement pas lui demander de rester prisonnière chez elle.

Sortant la clé de sa poche, il déverrouilla la porte d'entrée. Il fronça les sourcils tandis qu'il lui faisait passer le seuil.

— Où est votre chienne ?

— Elle fait sa promenade dans le parc.

Elle se retourna pour le regarder tandis qu'il fermait la porte.

— Les valets l'emmènent. Elle est trop forte pour moi.

Il hocha la tête, remarquant qu'une fois encore, elle n'en avait fait qu'à sa tête, que si elle devait sortir, elle devait le faire avec Henrietta. Mais si le chien était trop fort, alors aller au-delà du jardin n'était pas une option valable.

Elle marcha en tête jusqu'à l'escalier. Il suivit. Ils atteignirent les premières marches quand une toux attira leur attention vers la porte des cuisines.

Biggs se trouvait dans l'ouverture. Il les salua.

— Fidèle au poste, Monsieur.

Tristan revêtit son sourire charmant.

— Merci, Biggs. Mlle Carling et moi venons juste vérifier le nouveau mobilier. Inutile de vous déranger ; nous sortirons tout seuls plus tard. Continuez.

Biggs inclina la tête devant Leonora, fit un autre bref salut. Puis, il se tourna et descendit dans les cuisines. Le léger arôme d'une tarte atteignit leurs narines.

Leonora rencontra le regard de Tristan, un sourire dans les yeux, puis elle se tourna, prit la rampe et monta.

Il l'observa, mais elle avait un pas assuré. Toutefois, quand ils atteignirent le palier du deuxième étage, elle le regarda, et il sentit que sa respiration était difficile.

Fronçant de nouveau les sourcils, il prit son bras.

— Ici.

Il la fit entrer dans la plus grande chambre, celle au-dessus de la bibliothèque.

— Asseyez-vous.

Un grand fauteuil se trouvait en angle près de la fenêtre. Il l'y conduisit.

Elle s'y enfonça avec un léger soupir et lui sourit faiblement.

— Je ne m'évanouirai pas.

Il plissa les yeux en la regardant. Elle n'était plus pâle, mais il y avait une étrange tension en elle.

— Restez assise ici et étudiez les meubles que vous pouvez voir. Je vérifierai les autres pièces, ensuite vous pourrez me donner votre verdict.

Leonora opina, ferma les yeux et laissa sa tête se reposer contre le dossier du fauteuil.

— J'attendrai ici.

Il hésita, baissant les yeux vers elle, puis il se tourna et la quitta.

Quand il fut parti, elle ouvrit les yeux et scruta la pièce. Les larges fenêtres en saillie donnaient sur le jardin de derrière. Pendant la journée, elles laissaient passer une lumière généreuse, mais à présent, avec la nuit qui gagnait du terrain, la pièce était baignée d'obscurité. Une cheminée se trouvait au milieu du mur opposé à son fauteuil. Le feu était prêt, mais pas allumé.

Une méridienne était placée en angle près du feu. Plus loin, dans le coin au bout de la pièce, se dressait une armoire en bois verni foncé.

Le même bois verni ornait le lit à baldaquin encore plus massif. Regardant la grande couverture en soie rubis, elle pensa à Trentham. Ses amis étaient probablement aussi grands. Des rideaux en brocart rouge foncé étaient noués autour des poteaux sculptés de la tête du lit. La fin du jour s'attardait sur les courbes et les torsades dans la tête de lit richement sculptée, se répétant sur les poteaux tournés au pied du lit. Avec son épais matelas, le lit était une pièce imposante, solide, stable.

L'élément central de la chambre, le point d'intérêt de ses sens.

Il était, pensa-t-elle, le lieu de rendez-vous parfait pour son projet de séduction.

Bien plus que son jardin d'hiver.

Et personne ne pouvait les interrompre, interférer. Gasthorpe était dans le Surrey et Biggs dans les cuisines, trop loin pour entendre quoi que ce soit — à condition qu'ils ferment la porte.

Elle se tourna pour regarder la porte en chêne massif.

Sa rencontre avec Mountford n'avait fait qu'accentuer sa détermination à aller de l'avant. Elle n'était pas tant chancelante que tendue. Elle avait besoin de sentir les bras de

Trentham autour d'elle pour la convaincre qu'elle était en sécurité.

Elle voulait être dans ses bras, voulait être près de lui. Voulait le contact physique, le plaisir sensuel partagé. Elle avait besoin de cette expérience, à présent encore plus que jamais.

Deux minutes plus tard, Trentham revint.

Elle fit signe vers la porte.

— Fermez-la pour que je puisse voir la commode.

Il se tourna et fit ce qu'elle demandait.

Elle étudia scrupuleusement le grand meuble à tiroirs à présent visible.

— Alors, dit-il en avançant avant de s'arrêter près du fauteuil et de baisser les yeux vers elle, est-ce que les meubles reçoivent votre approbation ?

Elle leva les yeux vers lui et sourit lentement.

— En fait, ils semblent plutôt parfaits.

Les séducteurs avaient assurément vu juste. Quand l'occasion se présentait, il fallait la saisir.

Elle leva sa main.

Tristan la saisit et il aida Leonora à se lever avec douceur. Il pensait qu'elle s'éloignerait, mais à la place, elle se redressa directement en face de lui, si près que ses seins frôlèrent son manteau.

Elle regarda son visage, puis s'approcha encore plus. Elle leva les bras et attira sa tête vers la sienne. Elle posa ses lèvres sur les siennes dans un baiser flagrant, avide, de ceux dans lesquels il pouvait difficilement s'empêcher de se jeter.

Son contrôle vacilla de façon peu habituelle. Il saisit sa taille — fermement — pour s'empêcher de la dévorer.

Elle interrompit le baiser et recula, mais seulement une seconde. Elle leva les paupières et rencontra son regard. Ses yeux brillaient d'un bleu éclatant sous ses cils. Soutenant son regard, elle tendit les bras vers les attaches de sa cape, les défit, puis laissa le vêtement tomber sur le sol.

— Je voulais vous remercier.

Sa voix était rauque, basse. Son timbre le traversa. Son corps se tendit, comprenant ce qu'elle voulait dire. Il l'attira plus près, plus fermement, son corps collé au sien, baissant la tête avant que l'écho s'efface.

Elle l'arrêta d'un doigt en glissant le bout sur sa lèvre inférieure. Elle suivit son mouvement du regard. Au lieu de s'éloigner, elle s'approcha encore, se plaqua contre lui.

— Vous étiez là quand j'ai eu besoin de vous.

Sans réfléchir, il la serra contre lui. Elle leva ses paupières et croisa son regard. Puis, elle leva de nouveau sa main autour de sa nuque. Elle baissa ses paupières et se hissa contre lui.

— Merci.

Il prit sa bouche alors qu'elle la lui offrait. Il y plongea et s'en abreuva, sentant non seulement le plaisir mais le réconfort s'infiltrer dans ses veines. Il semblait simplement juste qu'elle le remercie comme ça. Il ne vit aucune raison de refuser ce moment, de faire autre chose qu'assouvir ses sens avec le paiement qu'elle lui octroyait.

Elle leva les bras et les enroula autour de son cou. Elle se colla davantage, son corps étant une promesse du délice à venir.

Entre eux, les braises qu'ils laissaient se consumer s'embrasèrent, puis les flammes jaillirent sous leur peau. Il sentit le feu s'allumer. Certain de l'avoir bien jaugée, il le laissa brûler.

Il laissa ses doigts trouver leur chemin jusqu'à ses seins. Comme les doux monticules étaient fermes et distendus, il tendit les mains vers ses lacets. Il les défit ainsi que les rubans de sa chemise avec une facilité experte.

Ses seins se retrouvèrent dans ses mains. Elle gémit au milieu du baiser. Massant sa poitrine de façon possessive, il la maintint contre lui, l'attira davantage, intensifia encore plus les flammes.

Il interrompit le baiser, remonta sa tête, posa ses lèvres sur le tendon contracté de sa gorge. Il le suivit jusqu'à l'endroit où son pouls battait frénétiquement, puis lécha. Suça.

Elle gémit. Le bruit résonna dans le silence, le portant à continuer. Il la fit pivoter, puis se cala sur le bras du fauteuil, l'attirant contre lui, faisant glisser sa robe et sa chemise jusqu'à sa taille.

Il put ainsi se régaler.

Elle lui offrit sa récompense. Il l'accepta. Avec ses lèvres et sa langue, il la prenait, la possédait. Il posait des baisers ardents sur ses mamelons ruchés et fermes. Il entendait sa respiration saccadée, sentait ses doigts se refermer sur son crâne tandis qu'il la tourmentait.

Puis, il prit un mamelon durci dans sa bouche, le râpa légèrement, et elle se contracta. Il téta doucement, puis apaisa le pic tendu avec sa langue. Il attendit jusqu'à ce qu'elle se détende avant de le prendre plus profondément et de téter.

Elle laissa échapper un cri, son corps s'arquant dans ses bras.

Il ne fit preuve d'aucun répit, suçant voracement d'abord un sein, puis l'autre.

Ses doigts se contractèrent, le maintenant près d'elle. Il fit descendre ses mains de sa taille, les fit glisser derrière et sur ses hanches, et prit ses fesses. Il écarta ses cuisses et plaqua ses hanches contre lui. Il la cala près de lui de sorte que son ventre se retrouve contre le sien, ce qui apaisait et tourmentait sa douleur ardente en même temps.

Refermant ses mains, il la massa et la sentit plus qu'il ne l'entendit gémir. Il ne s'arrêta pas, mais explora plus intimement, la gardant à sa merci, ses lèvres narguant et tourmentant ses seins gonflés tandis qu'il faisait bouger la partie inférieure du corps de Leonora de façon provocante, qu'il façonnait ses hanches, son ventre et ses cuisses contre lui à sa guise.

Puis, Leonora prit son souffle et pencha la tête. Il libéra ses seins, leva les yeux, et elle captura sa bouche. Elle y pénétra, le caressant et le réchauffant, volant son souffle, puis le lui redonnant.

Il sentit ses doigts autour de sa gorge tandis qu'elle détachait sa cravate. Leurs bouches fusionnaient. Ils prenaient et donnaient tandis que ses doigts descendaient sur sa poitrine.

Elle ouvrit sa chemise.

La libéra de sa ceinture. Fit traîner le bout de ses doigts sur sa poitrine, le tourmentant, l'aguichant légèrement, le rendant fou.

— Enlevez votre manteau.

Les mots murmurés pénétrèrent son cerveau. Sa peau le brûlait. Cela sembla donc une bonne idée.

Il la libéra pendant une seconde, se leva et fit bouger ses épaules.

La cravate, le manteau et la chemise tombèrent sur le dossier du fauteuil.

« Mauvais choix. »

À l'instant où ses seins nus touchèrent sa poitrine également nue, il sut ce qu'il en était.

Peu importait.

La sensation était si érotique, si voluptueusement en accord avec un besoin plus profond qu'il mit cet avertissement de côté aussi facilement qu'il avait enlevé sa chemise. Il la plaqua contre lui, plongea dans sa bouche accueillante, pleinement conscient du contact léger des mains de Leonora sur sa peau, innocentes, explorant timidement.

Conscient de l'accès de plaisir que son contact évoquait, de la chaleur subséquente qui émergeait en elle.

Il ne se colla pas davantage, mais la laissa sentir et apprendre comme elle le voulait, son égo appréciant au plus haut point son désir avide. Il la maintenait près de lui. Ses mains se déployèrent sur son dos nu, et il dessina les muscles délicats qui entouraient sa colonne.

Ils étaient fins, souples, mais avec une force proprement féminine, rappelant tout ce qu'elle était.

Il n'avait jamais autant voulu une femme, une femme qui promettait si pleinement de le rassasier. Pas juste sexuellement, mais à un niveau plus profond, à un niveau que, dans son état, il ne reconnaissait pas ni ne comprenait. Peu importe ce que c'était, le besoin compulsif qu'elle suscitait était fort.

Plus fort que tout désir ordinaire, que toute luxure.

Son contrôle n'avait jamais eu à faire face à un tel sentiment.

Il se fissurait, se rompait, et il ne le savait même pas.

Il n'eut même pas le bon sens de reculer quand ses doigts inquisiteurs errèrent plus bas. Quand elle le caressa de façon provocante, dans un émerveillement flagrant, il ne fit que gémir.

Surprise, elle écarta sa main. Il la saisit, l'enferma dans la sienne, puis la replaça où elle était. Il l'encourageait à apprendre tout comme lui avait l'intention de le faire. Il interrompit le baiser et regarda son visage tandis qu'elle agissait.

Il était fier de l'inexpérience de Leonora et encore plus de son éveil.

Ses poumons se comprimèrent jusqu'à ce qu'il ait la tête qui tourne. Il continua de la regarder, maintint ses sens concentrés sur elle, détournés de la conflagration qu'elle causait, du désir urgent qui circulait en lui.

Ce fut seulement quand elle leva les yeux, quand ses lèvres s'écartèrent, rosies par ses baisers, qu'il bougea pour l'attirer de nouveau contre lui, pour prendre de nouveau sa bouche et l'envahir plus profondément jusqu'à l'enchantement.

Jusqu'à ce qu'elle tombe plus profondément sous son charme.

Quand il finit par libérer ses lèvres, Leonora pouvait à peine penser. Sa peau était en feu, tout comme la sienne. Partout où ils se touchaient, des flammes surgissaient, brûlaient. Ses seins étaient douloureux, effleurés jusqu'à une sensibilité extrême par les poils noirs et drus de sa poitrine.

Cette poitrine était une merveille sculptée de muscles fermes sur des os imposants. Ses doigts en éventail trouvèrent des cicatrices, des entailles ici et là. Le léger hâle de son visage et de son cou s'étendait sur sa poitrine, comme s'il travaillait occasionnellement à l'extérieur sans chemise. À l'intérieur, sans chemise, il était une merveille, apparaissant dans son esprit tel un dieu vivant. Elle n'avait vu des corps d'homme que dans les livres de sculptures anciennes ; or, le sien était vivant, réel, parfaitement viril. La sensation de sa peau, la résistance de ses muscles, la force même qu'il possédait l'impressionnaient.

Ses lèvres, sa langue tourmentaient les siennes, puis il leva la tête et posa un baiser sur sa tempe.

Il murmura dans le noir empli de passion :

— Je veux vous voir. Vous toucher.

Il se recula juste assez pour saisir ses yeux. Les siens étaient de sombres réservoirs étonnamment résolus.

Sa force l'enveloppa, la captura. Ses mains caressèrent sa peau nue. Elle les sentit glisser sur les côtés, puis se tendre pour baisser sa robe et sa chemise.

— Laissez-moi.

C'était à la fois une commande et une question. Elle expira lentement et hocha très légèrement la tête.

Il baissa sa robe. Une fois passée la rondeur de ses hanches, la robe et la chemise tombèrent d'elles-mêmes.

Le bruissement délicat fut audible dans la pièce.

L'obscurité était proche, mais suffisamment de lumière se répandait encore. Suffisamment pour qu'elle puisse étudier son visage quand il baissa les yeux, quand en la maintenant toujours dans le cercle de son bras, avec son autre main, il caressa son sein, puis descendit jusqu'à sa taille, sa hanche, se déployant vers l'extérieur, puis vers l'intérieur du haut de sa cuisse.

— Vous êtes si belle.

Les mots s'échappèrent de ses lèvres. Il ne sembla même pas le remarquer, comme s'il ne les avait pas prononcés consciemment. Ses traits étaient contractés et austères, ses lèvres formant une ligne marquée. Il n'y avait aucune douceur dans son visage, aucune trace de charme.

Toute réserve subsistante quant à la justesse des actions de Leonora était anéantie à ce moment. Réduite en cendres par l'émotion brute de son visage.

Elle n'en savait pas assez pour la nommer, mais peu importe l'émotion dont il s'agissait, c'était ce qu'elle voulait, ce qu'elle désirait. Elle avait passé sa vie à désirer être regardée par un homme exactement de cette façon, comme si elle était plus précieuse, plus désirable que son âme.

Comme s'il vendait volontairement son âme pour ce qu'elle savait qui se produirait ensuite.

Elle tendit le bras vers lui tandis qu'il faisait la même chose vers elle.

Leurs lèvres se rencontrèrent, et des flammes s'embrasèrent.

Elle aurait été effrayée s'il n'avait pas été là, solide et bien réel pour la maintenir, pour l'ancrer dans le tourbillon qui s'étendait en eux, autour d'eux.

Ses mains descendirent, se refermèrent sur ses fesses nues. Il les pétrit, et la chaleur traversa sa peau. La fièvre suivit, une douleur chaude et insistante qui s'intensifiait et s'accroissait tandis qu'il pillait sa bouche de façon provocante, qu'il la maintenait près de lui, qu'il levait ses hanches contre lui et qu'il façonnait de façon suggestive son sexe avec la ligne rigide de son membre en érection.

Elle gémit, passionnée, avide et désireuse.

Dévergondée. Affamée. Déterminée.

Il la hissa plus haut. Instinctivement, elle mit ses bras autour de ses épaules, ses longues jambes autour de ses hanches.

Leur baiser devint incendiaire.

Il l'interrompit seulement pour réclamer :

– Venez. Étendez-vous avec moi.

Elle répondit par un baiser torride.

Tristan la transporta à côté du lit, et ils s'affalèrent dessus. Ils rebondirent, et il se plaça sur elle, la plaqua sous lui, calant une jambe entre les siennes.

Leurs lèvres se rencontrèrent, fusionnèrent. Il plongea dans le baiser, laissant ses sens vagabonds savourer le plaisir divin de l'avoir sous lui, nue et désireuse. La partie primitive, totalement masculine, de son âme se réjouit.

En voulait plus.

Il laissa ses mains errer, modeler ses seins, puis glisser plus bas, caresser ses hanches, puis se placer sous elle pour prendre ses fesses et les presser. Il écarta ses cuisses, libéra une main et la plaça sur son ventre.

Il sentit les muscles féminins sous sa paume sauter, se contracter.

Il glissa ses doigts plus bas, les enchevêtrant dans les poils foncés à la jonction de ses cuisses. Passant ses doigts entre elles, il caressa la chair douce qu'elles cachaient et la sentit frissonner.

Il écarta davantage ses cuisses et la prit en coupe. Il sentit qu'elle inspira rapidement. Il ouvrit sa bouche et l'embrassa plus profondément, puis se retira du baiser, laissant leurs lèvres se frôler, se toucher, ses sens se manifester suffisamment pour qu'elle sache et sente.

Leurs souffles se mélangèrent, passionnés et avides. Sous leurs paupières lourdes, leurs yeux se rencontrèrent et restèrent rivés les uns sur les autres.

Leurs regards restèrent figés tandis qu'il bougeait sa main et la touchait. Il la caressait, la frôlait intimement. Ses seins se dressèrent et retombèrent. Ses dents se refermèrent sur sa lèvre inférieure quand il l'ouvrit. Tandis qu'il la tourmentait, il était fier de la chaleur glissante de son corps, puis lentement, délibérément, il fit glisser un long doigt en elle.

Le souffle de Leonora se saccada. Ses yeux se refermèrent. Son corps se dressa sous le sien.

— Restez avec moi.

Il la caressa lentement, à l'intérieur, à l'extérieur, la laissant s'habituer à son toucher, à la sensation.

Son souffle devint inégal, et elle se força à ouvrir les yeux. Peu à peu, son corps se détendit.

Lentement, graduellement, son corps s'ouvrit à son contact.

Il regarda le changement se produire, regarda le plaisir sensuel s'élever et la transporter, regarda ses yeux se foncer, sentit ses doigts se crisper, ses ongles s'enfoncer dans ses muscles.

Puis, elle perdit le souffle. Sa colonne s'arqua, sa tête tomba en arrière, et elle ferma les yeux.

— Embrassez-moi.

C'était une plainte désespérée.

– S'il vous plaît, embrassez-moi.

Sa voix se cassa en un gémissement tandis que la sensation se développait, progressait, se renforçait.

– Non.

Les yeux rivés sur son visage, il l'incita à poursuivre.

– Je veux vous regarder.

Elle luttait pour respirer, s'accrochant à son bon sens.

– Étendez-vous et laissez les choses arriver. Laissez aller.

Il aperçut du bleu brillant sous ses cils. Il glissa un autre doigt à l'intérieur avec le premier, s'enfonçant plus profondément, plus vite.

Et elle jouit.

Il regarda l'orgasme s'emparer d'elle, écouta le léger cri qui s'échappa de ses lèvres gonflées, sentit son fourreau se contracter, puissant et ferme, puis se détendre, les répliques ondoyant dans sa douce chaleur.

Ses doigts restèrent en elle, et il se pencha pour l'embrasser.

Un baiser long et profond, lui donnant tout ce qu'il pouvait, la laissant goûter son désir, voir sa volonté, puis peu à peu, il se retira.

Quand il ôta ses doigts, il les passa dans ses poils humides, puis il leva la tête. Les doigts de Leonora, emmêlés dans ses cheveux derrière sa nuque, se refermèrent, se crispèrent. Elle ouvrit les yeux, étudia les siens, son visage, et y vit sa décision.

Il essaya de se repousser, de la laisser reprendre son souffle, mais à sa grande surprise, elle resserra sa prise, le maintint contre elle.

Elle soutint son regard, puis humecta ses lèvres.

— Vous me devez une faveur.

Sa voix était un murmure rauque, qui augmenta avec ses mots suivants.

— Vous avez dit « tout ce que je voudrais ». Alors, promettez de ne pas vous arrêter.

Il cligna des yeux.

— Leonora…

— Non. Je vous veux avec moi. Ne vous arrêtez pas. Ne vous éloignez pas.

Il serra les dents. Elle le prenait au dépourvu. Nue, étendue sous son corps, le sien alangui après l'orgasme…, et elle l'implorait de la prendre.

— Ce n'est pas que je ne vous veux pas…

Elle bougea une cuisse mince et harmonieuse.

Il prit son souffle.

Marmonna. Ferma les yeux. Il ne pouvait réprimer ses sens. Fermement résolu, il plaça ses paumes sur le lit et se redressa, loin de sa chaleur.

Il ouvrit les yeux.

Et s'arrêta.

Les siens étaient mouillés.

« Des larmes ? »

Elle cligna plus fort des yeux, mais ne fit pas dévier son regard du sien.

— Je vous en prie. Ne me laissez pas.

Sa voix se rompit sur ces mots.

Quelque chose en lui aussi.

Sa résolution, sa certitude se brisèrent.

Il la voulait tant qu'il pouvait à peine penser, mais la dernière chose qu'il devait faire, c'était plonger dans sa douce chaleur, la prendre, la posséder, comme ça, maintenant. Mais il n'était pas insensible au désir dans ses yeux, un désir qu'il ne pouvait pas reconnaître, mais qu'il savait devoir satisfaire.

Autour d'eux, la maison était silencieuse, tranquille. À l'extérieur de la fenêtre, la nuit était tombée. Ils étaient seuls, enveloppés dans l'obscurité, nus sur un grand lit.

Et elle le voulait en elle.

Il prit une profonde respiration, inclina la tête, puis se recula brusquement et s'assit.

— Très bien.

Une partie de son esprit lui criait : « Ne fais pas ça ! » Le tonnerre dans son sang et la vague de conviction émotionnelle encore plus forte le couvrirent.

Il déboutonna ses pantalons, puis se leva pour les ôter. Il se tourna pour la regarder tandis qu'il se redressait et croisa son regard.

— Souvenez-vous juste que ceci était votre idée.

Elle sourit avec un doux sourire de madone, mais ses yeux restèrent grands ouverts, vigilants. En attente.

Il la regarda, puis observa autour de lui. Il avança jusqu'à l'endroit où les vêtements de Leonora étaient tombés et ramassa sa robe. Il la secoua, en sortit les jupons à l'intérieur et retourna vers le lit. S'installant à côté d'elle, il souleva ses hanches avec son bras et étendit les jupes sous elle.

Il regarda son visage au moment où elle arqua un sourcil délicat, mais elle n'émit aucun commentaire et se réinstalla simplement.

Elle croisa son regard et attendit encore.

Elle lut dans ses pensées, comme elle le faisait souvent.

— Je ne vais pas changer d'avis.

Il sentit son visage se durcir. Sentit le désir le transpercer.

— Entendu.

Chapitre 9

Elle s'était refroidie, lui non. Il doutait sérieusement qu'elle ait une idée de l'effet qu'elle lui faisait, de l'intensité de ce qu'elle provoquait en lui, d'autant plus qu'ils étaient nus dans le noir tacheté de lumière, seuls, dans une maison presque vide.

Il était impossible d'ébranler cette aura de danger illicite. Elle faisait tant partie de lui qu'il n'essaya même pas. Elle voulait qu'ils passent à l'acte, et ce, en toute connaissance de cause. Tandis qu'il s'allongeait à côté d'elle, s'appuyait sur un coude et tendait le bras vers elle, il n'essaya pas de lui cacher quoi que ce soit, aucune partie de lui.

Il n'essaya surtout pas de lui cacher, dans le noir, le désir primaire qu'elle provoquait.

Leurs yeux s'étaient adaptés il y a longtemps. Ils pouvaient voir le visage et les expressions de l'autre, et comme ils étaient tout près, ils pouvaient même distinguer les émotions dans les yeux de l'autre. Il sentit l'appréhension qui se manifesta en elle quand il l'attira contre lui. Au même moment, il vit la détermination dans son visage et il ne s'arrêta pas.

Il l'embrassa, non pas comme il l'avait fait avant, mais comme un amant à qui on laissait le contrôle. Il s'engagea comme un conquérant, la possédant à sa guise, ravageant ses sens.

D'abord passive, attendant de voir, Leonora releva instinctivement son défi. Son corps s'agita, s'éveilla de nouveau. Elle leva une main et déploya encore une fois ses doigts dans ses cheveux.

Elle s'y cramponna fermement, tandis que de nouveau, des flammes fusèrent entre eux. Cette fois, il ne fit aucun effort pour les retenir, les contenir. À la place, il les laissa se déchaîner. Il les fit délibérément faire rage à chaque mouvement possessif de ses paumes fermes quand il façonnait son corps sous le sien, quand il possédait chaque centimètre de son sexe, qu'il l'explorait à volonté, encore plus intimement.

Elle frissonna et le laissa faire. Le laissa la conduire dans la mer enflammée, la conflagration du désir, la passion et l'envie simple et inévitable.

Il la toucha d'une façon qu'elle n'aurait jamais imaginée jusqu'à ce qu'elle se cramponne et sanglote. Jusqu'à ce qu'elle soit inondée de chaleur et de désir intense, d'une envie qui la dévorait si férocement qu'elle se sentait littéralement en feu. Il bougea sur elle, écarta ses cuisses et s'installa entre elles. Dans la profonde obscurité, il était vraiment un dieu, puissant et résolu, quand arc-bouté au-dessus d'elle, il baissa les yeux pour la regarder. Puis, il pencha sa tête et reprit sa bouche. Là, son intense énergie — le fait qu'il n'était que muscles fermes et os, passion et sang chaud — la saisit.

La rugosité de sa peau poilue l'irritait, l'érodait, lui rappelait combien sa propre peau était douce et sensible. Lui rappelait combien elle était vulnérable et sans défense par rapport à sa force.

Il bougea, baissa les bras, saisit un de ses genoux et monta sa jambe au niveau de sa hanche. Il l'y déposa, puis il fit redescendre sa paume jusqu'à ce qu'il trouve son sexe glissant et gonflé, chaud et prêt.

Puis, il entra en elle, fort, chaud et plus gros qu'elle l'avait pensé. Elle eut du mal à respirer. Elle sentit son corps se contracter. Il la pénétrait inexorablement.

Elle gémit, essaya de se détacher du baiser.

Il ne la laissa pas faire.

À la place, il la maintint sous lui, la garda prisonnière, et lentement, très lentement, il la pénétra.

Le corps de Leonora se cambra, s'arqua, se contracta, se tendit contre son invasion. Elle sentit la limite, sentit la pression s'intensifier, mais il ne s'arrêta pas. Il s'enfonça plus profondément, de plus en plus, jusqu'à ce que la barrière cède simplement et qu'il avance. Et qu'il continue.

Jusqu'à ce qu'elle soit si emplie de lui qu'elle puisse à peine respirer, jusqu'à ce qu'elle le sente vibrer profondément en elle. Elle sentit son corps céder, capituler et accepter.

Ce ne fut que là qu'il s'arrêta, qu'il resta immobile, comme une incarnation de la réalité de son membre enfoncé profondément en elle.

Il interrompit le baiser, ouvrit les yeux, regarda les siens à seulement cinq centimètres. Leurs souffles irréguliers, chauds et enflammés, se confondaient.

— Est-ce que ça va ?

Les mots prononcés d'une voix grave et râpeuse l'atteignirent. Elle réfléchit à ce qu'elle ressentait avec le poids de son corps chaud qui la maintenait, avec ses muscles fermes qui la tenaient étendue et si vulnérable sous lui. Avec son sexe en érection enfoncé si intimement en elle.

Elle acquiesça. Ses lèvres étaient avides des siennes. Elle posa sa bouche sur la sienne, le goûta, puis explora avec sa langue, savourant sa saveur unique. Elle le sentit plus qu'elle ne l'entendit gémir, puis il bougea en elle.

Au début, ce ne fut qu'un léger mouvement de ses hanches contre les siennes.

Puis ce ne fut bientôt pas suffisant pour tous les deux.

Ce qui suivit fut un voyage initiatique. Elle n'aurait pas imaginé que l'intimité puisse être aussi dévorante, exigeante, épanouissante. Aussi passionnée, étouffante, engageante. Il ne parla plus, ne demanda plus ce qu'elle pensait, ne demanda pas la permission quand il la prit, quand il la pénétra, plongea dans son corps, entra dans sa chaleur.

Tout le long, à maintes reprises, ses yeux rencontrèrent les siens, vérifiant, la rassurant, l'encourageant. Ils communiquaient sans parler, et elle le suivait avec enthousiasme. Avidement.

Dans le paysage de la passion.

Il défila, se dévoila image après image, et elle réalisa à quoi pouvait ressembler le simple fait d'être soudés.

Combien c'était captivant, fascinant.

Combien c'était exigeant, enivrant.

Combien c'était épanouissant, à la toute fin, quand ils tombèrent dans l'espace et qu'elle le sentit avec elle.

Étant donné son expertise, elle s'était attendue à ce qu'il se retire avant de libérer sa semence. Or, elle ne le voulait pas. Son instinct la conduisit à enfoncer ses ongles dans ses fesses en mouvement et à le retenir en elle.

Il la regarda. Presque sans y voir, leurs yeux se rencontrèrent. Puis, il ferma les yeux en gémissant et laissa les choses arriver, laissa la dernière poussée la pénétrer plus profondément, les jumelant ensemble tandis qu'il se répandait en elle.

Elle sentit sa chaleur l'envahir.

Elle revêtit un sourire satisfait et finit par se laisser aller, se laissa sombrer dans le néant.

*

Avachi sur le lit, Tristan essaya de donner un sens à ce qui était arrivé.

Leonora était couchée en travers du lit, encore intimement entrelacée avec lui. Il ne sentait aucune urgence de se décoller d'elle. Elle était à moitié endormie, et il espérait qu'elle le resterait jusqu'à ce qu'il retrouve ses esprits.

Il s'était effondré sur elle, littéralement repu. Une expérience nouvelle. Plus tard, il fut suffisamment éveillé pour rouler sur le côté en la prenant contre lui. Il tira la couverture sur eux pour protéger ses membres rafraîchis par le froid qui envahissait la chambre.

Il faisait nuit noire, mais il n'était pas si tard. Personne ne s'inquiéterait outre mesure de son absence, pas encore. L'expérience lui suggérait que malgré ce qui avait ressemblé à un voyage vers les étoiles, il ne devait même pas être dix-huit heures. Il avait le temps de penser au point qu'ils avaient atteint maintenant et au meilleur moyen d'avancer.

Il était trop expérimenté pour ne pas comprendre qu'avancer impliquait habituellement comprendre où l'on en était.

C'était son problème. Il n'était pas sûr du tout de comprendre tout ce qui venait juste de se passer.

Elle avait été agressée. Il était arrivé à temps pour la secourir, et ils étaient entrés ici. Tout semblait simple jusqu'ici.

Ensuite, elle avait voulu le remercier. Il n'avait vu aucune raison de ne pas la laisser faire.

Ce fut après que les choses s'étaient compliquées.

Il se souvint vaguement avoir pensé que lui céder était un moyen tout à fait judicieux de lui faire oublier l'agression. Ce fut assez juste, sauf que ses remerciements, tels qu'elle avait choisi de les mettre en œuvre, avaient à la fois apaisé et évoqué un désir plus sombre en lui, une réaction à l'incident, une obligation de mettre sa marque sur elle, de la rendre irrévocablement sienne.

Vu comme ça, cela semblait être une réaction primitive, quelque peu non civilisée, mais il ne pouvait renier que c'était ce qui l'avait conduit à la déshabiller, à la toucher, à la découvrir intimement. Il n'avait pas suffisamment compris pour combattre cette réaction. Il n'avait pas vu le danger.

Il baissa les yeux sur la tête foncée de Leonora, sur ses cheveux en cascade et décoiffés, chauds contre son épaule.

Il n'avait pas prévu cela.

Cela, le réalisait-il maintenant, faisait de plus en plus que son cerveau se trouvait mêlé à toutes sortes de ramifications, à l'étendue de tout ce que cela signifiait maintenant pour lui.

Cela était une complication majeure dans le plan qui ne se déroulait pas du tout aussi doucement qu'il avait commencé.

Il sentit son visage se durcir. Ses lèvres s'amincirent. S'il n'avait pas craint de la réveiller, il aurait juré.

Il n'eut pas besoin de réfléchir davantage pour savoir que, maintenant, il n'y avait qu'une façon d'avancer. Peu importe les options que son esprit de stratège lui apporterait, sa réaction instinctive et bien arrêtée ne changerait jamais.

Elle était sienne. Absolument. C'était un fait indéniable.

Elle était en danger, menacée.

Il ne restait qu'une seule option.

« Je vous en prie. Ne me laissez pas. »

Il n'avait pas été en mesure de résister à cette imploration et il savait qu'il ne le pourrait pas, même maintenant, si elle le lui redemandait. Il y avait eu un désir si profond, si vulnérable dans ses yeux, qu'il avait été impossible pour lui de le nier. Malgré le caractère incontournable de ce que cela allait causer, il ne pouvait pas le regretter et ne le regrettait d'ailleurs pas.

En réalité, rien n'avait changé, seulement l'ordre des choses.

Ce qu'il fallait, c'était restructurer son plan. À une grande échelle, il fallait l'admettre, mais il était un trop bon tacticien pour perdre du temps à maugréer.

*

La réalité s'infiltra lentement dans l'esprit de Leonora. Elle remua, soupira, savourant la chaleur qui l'entourait, qui l'enveloppait, qui l'engloutissait. La comblait.

Ses paupières papillonnèrent. Elle cligna des yeux avant de les ouvrir. Puis, elle réalisa la source de toute cette chaleur réconfortante.

Un embarras – elle pria pour que ce soit de l'embarras – l'envahit. Elle bougea suffisamment pour regarder plus haut.

Trentham baissa les yeux vers elle. Il fronçait légèrement les sourcils.

– Restez couchée tranquillement.

Sous les couvertures, une large paume se referma autour de ses fesses, et il la fit bouger, l'installant plus confortablement sur lui. Près de lui.

– Vous risquez d'avoir mal. Détendez-vous et laissez-moi réfléchir.

Elle le regarda, puis baissa les yeux vers sa main, qui se déployait sur sa poitrine nue. Il avait dit de se détendre. Ils étaient nus, leurs membres enchevêtrés, et il était encore en elle. Il ne la comblait plus comme il l'avait fait, mais il était encore assurément là.

Elle savait que les hommes n'étaient généralement pas affectés par leur propre nudité, pourtant cela semblait…

Prenant son souffle, elle arrêta d'y penser. Si elle le faisait, si elle commençait à se permettre de s'attarder sur tout ce qu'elle avait appris, tout ce qu'elle avait vécu, la stupéfaction et l'émerveillement la garderaient ici pendant des heures.

Et ses tantes venaient dîner.

Elle s'attarderait sur la magie plus tard.

Levant la tête, elle regarda Trentham. Il fronçait encore légèrement les sourcils.

– À quoi pensez-vous ?

Il la regarda.

– Connaissez-vous un évêque ?

– Un évêque ?

– Heu… Nous avons besoin d'une autorisation spéciale. Je pourrais faire une demande pour…

Elle appuya ses mains sur sa poitrine, se repoussa et obtint immédiatement son attention. Elle le regarda, les yeux grands ouverts.

– Pourquoi avons-nous besoin d'une autorisation spéciale ?

– Pourquoi…

Il la regarda fixement, perplexe, et finit par dire :

– C'est la toute dernière chose que je m'attendais à vous entendre dire.

Elle grimaça. Elle se hissa sur lui pour se dégager et s'assit au milieu du couvre-lit.

– Cessez de me taquiner.

Elle regarda autour d'elle.

– Où sont mes vêtements ?

Le silence régna pendant une seconde, puis il dit :

– Je ne vous taquine pas.

Son intonation la fit se retourner rapidement vers lui. Ils se fixèrent. Ce qu'elle vit dans son regard fit battre violemment son cœur.

– Ce n'est pas… drôle.

– Je n'ai jamais pensé que c'était « drôle ».

Elle s'assit et le regarda. Son accès de panique s'estompa. Son cerveau se remit à fonctionner.

– Je ne m'attends pas à ce que vous m'épousiez.

Il haussa les sourcils. Elle prit une profonde respiration.

— J'ai vingt-six ans. J'ai passé l'âge du mariage. Vous n'avez pas à croire qu'à cause de ça…

Elle fit un geste qui enveloppait la couverture douillette et tout ce qu'elle contenait.

— … vous devez faire sacrifice honorable. Vous ne devez pas estimer que vous m'avez séduite et que vous devez me dédommager.

— Pour autant que je m'en souvienne, c'est vous qui m'avez séduit.

Elle rougit.

— En effet. Donc, il n'y a aucune raison pour que vous ayez besoin de trouver un évêque.

Il était assurément le moment de s'habiller. Elle réussit à voir sa chemise sur le sol et se tourna pour se glisser hors de la couverture.

Les doigts d'acier de Tristan se refermèrent comme des menottes autour de son poignet.

Il ne tira pas ni ne la retint. Il n'avait pas à le faire. Elle savait qu'elle ne pourrait pas se libérer avant qu'il y consente.

Elle retourna sous la couverture. Il leva les yeux vers le plafond, ainsi elle ne pouvait pas les voir.

— Voyons simplement si je me trompe.

Sa voix était égale, mais il y avait une pointe de sarcasme dedans qui la rendait méfiante.

— Vous êtes une vierge de vingt-six ans. Pardon, une ex-vierge. Vous n'avez pas d'autres liaisons, romantiques ou autres. J'ai raison ?

Elle aurait aimé lui dire que ça ne rimait à rien, mais d'après son expérience, elle savait que ménager les hommes contrariés était la façon la plus rapide de faire face à leur humeur.

– Oui.

– Ai-je aussi raison de dire que vous avez délibérément cherché à me séduire ?

Elle pinça ses lèvres, puis concéda :

– Pas immédiatement.

– Mais aujourd'hui, c'était…

Son pouce avait commencé à décrire de petits cercles distrayants à l'intérieur de son poignet.

– … intentionnel. Délibéré. Vous vouliez que je vous… Quoi ? Que je vous initie ?

Il tourna la tête et la regarda. Elle rougit, mais se força à opiner.

– Oui, c'est ça.

– Hum…

Il fit dévier de nouveau son regard vers le plafond.

– Et maintenant que vous avez accompli votre but, vous avez l'intention de me dire : « Merci, Tristan, c'était très bien » et de continuer comme s'il ne s'était jamais rien passé.

Elle n'avait pas pensé si loin. Elle fronça les sourcils.

– Je pensais en fait que nous prendrions des chemins séparés.

Elle scruta son profil.

– Il n'y a pas de conséquences à ce qui s'est passé, aucune raison pour que nous devions faire quelque chose à cause de ça.

Le coin de la lèvre de Tristan se leva. Elle ne pouvait dire laquelle de ses possibles humeurs reflétait ce geste.

– Sauf que, déclara-t-il de sa voix toujours égale, mais avec des accents de plus en plus saccadés, vous avez mal évalué la situation.

Elle ne voulait absolument pas demander pourquoi, surtout étant donné son intonation, mais comme il attendit, elle dut poser la question :

– Comment ça ?

– Vous ne vous attendiez pas à ce que je vous épouse. Toutefois, étant celui qui a été séduit, je m'attends à ce que vous m'épousiez.

Il tourna la tête, rencontra son regard et la laissa lire dans la couleur noisette éclatante de ses yeux qu'il était tout à fait sérieux.

Elle le regarda et lut le message deux fois. Elle était bouche bée, puis referma brusquement ses lèvres avant de s'exclamer :

– Cela n'a aucun sens ! Vous ne voulez pas m'épouser. Vous le savez. Vous êtes simplement contrarié.

Tordant et tirant son poignet, elle se libéra, consciente de réussir seulement parce qu'il le lui permettait. Elle se précipita hors du lit. La colère, la crainte, l'irritation et l'appréhension formèrent un mélange puissant. Elle se rua sur sa chemise.

Tristan s'assit tandis qu'elle quittait le lit, le regard rivé sur les bleus entourant le haut de ses bras. Puis, il se souvint de l'agression et respira de nouveau. C'était Mountford qui l'avait marquée, pas lui.

Ensuite, elle se pencha et prit son chemisier. Il vit alors les traces sur ses hanches, les légères marques bleutées que ses doigts avaient laissées sur la peau d'albâtre de ses fesses.

Elle se tourna, enfila sa chemise, et il vit des marques similaires sur ses seins.

Il jura doucement.

– Quoi ?

Elle tira sur sa chemise et lui lança un regard furieux.

Les lèvres serrées, il secoua la tête.

– Rien.

Il se leva et tendit le bras vers ses pantalons.

Quelque chose de sombre, de puissant et de dangereux nouait son estomac. La sensation s'accrut, luttant pour se libérer.

Il ne pouvait réfléchir.

Il s'empara de sa robe sur le lit et la secoua. Il n'y avait qu'une légère tache, une toute petite marque rouge. Cette vision le perturba. Il cacha son émotion et lui donna la robe.

Elle la prit, exprimant ses remerciements en inclinant la tête de façon hautaine. Il faillit rire. Elle pensait qu'il la laisserait aller.

Il enfila sa chemise, la boutonna rapidement, l'inséra dans sa ceinture, puis se pressa de nouer adroitement sa cravate. Il la regarda tout le long. Elle était habituée à avoir une femme de chambre et ne parvenait pas à remettre sa robe seule.

Comme il était entièrement vêtu, il prit la cape de Leonora.

– Laissez-moi faire.

Il lui tendit sa cape. Elle le regarda et la prit. Puis, elle se tourna, lui présentant son dos.

Il laça rapidement sa robe. Tandis qu'il attachait les lacets, ses doigts ralentirent. Il passa un doigt sous les lacets, l'arrimant contre lui. Il se pencha et dit doucement à son oreille :

— Je n'ai pas changé d'avis. J'ai l'intention de vous épouser.

Elle se tint raide comme la justice, regardant devant elle, puis elle tourna la tête et rencontra ses yeux.

— Je n'ai pas changé d'avis non plus. Je ne veux pas me marier.

Elle soutint son regard.

— Je ne l'ai jamais vraiment voulu.

*

Il n'avait pas été capable de la faire changer d'avis.

La discussion s'était poursuivie pendant toute la descente de l'escalier, réduite à des murmures nerveux à cause de Biggs quand ils traversèrent le rez-de-chaussée pour finir par remonter quand ils atteignirent la sécurité relative du jardin.

Rien de ce qu'il dit ne l'influença.

Quand il atteignit un degré d'exaspération totale à l'idée qu'une lady de vingt-six ans qu'il venait juste d'initier de façon très agréable aux plaisirs de l'intimité pouvait refuser de l'épouser, de posséder son titre, sa richesse, ses propriétés et tout le reste, il menaça de se rendre directement dans l'allée de son jardin et de demander sa main à son oncle et à son frère, dévoilant tout si cela s'avérait nécessaire. Elle en eut le souffle coupé, s'arrêta, se tourna vers lui et faillit l'achever avec son expression d'extrême vulnérabilité.

— Vous avez dit que ce qu'il y avait entre nous devait rester entre nous.

Il vit une réelle peur dans ses yeux.

Il fit marche arrière.

Ce fut avec une réelle aversion qu'il s'entendit lui assurer d'un air bourru que, bien sûr, il ne ferait pas une telle chose.

Il était pris à son propre piège.

Pire, il était aux prises avec son honneur.

Tard ce soir-là, avachi devant le feu dans sa bibliothèque, Tristan essaya de trouver une façon de sortir de ce bourbier, qui était apparu sans prévenir.

Savourant lentement son cognac, il revécut tous leurs échanges, essaya de lire les pensées, les émotions, derrière ses paroles. Pour certaines, il ne pouvait en être assuré, pour d'autres, il ne pouvait les définir, mais il y avait une chose dont il était passablement sûr. Elle ne pensait pas sincèrement qu'elle – une célibataire de vingt-six ans, comme elle se décrivait – était capable d'attirer et de garder l'attention honnête et honorable d'un homme comme lui.

Levant son verre, les yeux sur les flammes, il laissa l'alcool fin glisser dans sa gorge.

Il admit calmement qu'il ne se souciait pas vraiment de ce qu'elle pensait.

Il devait l'avoir – dans sa maison, entre ses murs, dans son lit. En sécurité. Il le fallait. Il n'avait plus le choix. L'émotion sombre, dangereuse, qu'elle avait suscitée et qui se déchaînait à présent ne permettait pas d'autre issue.

Il ne savait pas qu'il possédait en lui ce degré de sentiments. Pourtant, ce soir, quand il avait été forcé de se tenir dans l'allée du jardin et de la regarder – de la laisser – s'éloigner de lui, il avait fini par réaliser ce qu'était cette émotion trouble.

La possessivité.

Il avait été très près de la libérer.

Il avait toujours été un homme protecteur, comme en témoignaient sa précédente profession et à présent sa tribu de vieilles dames. Il avait toujours su ça de lui, mais avec Leonora, ses sentiments allaient bien au-delà de son instinct protecteur.

Et c'était pour cela qu'il n'avait pas beaucoup de temps. Il y avait des limites bien nettes à sa patience. Il y en avait toujours eu.

Il analysa rapidement toutes les mesures qu'il avait mises en place en poursuivant Mountford, y compris celles qu'il avait entreprises ce soir après son retour de la place Montrose.

Pour l'instant, il maintenait sa ligne de conduite. Il pouvait consacrer de nouveau son attention sur l'autre front sur lequel il s'était engagé.

Il devait convaincre Leonora de l'épouser. Il devait la faire changer d'avis.

Comment ?

Dix minutes plus tard, il se leva et alla chercher ses vieilles dames. Il avait toujours su que l'information était la clé de toute campagne efficace.

*

Le dîner avec ses tantes – un événement qui n'était pas rare dans les semaines précédant la saison, quand sa tante Mildred, Lady Warsingham, venait essayer de convaincre Leonora de se placer sur les rangs du mariage – fut proche du désastre.

Un fait directement attribuable à Trentham, même en son absence.

Le lendemain matin, Leonora avait encore de la difficulté à contenir son rougissement, luttant pour s'empêcher de s'attarder sur ces moments passés avec lui quand, gémissante et passionnée, elle s'était trouvée étendue sous son corps et qu'elle l'avait regardé au-dessus d'elle se mouvoir à un rythme soutenu et compulsif, son propre corps acceptant les intrusions du sien, cette fusion physique mouvante et incessante.

Elle avait regardé son visage, vu la passion le dépouiller de tout son charme et laisser les angles et les traits durs formés par quelque chose de bien plus primitif.

Fascinant. Captivant.

Et complètement troublant.

Elle se mit à classer et à réorganiser chaque papier dans son secrétaire.

À midi, la sonnette de l'entrée carillonna. Elle entendit Castor traverser le vestibule et ouvrir la porte. L'instant d'après, la voix de Mildred retentit.

— Elle est dans le petit salon ? Ne vous inquiétez pas... Je m'y rendrai moi-même.

Leonora mit ses piles de papiers dans le secrétaire, le ferma et se leva, se demandant ce qui avait ramené sa tante place Montrose si vite. Elle se plaça face à la porte et attendit de le savoir.

Mildred entra, élégamment vêtue de noir et blanc.

— Eh bien, ma chère !

Elle avança vers Leonora.

— Te voilà ici, toute seule. J'aimerais que tu consentes à m'accompagner dans mes visites, mais je sais que non, alors je ne me donnerai pas la peine de le déplorer.

Leonora embrassa poliment la joue parfumée de Mildred et lui murmura sa gratitude.

– Ah, ma chère enfant !

Mildred s'effondra sur la méridienne et arrangea ses jupes.

– Je suis venue parce que j'ai tout simplement de merveilleuses nouvelles ! J'ai des billets pour la nouvelle pièce de M. Kean ce soir même. Le théâtre est déjà plein des semaines à l'avance. Ça va être la pièce de la saison. Mais par un fabuleux concours de circonstances, une bonne amie m'a donné des billets, et j'ai des places en plus. Gertie viendra, bien sûr. Et toi aussi, n'est-ce pas ?

Mildred la regarda d'un air implorant.

– Tu sais que Gertie va marmonner tout le long de la représentation sinon. Elle se comporte toujours bien quand tu es là.

Gertie était son autre tante, la sœur plus âgée que Mildred et célibataire. Gertie avait une opinion bien arrêtée sur les gentlemen, et tandis qu'elle se retenait de les exprimer en présence de Leonora, jugeant que sa nièce était encore trop jeune et influençable pour entendre des vérités si caustiques, elle n'avait jamais épargné à sa sœur ses observations cinglantes, les lui livrant avec délice à voix basse.

S'installant dans le fauteuil opposé à Mildred, Leonora hésita. Aller au théâtre avec sa tante signifiait généralement rencontrer au moins deux gentlemen qui, pour Mildred, étaient de bons partis pour elle. Mais une telle sortie signifiait aussi regarder une pièce durant laquelle personne n'oserait parler. Elle serait libre de se plonger dans le spectacle.

Avec de la chance, cela pourrait réussir à la distraire de Trentham et de son spectacle.

Et l'occasion de voir l'inimitable Edmund Kean ne pouvait pas être refusée à la légère.

– Très bien.

Elle se concentra de nouveau sur Mildred à temps pour voir le triomphe éclairer furtivement les yeux de sa tante. Elle plissa les siens.

– Mais je refuse d'être présentée comme une jument de pure race pendant l'entracte.

Mildred évita la dispute d'un geste de la main.

– Si tu veux, tu pourras rester à ta place pendant l'entracte. Bon, tu porteras ta robe en soie bleu nuit, n'est-ce pas ? Je sais que tu ne te soucies pas de ton apparence, alors fais-le pour me faire plaisir.

L'expression optimiste dans les yeux de Mildred était impossible à renier. Leonora sentit sa bouche revêtir un sourire.

– Quand une occasion si prisée se présente, on peut difficilement la refuser.

La robe bleu nuit était une de ses préférées, alors soulager sa tante ne lui coûtait rien.

– Mais je vous avertis. Je ne supporterai pas qu'un quelconque séducteur de la rue Bond me murmure des insignifiances à l'oreille pendant la représentation.

Mildred soupira. Elle secoua la tête tandis qu'elle se levait.

– Quand nous étions jeunes, que de bons partis nous murmurent des choses à l'oreille était le point fort de la soirée.

Elle regarda Leonora.

– Je dois voir Lady Henry et ensuite Mlle Arbuthnot, alors je dois partir. Je passerai te chercher avec ma voiture vers vingt heures.

Leonora hocha la tête pour indiquer son accord, puis raccompagna sa tante à la porte.

Elle retourna au petit salon plus pensive. Peut-être que sortir en ville, du moins pendant les quelques semaines avant que la saison commence véritablement, pourrait s'avérer judicieux.

Cela pourrait la distraire des effets persistants de son entreprise de séduction.

Cela pourrait aussi l'aider à se remettre du choc de la proposition de Trentham de l'épouser. Et même du choc encore plus grand de son insistance sur le fait qu'elle le devait.

Elle ne comprenait pas son raisonnement, mais il avait semblé y tenir absolument. Passer quelques semaines dans la société à s'exposer à d'autres hommes ne manquerait pas de lui rappeler pourquoi elle ne s'était jamais mariée.

*

Elle ne soupçonna rien. Ce ne fut que lorsque la voiture s'arrêta devant les marches du théâtre et qu'un groom empressé ouvrit la porte qu'une lueur de suspicion lui traversa l'esprit.

Et à ce moment-là, il fut trop tard.

Trentham avança et lui tendit calmement une main pour l'aider à descendre de la voiture.

Bouche bée, elle le regarda fixement.

Mildred lui donna un léger coup de coude dans les côtes. Elle sursauta, puis jeta un regard rapide et fulminant en direction de sa tante avant de tendre le bras de manière hautaine et de placer ses doigts dans la paume de Trentham.

Elle n'avait pas le choix. Les voitures se rassemblaient. Les marches du théâtre accueillant la pièce la plus en vue n'étaient pas l'endroit où faire une scène, où dire à un gentleman ce qu'on pensait de lui et de ses machinations. Où informer sa tante que, cette fois, elle était allée trop loin.

Revêtant une hauteur froide, elle le laissa l'aider à descendre, puis se tint droite, feignant une totale indifférence, observant paresseusement la foule à la mode qui remontait les marches du théâtre et qui passait les portes tandis qu'il saluait ses tantes et les accompagnait sur le trottoir.

Mildred, resplendissante dans sa robe préférée noir et blanc, passa son bras dans celui de Gertie et se fraya un chemin en haut de l'escalier.

Calmement, Trentham se tourna vers elle et lui offrit son bras.

Elle croisa son regard et, à sa grande surprise, ne vit aucun triomphe dans ses yeux noisette, mais plutôt une attention marquée. Cela l'apaisa quelque peu. Elle consentit à poser le bout de ses doigts sur sa manche et à le laisser la guider dans le sillage de ses tantes.

Tristan examina l'angle du menton de Leonora et garda le silence. Ils rejoignirent ses tantes dans le foyer, où la foule les avait menés à une impasse. Il prit la tête et, sans réelle difficulté, leur fraya un passage jusqu'à l'escalier qui montait, emmenant Leonora. Ses tantes suivirent de près. Une fois dans l'escalier, la foule se dissipa. Reposant la main de Leonora sur sa manche, il mena son petit groupe vers le couloir semi-circulaire menant aux loges.

Il leva un œil sur Leonora tandis qu'ils approchaient de la porte de la loge qu'il avait réservée.

– J'ai su que M. Kean était le meilleur acteur de notre époque et que la pièce de ce soir était un tremplin exceptionnel pour son talent. J'ai pensé que vous apprécieriez.

Elle rencontra brièvement son regard, puis inclina la tête, toujours distante et hautaine. Une fois devant la loge, il ouvrit l'épais rideau cachant la porte. Elle entra, la tête haute. Il attendit que ses tantes passent, puis suivit, laissant le rideau retomber derrière lui.

Lady Warsingham et sa sœur s'affairèrent à l'avant de la loge et prirent place sur les deux des trois sièges. Leonora s'arrêta à l'abri du mur. Ses yeux plissés étaient fixés sur Lady Warsingham, occupée à reconnaître tous les notables dans les autres loges, à échanger des salutations, ne regardant résolument pas vers Leonora.

Il hésita, puis approcha.

L'attention de Leonora dévia vers lui. Ses yeux s'embrasèrent.

– Comment avez-vous réussi cela ?

Elle murmura nerveusement :

– Je ne vous ai jamais dit qu'elle était ma tante.

Il haussa un sourcil.

– J'ai mes sources.

– Et les billets ? demanda-t-elle en jetant un œil sur les loges, qui se remplissaient rapidement avec ceux qui avaient eu suffisamment de chance d'avoir pu réserver une place. Vos cousines m'ont dit que vous ne sortiez jamais en société.

– Comme vous pouvez le constater, ce n'est pas totalement vrai.

Elle le regarda de nouveau, s'attendant à plus.

Il rencontra son regard.

– Je porte peu d'intérêt pour la société en général, mais je ne suis pas ici pour passer ma soirée avec le beau monde.

Elle fronça les sourcils et demanda avec une certaine prudence :

– Pourquoi êtes-vous ici alors ?

Il soutint son regard pendant un bref instant, puis murmura :

– Pour passer la soirée avec vous.

Une cloche sonna dans le couloir. Il prit son bras et la conduisit vers le fauteuil restant à l'avant de la loge. Elle lui lança un regard sceptique, puis s'assit. Il tira le quatrième fauteuil, le plaça à sa gauche, le tourna vers elle et s'installa pour regarder la pièce.

Le spectacle valait chaque penny de la petite fortune qu'il avait payée. Les yeux de Tristan s'égaraient rarement vers la scène. Son regard restait rivé sur le visage de Leonora, regardant les émotions se manifester sur ses traits purs et délicats, et à cette occasion, sans fard. Bien qu'elle fût au départ consciente de sa présence, la magie d'Edmund Kean la captiva rapidement. Il resta là à l'observer, satisfait, attentif, intrigué.

Il ignorait totalement pourquoi elle avait refusé de l'épouser, pourquoi, selon elle, elle n'avait aucun intérêt pour le mariage. Ses tantes, soumises à ses questions des plus subtiles, avaient été incapables de l'éclairer sur le sujet, ce qui signifiait qu'il livrait la bataille à l'aveuglette.

Non pas que cela influençait sensiblement sa stratégie. Pour autant qu'il le sache, il n'y avait qu'une seule façon de vaincre une lady réticente.

Quand le rideau tomba, à la fin du premier acte, Leonora soupira, puis elle se rappela où elle était et avec qui. Elle jeta un œil vers Trentham, qui, bien entendu, avait les yeux rivés sur son visage.

Elle sourit. Légèrement.

– J'apprécierais grandement un rafraîchissement.

Ses yeux soutinrent les siens pendant un moment, puis il sourit et inclina la tête, acceptant la commande. Il regarda au-delà de Leonora et se leva.

Elle se tourna et vit Gertie et Mildred debout en train de ramasser leurs réticules et leurs châles.

Mildred lui adressa un large sourire ainsi qu'à Trentham. Son regard se posa sur son visage.

– Nous allons parader dans le couloir et rencontrer les autres. Leonora déteste s'exposer à la foule, mais je suis certaine que nous pouvons compter sur vous pour la distraire.

Pour la seconde fois de la soirée, Leonora resta bouche bée. Étonnée, elle regarda ses tantes sortir à la hâte et observa Trentham tenir le lourd rideau pour qu'elles puissent s'échapper. Étant donné son insistance plus tôt pour éviter le rituel de la parade, elle pouvait difficilement se plaindre, et il n'y avait rien de déplacé à ce que Trentham et elle restent seuls dans la loge. Ils étaient en public, sous le regard de bon nombre des matrones de la haute société.

Il laissa le rideau retomber et retourna vers elle.

Elle s'éclaircit la gorge.

– Je meurs vraiment de soif…

Les rafraîchissements étaient offerts près de l'escalier. Atteindre le comptoir et revenir le garderait occupé pendant une bonne partie de l'entracte.

Le regard de Tristan s'arrêta sur son visage. Il souriait légèrement. On entendit un coup à l'entrée de la loge. Trentham se tourna et poussa le rideau. Un employé du théâtre entra en baissant la tête avec un plateau contenant quatre verres et une bouteille de champagne bien frais. Il déposa le plateau sur la table basse contre le mur du fond.

— Je servirai.

L'employé la salua, puis Trentham, et disparut de l'autre côté du rideau.

Leonora regarda Trentham ôter le bouchon de la bouteille, puis verser le liquide pétillant avec délicatesse dans deux des longues flûtes. Elle fut soudainement ravie de porter sa robe bleu nuit, qui était le costume approprié pour ce genre de situation.

Il prit les deux verres, marcha jusqu'à l'endroit où elle était encore assise. Elle se tourna dans son fauteuil de sorte qu'elle se retrouva de biais par rapport au parterre.

Il lui offrit un verre. Elle tendit le bras, quelque peu surprise qu'il n'ait fait aucun geste pour profiter du moment pour toucher ses doigts avec les siens. Il lui céda le verre et saisit son regard tandis qu'elle levait les yeux.

— Détendez-vous. Je ne vous mordrai pas.

Elle haussa un sourcil, but, puis demanda :

— Vous êtes sûr ?

Il sourit et regarda les spectateurs fourmiller dans les autres loges.

— Les environs ne s'y prêtent pas vraiment.

Il la regarda de nouveau, puis tendit la main vers le fauteuil de Gertie, le tourna de sorte que son dossier soit du côté foule, et s'assit, étirant ses longues jambes devant lui, se détendant avec élégance.

Il but, le regard sur son visage, puis demanda :

— Alors, dites-moi. Est-ce que M. Kean est aussi bon qu'on le dit ?

Elle réalisa qu'il n'en avait aucune idée. Il était à l'extérieur dans l'armée pendant les dernières années.

— C'est un acteur hors pair, du moins pour le moment.

Considérant le sujet comme sans risque, elle relata les points culminants de la carrière de M. Kean.

Il posait des questions de temps à autre. Quand le sujet s'épuisa, il laissa un moment passer, puis dit calmement :

— À propos d'interprétation…

Elle rencontra son regard et faillit s'étouffer avec son champagne. Elle sentit un léger rougissement teinter ses joues. Elle l'ignora et haussa le menton. Elle le regarda directement dans les yeux et se souvint qu'elle était une lady expérimentée à présent.

— Oui ?

Il s'arrêta comme s'il réfléchissait non pas à ce qu'il allait dire, mais à la façon de le dire.

— Je me demandais…

Il leva son verre et but, ses cils masquant ses yeux.

— À quel point êtes-vous actrice ?

Elle cligna des yeux, laissa sa moue apparaître dans son regard et son expression traduire son incompréhension.

Les lèvres de Tristan formèrent un rictus marquant son autodérision. Il posa de nouveau ses yeux sur les siens.

— Si je disais que vous avez apprécié notre… dernière aventure, me tromperais-je ?

Son rougissement s'intensifia, mais elle refusa de détourner le regard.

— Non.

Le plaisir remémoré l'envahit, lui donnant la force de déclarer avec hargne :

— Vous savez parfaitement bien que j'ai apprécié… tout de cette aventure.

— Donc, cela n'a pas contribué à votre aversion à m'épouser ?

Elle comprit soudainement ce qu'il lui demandait.

— Bien sûr que non.

L'idée qu'il puisse penser une telle chose… Elle fronça les sourcils.

— Je vous ai dit que ma décision avait été prise il y a longtemps. Ma position n'a rien à voir avec vous.

Un homme comme lui pouvait-il avoir besoin d'être rassuré sur ce point ? Elle ne pouvait rien tirer de ses yeux ni de son expression.

Puis, il sourit avec douceur, mais le geste était plus celui d'un prédateur que charmant.

— Je voulais juste m'en assurer.

Il n'avait pas renoncé à se battre pour qu'elle accepte sa proposition — ce message, elle put le lire facilement. Ignorant résolument l'effet de toute cette masculinité affalée sur son siège à seulement quelques dizaines de centimètres, elle le fixa d'un regard poli et s'enquit de ses cousines. Il répondit, acceptant le changement de sujet.

Les spectateurs commencèrent à revenir à leurs sièges. Mildred et Gertie les rejoignirent. Leonora était consciente des regards perçants que ses tantes lui lançaient. Elle garda une expression calme et sereine, et consacra son attention à la scène. Le rideau se leva. La pièce recommença.

Au crédit de Trentham, il ne fit rien pour la distraire. Elle était de nouveau consciente que son regard restait posé essentiellement sur elle, mais refusait de répondre à son attention d'aucune manière. Il ne pouvait pas la forcer à l'épouser. Si elle maintenait son refus, il finirait par la quitter.

Tout comme elle avait imaginé qu'il le ferait.

L'idée qu'il s'avère qu'elle avait eu raison cette fois ne lui procurait aucune joie. Elle grimaça intérieurement devant une telle pointe de sensibilité et se força à se concentrer sur Edmund Kean.

Quand les rideaux tombèrent, des applaudissements délirants emplirent le théâtre. Après que M. Kean eut fait de nombreux saluts, le public, enfin satisfait, se tourna pour partir. Emportée par la pièce, Leonora sourit avec décontraction et donna sa main à Trentham. Elle s'arrêta à côté de lui tandis qu'il levait le rideau pour permettre à Mildred et à Gertie de sortir, puis elle le laissa passer devant à leur suite.

Le couloir était trop bondé pour permettre une quelconque conversation privée. La foule qui se bousculait offrait toutefois de nombreuses possibilités pour un gentleman espérant taquiner les sens d'une lady. À sa grande surprise, Trentham ne fit aucun geste dans ce sens. Elle était extrêmement sensible à sa présence, large, solide et forte à côté d'elle, la protégeant de la pression des corps en mouvement. D'après ses regards occasionnels, elle savait qu'il était sensible à sa présence aussi, mais son attention restait concentrée sur le fait de la conduire efficacement à travers la foule jusqu'à la rue.

Leur voiture arriva tandis qu'ils gagnaient le trottoir.

Il aida Gertie et Mildred à monter, puis se tourna vers elle.

Il rencontra son regard et ôta sa main de sa manche.

Soutenant son regard, il porta ses doigts à ses lèvres et les embrassa. La chaleur de cette caresse prolongée la parcourut.

– J'espère que vous avez aimé la soirée.

Elle ne pouvait pas mentir.

– Merci. En effet.

Il hocha la tête et l'aida à monter. Ses doigts glissèrent de sa main avec seulement une très faible marque d'hésitation.

Elle s'assit. Il recula et ferma la porte. Puis, il fit signe au cocher. La voiture tressauta et partit avec fracas.

L'impulsion de s'asseoir en avant et de regarder par la fenêtre pour voir s'il restait là à la guetter faillit triompher d'elle. Les mains serrées sur ses genoux, elle resta où elle était et regarda l'intérieur de la voiture.

Il pouvait s'être abstenu de toute caresse inappropriée, de toute tentative d'attiser ses sens, mais elle en avait assez vu – assez expérimenté – pour saisir la réalité derrière les apparences. Il n'avait pas encore abandonné.

Elle se dit qu'il le ferait. Qu'il finirait par le faire.

Assise en face, Mildred bougea.

– Des manières si raffinées, si impérieuses. Il faut bien admettre que peu de gentlemen de nos jours se montrent si…

Cherchant ses mots, elle fit un geste.

— Virils, ajouta Gertie.

Leonora et Mildred la regardèrent toutes deux avec surprise. Mildred se reprit la première.

— En effet ! dit-elle en opinant. Tu as tout à fait raison. Il se comporte simplement comme il le faut.

Se remettant du choc d'avoir entendu Gertie, qui n'appréciait pas les gentlemen, complimenter un homme — après tout, c'était Trentham, le séducteur — elle aurait dû s'y attendre —, Leonora demanda :

— Comment l'avez-vous rencontré ?

Mildred remua, ajustant ses jupes.

— Il est passé ce matin. Comme vous le connaissiez déjà, accepter son invitation semblait tout à fait raisonnable.

Du point de vue de Mildred. Leonora se retint de rappeler à sa tante qu'elle avait dit qu'une bonne amie lui avait donné les billets. Elle savait depuis longtemps jusqu'où Mildred pouvait aller pour la mettre en présence d'un bon parti. Et il ne faisait aucun doute que Trentham était un bon parti.

Cette pensée le ramena une fois encore dans son esprit — pas comme il était au théâtre, mais comme il avait été dans les moments idylliques qu'ils avaient partagés dans la chambre à l'étage. Chaque moment, chaque contact, était imprimé dans sa mémoire. Cette seule pensée était suffisante pour évoquer de nouveau non pas seulement les sensations mais tout le reste, tout ce qu'elle avait vécu.

Elle avait fermement essayé de garder ces souvenirs loin d'elle, de ne pas penser à l'émotion qui l'avait habitée ni de s'y attarder quand elle avait réalisé qu'il avait l'intention de se retirer — l'émotion qui l'avait poussée à exprimer son imploration.

« Je vous en prie… Ne me laissez pas. »

Ces mots la hantaient. Le souvenir seul était suffisant pour la faire se sentir excessivement vulnérable. À nu.

Or, sa réaction… malgré tout, en dépit de tout ce qu'elle savait d'autre de lui, de la façon dont elle jugeait son caractère, ses machinations, elle le remerciait pour ça.

De lui avoir donné ce qu'elle voulait.

De l'avoir laissée décider de ce moment, de lui avoir cédé comme elle le désirait.

Elle laissa le souvenir se glisser hors d'elle. Il était encore trop évocateur pour qu'elle s'y plonge. À la place, elle se concentra sur la soirée, pensant à tout ce qui s'était et ne s'était pas passé. Y compris la façon dont elle avait réagi à sa présence, à sa proximité. Sa réaction avait changé. Ses nerfs ne se tendaient plus. À présent, quand il était près, quand ils se touchaient, elle ressentait une sorte de rayonnement. C'était le seul mot qu'elle pouvait trouver pour cette sensation, pour la chaleur réconfortante qu'elle lui procurait. Peut-être un rappel du plaisir remémoré. Néanmoins, loin d'avoir été énervée, elle s'était sentie à l'aise. Comme si se retrouver nue avec lui dans un lit à se livrer à un acte intime avait fondamentalement changé ses réactions à son égard.

Et apparemment, c'était pour le mieux. Elle ne se sentait plus désavantagée, ne se sentait plus tendue physiquement, surexcitée en sa présence. Curieuse, mais fidèle à elle-même. Leur moment passé seuls dans la loge avait été agréable, plaisant.

En réalité, cela s'était avéré totalement divertissant malgré ses questions.

Elle soupira et se pencha en arrière contre le siège. Elle pouvait difficilement faire des reproches à Mildred avec sincérité. Elle avait bien plus aimé la soirée qu'elle l'aurait cru et d'une façon bien différente.

Chapitre 10

Quand il passa pour la conduire au parc le lendemain matin, elle fut étonnée. Quand elle essaya de refuser, il la regarda tout simplement.

– Vous avez déjà avoué que vous n'aviez aucun rendez-vous.

Seulement parce qu'elle avait pensé qu'il voulait lui parler de son enquête.

Ses yeux noisette restèrent fixés sur les siens.

– Vous deviez me parler des lettres que vous avez envoyées aux relations de Cedric. Vous pouvez tout aussi bien le faire dans le parc qu'ici.

Son regard se durcit.

– En plus, vous devez avoir hâte de sortir prendre l'air. Aujourd'hui, ce n'est pas le genre de journée à laisser passer.

Elle plissa les yeux en le regardant. Il était vraiment dangereux. Il avait raison, bien sûr. La journée était magnifique, et elle avait jonglé avec l'idée de faire une bonne marche, mais après sa dernière excursion, elle hésitait à sortir seule.

Il était trop avisé pour la presser davantage et attendit simplement… attendit qu'elle capitule, comme il avait coutume de le faire.

Elle lui fit la moue.

— Très bien. Attendez-moi pendant que je prends ma pelisse.

Il attendait dans l'entrée quand elle descendit l'escalier. Tandis qu'elle avançait à ses côtés vers le portail, elle se dit qu'elle ne devrait vraiment pas permettre que l'aisance qu'elle ressentait avec lui se développe davantage. Se trouver avec lui était tout compte fait trop sécurisant. Trop agréable.

Le trajet ne rompit en rien le charme. Le vent était frais, piquant. Il annonçait le printemps. Le ciel était bleu avec des nuages clairsemés qui se contentaient de batifoler avec le soleil. La chaleur était un soulagement appréciable après les vents froids qui avaient soufflé jusqu'à récemment. Les premiers bourgeons étaient visibles sur les branches sous lesquelles Trentham guidait ses chevaux gris.

Une telle journée, les ladies de la capitale étaient de sortie, mais il était encore tôt, et l'avenue n'était pas excessivement bondée. Elle hocha la tête ici et là aux connaissances de ses tantes qui la reconnaissaient, mais portait largement son attention à l'homme à côté d'elle.

Il conduisait avec une douceur qu'elle connaissait assez pour l'admirer et une confiance aveugle qui lui en disait plus long. Elle essaya d'ôter les yeux de ses mains, occupant ses longs doigts avec ses rubans, mais elle échoua.

Un moment plus tard, elle sentit une chaleur monter sur ses joues et se força à détourner le regard.

— J'ai envoyé les dernières lettres ce matin. Avec de la chance, nous aurons des réponses d'ici une semaine.

Tristan hocha la tête.

— Plus j'y pense, plus il semble probable que, peu importe ce que Mountford cherche, cela ait à voir avec le travail de votre cousin Cedric.

Leonora le regarda. Des mèches de ses cheveux s'étaient détachées et retombaient autour de son visage.

— Pourquoi ?

Il regarda ses chevaux pour quitter sa bouche et ses lèvres douces et pulpeuses.

— Ce doit être quelque chose qu'un acheteur posséderait avec la maison. Si votre oncle avait été prêt à vendre, auriez-vous vidé l'atelier de Cedric ?

Il la regarda furtivement.

— J'ai l'impression qu'il avait été oublié, exclu de l'esprit de chacun de vous. J'ai peine à croire que cela aurait été le cas pour quelque chose de la bibliothèque.

— En effet.

Elle opina, essayant de dompter ses mèches rebelles.

— Je ne me serais pas donné la peine d'aller dans l'atelier, si cela n'avait été des initiatives de Mountford. Toutefois, je crois que vous avez négligé un point. Si je cherchais quelque chose et que j'avais une bonne idée de l'endroit où cela devait être, je me serais arrangée pour acheter la maison, mais pas avec l'intention d'aller jusqu'au bout de la vente, comprenez-vous ? J'aurais demandé à la visiter afin de mesurer les pièces pour les meubles ou le réaménagement.

Elle haussa les épaules.

— Il n'aurait eu aucune difficulté à prendre le temps de regarder autour de lui et peut-être à prendre des choses.

Il réfléchit, s'imagina, puis grimaça avec réticence.

— Vous avez raison. Cela nous laisse avec la possibilité que cela, peu importe de quoi il s'agit, ne puisse qu'être caché secrètement quelque part dans la maison.

Il la regarda furtivement.

— Une maison pleine d'excentriques.

Elle croisa son regard, haussa les sourcils, puis redressa le menton dans les airs et regarda ailleurs.

*

Il passa le lendemain et écarta les réserves de Leonora avec des invitations à un vernissage de la dernière exposition à la Royal Academy.

Elle lui lança un regard sévère tandis qu'il la conduisait vers les portes du musée.

— Les comtes ont-ils tous des privilèges si particuliers ?

Il croisa son regard.

— Seulement les comtes particuliers.

Elle sourit avant de détourner les yeux.

Il ne s'attendait pas à retirer beaucoup de cette sortie, qui était selon lui un exercice mineur dans sa stratégie plus large. À la place, il se trouva plongé dans une discussion intellectuelle sur la valeur des paysages dans la peinture de portraits.

— Les personnages sont si vivants ! Ils représentent la vie.

— Mais les lieux sont l'essence du pays, de l'Angleterre. Les personnages sont fonction de l'endroit.

— Absurde ! Regardez ce marchand de quatre-saisons.

Elle montra le trait parfait d'un homme avec une brouette.

– Un regard suffit pour savoir exactement d'où il vient, même de quel arrondissement de Londres. Les personnages personnifient le lieu. Ils en sont une représentation aussi.

Ils se trouvaient dans une des plus petites salles du musée tortueux. Du coin de l'œil, il vit les autres visiteurs dans la pièce se diriger vers la porte, les laissant seuls.

Appuyée sur son bras à étudier une scène avec une rivière grouillante d'activité et la moitié d'un régiment de dockers, Leonora n'avait pas remarqué. Obéissant à son mouvement, elle se dirigea vers le tableau suivant, un simple paysage rudimentaire.

Elle maugréa et jeta un œil derrière elle vers la scène de la rivière, puis leva les yeux vers lui.

– Vous ne pouvez pas vous attendre à ce que je croie que vous préférez un paysage vide à un tableau avec des personnages.

Il regarda son visage. Elle se tenait près. Ses lèvres, sa chaleur l'attiraient. Sa main reposait en toute confiance sur son bras.

Le désir et plus encore fit subitement surface.

Il n'essaya pas de le masquer, de le dissimuler de son visage ou de ses yeux.

– Les gens en général ne m'intéressent pas.

Il rencontra son regard et laissa sa voix devenir plus grave.

– Mais il y a une image de vous que j'aimerais revoir, connaître de nouveau.

Elle soutint son regard. Un léger rougissement monta lentement sur ses joues, mais elle ne détourna pas le regard.

Elle savait exactement à quelle image il pensait – celle de son corps nu et avide sous le sien. Elle prit une brève respiration.

– Vous ne devriez pas dire ça.

– Pourquoi pas ? C'est la vérité.

Il la sentit frémir.

– Cela n'arrivera pas. Vous ne verrez plus cette image de moi.

Il l'étudia, se sentant à la fois rabaissé et étonné qu'elle ne le voie pas comme il était – qu'elle croie, non pas naïvement, mais qu'elle soit simplement convaincue que si elle maintenait sa position, il ne dépasserait pas les limites de l'honneur et ne s'emparerait pas d'elle.

Elle avait tort, mais il appréciait sa confiance et la chérissait trop pour lui ôter inutilement ses illusions.

Alors, il haussa un sourcil et sourit.

– Là-dessus, je crains que nous ne soyons pas d'accord.

Comme il l'avait prévu, elle prit son air hautain et se tourna vers l'œuvre d'art suivante.

*

Il laissa une journée passer, une journée qu'il occupa à voir ses divers contacts, tous ceux à qui il avait assigné la tâche de trouver Montgomery Mountford, avant de revenir place Montrose et de convaincre Leonora de l'accompagner à Richmond. Il avait planifié cette sortie d'avance. Le Star and Garter était apparemment l'endroit à voir et où être vu.

C'était l'aspect « être vu » dont il avait besoin.

Leonora se sentait étrangement enjouée tandis qu'elle marchait sous les arbres, la main enfermée dans celle de Trentham. Ce geste n'était pas précisément de rigueur, mais quand elle l'avait souligné, il avait simplement haussé un sourcil et continué à lui tenir la main.

Il était à l'origine de son humeur. Elle ne pouvait imaginer se sentir ainsi avec aucun autre homme de sa connaissance. Elle savait que c'était dangereux, qu'elle devrait éviter ce genre de proximité inopinée, ce partage totalement imprévu – le subtil plaisir à marcher aux côtés d'un loup –, alors qu'il finirait par abandonner et la quitter.

Peu lui importait. Quand le moment viendrait, elle se morfondrait, mais pour l'instant, elle était résolue à profiter du moment, de ce bref interlude alors que le printemps naissait. Elle n'avait pas imaginé, même dans ses rêves les plus fous, qu'un tel état de béatitude pouvait résulter de l'intimité, de l'acte simple du partage physique.

Cela ne se reproduirait pas. Malgré ce qu'elle en avait pensé, il n'avait pas eu l'intention que cela se produise au départ et, peu importe ce qu'il disait, il ne précipiterait pas une autre rencontre contre sa volonté. Maintenant qu'elle savait qu'il se sentait tenu par l'honneur de l'épouser, elle se garderait bien de recoucher avec lui. Elle n'était pas assez stupide pour tenter davantage le diable.

Peu importe comment elle se sentait quand elle était avec lui.

Peu importe combien elle était tentée.

Elle le regarda en plissant les yeux.

Il saisit son regard et haussa un sourcil.

– Un penny pour savoir à quoi vous pensez.

Elle rit et secoua la tête.

– Mes pensées sont bien trop précieuses.

Bien trop dangereuses.

— Combien valent-elles ?

— Plus que vous pouvez sans doute payer.

Comme il ne répondit pas immédiatement, elle le regarda furtivement.

Il rencontra son regard.

— Vous en êtes sûre ?

Elle allait écarter la question avec un rire, puis elle lut la véritable signification de ses paroles dans ses yeux. Elle réalisa subitement, comme cela semblait se passer assez souvent, que ses pensées et les siennes étaient en harmonie, qu'il savait à quoi elle pensait. Il lui signifiait bel et bien qu'il paierait tout ce qu'elle demanderait…

C'était visible partout dans son regard, gravé dans la couleur noisette cristalline de ses yeux perçants et clairs. Il revêtait rarement son masque avec elle à présent, pas quand ils étaient seuls.

Leurs pas avaient ralenti. Ils s'arrêtèrent. Elle avait du mal à respirer.

— Oui.

En dépit du prix qu'il se préparait à payer, elle ne pouvait pas accepter et ne le ferait pas.

Ils se tinrent face à face pendant un long moment. Cela aurait pu causer un malaise, mais comme au musée, une compréhension plus profonde — une acceptation de l'un et de l'autre — l'évita.

Il finit par dire simplement :

— Nous verrons.

Elle sourit avec décontraction, aimablement, et ils se remirent à marcher.

Après avoir observé un cerf et s'être promenés sous les chênes et les hêtres, ils retournèrent à sa voiture et se retirèrent au Star and Garter.

— Je ne suis pas venue ici depuis des années, admit-elle tandis qu'elle prenait place à la table près de la fenêtre. Pas depuis l'année où j'ai fait mes débuts.

Elle attendit tandis qu'il commandait du thé et des pâtisseries, puis dit :

— Je dois avouer que j'ai de la difficulté à vous imaginer comme un jeune homme de la ville.

— Probablement parce que je n'en ai jamais été un.

Il se cala dans son siège et soutint son regard.

— J'ai intégré la Garde royale à vingt ans, peu de temps après Oxford.

Il haussa les épaules.

— C'était la voie consacrée dans ma branche de la famille. Nous étions la branche militaire.

— Et où étiez-vous en poste? Vous deviez assister aux bals dans la ville la plus proche, non?

Il la divertit avec le récit de ses exploits et de ceux de ses pairs, puis changea de sujet en lui extorquant des souvenirs de sa première saison. Elle en savait assez pour en faire une description convenable. S'il réalisait que sa version était remaniée, il n'en montra aucun signe.

Ils en étaient à ses observations sur la ville et ses habitants actuels quand un groupe à une table à côté, dont tous les membres se levèrent pour partir, fit basculer une chaise. Elle regarda autour d'elle et réalisa, d'après les regards fixes de trois jeunes filles et de leur mère, que la raison de la commotion était que toute l'attention était rivée sur eux.

La mère, une matrone trop habillée et les lèvres pincées, lança un regard dédaigneux et hautain dans leur direction, puis s'affaira à rassembler ses oisillons.

— Venez, les filles !

Deux obéirent. La troisième regarda pendant encore un moment, puis se tourna et murmura de façon nettement audible :

— Lady Mott a-t-elle dit quand le mariage aurait lieu ?

Leonora continua à regarder les quatre femmes qui partaient. Son esprit était confus, s'égarant dans tous les sens. Tandis qu'elle revoyait scène après scène, elle ressentit du froid, puis du chaud. La colère — un accès plus puissant que tous ceux qu'elle avait connus — la saisit. Lentement, elle tourna la tête et rencontra le regard de Trentham.

Elle ne vit dans ses vifs yeux noisette aucune trace de contrition, pas même la moindre tentative de se disculper, mais une confirmation simple, nette et sans équivoque.

— Vous êtes un monstre.

Elle murmura le mot. Ses doigts se resserrèrent sur l'anse de sa tasse de thé.

Les yeux de Tristan ne firent rien de plus que cligner.

— Je n'y suis pour rien.

Il n'avait pas bougé de sa position assise, mais elle savait combien il pouvait être rapide.

Elle se sentit soudain prise de vertige, étourdie. Elle ne pouvait plus respirer et se leva de sa chaise.

— Accompagnez-moi hors d'ici.

Sa voix tremblait, mais il agit. Elle était vaguement consciente qu'il la regardait attentivement. Il la conduisit à l'extérieur et écarta tous les obstacles. Elle était trop à bout de nerfs pour ravaler sa fierté et ne pas tirer avantage de la fuite qu'il organisait.

Mais à l'instant où le bout de ses chaussures toucha l'herbe dans le parc, elle retira brusquement sa main de son bras et allongea le pas. Loin de lui. Loin de la tentation de le frapper – d'essayer de le frapper. Elle savait qu'il ne le lui permettrait pas.

Elle était exaspérée. Elle l'avait cru complètement perdu en ville dans la haute société, mais c'était elle qui avait eu les yeux fermés. La confiance endormie par un loup – qui ne s'était même pas donné la peine de se camoufler !

Elle serra les dents pour étouffer un cri dirigé directement contre elle. Elle savait ce qu'il était depuis la première fois, un homme remarquablement impitoyable.

Elle s'arrêta brusquement. La panique ne la mènerait nulle part, surtout avec un homme comme lui. Elle devait réfléchir, agir, et ce, de la bonne façon.

Finalement, qu'avait-il fait ? Qu'avait-il vraiment accompli ? Et comment pouvait-elle le nier ou le contrer ?

Elle se tint tranquille tandis qu'elle retrouvait lentement ses esprits. Un certain calme l'envahit. Ce n'était pas – cela ne pouvait pas être – aussi grave qu'elle le pensait.

Elle pivota et ne fut pas le moindrement surprise de le voir à une cinquantaine de centimètres, à la regarder.

Attentivement.

Elle fixa ses yeux sur les siens.

– Avez-vous parlé de nous à quelqu'un ?

Son regard ne bougea pas.

– Non.

– Donc, cette fille ne faisait que…

Elle fit un geste des deux mains.

– Extrapoler.

Elle plissa les yeux.

– Vous saviez que tout le monde le ferait.

Il ne répondit pas.

Elle continua à le foudroyer du regard quand elle réalisa que tout n'était pas perdu, qu'il n'avait pas créé un piège dont elle ne pourrait pas se sortir. Sa colère subsistait, mais son agacement, non.

– Ce n'est pas un jeu.

Un moment passa avant qu'il dise :

– Toute vie est un jeu.

– Et vous jouez pour gagner ?

Elle teinta ses mots de quelque chose de proche du mépris.

Il remua, puis tendit le bras et prit sa main.

À sa grande surprise, il l'attira vers lui.

Elle haleta tandis qu'elle se retrouvait contre sa poitrine.

Elle sentit son bras la plaquer contre lui.

Sentit les braises qui couvaient s'enflammer.

Il baissa les yeux vers elle, puis porta la main dont il s'était emparé à sa bouche. Lentement, ses lèvres caressèrent ses doigts, puis sa paume, pour finir par se poser sur son poignet. Soutenant son regard, il la maintint captive tout ce temps.

Ses yeux scintillaient, reflétant tout ce qu'elle pouvait sentir s'embraser entre eux.

– Ce qu'il y a entre vous et moi reste entre vous et moi, mais ça transparaît.

Il maintint son regard et ajouta :

— Et ça n'arrêtera pas.

Il baissa la tête. Elle prit son souffle.

— Mais je ne le veux pas.

Ses yeux rencontrèrent les siens, puis il murmura :

— Trop tard.

Et il l'embrassa.

***

Elle l'avait traité de monstre et elle avait raison.

À midi, le lendemain, Leonora sut ce qu'on ressentait quand on était assiégé.

Quand Trentham — avec toute sa satanée arrogance — avait finalement consenti à la libérer, elle n'avait plus eu aucun doute sur le fait qu'ils allaient devoir livrer bataille.

— Je ne vais pas vous épouser.

Elle avait fait cette déclaration avec autant de force qu'elle était capable de rassembler, et dans les circonstances, pas autant qu'elle aurait aimé.

Il l'avait regardée et avait grogné — vraiment grogné —, puis il avait pris sa main, et ils étaient repartis à sa voiture.

Sur le chemin du retour, elle avait observé un silence glacial, non pas parce que diverses phrases piquantes ne lui brûlaient pas la langue, mais en raison de son garçon d'écurie perché derrière eux. Elle avait dû attendre que Trentham l'aide à descendre sur le trottoir devant le numéro 14 pour le fixer de ses yeux plissés et lui demander :

— Pourquoi ? Pourquoi moi ? Donnez-moi une bonne raison pour laquelle vous voulez m'épouser.

Il avait baissé ses yeux noisette brillants sur elle, puis s'était rapproché et avait murmuré :

— Vous vous souvenez de cette image dont nous parlions ?

Elle avait réprimé le désir soudain de reculer et avait scruté ses yeux brièvement avant de demander :

— Et alors ?

— L'idée de la voir chaque matin et chaque soir constitue une raison tout à fait sensée pour moi.

Elle avait cligné des yeux. Un rougissement était monté sur ses joues. Pendant un instant, elle l'avait regardé fixement, l'estomac noué, puis elle avait reculé.

— Vous êtes fou.

Elle avait tourné les talons, ouvert le portail et remonté l'allée du jardin.

Les invitations avaient commencé à arriver dès le premier courrier du matin.

Elle aurait pu en ignorer une ou deux. Mais il y en avait quinze à l'heure du déjeuner, et toutes de la part des hôtesses les plus puissantes, qu'il était simplement impossible d'écarter. Elle ignorait comment il s'y prenait, mais son message était clair. Elle ne pouvait pas l'éviter. Soit elle le rencontrait sur un terrain neutre, ce qui signifiait dans le cercle de la haute société, soit…

Cela impliquait que le « soit » était vraiment préoccupant.

Il n'était pas un homme qu'elle pouvait facilement deviner. Son échec à prévoir ses objectifs jusqu'ici était à l'origine de ce qui l'avait placée dans cette situation.

« Soit… » semblait bien trop dangereux, et au fond, peu importe ce qu'il faisait, aussi longtemps qu'elle maintiendrait le simple mot « non », elle resterait parfaitement en sécurité, parfaitement à l'abri.

Mildred, accompagnée de Gertie, arriva à seize heures.

– Ma chérie !

Mildred pénétra dans le petit salon comme un galion noir et blanc.

– Lady Holland est passée et a insisté pour que je vous conduise à sa réception ce soir.

S'effondrant sur la méridienne en faisant bruire sa robe de soie, Mildred riva ses yeux remplis de zèle sur elle.

– J'ignorais totalement que Trentham avait de telles relations.

Leonora réprima un grognement.

– Moi aussi.

Lady Holland, bon sang !

– Cet homme est un monstre !

Mildred cligna des yeux.

– Un monstre ?

Elle reprit son activité, à savoir marcher devant la cheminée.

– Il fait ça pour…

Elle fit un geste furieux.

– … pour me forcer à me montrer !

– Te forcer…

Mildred sembla inquiète.

– Ma chère, tu te sens bien ?

Se tournant, elle regarda Mildred, puis fit dévier son regard sur Gertie, qui s'était arrêtée devant un fauteuil.

Gertie rencontra ses yeux, puis opina.

– Très probable.

Elle s'installa dans le fauteuil.

— Impitoyable. Dictatorial. Pas du genre à laisser quoi que ce soit lui faire obstacle.

— Exactement !

Le soulagement d'avoir trouvé quelqu'un qui la comprenait était énorme.

— Mais, continua Gertie, tu as le choix.

— Le choix ?

Le regard de Mildred passa de l'une à l'autre.

— J'espère que tu ne vas pas l'encourager à se défiler devant ce changement inattendu ?

— Pour ça, répondit Gertie, totalement indifférente, elle fera à son gré. Elle l'a toujours fait. Mais la vraie question ici est de savoir si elle va le laisser la régenter ou si elle va livrer bataille.

— Livrer bataille ? dit Leonora en fronçant les sourcils. Vous voulez dire ignorer toutes ces invitations ?

Même elle trouvait cette pensée un peu extrême.

Gertie grogna.

— Bien sûr que non ! Fais ça et tu creuseras ta propre tombe. Mais il n'y a aucune raison de le laisser penser qu'il peut te forcer à quoi que ce soit. D'après moi, la réaction la plus efficace serait d'accepter les invitations les plus prisées avec ravissement et d'y assister avec l'intention bien nette de t'amuser. Rencontre-le dans les bals, et s'il ose y faire pression sur toi, tu pourras lui donner son congé devant la moitié de la haute société.

Elle tapa sa canne sur le sol.

— Retiens bien ceci : tu devras lui faire comprendre qu'il n'est pas omnipotent et qu'il ne réussira pas avec de telles machinations.

Les yeux dorés de Gertie scintillaient.

— La meilleure façon de le faire, c'est de lui donner ce qu'il croit qu'il veut, puis de lui montrer que ce n'est pas du tout ce qu'il veut vraiment.

L'expression sur le visage de Gertie était ouvertement redoutable. La pensée qu'elle évoquait dans l'esprit de Leonora était assurément séduisante.

— Je suis d'accord.

Elle adopta un regard perdu, son esprit jonglant avec les possibilités.

— Lui donner ce qu'il cherche à obtenir, mais…

Se concentrant de nouveau sur Gertie, elle rayonna.

— Bien sûr !

La quantité d'invitations avait augmenté à dix-neuf. Elle se sentait presque grisée par le défi.

Elle se tourna vers Mildred, dont le visage revêtait une expression plutôt perplexe tandis qu'elle regardait Gertie.

— Avant Lady Holland, peut-être pourrions-nous assister à la réception des Carstairs ?

*

Elles le firent. Leonora se servit de l'événement comme d'un moyen pour rafraîchir, épousseter et peaufiner ses habiletés sociales. Au moment où elle fréquenta les élégantes salles de Lady Holland, sa confiance était en excellente position. Elle savait qu'elle était élégante dans sa robe de soie topaze, les cheveux redressés en chignon, avec des boucles d'oreille de la couleur de sa robe et un collier de perles noué autour de son cou.

Suivant Mildred et Gertie, elle fit la révérence devant Lady Holland, qui serra sa main et émit les plaisanteries habituelles, l'observant tout le long de ses yeux pénétrants et intelligents.

— J'ai su que vous aviez fait une conquête, remarqua la lady.

Leonora haussa légèrement les sourcils et revêtit un sourire.

— De façon tout à fait involontaire, je vous l'assure.

Les yeux de Lady Holland s'écarquillèrent. Elle sembla intriguée.

Leonora élargit son sourire. La tête haute, elle avança.

De là où il s'était retiré pour s'adosser contre le mur du salon, Tristan regardait la conversation, vit la surprise de Lady Holland et saisit le regard amusé qu'elle lui lança quand Leonora avança dans la foule.

Il l'ignora, fixa son regard sur sa proie et s'écarta du mur.

Il était arrivé tôt, contrairement à l'usage, ne se souciant pas que son hôtesse, qui s'était toujours intéressée à sa carrière, devine correctement ses raisons. Il avait passé deux heures dans l'inaction, dans un ennui indicible, à se rappeler pourquoi il n'avait jamais eu l'impression d'avoir manqué quoi que ce soit en rejoignant l'armée à vingt ans. Maintenant que Leonora avait daigné arriver, il pouvait prendre les choses en main.

Les invitations qu'il avait obtenues de sa propre initiative et de celles de ses vieilles dames en lien avec la haute société lui assuraient que, pendant la prochaine semaine, il serait en mesure de sortir avec elle chaque soir quelque part en ville.

Cela lui permettrait de poursuivre son objectif.

En plus, même si cette satanée femme restait ferme, la société étant ce qu'elle était, les invitations continueraient naturellement, lui offrant des occasions de les exploiter jusqu'à ce qu'elle capitule.

Il l'avait dans sa ligne de mire. Elle ne pourrait pas s'échapper.

Amenuisant la distance entre eux, il arriva à côté d'elle tandis que ses tantes s'installaient sur une méridienne d'un côté de la pièce. Son apparition contrecarra les projets de bon nombre d'autres gentlemen qui avaient remarqué Leonora et pensé tâter le terrain.

Il avait découvert que Lady Warsingham n'était pas inconnue dans la haute société, ni sa nièce. L'image dominante de Leonora était qu'elle était une lady obstinée résolument opposée au mariage. Même si son âge ne la plaçait pas au rang des demoiselles qu'on épouse, sa beauté, son assurance et son comportement faisaient d'elle un défi, du moins aux yeux des hommes qui voyaient les femmes d'un abord difficile avec intérêt.

De tels gentlemen prendraient sans aucun doute note de son intérêt et regarderaient ailleurs. S'ils étaient raisonnables.

Il salua les ladies plus âgées, qui lui firent toutes les deux de larges sourires.

Il se tourna vers Leonora et rencontra un regard condescendant et ouvertement froid.

— Mlle Carling.

Elle lui tendit la main et s'inclina. Il la salua, leva sa main et la posa sur sa manche.

Mais elle l'ôta et se tourna pour accueillir un couple qui s'approchait.

– Leonora ! Cela fait des siècles que nous ne nous sommes pas vues !

– Bonsoir, Daphne. M. Merryweather.

Leonora embrassa les joues de Daphne, une lady aux cheveux bruns et aux formes généreuses, puis serra la main du gentleman dont les cheveux et les traits le proclamaient comme étant le frère de Daphne.

Elle lança un regard à Tristan, puis l'inclut mielleusement, le présentant comme le comte de Trentham.

– Eh bien !

Les yeux de Merryweather brillèrent.

– J'ai su que vous étiez dans la Garde royale à Waterloo.

– En effet.

Il prononça ces mots de façon aussi sèche que possible, mais Merryweather ne le remarqua pas. Il répondit aux questions habituelles. Soupirant intérieurement, Tristan fournit ses réponses expérimentées.

Leonora, plus sensible à son intonation, lui lança un regard curieux, mais ensuite Daphne réclama son attention.

Ayant l'oreille fine, Tristan réalisa rapidement la teneur des demandes de Daphne. Elle supposait que Leonora ne lui portait aucun intérêt. Bien que mariée, il était clair que Daphne le faisait.

Du coin de l'œil, il vit Leonora lui lancer un regard évaluateur, puis elle se pencha plus près de Daphne, baissa la voix…

Il saisit soudain le danger.

Tendant le bras, il referma délibérément ses doigts autour du poignet de Leonora. Souriant de façon charmante à Merryweather, il changea de place, visant Daphne par son mouvement, tandis que tout à fait ouvertement, il attirait Leonora vers lui – l'éloignant de Daphne – et mettait son bras dans le sien.

– Si vous voulez bien nous excuser. Je viens juste de voir mon ancien commandant. Je dois vraiment aller le saluer.

Merryweather et Daphne sourirent tous deux et murmurèrent leurs adieux avec décontraction. Avant que Leonora puisse retrouver ses esprits, il inclina la tête et l'attira plus loin, dans la foule.

Elle avança. Son regard était fixé sur son visage. Puis, elle regarda en avant.

– C'était impoli. Vous n'êtes plus un officier en service. Il n'y a aucune raison pour que vous alliez saluer votre ancien commandant.

– En effet. Étant donné qu'il n'est pas ici.

Elle le regarda en plissant les yeux.

– Vous n'êtes pas juste un monstre, mais un monstre qui ment.

– En parlant de monstre, je crois que nous devrions instaurer quelques règles pour ces réceptions. Peu importe le temps que nous passerons dans la haute société – un temps entièrement sous votre contrôle, devrais-je ajouter –, vous vous abstiendrez de jeter des harpies comme la charmante Daphne sur moi.

– Mais pourquoi êtes-vous ici si ce n'est pour sonder et choisir parmi les fruits de la haute société ?

Elle fit un geste qui englobait la foule.

– C'est ce que fait tout gentleman de la haute société.

– Dieu seul sait pourquoi… moi, non. Comme vous le savez très bien, je suis ici pour une seule raison… vous séduire.

Il s'arrêta pour prendre deux verres de champagne sur le plateau d'un valet. Il en tendit un à Leonora et la guida vers une zone moins congestionnée devant une longue fenêtre. Il se plaça de sorte qu'il puisse voir toute la pièce, but, puis continua :

– Vous pouvez traiter notre relation de la façon que vous voulez, mais si vous avez le moindre instinct de protection envers vous-même, vous maintiendrez notre relation entre nous et n'impliquerez pas les autres.

Il baissa les yeux et rencontra les siens.

– Femmes ou hommes.

Elle le regarda et haussa légèrement les sourcils.

– Est-ce une menace ?

Elle but calmement, apparemment imperturbable.

Il scruta ses yeux, sereins et impassibles. Confiants.

– Non.

Levant son verre, il cogna le bord contre le sien.

– C'est une promesse.

Il but et regarda ses yeux s'embraser.

Mais elle maîtrisait fermement son humeur. Elle se força à boire pour sembler observer la foule, puis baissa son verre.

– Vous ne pouvez pas simplement venir et prendre le contrôle sur moi.

– Je ne veux pas prendre le contrôle sur vous. Je vous veux dans mon lit.

Cela lui valut un regard légèrement outré, mais personne d'autre n'était assez près pour entendre.

Son rougissement persistait, mais elle maintint son regard.

— C'est quelque chose que vous ne pouvez pas avoir.

Il laissa le moment s'étirer, puis haussa un sourcil en la regardant.

— C'est ce que nous verrons.

Elle étudia son visage, puis leva son verre. Son regard se déplaça au-delà de Tristan.

— Mlle Carling ! Ça alors ! Quel plaisir de vous revoir ! Pourquoi avoir attendu toutes ces années ?

Leonora sourit et lui tendit la main.

— Lord Montacute. Quel plaisir ! Et oui, cela fait des années. Puis-je vous présenter Lord Trentham ?

— Bien sûr ! Bien sûr !

Lord Montacute, très cordial, lui serra la main.

— J'ai connu votre père… et votre grand-oncle aussi. Un vieux type irascible.

— Comme vous dites.

Se souvenant de son but, Leonora demanda joyeusement :

— Lady Montacute est-elle ici ce soir ?

Il bougea légèrement.

— Quelque part par là.

Elle laissa la conversation se poursuivre, déjouant toutes les tentatives de Trentham de l'étouffer. Faire taire Lord Montacute était au-delà des capacités de quiconque, même de Trentham. Simultanément, elle scruta la foule pour trouver d'autres occasions.

Il était agréable de découvrir qu'elle n'avait pas perdu le don d'attirer un gentleman avec un simple sourire. Rapidement, elle avait rassemblé un groupe de choix dont chaque membre pouvait entretenir une conversation. Les réceptions de Lady Holland étaient renommées pour l'esprit et la répartie des invités. Avec une touche de gentillesse ici, un mot plus acide là, elle lança le bal. Ensuite, leurs discussions s'animèrent d'elles-mêmes.

Elle dut réprimer un sourire trop révélateur quand Trentham, malgré lui, y fut mêlé, s'engageant dans une discussion avec M. Hunt sur la censure en lien avec la presse populaire. Elle se tenait à ses côtés et présidait le groupe, s'assurant que la discussion ne faiblisse jamais. Lady Holland arriva, s'arrêta à côté d'elle, puis hocha la tête et rencontra son regard.

— Vous avez un talent certain, ma chère.

Elle tapota le bras de Leonora, son regard glissant fugacement vers Trentham, puis revenant malicieusement vers Leonora avant qu'elle parte.

Un talent pour quoi ? se demanda Leonora. Tenir un loup à distance ?

Les invités avaient commencé à partir avant que les discussions s'émoussent. Le groupe s'arrêta à contrecœur, les gentlemen s'en allant lentement pour rejoindre leurs femmes.

Quand Trentham et elle se retrouvèrent de nouveau seuls, il la regarda. Il serra lentement ses lèvres, ses yeux se durcirent, s'embrasèrent.

Elle arqua un sourcil, puis se tourna vers l'endroit où Mildred et Gertie attendaient.

— Ne soyez pas hypocrite. Vous avez aimé ça.

Elle n'en était pas certaine, mais elle pensa l'entendre grogner. Elle n'eut pas besoin de le regarder pour savoir qu'il la suivait de près tandis qu'elle traversait la pièce pour rejoindre ses tantes.

Il se comporta bien, si ce n'était avec un charme enjoué, au moins avec une parfaite courtoisie, les accompagnant en bas de l'escalier et dehors vers leur voiture qui attendait.

Tristan aida ses tantes à monter, puis se tourna vers elle. Se plaçant délibérément entre elle et la voiture, il prit sa main et rencontra ses yeux.

— Je ne pense pas répéter l'exercice demain.

Il bougea et la conduisit à la porte de la voiture.

Posant un pied sur la marche, elle rencontra son regard et arqua un sourcil. Même dans le faible éclairage, il reconnut le défi.

— Vous avez choisi le champ de bataille. J'ai choisi les armes.

Elle inclina la tête sereinement, puis la baissa et monta dans la voiture.

Il ferma la porte avec précaution… et une certaine délibération.

Chapitre 11

Pendant le petit déjeuner le lendemain, Leonora réfléchit à son calendrier social. Les soirées étaient à présent plus remplies qu'il y a trois jours.

– Vous choisissez, lui avait dit Mildred tandis qu'elle descendait de la voiture la nuit précédente.

Mâchant son pain grillé, Leonora évalua les possibilités. Même si la véritable saison ne commençait que dans quelques semaines, il y avait deux bals ce soir auxquels elle était invitée. L'événement majeur était le bal chez les Colchester à Mayfair et, le plus mineur et assurément le moins cérémonieux, un bal chez les Massey à Chelsea.

Trentham s'attendrait à la voir chez les Colchester. Il attendrait qu'elle s'y présente, comme il l'avait fait la nuit dernière chez Lady Holland.

S'écartant de la table, Leonora se leva et se dirigea vers le petit salon pour rédiger en vitesse un message à Mildred et Gertie leur indiquant qu'elle pensait aller chez les Massey ce soir.

Assise à son secrétaire, elle rédigea une note rapide, inscrivit les noms de ses tantes, puis sonna pour appeler un valet. Elle espérait que, dans ce cas, son absence rendrait son cœur moins tendre. En dehors du fait que son absence chez les Colchester contrarierait Trentham, il y avait aussi la possibilité que, laissé seul dans une telle arène, il puisse se trouver attiré par une autre lady, peut-être même se laisser distraire par une femme du genre de Daphne…

Grimaçant intérieurement, elle leva les yeux quand le valet entra et qu'elle lui tendit le message à livrer.

Cela étant fait, elle se rassit et fit dévier résolument son esprit vers des sujets plus sérieux. Étant donné son refus tenace envers sa requête, elle était peut-être naïve de penser que Trentham continuerait à l'aider au sujet de Montgomery Mountford, mais elle n'arrivait pas à l'imaginer perdre de l'intérêt dans cette affaire et enlever les hommes qu'il avait chargés de surveiller la maison. Malgré leurs relations personnelles, elle savait qu'il ne la laisserait pas faire face à Mountford seule.

En fait, à la lumière de ce qu'elle avait appris de son caractère, cette idée semblait ridicule.

Elle maintiendrait un partenariat tacite jusqu'à ce que l'énigme de Mountford soit résolue. Il lui incombait donc d'avancer aussi loin qu'elle pouvait sur ce front. Se libérer du piège de Trentham tout en ayant affaire à lui tous les jours ne serait pas facile. Prolonger le danger était insensé.

Elle ne s'attendait pas à recevoir des réponses à ses lettres avant au moins quelques jours. Alors, que pouvait-elle faire d'autre ?

La suggestion de Trentham que le travail de Cedric était très probablement la cible de Mountford avait touché une corde sensible. En plus des lettres de Cedric, l'atelier contenait plus de vingt registres et journaux. Elle les avait emportés au petit salon et les avait empilés dans un coin. Les regardant, elle se souvint de l'écriture délicate, à demi effacée et en pattes de mouche de son défunt cousin.

Elle se leva et monta inspecter la chambre de Cedric. Elle était envahie de poussière et de toiles d'araignée. Elle chargea les domestiques de nettoyer la pièce ; elle la fouillerait demain. Pour aujourd'hui… Elle descendit au petit salon et s'attela à scruter les journaux.

Quand le soir tomba, elle n'avait rien découvert de plus excitant que la recette d'une mixture pour ôter les taches sur la porcelaine. Il était difficile de croire que Mountford et son mystérieux étranger s'y intéressaient. Écartant les livres de comptes, elle monta se changer.

*

La propriété des Massey était centenaire, une villa pleine de coins et de recoins érigée sur la rive. Les plafonds étaient plus bas que l'usage maintenant. Il y avait une profusion de bois foncé dans les poutres et les lambris, mais l'obscurité était dissipée par des lampes, des candélabres et des appliques généreusement dispersés dans les pièces. Les vastes salles communicantes étaient parfaites pour des soirées moins cérémonieuses. Un petit orchestre raclait du violon au bout de la salle à manger convertie pour l'occasion en une salle de bal.

Après avoir salué leur hôtesse dans l'entrée, Leonora pénétra dans le salon, se disant qu'elle allait s'amuser, que l'ennui causé par le manque de but qui l'affligeait habituellement ne l'affecterait pas ce soir parce qu'elle avait effectivement un but.

Malheureusement, s'amuser avec d'autres hommes si Trentham n'était pas là pour la voir… Il était difficile de se convaincre que c'était tout ce qu'elle tirerait de la soirée. Néanmoins, elle était là, vêtue d'une robe de soie d'un bleu profond et chaud qu'aucune jeune célibataire n'aurait jamais portée. Comme elle ne voulait pas particulièrement discuter, elle ferait aussi bien de danser.

Laissant Mildred et Gertie avec un groupe de leurs amies, elle avança dans la pièce, s'arrêtant pour échanger des salutations ici et là, mais sans cesser de marcher. Une danse venait juste de finir quand elle passa les portes donnant sur la salle à manger. Scrutant rapidement les personnes présentes, elle considéra quels gentlemen…

Des doigts fermes, une paume dure, se refermèrent autour de sa main. Ses sens réagirent, l'avertissant de la personne qui se tenait juste derrière elle avant même qu'elle se tourne et rencontre son regard.

— Bonsoir.

Les yeux posés sur les siens, Trentham porta sa main à ses lèvres. Il scruta ses yeux et haussa un sourcil.

— Voulez-vous danser ?

L'expression dans ses yeux, le ton de sa voix — juste avec ça, il l'animait. Il faisait que ses nerfs se contractaient, que ses sens s'émoustillaient. Elle sentit une bouffée de plaisir anticipé se glisser en elle. Elle prit une profonde respiration, son imagination l'informant rapidement de ce que danser avec lui provoquerait en elle.

— Je…

Elle fit dévier son regard vers la mer de danseurs attendant que la prochaine mesure commence.

Il ne dit rien, attendant simplement. Quand elle posa de nouveau les yeux sur lui, il rencontra son regard.

– Oui ?

Ses yeux noisette étaient perçants, attentifs. Derrière eux se distinguait un vague amusement.

Elle sentit ses lèvres se pincer et redressa le menton.

– En fait… Pourquoi pas ?

Il sourit, non pas de son sourire charmant, mais tel un prédateur appréciant qu'elle relève son défi. Il la conduisit sur la piste tandis que les premières notes d'une valse commencèrent.

Il fallait que ce soit une valse. À l'instant où il la prit dans ses bras, elle sut qu'elle avait des ennuis. Se battant courageusement pour amenuiser sa réaction de l'avoir si près d'elle, de sentir sa force l'envelopper de nouveau, sa main qui se déployait dans son dos, elle chercha une distraction.

Elle laissa sa désapprobation paraître dans ses yeux.

– Je croyais que vous assisteriez à la soirée des Colchester.

L'extrémité des lèvres de Tristan se redressa.

– Je savais que vous seriez ici.

Ses yeux la testaient, pervers, dangereux.

– Croyez-moi, je suis tout à fait heureux de votre choix.

Si elle nourrissait un doute sur ce à quoi il faisait allusion, la façon dont il la fit tourner au bout de la salle expliqua tout. S'ils s'étaient trouvés chez les Colchester à valser dans leur vaste salle de bal, il n'aurait pas été capable de la tenir si près, de recourber ses doigts de façon si possessive autour de sa main, de l'attirer si fermement contre lui en tournant alors que leurs hanches se frôlaient. Ici, la piste de danse était pleine d'autres couples tous absorbés par les uns et les autres, par le moment présent. Il n'y avait aucune matrone le long des murs à observer, attendant de critiquer.

Sa cuisse séparait les siennes avec une force modérée tandis qu'il la faisait tourner. Elle ne put réprimer un frisson en réaction, ne put empêcher ses nerfs, tout son corps, de répondre.

Tristan regarda son visage, se demandant si elle avait une idée de combien elle était sensible, de ce que le fait de voir ses yeux briller, puis s'assombrir, de voir ses cils se baisser, ses lèvres s'entrouvrir, lui faisait.

Il savait qu'elle l'ignorait.

Cela ne faisait qu'empirer, qu'intensifier l'effet et le laisser avec une douleur encore plus grande.

La douleur insistante avait augmenté ces derniers jours, une aggravation lancinante qu'il n'avait jamais affrontée auparavant. Avant, la douleur était minime et vite guérissable. Cette fois…

Tous ses sens étaient concentrés sur elle, sur le balancement de son corps souple dans ses bras, sur la promesse de sa chaleur, le supplice fugace et taquin de la passion qu'elle semblait avoir l'intention de nier.

Cela, il était hors de question qu'il le permette. Il ne devait pas le permettre.

La musique finit, et il fut forcé de s'arrêter, forcé de la relâcher, ce qu'il fit à contrecœur. D'après ses grands yeux, elle s'en rendit compte.

Elle s'éclaircit la gorge et défroissa sa robe.

— Merci.

Elle regarda autour d'elle.

— Et maintenant…

— Avant que vous perdiez votre temps à planifier autre chose, comme attirer un autre gentleman pour danser avec vous, puisque je suis avec vous, vous ne danserez avec personne d'autre.

Leonora se tourna pour lui faire face.

— Je vous demande pardon ?

Elle ne pouvait sincèrement en croire ses oreilles.

Les yeux de Tristan restèrent durs. Il haussa un sourcil.

— Voulez-vous que je le répète ?

— Non ! Je veux oublier avoir jamais entendu une telle impertinence, un tel outrage !

Il semblait totalement indifférent à sa colère montante.

— Ce serait imprudent.

Elle sentit sa colère monter. Ils continuaient à parler à voix basse, mais le chemin que prenait leur conversation ne faisait aucun doute. Se redressant, démontrant tout degré d'arrogance qu'elle possédait, elle inclina la tête.

— Si vous voulez bien m'excuser…

— Non.

Ses doigts d'acier se refermèrent autour de son coude. Il indiqua le bout de la pièce d'un geste de la tête.

— Vous voyez cette porte là-bas ? Nous allons la passer.

Elle prit une profonde respiration et la garda. Puis, elle déclara avec circonspection :

— J'en déduis que votre expérience de la haute société…

— La haute société m'ennuie à en mourir.

Il baissa les yeux vers elle et se mit à la diriger discrètement mais efficacement vers la porte fermée.

— Je ne tiens donc pas à porter davantage attention à ses désagréments.

Son cœur s'emballa. Elle le regarda dans les yeux — ses yeux durs tachetés couleur noisette — et elle réalisa qu'elle ne jouait pas avec un loup, mais avec un loup à l'état sauvage. Un loup qui ne reconnaissait aucune règle en dehors des siennes.

— Vous ne pouvez pas simplement…

« M'enlever. Me kidnapper. »

L'intention dans ses yeux la laissa bouche bée.

Le regard de Tristan resta posé sur son visage, l'évaluant, le jaugeant, tandis qu'il la conduisait habilement à travers la pièce bondée.

— Je suggère que nous nous retirions dans un endroit où nous pourrions discuter de notre relation en privé.

Elle s'était retrouvée en privé avec lui un bon nombre de fois. Il n'y avait aucune raison pour que ses sens s'éveillent à ses mots. Aucune raison pour que son imagination se déchaîne. Irritée que ce fût le cas, elle tenta fermement de reprendre le contrôle. Levant la tête, elle opina.

— Très bien. Je suis d'accord. Nous avons assurément besoin d'aborder nos visions différentes et de mettre les choses au clair.

Elle n'allait pas l'épouser. Voilà le point qu'il devait accepter. Si elle insistait là-dessus, qu'elle s'y accrochait, elle serait sauvée.

Ils atteignirent la porte, et il l'ouvrit. Elle se dirigea dans un couloir longeant les salles de réception. Le passage était suffisamment large pour qu'ils marchent tous deux côte à côte. Un côté était bordé de boiseries sculptées dans lesquelles se trouvaient des portes, l'autre était un mur vitré donnant sur des jardins privés.

À la fin du printemps et en été, les fenêtres devaient être ouvertes et le couloir devait devenir un lieu agréable dans lequel les invités pouvaient se promener. Ce soir, avec le vent froid et humide qui soufflait et la présence probable de gel dans l'air, toutes les portes et les fenêtres étaient fermées, et le passage, désert.

Le clair de lune entrait à flots et fournissait assez de lumière pour y voir. Les murs étaient en pierre et les portes en chêne massif. Une fois que Trentham eut fermé la porte derrière eux, ils se retrouvèrent dans un monde argenté et intime.

Il lâcha son bras et lui offrit le sien. Elle feignit de ne pas le remarquer. La tête haute, elle avança lentement.

— Le point pertinent que nous devons aborder...

Elle s'interrompit quand sa main se referma sur la sienne. De façon possessive. Elle s'arrêta et baissa les yeux sur ses doigts avalés dans sa paume.

— Voici, dit-elle, le regard fixé sur sa main, le parfait exemple du problème dont nous devons discuter. Vous ne pouvez pas me prendre la main, vous emparer de moi comme si, d'une certaine façon, je vous appartenais...

— C'est le cas.

Elle leva les yeux et les cligna.

— Je vous demande pardon?

Tristan la regarda dans les yeux. Il n'était pas opposé à une explication.

— Vous. M'appartenez.

Il était bon de le déclarer, de renforcer ainsi la réalité.

Les yeux de Leonora s'écarquillèrent. Il continua :

— En dépit de ce que vous pensiez faire, vous vous êtes donnée à moi. Vous vous êtes offerte à moi. J'ai accepté. À présent, vous êtes mienne.

Elle pinça ses lèvres, et ses yeux lancèrent des éclairs.

— Ce n'est pas ce qui s'est produit. Vous avez délibérément — Dieu seul sait pourquoi — mal interprété l'événement.

Elle n'ajouta rien, mais le regarda d'un air belliqueux.

— Vous allez devoir travailler beaucoup plus dur pour me convaincre que vous avoir eue nue, allongée sous mon corps, dans le lit de la place Montrose était un produit de mon imagination.

Elle serra les mâchoires.

— Mal interprété, pas imaginé.

— Ah… Donc, vous admettez que vous l'avez fait.

— Ce qui s'est passé, dit-elle sèchement, comme vous le savez fort bien, c'est que nous avons profité — elle fit un geste — d'un moment agréable.

— D'après ce dont je me souviens, vous m'avez imploré de… vous « initier ». Je crois que nous nous entendons sur le terme.

Même dans la faible lumière, il pouvait la voir rougir. Mais elle opina.

— En effet.

Elle se tourna et avança dans le corridor. Il marcha à côté d'elle, tenant toujours sa main dans la sienne.

Elle ne parla pas immédiatement, puis elle prit une profonde respiration. Il réalisa qu'il allait obtenir au moins une partie de l'explication.

— Vous devez comprendre — et accepter — que je ne désire pas me marier. Ni avec vous ni avec personne. Je ne porte aucun intérêt à ce statut. Ce qui s'est passé entre nous…

Elle leva la tête et regarda le couloir.

— C'était purement parce que je voulais savoir. Connaître…

Elle baissa les yeux en marchant.

— Et je pensais que vous étiez un choix judicieux pour être mon professeur.

Il attendit, puis demanda d'un ton calme, non agressif :

— Pourquoi avez-vous pensé ça ?

Elle fit un geste entre eux, glissant sa main hors de la sienne.

— L'attirance. Elle était évidente. Elle était simplement là, vous le savez.

— Oui.

Il commença à comprendre… et s'arrêta.

Elle s'arrêta aussi et lui fit face. Elle rencontra son regard, scruta son visage.

— Donc, vous comprenez, n'est-ce pas ? C'était juste que je voulais savoir… C'est tout. Juste une fois.

Il demanda très prudemment :

— C'est fait et c'est fini. C'est ça ?

Elle leva la tête et opina.

— Oui.

Il soutint son regard pendant un long moment, puis murmura :

— Je vous ai avertie, dans le lit de la place Montrose, que vous m'aviez mal jugé.

Sa tête se redressa d'un cran, mais elle finit par déclarer posément :

– C'était quand vous pensiez que vous deviez m'épouser.

– Je sais que je vais vous épouser, mais là n'est pas la question.

L'exaspération éclata dans ses yeux.

– Quelle est la question ?

Il put sentir un sourire effroyable, assurément cynique, d'une entière autodérision, lutter pour s'afficher malgré lui. Il l'écarta de son visage et garda une expression impassible.

– Cette attirance que vous mentionnez. Est-elle morte ?

Elle fronça les sourcils.

– Non. Mais elle mourra… Vous savez que ça arrivera.

Elle s'arrêta parce qu'il secouait la tête.

– Je ne sais pas de telles choses.

Une irritation méfiante envahit son visage.

– J'admets qu'elle n'a pas encore disparu, mais vous savez parfaitement bien que les gentlemen ne restent pas attirés longtemps par une femme. Dans quelques semaines, une fois que nous aurons identifié Mountford et que nous ne nous verrons plus tous les jours, vous m'oublierez.

Il laissa un moment s'étirer tandis qu'il analysait ses options. Il finit par demander :

– Et dans le cas contraire ?

Elle plissa les yeux et ouvrit les lèvres pour réitérer qu'il le ferait.

Il la coupa en s'approchant davantage, l'obligeant à se coller aux fenêtres.

Immédiatement, la chaleur augmenta entre eux, leur faisant signe, les appâtant. Les yeux de Leonora scintillèrent, son souffle se coupa, puis reprit plus rapidement. Ses mains se levèrent et s'agitèrent pour se poser légèrement contre sa poitrine. Ses cils se baissèrent tandis qu'il se penchait vers elle.

– Notre attirance mutuelle ne s'est pas estompée le moins du monde. Elle est devenue plus forte.

Il souffla les mots le long de sa joue. Il ne la touchait pas, ne la tenait pas autrement que par sa proximité.

– Vous dites qu'elle mourra. Je dis que non. Je suis sûr d'avoir raison. Vous êtes sûre d'avoir raison. Vous voulez aborder le sujet. Je veux conclure un accord.

Leonora se sentit étourdie. Ses mots étaient sombres, vigoureux, de la magie noire dans son esprit. Ses lèvres effleurèrent sa tempe. Son souffle éventa sa joue. Elle inspira avec peine.

– Quel accord ?

– Si l'attirance s'estompe, je suis d'accord pour vous libérer. D'ici là, vous êtes mienne.

Un frisson descendit le long de sa colonne.

– Vôtre. Que voulez-vous dire par là ?

Elle sentit ses lèvres revêtir un sourire contre sa joue.

– Exactement ce que vous pensez. Nous avons été amants et nous sommes amants.

Ses lèvres descendirent plus bas pour caresser sa mâchoire.

– Nous le resterons tant que l'attirance durera. Si elle continue, comme j'en suis sûr, dans plus d'un mois, nous nous marierons.

– Un mois ?

Sa proximité sapait sa réflexion, la laissait abasourdie.

— Je suis d'accord pour vous accorder un mois, pas plus.

Elle lutta pour se concentrer.

— Et si l'attirance s'estompe, même si elle ne meurt pas complètement, mais qu'elle s'estompe en un mois, vous admettrez que le mariage entre nous ne serait pas justifié ?

Il opina.

— Tout à fait.

Ses lèvres taquinèrent les siennes. Ses sens émoustillés s'attisèrent.

— Vous êtes d'accord ?

Elle hésita. Elle était venue ici pour aborder ce qu'il y avait entre eux. Ce qu'il suggérait semblait être un moyen raisonnable de… Elle opina.

— Oui.

Et ses lèvres se posèrent sur les siennes.

Elle soupira intérieurement de plaisir, sentit ses sens se déployer comme des pétales au soleil, jouissant, profitant, s'imprégnant du délice. Savourant le désir — leur attirance mutuelle.

Elle s'estomperait — elle le savait, absolument hors de tout doute. Elle pouvait devenir plus forte en ce moment simplement parce que, du moins pour elle, c'était nouveau, mais au bout du compte, inévitablement, son pouvoir déclinerait.

Jusqu'à ce qu'elle… puisse en apprendre davantage, comprendre davantage. Explorer plus loin. Au moins un peu plus loin. Faisant remonter ses mains, elle passa ses bras autour de son cou et l'embrassa, lui ouvrit ses lèvres, lui offrit sa bouche et sentit la chaleur enivrante naître entre eux quand il accepta l'invitation.

Il se rapprocha encore, la plaquant contre la fenêtre. Une main ferme se referma autour de sa taille, la maintenant immobile tandis que leurs bouches fusionnaient, tandis que leurs langues se livraient un duel et s'enchevêtraient, se caressaient, exploraient, se sollicitaient de nouveau.

Le désir ardent apparut.

Elle le sentit en lui — un durcissement révélateur de ses muscles, une retenue imposée, une envie maîtrisée — et elle sentit sa propre réaction, une vague déferlante d'envie passionnée qui s'élevait et l'inondait. Qui la faisait se coller davantage contre lui, glisser une main pour tracer sa mâchoire et le tenter pour qu'il approfondisse le baiser.

Il le fit, et pendant un moment, le monde se dissipa.

Des flammes jaillirent, rugirent.

Tout à coup, il se recula. Il interrompit suffisamment le baiser pour murmurer contre ses lèvres :

— Nous devons trouver une chambre.

Elle était étourdie, avait perdu l'esprit. Elle essaya de se concentrer, mais ne réussit pas.

— Pourquoi ?

Ses lèvres se reposèrent sur celles de Leonora, prenant, réclamant, donnant. Il s'écarta, le souffle plutôt irrégulier.

— Parce que je veux vous combler, et vous le voulez aussi. C'est trop dangereux ici.

Sa voix râpeuse la choqua, l'effraya, et suffit à lui remettre un peu les idées en place. Assez pour qu'elle puisse penser au-delà de la chaleur qui parcourait ses veines, des pulsations dans son sang.

Assez pour comprendre.

C'était trop dangereux n'importe où !

Pas parce qu'il avait tort, mais parce qu'il avait absolument raison.

Le simple fait de l'entendre prononcer ces mots avait augmenté son désir, intensifié cette envie passionnée, le vide qu'elle savait qu'il pouvait remplir et qu'il remplirait. Elle voulait désespérément connaître de nouveau le plaisir de leur union.

Elle se dégagea de ses bras.

– Non, nous ne pouvons pas.

Il la regarda et cligna des yeux, abasourdi.

– Si, nous pouvons.

Les mots étaient prononcés avec une simple conviction, comme s'il lui assurait qu'ils pouvaient marcher dans le parc.

Elle le regarda fixement et réalisa qu'elle n'avait aucun espoir d'argumenter convenablement contre ça. Elle n'avait jamais été une bonne menteuse.

Avant qu'il puisse saisir son poignet – comme il le faisait d'habitude – et la conduire vers un lit, elle se tourna et s'enfuit.

Dans le corridor. Elle le sentit derrière elle, fit un écart et ouvrit une des nombreuses portes. Elle se précipita à l'intérieur.

Elle s'arrêta en chancelant, bouche bée, devant ce qui s'avérait être une grande presse à linge. Ils étaient à côté de la salle à manger. Des nappes et des serviettes étaient rangées avec soin sur des étagères de chaque côté. Au bout de la toute petite pièce, remplissant l'espace entre les étagères, se trouvait une table pour plier le linge.

Avant qu'elle puisse se tourner, elle sentit Trentham derrière elle. Devant la porte, il l'empêchait de s'échapper.

– Excellent choix.

Sa voix ronronnait, profonde et maléfique. Sa main se recourba autour de ses fesses. Il la poussa en avant, avançant derrière elle.

Il ferma la porte.

Elle pivota.

Tristan la prit dans ses bras, posa ses lèvres sur les siennes et se laissa aller. Il l'embrassa avidement, laissa le désir commander, laissa la passion contenue de la dernière semaine se déverser en lui.

Elle se colla à lui, se laissant emporter dans le tourbillon. Il s'imbiba de sa réaction. Il sentit ses doigts se crisper, puis ses ongles s'enfoncer dans ses épaules tandis qu'elle s'offrait à lui, l'apaisait, puis le tourmentait.

Le poussait à poursuivre.

Il ignorait totalement pourquoi elle était opposée au lit. Peut-être voulait-elle élargir ses horizons. Il voulait tellement la satisfaire, lui montrer tout ce qu'il pouvait accomplir, même dans un tel décor.

Une étroite imposte au-dessus de la porte laissait filtrer un rai de clair de lune, assez pour qu'il voie. Sa robe lui rappelait une mer agitée par une tempête d'où ses seins se dressaient, chauds et gonflés, avides qu'il les touche.

Il referma ses mains autour d'eux et l'entendit gémir. Il entendit la supplication, l'urgence dans son cri.

Elle était aussi passionnée, aussi avide que lui. Avec ses pouces, il décrivit le tour de ses mamelons, des petits rocs sous la soie, fermes, chauds et impatients.

Plongeant plus profondément dans sa bouche, la pillant de façon provocante, laissant délibérément présager ce qui allait suivre, il libéra ses seins et s'attela rapidement à défaire ses lacets, laissant la robe foncée tomber autour de sa taille tandis qu'il trouvait et défaisait les minuscules boutons sur le devant de sa chemise.

Il relâcha les bretelles de ses épaules et la dénuda jusqu'à la taille. Sans interrompre le baiser, il fixa ses mains autour de sa taille et la souleva pour l'asseoir sur la table. Il prit un sein dans chaque main et arrêta le baiser avant de pencher sa tête pour la satisfaire.

Elle haleta, les doigts resserrés sur son crâne, la colonne cambrée tandis qu'il se régalait. Son souffle était irrégulier, désespéré. Il persévéra impitoyablement, léchant, puis suçant jusqu'à ce qu'elle sanglote.

Jusqu'à ce que son nom surgisse de ses lèvres en un gémissement suppliant.

– Tristan.

Il lécha un mamelon torturé, puis leva la tête et prit de nouveau ses lèvres dans un baiser incandescent.

Il leva ses jupes, passa les doux jupons autour de sa taille, écarta ses genoux tout en s'insérant entre eux.

Il fixa une main autour de sa hanche nue.

Il laissa traîner les doigts de son autre main sur la partie intérieure soyeuse d'une de ses cuisses et la prit dans le creux de sa main.

Le frisson qui la parcourut faillit le forcer à capituler. Il le força à interrompre le baiser, à prendre une profonde respiration et à chercher désespérément à reprendre un minimum de contrôle.

Assez pour s'empêcher de la posséder.

Il s'approcha davantage, écarta plus largement ses genoux, la rendant accessible à son toucher. Ses paupières papillonnèrent. Ses yeux brillaient à travers l'écran de ses cils.

Ses lèvres étaient enflées, entrouvertes, son souffle saccadé, ses seins tels des monts d'albâtre s'élevant et retombant, sa peau nacrée dans la lumière argentée.

Il saisit son regard, le captura, et la maintint avec lui tandis qu'il introduisait un doigt dans son étroit fourreau. Elle cessa de respirer, puis son souffle s'activa tandis qu'il la pénétrait plus profondément. Elle enfonça ses doigts dans le haut de ses bras. Elle était glissante, humide, si chaude qu'elle le brûlait. Il ne voulait rien de plus que plonger son sexe en érection douloureux dans cette chaleur attirante.

Leurs regards restaient rivés l'un sur l'autre. Il s'agita en elle et se colla davantage, faisant bouger sa main pour la préparer le mieux possible. Il relâcha sa hanche pour déboutonner ses pantalons, puis se guida vers son but. Il saisit de nouveau sa hanche, la maintint en place et s'enfonça en elle.

Il regarda son visage et la vit le regarder tandis qu'il poussait davantage. Il relâcha sa hanche et déploya sa main sur ses fesses, puis la fit avancer. Avec l'autre main, il leva sa jambe.

— Passez vos jambes autour de mes hanches.

Elle prit son souffle et s'exécuta. Tenant délicatement ses fesses dans ses deux mains, il la dirigea sur le bord de la table et s'enfonça en elle, centimètre par centimètre, sentant son corps s'abandonner, l'accepter et le recevoir.

Ses yeux restaient rivés sur les siens tandis que leurs corps s'unissaient. Quand il finit par réaliser la dernière poussée, s'ancrant en elle, elle prit son souffle. Ses cils se baissèrent et ses yeux se fermèrent. Son visage était ébahi de passion tandis qu'elle savourait le moment.

Il était avec elle, à la regarder, sachant, sentant.

Ce fut seulement quand ses cils se relevèrent et qu'elle rencontra de nouveau son regard qu'il bougea.

Lentement.

Le cœur de Tristan s'emballait, ses démons faisaient rage, le désir battait dans ses veines, mais il gardait un contrôle étroit. Le moment était trop précieux pour s'égarer.

Leur intimité était saisissante tandis qu'il se retirait lentement, puis qu'il la pénétrait de nouveau, et qu'il voyait ses yeux s'assombrir encore davantage. Il répéta le mouvement, s'ajustant aux pulsations de son cœur, à son désir, à l'urgence en elle — pas un désir rude, coriace comme le sien, mais un désir plus doux, plus féminin.

Un désir qu'il devait assouvir encore plus que le sien.

Alors, il maintint un rythme lent et la regarda se dresser, observa ses yeux devenir vitreux, entendit son souffle s'étrangler — la vit jouir dans ses bras. Il l'écouta crier jusqu'à ce qu'il doive l'embrasser pour assourdir les sons révélateurs, la plus douce symphonie qu'il avait jamais entendue.

Il la tint, plongea profondément dans son corps, profondément dans sa bouche, quand elle frissonna et atteignit l'orgasme autour de lui. Ce ne fut qu'une brève surprise quand elle le prit avec elle.

Dans la béatitude.

La lente, passionnée et profondément épanouissante danse ralentit, s'arrêta. Les laissant soudés ensemble, le souffle saccadé, leurs fronts se touchant. Le bruit sourd de leurs cœurs remplissait leurs oreilles. Leurs cils se levèrent, et leurs regards se rencontrèrent.

Leurs lèvres se frôlèrent, leurs respirations se confondirent.

Leur chaleur les enveloppait.

Il était entré au maximum dans sa chaleur collante et n'avait aucun désir de bouger, de rompre le charme. Les bras de Leonora étaient refermés autour de son cou, ses jambes autour de ses hanches, et elle ne faisait aucun effort pour bouger, pour se reculer… pour le laisser.

Elle semblait encore plus étourdie, plus vulnérable que lui.

– Ça va ?

Il murmura ses mots, regarda ses yeux se concentrer.

– Oui.

La réponse vint avec une douce expiration. Elle s'humecta les lèvres, regarda brièvement les siennes, puis elle s'éclaircit la gorge.

– C'était…

Leonora ne pouvait trouver les mots à la hauteur.

Les lèvres de Tristan finirent par s'ouvrir.

– Incroyable.

Elle croisa son regard et se garda d'opiner. Elle ne pouvait que s'émerveiller de la folie qui l'avait saisie.

Et de la faim, du désir brut qui l'avaient saisi.

Ses yeux étaient sombres, mais plus doux, pas perçants comme d'habitude. Il semblait sentir son émerveillement. Il sourit et posa ses lèvres sur les siennes.

– Je vous veux.

Ses lèvres frôlèrent les siennes de nouveau.

– De toutes les façons possibles.

Elle saisit que c'était la vérité, reconnut sa résonance et dut demander :

– Pourquoi ?

Il pencha sa tête en arrière et parcourut sa mâchoire avec ses lèvres.

– À cause de cela. Parce que je n'en aurai jamais assez de vous.

Elle put sentir le pouvoir de son désir s'élever de nouveau. Elle sentit la sensation de lui en elle devenir plus nette.

– Encore ?

Elle entendit la surprise dans sa voix.

Il répondit avec un léger grognement qui pouvait être un gloussement typiquement masculin.

– Encore.

*

Elle n'aurait jamais dû être d'accord – faire un signe de tête – pour ce deuxième accouplement au milieu des nappes.

Buvant son thé à la table du petit déjeuner le lendemain matin, Leonora prit la ferme résolution de ne pas se montrer si faible à l'avenir – pendant le mois qu'il leur restait. Trentham – Tristan comme il insistait pour qu'elle l'appelle – avait fini par la raccompagner dans les salles de réception avec un air suffisant, typiquement masculin, et propriétaire qu'elle trouvait extrêmement irritant. Surtout étant donné qu'elle soupçonnait que son autosatisfaction était due à sa croyance inébranlable qu'elle trouverait sa façon de faire l'amour si enivrante qu'elle accepterait aveuglément de l'épouser.

Le temps lui enseignerait son erreur. Entre-temps, il lui incombait d'exercer un certain degré de prudence.

Après tout, elle n'avait pas eu l'intention d'accepter ne serait-ce qu'une première relation, encore moins la seconde.

Néanmoins..., elle en avait appris davantage, avait assurément ajouté quelque chose à son expérience. Étant donné les termes de leur accord, elle n'avait rien à craindre. L'impulsion, le désir physique qui les liaient diminueraient graduellement. Un plaisir occasionnel n'était pas une grande affaire.

Sauf s'il y avait la possibilité d'un enfant.

L'idée erra dans son esprit. Prenant une autre tranche de pain grillé, elle y réfléchit. Elle pensa, surprise, à sa première réaction impulsive à ce sujet.

Ce n'était pas ce à quoi elle s'attendait.

Elle fronça les sourcils et attendit que le bon sens se manifeste de nouveau.

Elle reconnut finalement que son interaction avec Trentham lui enseignait, lui révélait des choses sur elle qu'elle avait toujours ignorées.

Qu'elle n'avait même jamais soupçonnées.

*

Au cours des jours suivants, elle se tint occupée, étudiant les journaux de Cedric et s'occupant de Humphrey et de Jeremy ainsi que des affaires habituelles de la vie quotidienne place Montrose.

Le soir, toutefois...

Elle commençait à se sentir comme une éternelle Cendrillon, allant de bal en bal, nuit après nuit, et finissant inévitablement dans les bras de son prince. Un prince extrêmement beau et impérieux qui n'échouait jamais, malgré sa ferme résolution, à la faire succomber..., et ce, dans un endroit intime où ils pouvaient rassasier leurs sens et ce besoin intense d'être ensemble, de partager leurs corps et de ne faire qu'un.

Son succès était saisissant. Elle ignorait comment il réussissait. Même quand elle évitait le choix évident de la soirée, devinant à quel événement il s'attendait à ce qu'elle participe et participant à certains autres, il n'échouait jamais à se matérialiser à ses côtés à l'instant où elle entrait dans la pièce.

C'était comme pour sa connaissance des maisons de leurs hôtesses. Cela commençait à être étrange. Elle avait passé bien plus de temps dans la haute société, et ce, plus récemment, pourtant avec une exactitude infaillible, il pouvait la conduire dans un petit salon, ou une bibliothèque ou un bureau isolé ou une véranda.

À la fin de la semaine, elle commença à se sentir sérieusement traquée.

Elle commençait à réaliser qu'elle pouvait avoir sous-estimé les sentiments entre eux.

Ou, ce qui était encore plus menaçant, qu'elle avait complètement mal jugé leur nature.

Chapitre 12

Tristan ignorait très peu de choses sur la façon d'établir un réseau d'informateurs.

Le cocher de Lady Warsingham n'avait fait aucune difficulté pour indiquer au balayeur du coin l'endroit où on lui avait demandé de se rendre chaque soir. Un des valets de Tristan partait à midi rencontrer le balayeur et revenait avec l'information.

Le personnel de sa propre maison s'était avéré être une source exemplaire, intrigué et avide de lui fournir les détails des maisons que Leonora choisissait d'honorer de sa présence. Et Gasthorpe avait exercé sa propre initiative et fourni à Tristan un contact de taille.

Toby, le garçon d'écurie des Carling, habitait les cuisines du numéro 14 et connaissait donc les intentions de ses maîtres et de sa maîtresse. Le garçon était toujours impatient d'entendre les récits de l'ancien sergent-major. En retour, il fournissait naïvement à Tristan des renseignements sur les activités de la journée de Leonora.

Ce soir, elle avait choisi de se rendre au gala de la marquise de Huntly. Tristan flâna quelques minutes avant l'heure d'arrivée prévue du groupe des Warsingham.

Lady Huntly l'accueillit l'œil pétillant.

— J'ai su, dit-elle, que vous portiez un intérêt particulier à Mlle Carling ?

Il croisa son regard, étonné…

— Des plus particuliers.

— Dans ce cas, je devrais vous avertir que bon nombre de mes neveux sont attendus ce soir.

Lady Huntly tapota son bras.

— Voilà un simple avertissement.

Il inclina la tête et avança dans la foule, se creusant la cervelle pour trouver un lien pertinent. Ses neveux ? Il allait chercher Ethelreda ou Millicent, qui se trouvaient toutes deux quelque part dans la salle, pour demander des explications quand il se souvint que Lady Huntly était une Cynster.

Étouffant un juron, il fit demi-tour et prit place près des portes principales.

Leonora entra quelques minutes plus tard. Il s'empara de sa main dès qu'elle sortit de la file de réception des invités.

Elle haussa les sourcils dans sa direction. Il put voir un commentaire concernant son côté possessif se former dans son esprit. Posant sa main sur la sienne, il serra ses doigts.

— Allons installer vos tantes, ensuite nous pourrons danser.

Elle croisa son regard.

— Juste une danse.

Voilà un avertissement dont il n'avait aucune intention de tenir compte. Ensemble, ils accompagnèrent ses tantes vers un ensemble de fauteuils où bon nombre de ladies âgées étaient rassemblées.

— Bonsoir, Mildred.

Une vieille dame chamarrée hocha royalement la tête.

Lady Warsingham la salua en retour.

– Lady Osbaldestone. Vous devez vous souvenir de ma nièce, Mlle Carling ?

La vieille dame, encore belle à sa manière, mais avec des yeux noirs terriblement perçants, observa Leonora, qui faisait la révérence. La vieille harpie grommela :

– Bien sûr que je me souviens de vous, Mademoiselle. Mais vous ne devez plus être une demoiselle.

Son regard se porta sur Tristan.

– Qui est-ce ?

Lady Warsingham fit les présentations. Tristan salua.

Lady Osbaldestone bougonna.

– Bien, on peut toujours espérer que vous parviendrez à faire changer d'avis Mlle Carling. La salle de danse est par là.

Avec sa canne, elle fit un geste vers une arche plus loin où des couples tournaient. Tristan saisit le congédiement implicite.

– Si vous voulez bien nous excuser.

Sans attendre de permission, il conduisit rapidement Leonora ailleurs.

S'arrêtant sous l'arche, il demanda :

– Lady Osbaldestone… Qui est-elle ?

– Une pure terreur de la haute société. N'y prêtez pas attention.

Leonora observa les danseurs.

– Et je vous préviens, ce soir, nous n'allons que danser.

Il ne rétorqua pas. Il prit sa main et la conduisit sur la piste pour l'entraîner dans une valse. C'était une valse à laquelle il donnait habituellement un maximum d'effet ; malheureusement, étant donné les limites d'une salle de danse à moitié pleine, il ne put offrir tout l'effet qu'il aurait voulu.

La danse suivante était un cotillon, un exercice qui l'ennuyait. Il lui fournissait trop peu d'occasions de taquiner les sens de sa partenaire. Or, il était encore trop tôt pour la convaincre de rejoindre le tout petit salon qui donnait sur les jardins. Quand elle admit mourir de soif, il la laissa sur le côté de la pièce et alla chercher deux verres de champagne.

La pièce des rafraîchissements donnait sur la salle de bal. Il ne fut absent qu'un instant, mais quand il revint, il découvrit Leonora en pleine conversation avec un homme grand aux cheveux noirs qu'il reconnut comme étant Devil Cynster.

Ses jurons intérieurs furent corrosifs, mais quand il s'approcha, ni Leonora ni Cynster, qui ne fut pas ravi de cette interruption, ne détectèrent quoi que ce soit en dehors de l'urbanité de son expression.

– Bonsoir.

Tendant son verre à Leonora, il salua Cynster, qui lui rendit son salut en durcissant son visage pâle.

Il fut immédiatement évident qu'ils se ressemblaient beaucoup, pas juste en taille, dans la largeur de leurs épaules, dans leur élégance, mais aussi dans leur caractère, leur nature…, leur tempérament.

Un instant passa tandis que tous deux assimilaient ce fait, puis Cynster lui tendit la main.

– St-Ives. Ma tante a mentionné que vous étiez à Waterloo.

Tristan opina et lui serra la main.

– Trentham, même si je ne l'étais pas alors.

Il se pressa de chercher la meilleure façon de répondre aux inévitables questions. Il en avait assez entendu sur l'implication des Cynster dans les récentes campagnes pour deviner que St-Ives en savait suffisamment pour déceler sa manière habituelle de contourner la vérité.

St-Ives l'observait attentivement, le jaugeait.

– Dans quel régiment étiez-vous ?

– La Garde royale.

Tristan fixa ses yeux vert pâle, omettant résolument toute autre précision. Le regard de St-Ives se plissa. Il le soutint et murmura :

– Vous étiez dans la cavalerie lourde, si je me souviens bien. Avec certains de vos cousins, vous avez relevé la troupe de Cullen sur le flanc droit.

St-Ives se figea, cligna des yeux, puis revêtit un sourire tout à fait sincère. Son regard revint sur celui de Tristan. Il inclina la tête et dit :

– Tout à fait.

Seul quelqu'un ayant un niveau d'habilitations militaires très élevé pouvait être au courant de cette petite excursion. Tristan put presque voir les liens se tisser derrière les yeux vert clair de St-Ives.

Il remarqua le rapide coup d'œil de St-Ives, qui le reconsidérait, avant de reculer d'un mouvement presque imperceptible.

Leonora avait fait passer son regard de l'un à l'autre, assistant à une conversation qu'elle ne pouvait pas suivre, ce qui l'avait irritée. Elle ouvrit la bouche…

St-Ives se tourna vers elle et lui sourit avec une force écrasante purement prédatrice.

— J'avais l'intention de vous séduire, mais je crois que je vais vous laisser à la douce merci de Trentham. Cela ne se fait pas de contrarier un ancien officier, et il semble y avoir peu de doute qu'il mérite de l'emporter.

Leonora redressa son menton et plissa les yeux.

— Je ne suis pas un ennemi à capturer et à conquérir.

— C'est une question de point de vue.

Le commentaire sec de Tristan l'amena à faire dévier son regard vers lui.

St-Ives sourit largement, impénitent. Il esquissa une révérence et se retira, saluant Tristan dans le dos de Leonora.

Tristan vit cela avec soulagement. Avec de la chance, St-Ives avertirait ses cousins et tous ceux de leur genre.

Leonora lança un regard renfrogné à St-Ives, qui se retirait.

— Qu'a-t-il voulu dire par « mériter de l'emporter » ?

— Probablement que je vous ai vue le premier.

Elle pivota, plissant son front davantage.

— Je ne suis pas un genre de…

Elle fit un geste avec son verre.

— … de proie.

— Comme je le disais, c'est une question de point de vue.

— Absurde.

Elle s'arrêta, les yeux rivés sur les siens, puis continua :

— J'espère sincèrement que vous ne pensez pas en ces termes, car je vous avertis que je n'ai aucune intention d'être capturée, conquise et encore moins attachée.

Sa diction était devenue plus nette à chaque mot. À sa dernière expression, les gentlemen faillirent se tourner pour la regarder.

— Ceci, dit Tristan en prenant sa main et en passant son bras dans le sien, n'est pas l'endroit pour discuter de mes intentions.

— De vos intentions ?

Elle baissa la voix.

— En ce qui me concerne, vous n'en avez pas par rapport à moi. Il n'y en a aucune que vous ayez la chance de concrétiser.

— Je suis désolé de devoir vous contredire, bien sûr, mais…

Il continua à converser avec elle tandis qu'il la conduisait vers une petite porte. Mais alors qu'il tendait le bras pour l'ouvrir, elle comprit et s'immobilisa brusquement.

— Non !

Elle plissa les yeux encore plus en le regardant.

— Nous devions juste danser ce soir. Il n'y a aucune raison pour que nous soyons seuls.

Il arqua un sourcil.

— En nous retirant en pleine confusion ?

Elle se pinça les lèvres, et ses yeux ne furent plus que de minuscules fentes.

— Cela n'est rien de la sorte, et vous ne m'aurez pas avec une stratégie si évidente.

Il poussa un soupir exaspéré. De toute façon, il était trop tôt pour qu'ils se risquent à s'éclipser. Les salles n'étaient pas suffisamment pleines.

— Très bien.

Il la ramena dans la salle.

– On dirait qu'une valse recommence.

Lui enlevant son verre des doigts, il tendit les deux verres à un valet qui passait, puis la conduisit sur la piste.

Leonora se détendit pendant la danse, laissant ses sens aller. Au moins ici, en présence des autres, il était sécuritaire de le faire. En privé, elle ne faisait confiance ni à lui ni à elle. L'expérience lui avait appris qu'une fois dans ses bras, elle ne pouvait compter sur sa raison pour la guider. Les arguments logiques et rationnels ne semblaient jamais gagner contre cette bouffée passionnée de désir ardent.

Le désir. Elle le connaissait assez maintenant pour nommer cette passion qui les menait, qui embrasait leur attirance. Elle avait reconnu le désir en tant que tel pour elle-même, mais elle se gardait bien de laisser paraître ce qu'elle avait compris.

Toutefois, tandis qu'elle valsait dans les bras de Trentham, détendue mais les sens émoustillés, ce fut un aspect différent de leur interaction qui l'inquiéta.

Un aspect que les mots de Devil Cynster et la discussion qui avait suivi avaient mis davantage en évidence.

Elle tint sa langue jusqu'à ce que la danse finisse, mais ensuite, ils furent rejoints par deux autres couples, et la conversation devint générale. Quand les musiciens entamèrent les premières mesures d'un cotillon, elle adressa à Tristan un regard empreint d'un avertissement fugace et elle accepta la main de Lord Hardcastle.

Trentham – Tristan – la laissa aller sans réagir en dehors de son regard plus sévère. Encouragée, elle revint à ses côtés une fois la danse finie, mais quand la mesure suivante s'avéra être celle d'une danse folklorique, elle accepta de nouveau l'offre d'un autre — le jeune Lord Belvoir, un gentleman qui pourrait un jour être du genre de Tristan et de St-Ives, mais qui n'était pour l'instant qu'un compagnon divertissant plus de son âge.

De nouveau, Tristan — elle commençait à penser à lui par son prénom. Il le lui avait soutiré assez souvent dans des circonstances suffisamment uniques et mémorables qu'elle ne risquait pas de l'oublier — supporta sa fuite avec un calme apparemment stoïque. Seulement, elle était assez près pour voir la dureté, la possession, et plus que toute autre chose, la vigilance dans ses yeux.

Ce fut cette dernière qui lui confirma comment il la percevait et finalement qui lui fit abandonner toute tentative de raisonner son loup. Son loup sauvage. Elle n'avait pas oublié, mais parfois, il était nécessaire de prendre des risques.

Elle attendit que le petit groupe dont ils faisaient partie se disperse. Avant que d'autres les rejoignent, elle posa sa main sur le bras de Tristan et le poussa vers la porte vers laquelle il s'était auparavant dirigé.

Il la regarda brièvement et haussa les sourcils.

— Avez-vous une envie particulière ?

— Non, j'ai d'autres pensées.

Elle lui lança un regard fugace et continua vers la porte.

— Je veux vous parler, juste vous parler, et je pense que ce serait plus approprié en privé.

Atteignant la porte, elle s'arrêta et rencontra son regard.

— Je suppose que vous connaissez un endroit dans cette demeure où nous serions assurés d'être seuls ?

Il revêtit un sourire typiquement masculin, puis ouvrit la porte et la fit entrer.

— Loin de moi l'idée de vous décevoir.

En effet. La pièce où il la conduisit était petite, meublée comme un salon où une lady pouvait s'asseoir dans une intimité agréable et regarder les jardins impeccables. Accessible par un dédale de couloirs qui se croisaient, il était assez loin des salles de réception, soit un lieu parfait pour une conversation privée, verbale ou autre.

Se demandant comment il faisait, elle se dirigea directement vers les fenêtres pour regarder le jardin brumeux. Il n'y avait pas de lune, aucune distraction à l'extérieur. Elle entendit la porte se fermer, puis sentit Tristan approcher. Elle prit son souffle et se tourna pour le regarder. Elle dut poser sa main sur sa poitrine pour le retenir.

— Je veux discuter de la façon dont vous me voyez.

Il ne réagit pas en apparence, mais elle avait manifestement choisi une tactique à laquelle il ne s'attendait pas.

— Quoi ?

Elle l'arrêta avec une main levée.

— Il devient de plus en plus clair que vous me voyez comme un genre de défi. Et les hommes comme vous sont par nature incapables de résister aux défis.

Elle le regarda gravement.

— Ai-je raison de penser que vous voyez le fait que j'accepte de vous épouser de cette façon ?

Tristan lui rendit son regard. Il était de plus en plus méfiant. Il était difficile de penser de quelle autre façon il voyait la chose.

— Oui.

— Ah! Ah! Ça, vous voyez, c'est notre problème.

— Quel problème?

— Le problème que vous n'êtes pas capable de prendre mon « non » pour une réponse.

Appuyant son épaule contre le châssis de la fenêtre, il baissa les yeux sur elle, sur ses yeux qui brillaient ardemment devant sa supposée découverte.

— Je ne vous suis pas.

Elle émit un bruit de dédain.

— Bien sûr que si. C'est juste que vous ne voulez pas y penser parce que ça ne correspond pas aux intentions que vous avez déclarées.

— Pardonnez mon esprit masculin confus et expliquez-vous.

Elle lui lança un regard résigné.

— Vous pouvez difficilement nier qu'un bon nombre de ladies se sont jetées elles-mêmes à vos pieds et qu'elles s'y jetteront une fois que la saison aura dûment commencé.

— En effet.

C'était une des raisons pour lesquelles il la gardait rivée à ses côtés, une des raisons pour lesquelles il voulait obtenir son accord pour leur mariage aussitôt que possible.

— Qu'ont-elles à voir avec nous?

— Pas tant avec nous qu'avec vous. Vous, comme la plupart des hommes, appréciez peu ce que vous pouvez avoir sans lutter. Vous assimilez le combat avec quelque chose de valeur. Plus la bataille est difficile, plus l'objet atteint est précieux. C'est comme ça avec les guerres, c'est comme ça avec les femmes. Plus une lady résiste, plus elle devient désirable.

Elle le fixa de son regard bleu pervenche limpide.

— Ai-je raison?

Il réfléchit avant d'opiner.

— C'est une hypothèse sensée.

— Donc, vous voyez où cela nous mène?

— Non.

Elle siffla, exaspérée.

— Vous voulez m'épouser parce que je ne veux pas vous épouser, pour aucune autre raison. C'est cet esprit primitif, dit-elle en agitant ses mains, qui vous mène, et il participera à la fin de notre attirance. Elle s'estompera, mais...

Il tendit le bras et prit une de ses mains agitées pour l'attirer vers lui. Elle se colla contre sa poitrine et haleta quand ses bras se refermèrent autour d'elle. Il sentit son corps réagir comme il le faisait toujours, comme il l'avait toujours fait, à son contact.

— Notre attirance réciproque n'a pas diminué.

Elle tenta de reprendre son souffle.

— C'est parce que vous la confondez…

Ses mots s'estompèrent tandis qu'il baissait la tête.

— J'ai dit que nous allions seulement parler!

— C'est illogique.

Il caressa ses lèvres avec les siennes, appréciant que les siennes y adhèrent. Il bougea, l'installant plus confortablement dans ses bras. Il colla ses hanches aux siennes, la douce courbe de son ventre frôlant son membre en érection. Il baissa les yeux vers les siens, écarquillés, s'assombrissant. Ses lèvres s'incurvèrent, mais pas en un sourire.

— Vous avez raison. C'est un instinct primitif qui me mène, mais vous avez choisi le mauvais.

— Quoi?

Elle ouvrit la bouche…, et il la remplit. Il en prit possession dans un long baiser approfondi et lent. Elle essaya de résister, recula, mais ensuite céda.

Quand, enfin, il leva la tête, elle soupira et murmura :

— Qu'y a-t-il d'illogique à parler ?

— Ce n'est pas cohérent avec votre conclusion.

— Ma conclusion ? dit-elle en clignant des yeux. Je n'en suis même pas venue à ma conclusion.

Il caressa de nouveau ses lèvres de sorte qu'elle ne put voir son sourire de loup.

— Laissez-moi le faire pour vous. Si, comme vous le supposez, la seule raison pour laquelle je veux vous épouser — la seule vraie raison à l'origine de notre attirance mutuelle —, c'est que vous résistez, pourquoi ne pas essayer de ne pas résister et voir ce qui se passe ?

Elle le regarda, ahurie.

— Ne pas résister ?

Il haussa légèrement les épaules, son regard tombant sur ses lèvres.

— Si vous avez raison, vous prouverez vos dires.

Il prit ses lèvres et sa bouche de nouveau, avant qu'elle considère ce qui arriverait si elle se trompait.

Sa langue caressa la sienne. Elle frissonna légèrement, puis l'embrassa aussi. Elle cessa de résister comme elle le faisait généralement quand ils atteignaient ce point. Il n'était pas assez stupide pour croire que cela signifiait plus. Il savait qu'elle cédait parce qu'elle avait décidé de prendre ce qu'elle pouvait, encore fermement convaincue que le désir entre eux diminuerait.

Il savait que ce ne serait pas le cas, du moins pas de sa part. Ce qu'il ressentait pour elle était très différent de tout ce qu'il avait ressenti avant pour n'importe quelle autre femme, pour n'importe qui d'autre tout court. Protecteur, extrêmement possessif et indubitablement droit. C'était cette conviction de droiture qui le poussait à la posséder encore et encore, même en dépit de ses rejets déterminés, à montrer l'étendue, le pouvoir grandissant de tout ce qui se développait entre eux.

C'était une révélation stupéfiante dans les circonstances, mais il se chargeait de peindre la réalité sensuelle entre eux avec des couleurs vives et frappantes pour mieux lui faire saisir son pouvoir, sa puissance et sa vérité sans fard.

Elle le sentit, interrompit le baiser, et sous ses paupières lourdes, ses yeux rencontrèrent les siens. Elle soupira.

— J'avais vraiment l'intention que nous ne fassions que danser ce soir.

Il n'y avait aucune résistance, aucune réticence, seulement une acceptation.

Il referma ses mains autour de ses fesses et bougea de façon suggestive contre elle. Puis, il pencha sa tête pour frôler ses lèvres.

— Nous allons danser, mais ce ne sera pas une valse.

Elle sourit. Sa main se referma sur sa nuque, et elle l'attira vers elle.

— Ce sera selon notre propre musique alors.

Il prit sa bouche, saisit le contrôle, puis le mit délibérément de côté.

La banquette en angle près des fenêtres était l'endroit parfait pour l'étendre, s'allonger près d'elle et se délecter de ses seins… jusqu'à ce que ses doux gémissements soient pressants et avides, jusqu'à ce qu'elle se cambre et que ses doigts s'enfoncent dans son crâne.

Réprimant un sourire triomphant, il descendit davantage sur le canapé, leva ses jupes, les remonta autour de sa taille pour dévoiler ses hanches et ses longues jambes élancées. Il suivit ses courbes avec ses doigts qui, après avoir traîné, écartèrent ses cuisses pour l'ouvrir à lui.

Ensuite, il pencha la tête et posa ses lèvres sur son sexe.

Elle cria, essaya de saisir ses épaules, mais elles étaient hors de sa portée. Elle emmêla ses doigts dans ses cheveux et les enfonça tandis qu'il lavait, léchait, puis suçait légèrement.

– Tristan ! Non…

– Oui.

Il la maintint et entra plus profondément, savourant le goût aigrelet de son sexe, la conduisant délibérément vers…

Elle frémissait au sommet de l'orgasme quand il bougea, libéra son sexe en érection des contraintes de ses pantalons et monta sur elle. Elle prit ses avant-bras, enfonça profondément ses ongles et leva ses genoux pour saisir ses flancs. Sa supplication sensuelle se grava dans chaque trait de son visage. Le désir menait son corps agité, bougeant de façon dévergondée, l'attirant sous lui.

Sa colonne se cambra quand il la pénétra. Il entra, et elle jouit dans une libération frémissante magnifique. Il la rejoignit, l'incitant à continuer. Elle se cramponna, sanglota et le rattrapa, aussi engagée que lui quand ils gravirent la montagne, atteignant un nouveau pic escarpé à chaque poussée vigoureuse, puis la tension se scinda, se fractura, diminua, et ils s'élevèrent dans le vide, dans la sublime chaleur de leur union.

Dans ce moment où toutes les barrières tombent et où il n'y a plus qu'elle et lui, unis dans une honnêteté nue, enveloppés dans cette puissante réalité.

Leurs poitrines se levaient, leurs cœurs s'emballaient, la chaleur se propageait sous leur peau. Ils s'immobilisèrent, attendirent et redescendirent intimement liés. Leurs regards se rencontrèrent, restèrent soudés. Aucun ne fit de mouvement pour bouger, pour se séparer.

Elle leva une main et caressa sa joue. Ses yeux scrutèrent les siens, se demandant…

Il tourna la tête et posa un baiser la bouche entrouverte sur la paume de sa main.

Il sut quand elle prit une profonde respiration que, bien que son corps et ses sens fussent encore plongés dans la béatitude, son esprit s'en était dégagé. Elle avait déjà recommencé à réfléchir.

Résigné, il regarda dans ses yeux et haussa un sourcil.

— Vous avez dit que j'avais choisi le mauvais instinct primitif, que ce n'était pas la réaction à un défi qui vous menait.

Elle soutint son regard.

— Si ce n'est pas ça, qu'est-ce que c'est ? Pourquoi sommes-nous ici ? demanda-t-elle en agitant mollement une main.

Il connaissait la réponse et ne put réussir à sourire.

— Nous sommes ici parce que je vous veux.

Elle émit un son moqueur.

— Alors, c'est juste le désir…

— Non.

Il se cala davantage en elle et réussit à obtenir sa complète attention.

– Pas le désir… pas quelque chose comme ça. Mais vous n'entendez pas ce que je dis. Je. Vous. Veux. Pas une autre femme. Aucune ne le pourrait. Seulement vous.

Elle fronça les sourcils.

Ses lèvres s'incurvèrent, mais pas pour former un sourire.

– C'est pourquoi nous sommes ici. C'est pourquoi je continuerai à vous séduire, peu importe ce qui se passera une fois que vous accepterez d'être mienne.

***

« Seulement vous. »

Buvant son thé à la table du petit déjeuner le lendemain matin, Leonora examina ces mots.

Elle n'était pas sûre du tout d'en comprendre les implications, de comprendre ce que Tristan avait voulu signifier. Les hommes, du moins ceux de son genre, étaient une espèce inconnue pour elle. Elle se sentait mal à l'aise d'attribuer trop de signification – ou la signification qu'elle voulait – à sa phrase.

Il y avait d'autres complications.

La facilité avec laquelle il avait fait échouer ses intentions bien nettes chez les Huntly – juste comme il l'avait fait les soirs d'avant – lui faisait penser qu'elle n'avait qu'une chance très minime de s'opposer à lui et à sa séduction experte.

Il n'y avait plus de faux-semblant sur ce front. Si elle voulait vraiment le repousser, elle devrait dénicher une ceinture de chasteté. Et même là..., il pourrait presque à coup sûr crocheter la serrure.

Et il y avait encore plus à considérer.

Il était parfaitement évident que tester son hypothèse de ne pas résister pouvait servir à jouer son jeu. Mais si elle avait raison dans son estimation de la raison derrière sa passion, alors ne pas résister à l'idée de l'épouser verrait en fait son intérêt décroître.

Mais si ce n'était pas le cas ?

Elle avait passé la moitié de la nuit à se demander, à imaginer...

Une légère toux en provenance de Castor la ramena subitement à la réalité. Elle ignorait complètement combien de temps son esprit avait erré, captivé par des perspectives inattendues. Elle était ravie par un espoir auquel elle avait cru depuis longtemps avoir tourné le dos. Elle fronça les sourcils et mit de côté le pain grillé qu'elle n'avait pas mangé, puis se leva.

— Quand le valet emmènera Henrietta pour sa promenade, s'il vous plaît, demandez-lui de venir me voir. Je les accompagnerai aujourd'hui.

— Entendu, Mademoiselle.

Castor s'inclina tandis qu'elle quittait la pièce.

*

Le soir, accompagnée de Mildred et de Gertie, Leonora entra dans la salle de bal de Lady Catterthwaite. Elles n'étaient jamais ni en avance ni en retard. Après avoir salué leur hôtesse, elles rejoignirent la mêlée. À chaque journée qui passait, davantage de gens à la mode revenaient en ville, et les bals devenaient de plus en plus bondés.

La salle de bal de Lady Catterthwaite était petite et exiguë. Accompagnant ses tantes jusqu'à l'endroit où étaient regroupés les fauteuils et les méridiennes qui permettaient aux ladies les plus âgées de s'asseoir et de regarder les jeunes femmes dont elles avaient la charge, et d'échanger toutes les dernières nouvelles, Leonora fut surprise de ne pas trouver Trentham en train de l'attendre – en train d'attendre de sortir de la foule et de la harponner. De la solliciter.

Elle aida Gertie à s'installer dans un fauteuil, s'en voulant intérieurement de s'être de plus en plus habituée aux attentions de Tristan. Elle se redressa et salua ses tantes.

– Je vais me mêler aux invités.

Mildred parlait déjà à une connaissance, et Gertie hocha la tête avant de se tourner pour rejoindre le cercle.

Leonora se faufila dans la foule déjà considérable. Attirer un jeune homme, rejoindre un groupe de connaissances aurait été assez facile, pourtant elle n'avait aucun désir de faire ni l'un ni l'autre. Elle n'était pas… précisément inquiète, mais s'interrogeait assurément sur l'absence de Tristan. La nuit dernière, après qu'il eut délibérément prononcé les mots « seulement vous », elle avait senti un changement en lui, une soudaine prudence, une vigilance qu'elle était incapable d'interpréter.

Il ne l'avait pas écartée, ne s'était pas précisément retiré, mais elle avait senti un recul d'autoprotection de sa part, comme s'il était allé trop loin, qu'il en avait dit plus que nécessaire… ou peut-être que ce qui était vrai.

Cette possibilité la tracassa. Elle avait déjà assez de problèmes en essayant de comprendre ses motivations – de composer avec le fait que ses motivations étaient, et ce, tout à fait au-delà de ses espoirs ou de sa volonté, devenues importantes pour elle – que l'idée qu'il puisse ne pas être sincère avec elle, ne pas être honnête avec elle…, cela créait un bourbier d'incertitude dans lequel elle n'avait aucune intention de s'enfoncer.

C'était précisément le genre de situation qui participait le plus vigoureusement à sa position inflexible contre le mariage.

Elle continua à errer sans but, s'arrêtant ici et là pour échanger des salutations, puis, de façon tout à fait étonnante, juste devant elle dans la foule, elle vit une paire d'épaules qu'elle reconnut immédiatement.

Elles étaient vêtues d'un costume écarlate, comme elles l'avaient été il y a des années. Comme s'il sentit son regard, le gentleman regarda autour de lui et la vit. Il sourit.

Ravi, il se tourna et lui tendit la main.

– Leonora ! Comme je suis heureux de vous voir.

Elle lui rendit son sourire et lui donna la main.

– Mark. Je vois que vous n'avez pas quitté l'armée.

– Non, non. Une carrière de soldat, c'est moi.

Les cheveux bruns, le teint clair, il se tourna pour inclure la lady qui se tenait à ses côtés.

– Permettez-moi de vous présenter ma femme, Heather.

Le sourire de Leonora s'estompa une fraction de seconde, mais Heather Whorton sourit gentiment et lui serra la main. Si elle se souvenait que Leonora était la lady avec laquelle son mari avait été fiancé avant de la demander en mariage, elle n'en montrait aucun signe. Se détendant, un peu à sa grande surprise, Leonora se trouva abreuvée du récit de la vie des Whorton pendant les sept dernières années ou environ, depuis la naissance de leur premier enfant jusqu'à l'arrivée du quatrième, en passant par les rigueurs de suivre le tambour ou les longues séparations imposées aux familles de militaires.

Mark et Heather contribuèrent tous deux au récit. Il était impossible de ne pas voir combien Heather était dépendante de Mark. Elle tenait son bras, mais encore plus, elle semblait totalement absorbée par lui et leurs enfants. En fait, elle semblait ne pas avoir d'identité en dehors de ça.

Ce n'était pas la norme dans le cercle de Leonora.

Tandis qu'elle écoutait et souriait poliment, émettant des commentaires comme il était approprié de le faire, elle fut frappée par le fait que Mark et elle auraient été mal assortis. D'après les réactions de Heather, il était manifestement clair qu'il se réjouissait qu'elle ait besoin de lui — un besoin que Leonora n'aurait jamais ressenti, ne se serait jamais permis de développer.

Elle avait réalisé depuis longtemps qu'elle n'aimait pas Mark. Au moment de leurs fiançailles, elle était jeune et avait manifestement la naïveté de ses dix-sept ans. Elle avait cru qu'elle voulait ce que toutes les autres ladies voulaient — convoitaient —, un beau mari. En l'écoutant à présent, et en se souvenant, elle pouvait admettre qu'elle n'avait pas été amoureuse de lui, mais de l'idée d'être amoureuse, de se marier et d'avoir à s'occuper de sa propre maison. D'avoir ce qui, pour les filles de son âge, représentait le Saint Graal.

Elle écoutait, observait et émit une prière sincère. Elle l'avait vraiment échappé belle.

*

Tristan descendit nonchalamment l'escalier de la salle de bal de Lady Catterthwaite. Il arrivait plus tard que d'habitude. Un message reçu plus tôt dans la journée d'un de ses contacts avait nécessité une autre visite sur les quais. La nuit était tombée avant qu'il revienne chez lui.

S'arrêtant à deux marches d'en bas, il scruta la salle, mais ne trouva pas Leonora. Par contre, il remarqua ses tantes. Tracassé, il descendit et se dirigea dans leur direction.

Il était propulsé par le besoin de trouver Leonora, une impulsion dont l'intensité l'agaçait.

Leur aventure de la nuit dernière, l'explication qu'il lui avait donnée, qu'elle et elle seule comblait son désir, n'avait servi qu'à souligner, à exacerber son sentiment grandissant de vulnérabilité. Il se sentait comme s'il allait livrer bataille en oubliant une partie de son armure, comme s'il s'exposait, ainsi que ses émotions, d'une manière imprudente, ridicule, gratuitement stupide.

Son instinct le mit immédiatement et complètement en garde contre une telle faiblesse, pour la dissimuler, la contenir à toute vitesse.

Il ne pouvait s'empêcher d'être le genre d'homme qu'il était et avait accepté sa nature depuis longtemps. Il savait qu'il était absurde de combattre son désir croissant pour rassurer Leonora, pour la faire sienne sans équivoque.

Pour qu'elle accepte de l'épouser au plus vite.

Atteignant l'essaim de dames plus âgées, il salua Mildred avant de lui serrer la main ainsi que celle de Gertie. Il dut ensuite subir une série de présentations au sein du cercle de matrones enthousiastes et intéressées.

Mildred le sauva en faisant signe vers la foule.

– Leonora est ici, quelque part dans la mêlée.

– Il était temps que vous arriviez !

Grommelant, Gertie, qui se tenait assise d'un côté du groupe, attira son attention.

– Elle est par là.

Elle lui indiqua un endroit avec sa canne. Tristan se tourna, regarda, et vit Leonora en train de discuter avec un officier d'un régiment d'infanterie.

Gertie grogna.

– Cette canaille de Whorton la flatte bassement. Impossible qu'elle puisse aimer ça. Vous feriez bien d'y aller et de lui venir en aide.

Il n'avait jamais été du genre à se précipiter sans comprendre de quoi il s'agissait. Bien que le trio dont faisait partie Leonora fût assez loin, ils étaient, de cet angle, clairement visibles. Alors qu'il ne pouvait voir que le profil de Leonora, sa posture et ses gestes occasionnels lui assurèrent qu'elle n'était ni contrariée ni inquiète. Elle ne montrait pas non plus de signe de vouloir s'en aller.

Il regarda de nouveau Gertie.

– Whorton… Je suppose que c'est le capitaine avec qui elle discute ?

Gertie opina.

– Pourquoi le traitez-vous de canaille ?

Gertie plissa les yeux en le regardant. Ses lèvres se pincèrent en une ligne étroite. Elle l'étudia attentivement. Depuis le début, elle avait été la moins encourageante des tantes de Leonora, mais elle n'avait pas tenté de lui mettre des bâtons dans les roues. En fait, au fil des jours, il s'était dit qu'elle le voyait plus favorablement.

Il était apparemment acceptable, car elle inclina soudain la tête et regarda de nouveau Whorton. Son aversion pour lui était flagrante dans son visage.

— Il l'a abandonnée, voilà pourquoi. Ils étaient fiancés quand elle avait dix-sept ans, avant qu'il parte pour l'Espagne. Il est revenu l'année suivante et est allé tout de suite la voir. Nous nous attendions tous à savoir quand les cloches de l'église sonneraient leur mariage. Mais ensuite, Leonora l'a raccompagné à la porte et elle est revenue nous dire qu'il lui avait demandé de rompre les fiançailles. Il semble que la fille de son colonel lui plaisait davantage.

Le grognement de Gertie fut éloquent.

— C'est pourquoi je le considère comme une canaille. Il lui a brisé le cœur.

Un mélange complexe d'émotions traversa Tristan. Il s'entendit demander :

— Elle a rompu ?

— Bien sûr ! Quelle lady ne l'aurait pas fait dans de telles circonstances ? Le goujat ne voulait plus l'épouser. Il avait trouvé un meilleur parti.

La tendresse de Gertie pour Leonora transparaissait dans sa voix, teintait son désarroi. Impulsivement, il lui tapota l'épaule.

— Ne vous inquiétez pas. Je vais aller lui venir en aide.

Mais il n'allait pas le maltraiter, car en plus de tout le reste, il était très heureux que le goujat n'ait pas épousé Leonora.

Les yeux posés sur le trio, il se faufila dans la foule. Il venait juste de mettre la main sur un morceau crucial du casse-tête que constituait Leonora et son attitude envers le mariage, mais il ne pouvait pas encore se permettre de s'arrêter, de réfléchir, de tergiverser et de voir à quel point il s'intégrait dans le puzzle ni ce qu'il lui indiquait.

Il arriva à côté de Leonora. Elle leva les yeux vers lui et sourit.

— Ah, vous voilà !

Prenant sa main, il la porta rapidement à ses lèvres, puis la posa sur sa manche, comme il en avait l'habitude. Elle haussa légèrement les sourcils en signe de résignation, puis se tourna vers les autres.

— Permettez-moi de vous présenter.

Elle s'exécuta. Il saisit subitement que l'autre lady était la femme de Whorton. Son masque poli en place, il salua à son tour.

Mme Whorton lui sourit gentiment.

— Comme je le disais, il s'avère être un véritable casse-tête d'organiser l'éducation de nos enfants…

À sa grande surprise, il se vit écouter une discussion sur le choix de l'endroit où les enfants de Whorton devaient faire leur éducation. Leonora donna son opinion d'après son expérience avec Jeremy. Whorton avait manifestement l'intention de prendre son conseil en considération.

Contrairement à la supposition de Gertie, Whorton ne faisait aucune tentative d'appâter Leonora ni d'évoquer des liens datant de plusieurs années.

Tristan observa attentivement Leonora, mais ne put rien détecter en dehors de sa confiance sereine habituelle, de sa grâce sociale naturelle.

Elle n'était pas particulièrement bonne actrice. Son humeur était trop palpable. Peu importe les sentiments qu'elle avait éprouvés pour Whorton, ils n'étaient plus assez forts pour faire augmenter son pouls. Son cœur battait régulièrement sous ses doigts. Elle était vraiment calme.

Même en discutant d'enfants qui, si les choses avaient été différentes, auraient pu être les siens.

Il se demanda soudain ce qu'elle pensait des enfants, réalisant qu'il avait considéré l'opinion de Leonora sur son héritier comme acquise.

Il se demanda si elle portait déjà son enfant.

Sa gorge se serra. Une vague de possession le traversa. Il n'avait pas tant battu des cils que ça, mais Leonora le regarda, fronçant légèrement les sourcils, l'air intrigué.

Cela le sauva. Il sourit de façon décontractée. Elle cligna des yeux, scruta les siens, puis retourna à la discussion avec Mme Whorton.

Les musiciens finirent par jouer. Il saisit l'occasion pour quitter les Whorton et conduire Leonora directement sur la piste.

Il l'attira dans ses bras et la fit valser.

Là, il se concentra sur son visage et sur l'expression résignée dans ses yeux.

Il cligna des yeux et haussa un sourcil.

— Je sais que vous, les militaires, vous êtes habitués à agir avec empressement, mais dans une salle de bal de la haute société, il est d'usage de demander à une lady si elle veut danser.

Il rencontra son regard et dit, après un moment :

— Toutes mes excuses.

Elle attendit, puis leva haut ses sourcils.

— Allez-vous me le demander ?

– Non. Nous sommes déjà en train de valser. Vous le demander serait redondant. Et vous pourriez refuser.

Elle le regarda en clignant des yeux, puis sourit, manifestement amusée.

– Je pourrais l'essayer une fois.

– Non.

– Pourquoi pas ?

– Parce que vous n'aimerez pas ce qui se passera.

Elle soutint son regard, puis soupira de façon exagérée.

– Vous allez devoir travailler vos habiletés sociales. Cette attitude d'empêcheur de tourner en rond ne convient pas.

– Je sais. Croyez-moi, je travaille fort pour trouver une solution. Votre aide sera appréciée.

Elle plissa les yeux, puis prit son air hautain et fit dévier son regard, feignant la colère parce qu'il avait eu le dernier mot.

Il la fit tourner amplement et pensa à l'autre sujet mineur, un sujet pertinent et peut-être urgent, dont il devait s'occuper à présent.

« Les militaires. » Ses souvenirs de Whorton, peu importe combien ils étaient anciens et confus, ne devaient pas être heureux, et elle les classait très probablement, lui et le capitaine, comme des hommes de la même trempe.

Chapitre 13

— Excellent !

Leonora leva les yeux vers Tristan tandis qu'il entrait.

Rangeant rapidement son secrétaire, elle le ferma et se leva.

— Nous pouvons aller marcher dans le parc avec Henrietta, et je vous donnerai les nouvelles que j'ai reçues.

Tristan haussa un sourcil en la regardant, mais tint docilement la porte et la suivit dans l'entrée. Elle lui avait dit la veille au soir qu'elle avait reçu quelques réponses des connaissances de Cedric. Elle lui avait demandé de venir en discuter, mais n'avait aucunement fait mention de promener son chien.

Il l'aida à mettre sa pelisse, puis enfila son pardessus. Le vent était froid, balayant les rues. Les nuages cachaient le soleil, mais la journée était assez sèche. Un valet arriva avec Henrietta brûlant d'impatience. Tristan fixa la chienne d'un regard de mise en garde, puis prit la laisse.

Leonora prit la tête.

— Le parc est seulement à quelques rues d'ici.

— J'en déduis, dit Tristan, la suivant sur l'allée du jardin, que vous ne sortez qu'avec votre chien ?

Elle lui lança un bref regard.

— Si vous voulez savoir par là si je me promène dans les rues sans elle, non. Mais c'est assurément contraignant. Le plus tôt nous mettrons la main sur Mountford, le mieux ce sera.

Avançant plus vite, elle ouvrit le portail et le tint pendant qu'Henrietta et lui passaient, puis elle le referma.

Il prit sa main et saisit son regard tandis qu'il passait son bras dans le sien.

— Alors, allez-y.

Il la plaça à côté de lui et laissa Henrietta les mener en direction du parc.

— Qu'avez-vous appris ?

Elle prit son souffle, installa son bras dans le sien et regarda en avant.

— Je portais de grands espoirs en A. J. Carruthers. Cedric avait communiqué plus fréquemment avec Carruthers au cours de ces dernières années. Toutefois, je n'ai reçu aucune nouvelle du Yorkshire, où vivait Carruthers, jusqu'à hier. Avant, cependant, au cours des jours précédents, j'ai reçu trois réponses d'autres herboristes, tous dispersés dans le pays. Tous les trois ont écrit qu'ils croyaient que Cedric avait travaillé à une formule particulière, mais aucun n'en connaissait les détails. Chacun d'eux, par contre, a suggéré que j'entre en contact avec A. J. Carruthers, car ils savaient que Cedric avait travaillé de façon plus proche avec cet herboriste.

— Trois réponses indépendantes qui indiquent toutes que Carruthers devrait en savoir plus ?

Leonora opina.

— Tout à fait. Malheureusement, toutefois, Carruthers est décédé.

— Décédé ?

Tristan s'arrêta sur le trottoir et croisa son regard. L'étendue verdoyante du parc se trouvait de l'autre côté de la rue.

— Décédé comment ?

Elle comprit bien la question, mais grimaça.

— Je ne sais pas... Tout ce que je sais, c'est qu'il est mort.

Henrietta tira. Tristan vérifia, puis fit avancer Leonora et le chien. La silhouette imposante et poilue d'Henrietta ainsi que ses mâchoires ouvertes remplies de dents aiguisées lui fournirent l'excuse parfaite pour éviter la zone à la mode envahie par les matrones et leurs filles. Il fit tourner le chien vers le coin le plus vert et envahi de végétation au-delà de l'extrémité ouest de Rotten Row.

La zone était presque déserte.

Leonora n'attendit pas sa question suivante.

— La lettre que j'ai reçue hier venait d'un notaire de Harrogate qui travaillait pour Carruthers et supervisait ses biens. Il m'a informée de la mort de Carruthers, mais il a dit qu'il ne pouvait pas m'aider quant à ma demande de renseignements. Il a suggéré que le neveu de Carruthers, qui a hérité de tous les journaux de Carruthers et du reste, pouvait être capable d'éclairer l'affaire — le notaire savait que Carruthers et Cedric avaient correspondu à de nombreuses reprises les mois précédant la mort de Cedric.

— Est-ce que ce notaire a mentionné la date exacte de la mort de Carruthers ?

— Pas exactement. Tout ce qu'il a dit, c'est que Carruthers est mort quelques mois après Cedric, mais qu'il était malade depuis un certain temps déjà.

Leonora s'arrêta, puis ajouta :

— Il n'y a aucune mention dans les lettres que Carruthers a envoyées à Cedric d'une quelconque maladie, mais il se peut qu'ils n'aient pas été si proches.

— En effet. Ce neveu… Avons-nous son nom et son adresse ?

— Non.

Sa grimace était l'incarnation même de la frustration.

— Le notaire m'a avisée qu'il avait fait suivre ma lettre au neveu à York, mais c'est tout ce qu'il a dit.

— Hum.

Baissant les yeux, Tristan avança, évaluant la situation, extrapolant.

Leonora lui lança un regard fugace.

— C'est l'information la plus intéressante que nous avons trouvée pour l'instant – le lien le plus probable, en fait le seul possible, avec quelque chose qui aurait à voir avec ce que cherche Mountford. Il n'y a rien de précis dans les lettres de Carruthers à Cedric en dehors des références indirectes à quelque chose à quoi ils travaillaient – aucun détail du tout. Mais nous devons poursuivre cette piste, ne croyez-vous pas ?

Il leva les yeux, rencontra son regard et opina.

— Je mets quelqu'un là-dessus dès demain.

Elle fronça les sourcils

— Où ? À Harrogate ?

– Et à York. Une fois que nous aurons le nom et l'adresse, il n'y aura aucune raison de ne pas rendre visite à ce neveu.

Son seul regret était qu'il ne pouvait pas le faire personnellement. Voyager dans le Yorkshire signifiait laisser Leonora hors de sa portée. Elle pouvait avoir des gardes, mais aucune protection organisée ne serait suffisante pour lui assurer qu'elle serait en sécurité, pas tant que Mountford, peu importe qui il était, soit pris.

Ils marchaient, ni lentement ni vite, dans le sillage d'Henrietta. Il réalisa que Leonora l'étudiait, une expression plutôt étrange sur le visage.

– Quoi ?

Elle serra ses lèvres, posa ses yeux sur lui, puis secoua la tête et détourna le regard.

– Vous.

Il attendit, puis insista :

– Quoi, moi ?

– Vous en saviez assez pour comprendre que quelqu'un avait fait une empreinte de la clé. Vous vous attendiez à la venue d'un cambrioleur et vous avez engagé le combat avec lui sans ciller. Vous pouvez crocheter une serrure. L'évaluation des locaux pour leur capacité à résister à des intrus, c'est quelque chose que vous avez fait auparavant. Vous avez accès à des dossiers spéciaux à la salle des registres, des dossiers dont plusieurs ne connaissent même pas l'existence. D'un geste de la main – elle le fit –, vous pouvez avoir des hommes qui surveillent ma rue. Vous vous habillez comme un terrassier et fréquentez les quais, puis vous vous changez en comte – quelqu'un qui sait toujours étrangement où je serai, quelqu'un qui connaît exactement les maisons de nos hôtesses.

» Et maintenant, comme ça, vous allez vous organiser pour que des hommes aillent récolter de l'information à Harrogate et à York.

Elle lui lança un regard résolu mais intrigué.

— Vous êtes le plus étrange ancien soldat et comte que j'ai jamais rencontré.

Il soutint son regard pendant un long moment, puis murmura :

— Je n'étais pas un soldat comme tout le monde.

Elle hocha la tête et regarda en avant de nouveau.

— C'est ce que j'ai cru comprendre. Vous étiez commandant dans la Garde royale, un soldat du genre de Devil Cynster.

— Non.

Il attendit qu'elle croise son regard.

— Je…

Il s'interrompit. Le moment arrivait plus tôt qu'il avait prévu. Une vague de pensées se bousculèrent dans son esprit, la plus frappante étant comment une femme qui avait été rejetée par un soldat se sentirait si un autre lui mentait. S'il ne lui mentait pas tout à fait, verrait-elle la différence ? Son instinct était qu'il devait la laisser dans le noir, qu'il devait taire son passé dangereux et ses propensions également dangereuses. Il devait la garder dans une totale ignorance de ce côté de sa vie et de tout ce que ça signifiait de son caractère.

Les yeux sur son visage, elle continua à avancer lentement, la tête penchée tandis qu'elle l'étudiait. Et attendait.

Il prit son souffle et dit doucement :

— Je n'étais pas comme Devil Cynster non plus.

Leonora le regarda dans les yeux. Elle ne put interpréter ce qu'elle y vit.

— Quel genre de soldat étiez-vous alors ?

La réponse, elle le savait, était une clé essentielle pour comprendre qui était vraiment l'homme à côté d'elle.

Il fit un rictus ironique.

— Si on avait accès à mon dossier, on y verrait que j'ai rejoint l'armée à vingt ans et que j'ai obtenu le grade de commandant dans la Garde royale. Ça m'a donné un régiment. Mais si vous vérifiez avec les soldats de ce régiment, vous découvririez que peu me connaissent, que je n'ai plus été vu peu après mon arrivée.

— Dans quel genre de régiment étiez-vous ? Pas la cavalerie.

— Non. Ni l'infanterie ni l'artillerie.

— Vous avez dit que vous aviez été à Waterloo.

— J'y étais.

Il soutint son regard.

— J'étais sur le champ de bataille, mais pas avec nos troupes.

Il regarda ses yeux écarquillés, puis ajouta doucement :

— J'étais derrière les lignes ennemies.

Elle cligna des yeux, puis le regarda fixement, profondément intriguée.

— Vous étiez un *espion* ?

Il grimaça légèrement et regarda en avant.

— Un agent travaillant à titre officieux pour le gouvernement de Sa Majesté.

Une foule d'impressions l'envahirent – des observations qui eurent soudainement un sens, d'autres choses qui n'étaient plus si mystérieuses –, pourtant elle était bien plus intéressée par ce que cette révélation signifiait, ce qu'elle disait de lui.

– Ça devait être extrêmement solitaire et épouvantablement dangereux.

Tristan la regarda. Il ne s'attendait pas à ce qu'elle dise cela, à ce qu'elle pense cela. Il repensa au passé, à ces années… et opina.

– Souvent.

Il attendit qu'elle en dise plus, qu'elle pose toutes les questions prévisibles. Aucune ne vint. Ils ralentirent. Impatiente, Henrietta aboya et tira. Leonora et lui échangèrent un regard, puis elle sourit, resserrant sa prise sur son bras. Ils allongèrent le pas, revenant vers les rues de Belgravia.

Elle adopta une expression pensive, lointaine et distante, mais pas troublée, ni irritée, ni inquiète. Quand elle sentit ses yeux sur les siens, elle le regarda directement, sourit et regarda devant elle.

Ils traversèrent la voie et descendirent la rue, puis tournèrent place Montrose. Atteignant le portail, il l'ouvrit, la fit passer et la suivit. Elle attendit de passer son bras dans le sien. Elle était encore plongée dans ses pensées.

Il s'arrêta devant les marches.

– Je vais vous quitter ici.

Elle leva les yeux vers lui, puis inclina la tête et prit la laisse d'Henrietta. Elle croisa son regard de ses yeux d'un bleu saisissant.

– Merci.

Ces yeux bleu pervenche disaient qu'elle parlait d'autre chose que de son aide avec Henrietta.

Il hocha la tête et fourra ses mains dans ses poches.

— J'aurai quelqu'un en route pour York ce soir. Je crois que vous assisterez à la fête mondaine de Lady Manivers ?

Elle sourit.

— En effet.

— Je vous y retrouverai.

Les yeux de Leonora soutinrent les siens un moment, puis elle inclina la tête.

— À ce soir.

Elle se détourna. Il la regarda rentrer, attendit que la porte se ferme, puis se tourna et partit.

*

Faire face à Tristan, décida Leonora, était devenu incroyablement compliqué.

On était le lendemain matin. Elle se prélassait dans son lit et regardait les rayons du soleil décrire des formes sur le plafond. Elle essayait de clarifier ce qui se passait exactement entre eux. Entre Tristan Wemyss, ancien espion, ancien agent officieux du gouvernement de Sa Majesté, et elle.

Elle avait pensé le savoir, mais jour après jour, nuit après nuit, ce n'était pas tant qu'il changeait, mais qu'il dévoilait une intensité encore plus intrigante. Des facettes de sa personnalité qu'elle n'aurait jamais imaginé qu'il possédait, des aspects qu'elle trouvait profondément séduisants.

La nuit dernière…, tout s'était déroulé comme d'habitude. Elle avait essayé, pas très fort, il est vrai — elle avait été distraite par tout ce qu'elle avait appris dans l'après-midi —, mais elle avait néanmoins fait l'effort de s'en tenir à sa ligne de conduite de célibataire. Il avait semblé encore plus déterminé, encore plus impitoyable que d'habitude en se lançant à l'assaut… et en s'emparant d'elle.

Il l'avait conduite dans une pièce retirée plongée dans l'obscurité. Là, sur le canapé, il lui avait appris à le chevaucher – même maintenant, la simple pensée de ces moments la faisait rougir. Elle se souvenait de la sensation qui l'avait inondée de chaleur. Les muscles de ses cuisses étaient à présent douloureux, mais dans cette position, elle avait été davantage en mesure d'apprécier le plaisir qu'elle lui donnait et le plaisir sensuel qu'il tirait de son corps. Pour la première fois de toutes leurs liaisons, elle avait pris le contrôle, avait expérimenté et avait été fière de sa capacité à lui procurer du plaisir.

Enivrant. Captivant. Profondément satisfaisant.

Toutefois, cela avait été la moindre des révélations de la soirée.

Quand elle s'était enfin effondrée dans ses bras, enflammée et rassasiée, elle avait mordillé son épaule et lui avait dit qu'elle aimait le genre de soldat qu'il était. Il l'avait caressée lentement avec la paume de sa main, pensivement, en descendant sa colonne, puis il avait dit :

– Je ne suis pas comme Whorton, je vous le promets.

Elle avait cligné des yeux, puis s'était redressée sur ses coudes pour le regarder dans les yeux, l'air renfrogné.

– Vous n'avez rien à voir avec Mark.

Son esprit avait été brumeux. Le corps dur comme du roc, bronzé, marqué sous le sien n'avait rien à voir avec ce qu'elle avait toujours imaginé de celui de Mark, et pour ce qui était de l'homme à l'intérieur…

Les yeux de Tristan étaient devenus de sombres réservoirs, impossibles à déchiffrer. Ses mains avaient continué à la caresser lentement, d'une manière rassurante. Il devait avoir saisi sa confusion dans son visage.

— Je veux vous épouser. Je ne changerai pas d'avis. Vous ne devez pas vous inquiéter que je vous fasse souffrir comme il l'a fait.

Tout à coup, elle avait compris. Elle s'était repoussée et l'avait regardé de haut.

— Mark ne m'a pas fait souffrir.

Il avait froncé les sourcils.

— Il vous a quittée.

— Eh bien, oui, mais… j'étais en fait très heureuse d'être rejetée.

Bien sûr, elle avait dû s'expliquer. Elle l'avait fait avec une franchise plus grande que jamais sur ce sujet. Déclarer la réalité à haute voix avait plus clairement établi la vérité dans son esprit, en même temps que dans celui de Tristan.

— Donc, vous voyez, avait-elle conclu, que ce n'était pas un affront grave et durable… en aucune façon. Je n'ai pas — elle avait bougé — de sentiments négatifs envers les soldats à cause de ça.

Il l'avait étudiée, avait scruté son visage.

— Donc, vous ne me tenez pas rigueur de mon ancienne carrière ?

— À cause de ce qui s'est passé avec Whorton ? Non.

Son front s'était plissé davantage.

— Si ce n'est pas le fait que Whorton vous a quittée qui a créé en vous une répugnance envers les hommes et le mariage, qu'est-ce que c'est ?

Son regard était devenu plus perçant. Même dans l'obscurité, elle avait été en mesure de sentir sa dureté.

— Pourquoi ne vous êtes-vous pas mariée ?

Elle n'était pas prête à répondre à ça.

Elle avait éludé la question, s'accrochant à un point plus urgent.

— Est-ce pour cela que vous m'avez parlé de votre carrière ? Pour vous distinguer de Whorton ?

Il avait semblé mécontent.

— Si vous ne m'aviez pas posé la question, je ne vous en aurais pas parlé.

— Mais je vous l'ai demandé. Est-ce pour cela que vous avez répondu ?

Il avait hésité avec une réticence manifeste, puis avait admis :

— En partie. Je vous l'aurais dit à un moment donné…

— Mais vous me l'avez dit cet après-midi parce que vous vouliez que je vous voie différemment de la façon dont vous imaginiez que je voyais Whorton…

Il l'avait attirée contre lui et l'avait embrassée. L'avait distraite.

Efficacement.

Elle n'avait pas su quoi faire de son raisonnement — de ses motifs, de ses réactions — la nuit dernière. Elle ne savait toujours pas. Mais… il s'était apparemment senti assez menacé par son expérience avec Whorton et la façon dont il pensait que cela avait influencé sa vision des militaires pour lui dire la vérité. Pour rompre avec ce qu'elle suspectait être une habitude et ne rien cacher de son passé.

Un passé qui, à coup sûr d'après elle, était ignoré de toute sa famille. Seules quelques personnes extérieures le connaissaient.

Il était un homme avec un passé ténébreux, mais les circonstances lui avaient dicté d'avancer dans la lumière, et il avait besoin de quelqu'un – quelqu'un qui comprenait, qui pouvait le comprendre, quelqu'un à qui il ferait confiance – à côté de lui.

Elle pouvait le comprendre et y répondre.

S'étirant lentement sous les couvertures, elle soupira profondément. En raison de la suggestion de Tristan plus tôt, elle s'était permis d'imaginer à quoi ressemblerait le fait de se marier avec lui. Sa réponse à cette vision était complètement différente de ce qu'elle aurait cru, de son ancienne réaction à de telles pensées sur le mariage.

À présent… À présent qu'elle imaginait être sa femme, l'idée l'attirait. Avec l'âge et l'expérience – la maturité, peut-être –, elle en était venue à apprécier les choses – des choses comme la douceur de la vie à la campagne – bien plus qu'auparavant. Elle en était graduellement venue à réaliser que de tels éléments étaient importants pour elle. Ils lui fournissaient un exutoire par rapport à ses compétences naturelles – ses talents d'organisation et de direction. Sans de tels exutoires, elle se sentirait étouffée…

Tout comme, en fait, elle se sentait de plus en plus étouffée dans la maison de son oncle.

Se rendre compte de cela n'était pas tant un choc qu'un tremblement de terre, qui bouleversa littéralement les concepts qu'elle avait pensé si longtemps être les fondations de sa vie. Cette prise de conscience n'était pas une petite chose à assimiler, à absorber.

Les rayons du soleil dansaient sur le plafond. La maison était réveillée. La journée l'appelait. Pourtant, elle resta dans le cocon de son lit et ouvrit plutôt son esprit pour libérer ses pensées.

Pour suivre là où elles la mèneraient.

Les rêves de jeune fille qu'elle avait enfouis il y a longtemps se ravivaient, se recréaient subtilement, changés pour que cette fois ils soient attirants pour la femme qu'elle était maintenant — cette fois, ils lui correspondaient.

Elle pouvait voir, imaginer — commencer à désirer, si elle se laissait aller — un avenir comme la femme de Tristan. Sa comtesse. Son épouse.

Se laisser emporter par ces rêves, leur octroyant une fascination et un pouvoir plus grands, était tentant. Elle aspirait à être celle — la seule selon lui — qui lui procurerait tout ce qu'il voulait. Tout ce dont, très probablement, il avait besoin. Quand ils étaient ensemble, elle pouvait sentir le pouvoir de ce qui avait grandi entre eux, de la sensation croissante plus profonde que la passion, plus forte que le désir. L'émotion qui, dans ces moments silencieux, intenses et intimes, les enveloppait.

L'émotion qu'ils partageaient.

C'était quelque chose d'éphémère entre eux, quelque chose de plus facile à voir dans ces moments passionnés quand leurs gardes à tous les deux étaient baissées. Pourtant, elle était aussi là, apparaissant comme quelque chose qu'on saisit du coin de l'œil, dans leurs échanges en général.

Il lui avait demandé pourquoi elle ne s'était jamais mariée. La vérité, c'était qu'elle n'avait jamais vraiment étudié la raison. La croyance instinctive et profondément ancrée – celle qui avait fait que laisser aller Whorton avait été si facile – était quelque chose de si enfoui dans son esprit, qui faisait tant partie d'elle, qu'elle ne l'avait jamais fait ressortir pour l'examiner. Elle ne s'en était jamais vraiment souciée avant. Elle était simplement là, telle une certitude.

Jusqu'à ce que Tristan apparaisse et étale tout ce qu'il était devant elle.

Il avait à présent le droit de poser la question, de lui demander ses raisons, de demander si elles étaient solides.

Il était temps de regarder plus profondément dans son cœur, dans son âme, et de découvrir si ses anciens instincts étaient encore pertinents, s'ils étaient restés pertinents pour le nouveau monde sur le seuil duquel Tristan et elle se tenaient à présent.

Il lui avait pris la main, l'avait conduite sur ce seuil, l'avait forcée à ouvrir les yeux et à voir franchement… et il n'allait pas partir pour reculer et la quitter.

Il avait raison. L'attirance entre eux ne s'estomperait pas.

Elle ne l'avait pas fait. Elle avait grandi.

Les lèvres pincées, elle repoussa les couvertures, sortit du lit et se rendit résolument vers la sonnette.

*

Réexaminer et peut-être restructurer les principes de base d'une vie n'était pas une entreprise qui pouvait s'accomplir en seulement quelques minutes.

Malheureusement, au cours de la journée et des suivantes, Leonora ne put trouver que quelques minutes. Même si les événements de chaque journée qui passait renforçaient et approfondissaient le lien entre Tristan et elle, le besoin de revoir la raison sous-jacente à son aversion pour le mariage s'intensifiait.

La lenteur de leurs progrès dans l'affaire Mountford, que ce soit retrouver l'homme se faisant passer pour lui ou identifier ce qu'il cherchait, ne fit qu'ajouter de la pression en passant par l'attitude protectrice grandissante de Tristan, qui se manifesta en un comportement possessif plus primitif.

Même s'il luttait pour le cacher, elle le voyait. Et comprenait.

Elle essayait de ne pas le laisser affecter son humeur. Il ne pouvait, semblait-il, l'empêcher.

Février céda enfin la place à mars. La première touche de printemps insuffla de la douceur dans la rigueur de l'hiver. La haute société commença à revenir dans la capitale pour de bon, pour préparer la saison mondaine à venir. Si les événements d'avant avaient été petits et largement informels, le calendrier social devenait de plus en plus rempli, tout comme les réceptions.

Le bal de Lady Hammond s'annonçait être la première réunion reconnue de l'année. Arrivant avec Mildred et Gertie, Leonora se tint patiemment sur les marches montant à la salle de bal avec une cinquantaine d'autres personnes, qui attendaient toutes de saluer leur hôtesse. Regardant autour d'elle, elle remarqua des visages familiers, hocha la tête, échangea des sourires. Il restait encore des semaines pourtant avant la saison à proprement parler. Les années passées, elle était sûre que la ville n'avait pas été peuplée si tôt. Même dans le parc…

– Ma chère, bien sûr que nous venons tôt.

La lady derrière Leonora venait juste de rencontrer une vieille amie.

– Tout le monde le fera, croyez-moi. Ou du moins, chaque famille ayant une fille à présenter. C'est vraiment un crime que tant de gentlemen soient morts dans toutes ces guerres…

La lady continua. Leonora cessa d'écouter… Elle avait compris. Attention aux gentlemen qui étaient de bons partis et qui étaient encore célibataires.

Mildred, Gertie et elle finirent par gagner la porte de la salle de bal. Après avoir fait une révérence à Lady Hammond, une vieille connaissance de ses tantes, Leonora suivit Mildred et Gertie jusqu'à un des renfoncements où étaient disposés des fauteuils et des méridiennes pour satisfaire les chaperons et la génération plus âgée.

Ses tantes prirent des sièges parmi leurs amies. Après avoir répondu à bon nombre de questions condescendantes, Leonora se retira.

Dans la foule. Tristan aurait des difficultés à la remarquer. Il n'avait pas rejoint la file pour la salle de bal au moment où elle avait atteint le haut de l'escalier, ce qui signifiait qu'il lui faudrait du temps avant de la retrouver.

Ce soir, la foule était trop dense pour déambuler nonchalamment avec seulement des hochements de tête et des sourires. Elle devait s'arrêter et discuter, échanger des salutations et des opinions et avoir une conversation mondaine. Elle n'avait jamais trouvé ça difficile, parfois ennuyeux peut-être, mais ce soir, il y avait tant de nouveaux venus en ville qu'il y en avait beaucoup à rattraper, à écouter. Il fallait rire et s'amuser. Néanmoins, consciente qu'elle attirait un certain degré d'attention des gentlemen trop récemment revenus dans les bals pour avoir remarqué l'intérêt de Tristan, elle ne restait pas trop longtemps dans un groupe, préférant flâner.

Faire affaire à un loup à la fois semblait sage.

— Leonora !

Elle se tourna et sourit à Crissy Wainwright, une blonde potelée et, ces temps-ci, quelque peu plantureuse, qui avait été présentée la même année qu'elle. Crissy avait rapidement rencontré un lord et s'était mariée. Les accouchements successifs l'avaient gardée éloignée de Londres pendant quelques années. Crissy se fraya un chemin à travers la foule presque en jouant des coudes.

— Ouf !

Atteignant Leonora, elle ouvrit brusquement son éventail.

— C'est une maison de fous ! Dire que je pensais qu'il serait judicieux que je vienne en ville assez tôt.

— Beaucoup ont eu la même idée, semble-t-il.

Leonora prit la main de Crissy. Elle la serra, et elles s'effleurèrent la joue.

— Maman va être vexée !

Papillotant des yeux, Crissy regarda Leonora.

— Elle tenait absolument à prendre de vitesse toutes les autres qui ont des filles à présenter cette saison. Elle veut mettre en avant ma petite sœur et elle vise ce comte qui doit se marier.

Leonora cligna des yeux.

— Un comte qui doit se marier ?

Crissy se pencha davantage et baissa la voix.

— Il semble que ce pauvre homme ait hérité seulement récemment et qu'il doive se marier avant juillet, sinon il perd sa fortune. Mais il gardera ses maisons et les personnes à sa charge. Or, ni les unes ni les autres ne seront faciles à conserver avec un misérable budget.

Un frisson parcourut la colonne de Leonora.

— Je n'en ai pas entendu parler. Quel comte ?

Crissy s'agita.

— Personne n'a sans doute pensé à le mentionner. Tu n'es pas intéressée par un mari, après tout.

Elle grimaça.

— J'ai toujours pensé que tu étais vraiment dérangée pour te montrer si opposée au mariage, mais à présent… Je dois admettre qu'il y a des fois où je pense que tu avais raison.

Son expression s'assombrit brièvement, mais ensuite, elle s'éclaircit.

— En fait, je suis ici déterminée à m'amuser et à ne pas penser au mariage du tout. Si ce pauvre comte est aussi traqué qu'il le semble, peut-être pourrais-je lui fournir une zone de sécurité ? J'ai entendu dire qu'il était incroyablement beau. Il est si rare que ce soit combiné à la richesse et au titre…

— Quel titre ?

Leonora l'interrompit sans scrupule. Crissy pouvait discourir pendant des heures.

— Oh… je ne l'ai pas dit ? C'est Trillingwell, Trellham… Quelque chose comme ça.

— Trentham ?

— Oui ! C'est ça.

Crissy se tourna pour lui faire face.

— Tu en as entendu parler ?

— Je t'assure que non, mais je te remercie de me le dire.

Crissy cligna des yeux, puis étudia son visage.

— Tiens, petite coquine, tu le connais.

Leonora plissa fermement les yeux — non pas en direction de Crissy, mais de la tête sombre qu'elle pouvait voir louvoyer vers elle dans la foule.

— En effet, je le connais.

Dans le sens biblique, c'était davantage.

— Si tu veux bien m'excuser… Nous nous reverrons probablement si tu restes en ville.

Crissy prit sa main tandis qu'elle s'en allait.

— Dis-moi juste… Est-il aussi beau qu'on le dit ?

Leonora haussa les sourcils.

— Il est trop beau pour le salut de son âme.

Se libérant de la prise ramollie de Crissy, elle avança dans la foule et fonça directement vers le comte qui devait se marier.

Tristan sut que quelque chose n'allait pas au moment où Leonora apparut soudainement devant lui. Les couteaux que lançaient ses yeux étaient difficiles à manquer. Le doigt qu'elle avait planté dans sa poitrine était encore plus significatif.

— Je veux vous parler. Maintenant !

Les mots étaient sifflés, son humeur nettement bouillante de colère.

Il consulta sa conscience, qui resta sans nuages.

— Que se passe-t-il ?

– Je serais ravie de vous parler, mais je soupçonne que vous préfériez m'entendre en privé.

Les yeux de Leonora sondèrent les siens.

– Quel coin avez-vous encore trouvé pour nous ce soir ?

Il soutint son regard et envisagea le minuscule office des domestiques, qui, il s'en était assuré, était le seul lieu possible pour un rendez-vous entièrement privé chez les Hammond. Non éclairé, il serait sombre et fermé – parfait pour ce qu'il avait en tête…

– Il n'y a aucun endroit dans cette maison qui est approprié pour une conversation privée.

Surtout pas si elle se mettait en colère, ce qui semblait être déjà le cas.

Ses yeux clignèrent brusquement.

– C'est le moment de ne pas démentir votre réputation. Trouvez-en un.

Il mit ses talents en action. Il prit sa main, la posa sur sa manche, quelque peu soulagé qu'elle le lui permette.

– Où sont vos tantes ?

Elle agita une main vers le côté de la pièce.

– Dans les fauteuils par là.

Il se dirigea de ce côté, son attention rivée sur elle, évitant tous les regards lancés dans sa direction. Se penchant davantage, il parla doucement.

– Vous avez développé un mal de tête…, une migraine. Dites à vos tantes que vous vous sentez mal et que vous devez partir immédiatement. Je vous offrirai de vous raccompagner dans ma voiture.

Il s'interrompit, s'arrêta et fit signe à un valet. Quand le valet arriva, il donna un ordre bref. Le valet se pressa de partir.

Ils marchèrent de nouveau.

– J'ai envoyé chercher ma voiture.

Il la regarda.

– Si vous pouviez vous calmer un peu, nous aurions peut-être une chance de partir. Nous devons nous assurer que vos tantes restent ici.

Cela ne serait pas facile, mais peu importe combien elle était obstinée, elle était bel et bien résolue à passer un moment avec lui. Ce n'était pas tant ses capacités d'interprétation qui lui permettraient de réussir que l'impression qu'elle dégageait que si les gens ne répondaient pas à sa volonté, elle risquait de devenir violente.

Mildred lui lança un regard anxieux.

– Si vous êtes sûr…

Il opina.

– Ma voiture attend. Vous avez ma parole que je la ramène directement à la maison.

Leonora le regarda, les yeux plissés. Il maintint son expression impassible.

Mildred et Gertie, qui avaient l'air de s'incliner devant une forte – et quelque peu incompréhensible – volonté, restèrent où elles étaient et lui permirent d'accompagner Leonora hors de la salle, et de là, hors de la maison.

Comme ordonné, sa voiture attendait. Il fit monter Leonora, puis la suivit. Le valet ferma la porte, un fouet cingla, et la voiture partit en tressautant.

Dans le noir, il saisit sa main et la serra.

– Pas encore.

Il parla doucement.

– Mon cocher n'a pas besoin de nous entendre, et la rue Green est seulement à un coin de rue.

Leonora le regarda.

– La rue Green ?

– J'ai promis de vous ramener à la maison. Ma maison. Où sinon trouverions-nous une pièce privée avec suffisamment de lumière pour une discussion ?

Elle n'avait aucun argument contre ça. En fait, elle était heureuse qu'il ait pensé à la nécessité d'avoir de la lumière. Elle voulait être capable de voir son visage. Bouillant intérieurement, elle attendit en silence avec réticence.

Sa main resta refermée autour de la sienne. Tandis qu'ils roulaient dans la nuit, son pouce la caressait presque distraitement. Elle jeta un œil sur lui. Il regardait par la fenêtre. Elle ne pouvait dire s'il avait déjà réalisé ce qu'il faisait, encore moins s'il avait l'intention de calmer son humeur.

Son contact était apaisant, mais il n'amenuisait pas sa colère.

En fait, il l'alimentait plutôt.

Comment osait-il être si insupportablement suffisant, si confiant et assuré, alors qu'elle venait de découvrir son motif inavoué et qu'il devait avoir deviné qu'elle avait appris ?

La voiture tourna, pas dans la rue Green, mais dans une allée étroite, là où les écuries bordaient les grandes maisons. Elle s'arrêta en oscillant. Tristan se redressa, ouvrit la porte et descendit.

Elle l'entendit parler à son cocher, puis il se tourna vers elle et lui fit signe. Elle lui donna la main et descendit. Il lui fit franchir le portail du jardin avant qu'elle ait l'occasion de se repérer.

— Où sommes-nous ?

Tristan l'avait suivie au portail. Il le ferma derrière eux. De l'autre côté du haut mur de pierre, elle entendit la voiture rouler.

— Mes jardins.

Il fit un signe vers la maison de l'autre côté de la grande pelouse visible à travers un écran de buissons.

— Arriver par la porte principale aurait nécessité des explications.

— Et votre cocher ?

— Quoi ?

Elle maugréa. Il toucha son dos avec sa main, et elle avança sur le chemin au milieu des buissons. Tandis qu'ils sortaient de l'obscurité, il prit sa main et se plaça à côté d'elle. Le sentier étroit suivait les parterres de fleurs bordant cette aile de la maison. Il la conduisit dans le jardin d'hiver, puis dans ce qui semblait être un bureau jusqu'à une longue pièce qu'elle reconnut comme étant le petit salon où les vieilles dames l'avaient reçue quelques semaines plus tôt.

Il s'arrêta devant une paire de portes-fenêtres.

— Vous n'avez pas vu ça.

Il plaça sa main, la paume à plat, à la jointure des portes, juste là où un verrou les reliait. Il donna une rude poussée, et le verrou émit un bruit sec. Les portes s'ouvrirent.

— Bonté divine !

— Chut !

Il la fit entrer, puis ferma les portes. Le petit salon était plongé dans le noir. À une heure si tardive, cette aile de la maison était déserte. Prenant sa main, il lui fit traverser la pièce jusqu'à l'escalier menant à un couloir. Il s'arrêta dans l'ombre de l'escalier et regarda à sa gauche, vers l'entrée principale, qui était baignée d'une lumière dorée.

Jetant un coup d'œil devant lui, elle ne vit aucune trace d'un valet ou d'un majordome.

Il se tourna et la fit aller à droite, dans un petit couloir non éclairé. Passant devant elle, il ouvrit grand la porte au bout.

Elle entra. Il la suivit et ferma doucement la porte.

— Attendez, murmura-t-il avant de la dépasser.

Le faible clair de lune scintillait sur un bureau massif, illuminait le grand fauteuil derrière lui et quatre autres fauteuils placés dans la pièce. Un grand nombre de meubles de rangement et à tiroirs longeaient les murs. Tristan ferma les rideaux, et toute la lumière disparut.

Un instant plus tard, on entendit le raclement de l'amadou. Une flamme apparut, éclairant le visage de Tristan, soulignant ses traits austères tandis qu'il ajustait la mèche de la lampe, puis qu'il replaçait le verre.

La chaude lueur se répandit et remplit la pièce.

Il la regarda, puis il lui indiqua les deux fauteuils placés devant le feu. Quand ils y arrivèrent, il se plaça à côté d'elle et ôta sa cape de ses épaules. Il la mit de côté, puis se pencha vers les braises encore incandescentes dans le foyer. S'asseyant dans un des fauteuils, elle le regarda tandis qu'il ravivait efficacement le feu jusqu'à ce qu'il reforme une flambée acceptable.

Il se redressa, puis baissa les yeux vers elle.

— Je vais prendre un cognac. Voulez-vous quelque chose ?

Elle le regarda traverser la pièce vers un petit bar contre le mur. Elle douta qu'il ait du sherry dans son bureau.

— Je prendrais un verre de cognac aussi.

Il la regarda de nouveau, haussa les sourcils, mais il versa du cognac dans deux ballons, puis revint et lui en tendit un. Elle dut utiliser ses deux mains pour le prendre.

— Alors…

Il s'installa dans l'autre fauteuil, étira ses jambes devant lui, croisa ses chevilles, puis but et fixa son regard noisette sur elle.

— De quoi s'agit-il ?

Le cognac était une distraction. Elle déposa prudemment le ballon plein sur la table basse à côté du fauteuil.

— C'est, dit-elle, indifférente à son ton acerbe, à propos de votre besoin de vous marier.

Il rencontra directement son regard accusateur. Il but de nouveau. Le ballon de cognac semblait faire partie de sa grande main.

— Et alors ?

— Et alors ? Vous devez vous marier en raison de votre héritage. Vous le perdrez si vous ne vous mariez pas avant juillet. C'est ça ?

— Je perdrai le plus gros des fonds, mais je garderai le titre et tout ce qu'il implique.

Elle tenta de respirer malgré la constriction qui saisissait tout à coup ses poumons.

— Donc... Vous devez vous marier. En fait, vous ne voulez pas vous marier, ni avec moi ni avec personne d'autre, mais vous devez le faire, et vous avez pensé que je conviendrais. Vous avez besoin d'une femme, et je ferais l'affaire. Ai-je enfin compris ?

Il se figea. En une seconde, il passa d'un gentleman élégant détendu dans un fauteuil à un prédateur sur le point de réagir. Tout ce qui changea vraiment fut une soudaine tension, mais l'effet fut profond.

Les poumons de Leonora se comprimèrent. Elle pouvait à peine respirer.

Elle n'osa pas ôter ses yeux des siens.

– Non.

Tandis qu'il parlait, sa voix devenait plus grave, plus profonde. Le ballon de cognac semblait fragile dans sa main. Comme s'il s'en rendait compte subitement, il détendit ses doigts.

– Ce n'était pas comme ça… Ce n'est pas comme ça.

Elle avala sa salive et redressa son menton. Elle fut heureuse que sa voix reste calme – toujours hautaine, incrédule. Provocante.

– Comment est-ce, alors ?

Il ne la quitta pas des yeux. Après un moment, il parla, et il y eut quelque chose dans sa voix qui l'avertit de ne pas entretenir l'idée qu'il ne disait pas l'absolue vérité.

– Je dois me marier. Là-dessus, vous avez raison. Pas parce que j'ai personnellement besoin de l'argent de mon grand-oncle, mais parce que sans lui, garder mes quatorze personnes à charge comme elles sont habituées à vivre serait impossible.

Il s'arrêta, laissa les mots et leur signification faire leur chemin.

— Donc, oui, je dois me présenter devant l'autel à la fin juin. Toutefois, je n'avais et je n'ai absolument aucune intention de permettre à mon grand-oncle, ni aux matrones de la haute société, d'intervenir dans ma vie — de m'imposer qui je devrais prendre comme femme. Il est évident que, si je l'avais voulu, un mariage avec une lady convenable aurait été arrangé, signé, scellé et consommé en moins d'une semaine.

Il s'arrêta, but, le regard rivé sur le sien. Il parlait doucement, distinctement.

— Juin est encore dans quelques mois. Je n'ai vu aucune raison de bousculer les choses. Par conséquent, je n'ai fait aucun effort pour trouver des ladies convenables.

Sa voix devint plus grave, plus forte.

— Et ensuite, je vous ai vue, et toutes ces considérations sont devenues superflues.

Ils étaient assis à quelques dizaines de centimètres, pourtant ce qui avait grandi entre eux, ce qui existait maintenant entre eux, se ranima à ses mots — une force palpable qui remplissait l'espace, vibrant presque dans les airs.

Cette force la toucha, la captiva, une toile d'émotions si immensément fortes qu'elle sut qu'elle ne pourrait jamais s'en libérer. Et, très probablement, lui non plus.

Le regard de Tristan resta dur, ouvertement possessif, résolu.

— Je dois me marier… À un moment donné, j'aurais été forcé de trouver une femme. Mais ensuite, je vous ai trouvée, et toute recherche est devenue hors de propos. Vous êtes la femme que je veux. Vous êtes la femme que j'aurai.

Elle ne doutait pas — ne pouvait douter — de ce qu'il lui disait. La preuve était là, entre eux.

La tension grandit, devint insupportable. Tous deux devaient bouger. Il le fit le premier, quittant son fauteuil dans un mouvement fluide et gracieux. Il lui tendit la main. Après un moment, elle la prit. Il l'aida à se relever.

Il baissa les yeux vers elle, le visage marqué, dur.

– Vous comprenez maintenant ?

Relevant son visage, elle étudia le sien : ses yeux, ses traits sévères, austères, qui communiquaient si peu. Elle prit une profonde respiration et se sentit forcée de demander :

– Pourquoi ? Je ne comprends toujours pas pourquoi vous voulez m'épouser. Pourquoi vous me voulez, moi et moi seule.

Il soutint son regard pendant un long moment. Elle pensa qu'il n'allait pas répondre, puis il le fit :

– Devinez !

Ce fut à son tour de penser longuement, puis d'humecter ses lèvres et de murmurer :

– Je ne peux pas.

Après un instant, elle ajouta avec une honnêteté brutale :

– Je n'ose pas.

Chapitre 14

Il avait insisté pour la raccompagner chez elle. Seules leurs mains s'étaient touchées. Elle avait été extrêmement reconnaissante. Il l'avait observée. Elle avait senti son désir, si ouvertement possessif, et avait apprécié le fait qu'il le contrôle, qu'il semble comprendre qu'elle avait besoin de temps pour réfléchir, pour absorber tout ce qu'il avait dit, tout ce qu'elle avait appris.

Pas juste de lui, mais d'elle.

L'amour. Si c'était ce qu'il avait voulu dire, cela changeait tout. Il n'avait pas dit le mot, mais en se trouvant debout près de lui, elle avait pu le sentir, peu importe de quoi il s'agissait — pas le désir, pas la convoitise, mais quelque chose de plus fort. Quelque chose de plus pur.

Si c'était l'amour qui avait grandi entre eux, alors se détourner de lui, de sa demande, n'était peut-être plus une option. Se détourner serait un acte de lâcheté.

La décision lui appartenait. Pas juste son bonheur, mais le sien aussi en dépendait.

Avec la maison silencieuse et calme autour d'elle, l'horloge à l'étage qui sonnait au petit matin, elle resta étendue dans son lit et se força à affronter la raison qui l'avait tenue loin du mariage.

Ce n'était pas une aversion — rien de si précis et absolu. Une aversion, elle aurait pu l'identifier et l'évaluer, se convaincre de la mettre de côté ou la maîtriser.

Son problème était plus profond. Il était bien plus insaisissable. Pendant toutes ces années, encore et encore, il l'avait tenue à l'écart du mariage.

Et pas juste du mariage.

Étendue dans son lit, regardant le plafond éclairé par la lune, elle écoutait le cliquetis caractéristique sur le plancher ciré à l'extérieur de sa chambre tandis qu'Henrietta s'étirait, puis descendait l'escalier pour se balader. Le bruit s'estompa. Il ne resta plus aucune distraction.

Elle prit son souffle et se força à faire ce qu'il fallait. À porter un long regard sur sa vie, à examiner toutes les amitiés et les relations qu'elle n'avait pas laissées se développer.

La seule raison pour laquelle elle n'avait jamais songé à épouser Mark Whorton, c'était parce qu'elle avait su dès le début qu'elle ne serait jamais proche, émotionnellement proche, de lui. Elle ne serait jamais devenue pour lui ce que Heather, sa femme, était : une femme dépendante et heureuse de l'être. Il avait besoin de ça, d'une femme dépendante. Leonora n'avait jamais été une candidate pouvant subvenir à ce besoin. Elle n'en était simplement pas capable.

Heureusement, grand Dieu, qu'il avait eu le bon sens, si ce n'était de voir la vérité, au moins d'agir sur ce qu'il avait perçu comme étant une discordance entre eux.

La même discordance n'existait pas entre Tristan et elle. Il y avait quelque chose d'autre. Peut-être de l'amour.

Elle devait y faire face – faire face au fait que cette fois, avec Tristan, elle conviendrait comme femme. Précisément, exactement, à tous les égards. Il l'avait reconnu instinctivement. Il était le genre d'homme habitué à agir selon ses instincts et il l'avait fait.

Il ne voulait pas qu'elle soit dépendante, ne s'y attendait pas, ni qu'elle change en aucune façon. Il la voulait pour ce qu'elle était – la femme qu'elle était et qu'elle pouvait être –, non pas pour satisfaire un idéal, une vision erronée, mais parce qu'il savait qu'elle était bien pour lui. Il ne courait absolument aucun danger à la placer sur un quelconque piédestal. Inversement, dans tous leurs échanges, elle avait réalisé qu'il n'était pas juste capable de l'aimer dans l'absolu, mais qu'il y était disposé.

Elle – la vraie elle –, pas un produit de son imagination.

La pensée – la réalité – était si profonde, si incroyable… qu'elle la voulait, qu'elle ne voulait pas la laisser aller. Mais pour la saisir, elle devait accepter le lien émotif qui, avec Tristan, serait – était déjà – couru d'avance, telle une part vitale les unissant.

Elle devait faire face à ce qui l'avait empêchée de se laisser aller à une telle proximité avec qui que ce soit d'autre.

Il n'était pas facile de retourner en arrière de plusieurs années, de se forcer à lever tous les voiles, toutes les façades qu'elle avait érigés pour cacher et excuser les blessures. Elle n'avait pas toujours été comme elle était maintenant – forte, compétente, n'ayant nul besoin des autres. À l'époque, elle n'était pas autonome, indépendante. Elle n'était pas en mesure émotionnellement de se débrouiller, pas sur tout, pas seule. Elle était simplement comme toute jeune fille.

Elle avait besoin d'une épaule sur laquelle pleurer, de bras chauds pour l'envelopper, la rassurer.

Sa mère était sa référence, toujours là, toujours compréhensive. Mais ensuite, un jour d'été, sa mère et son père étaient morts tous les deux.

Elle se souvenait encore du froid causé par la perte qui s'était installé autour d'elle, qui l'avait confinée dans sa prison. Elle n'avait pas été capable de pleurer, n'avait aucune idée de la façon dont il fallait le faire. Et il n'y avait eu personne pour l'aider, personne qui comprenait.

Ses oncles et ses tantes — tout le reste de la famille — étaient plus âgés que ses parents, et aucun n'avait d'enfants. Ils l'avaient tapotée, l'avaient louangée de se montrer si courageuse. Personne n'avait saisi sa douleur, n'avait eu la moindre idée de la souffrance qui se cachait en elle.

Elle l'avait gardée cachée. C'était ce qu'on attendait apparemment d'elle. Mais parfois, le fardeau devenait trop lourd, et elle avait essayé — essayé — de trouver quelqu'un pour la comprendre, pour l'aider à trouver un moyen de s'en sortir.

Humphrey n'avait jamais compris. Le personnel de la maison du Kent ignorait ce qui n'allait pas avec elle.

Personne ne l'avait aidée.

Elle avait appris à cacher ses besoins. Pas à pas, incident après incident pendant son enfance, elle avait appris à ne demander d'aide à personne, à ne s'ouvrir émotionnellement devant personne, à ne pas faire assez confiance pour demander de l'aide — à ne pas compter sur les autres. Si elle ne le faisait pas, ils ne pourraient pas la rejeter.

Ils ne pourraient pas se détourner d'elle.

Les liens se clarifiaient lentement dans son esprit.

Tristan, elle le savait, ne se détournerait pas d'elle. Il ne la rejetterait pas.

Avec lui, elle serait en sécurité.

Tout ce qu'elle avait à faire, c'était de trouver le courage d'accepter le risque émotionnel qu'elle avait passé les quinze dernières années à s'inculquer de ne jamais prendre.

*

Il passa à midi le lendemain. Elle arrangeait des fleurs dans l'entrée du jardin. C'est là qu'il la trouva.

Elle hocha la tête en signe de salutation, consciente de son regard perçant, du fait qu'il l'étudiait attentivement avant d'appuyer son épaule contre l'encadrement de la porte, à seulement une cinquantaine de centimètres.

– Vous allez bien ?

– Oui.

Elle le regarda furtivement, puis détourna les yeux vers les fleurs.

– Et vous ?

Après un moment, il dit :

– J'arrive d'à côté. Comme vous le verrez, nous serons davantage à aller et venir à l'avenir.

Elle fronça les sourcils.

– Combien d'entre vous sont ici ?

– Sept.

– Et vous êtes tous d'anciens… gardes ?

Il hésita, puis répondit :

– Oui.

L'idée l'intrigua. Avant qu'elle puisse penser à sa question suivante, il se déplaça pour s'approcher davantage.

Elle fut immédiatement consciente de sa proximité, de la réaction immédiate qui surgit en elle. Elle tourna la tête et le regarda.

Elle rencontra son regard et y sombra.

Elle ne pouvait regarder ailleurs. Elle pouvait seulement rester là, le cœur battant la chamade, son pouls résonnant dans ses lèvres tandis qu'il se penchait lentement plus près, puis qu'il déposait un baiser douloureusement incomplet sur sa bouche.

– Avez-vous pris votre décision ?

Il murmura les mots sur ses lèvres avides.

– Non. Je réfléchis encore.

Il se recula suffisamment pour voir ses yeux.

– À quel point réfléchissez-vous ?

La question rompit le charme. Elle plissa les yeux, puis retourna à ses fleurs.

– Plus que vous croyez.

Il s'installa de nouveau contre le cadre de porte, le regard rivé sur son visage. Après un moment, il dit :

– Alors, dites-moi.

Elle pinça fermement ses lèvres, allait secouer la tête, puis se rappela tout ce qu'elle avait pensé pendant sa longue nuit sans sommeil. Elle prit une profonde respiration et expira lentement. Tout en gardant les yeux sur les fleurs, elle dit :

– Ce n'est pas une mince affaire.

Il ne dit rien et attendit simplement.

Elle dut prendre une autre respiration.

— Il y a longtemps que j'ai… fait confiance à une personne, n'importe quelle personne…, pour qu'elle fasse des choses pour moi. M'aide.

Cela était l'aboutissement, peut-être en apparence le plus évident, de sa peur des autres.

— Vous êtes venue à moi — vous m'avez demandé mon aide — quand vous avez vu le cambrioleur au bout de votre jardin.

Les lèvres pincées, elle secoua la tête.

— Non. Je suis venue à vous parce que vous étiez mon seul moyen d'avancer.

— Vous m'avez vu comme une source d'information ?

Elle opina.

— Vous m'avez aidée, mais je ne vous l'ai jamais demandé. Vous n'avez jamais répondu à ma demande. Vous avez simplement donné. C'est…

Elle s'arrêta quand cela devint clair dans son esprit, puis continua :

— C'est ce qui se passe entre nous tout le temps. Je ne demande jamais votre aide. Vous me la donnez simplement et vous êtes si doué que refuser n'a jamais été une véritable option et qu'il semble n'y avoir aucune raison de résister, car nous recherchons le même dénouement…

Sa voix tremblota, et elle s'arrêta.

Il s'approcha et prit sa main.

Son contact menaça de rompre son contrôle, mais ensuite, il la caressa avec son pouce. Une indéfinissable chaleur l'envahit, l'apaisa, la rassura.

Elle leva la tête et prit une respiration hésitante.

Il vint encore plus près, glissa ses bras autour d'elle et attira son dos contre lui.

— Arrêtez de lutter.

Les mots étaient lourds, agissant en elle tel l'ordre d'un sorcier.

— Arrêtez de lutter contre moi.

Elle soupira, longtemps, profondément. Son corps se détendait contre la chaleur du sien, solide comme du roc.

— J'essaie. Je le ferai.

Elle rejeta sa tête en arrière et regarda par-dessus son épaule. Elle rencontra son regard noisette.

— Mais ça n'arrivera pas aujourd'hui.

*

Il lui donna le temps. À contrecœur.

Elle passa ses journées à essayer de décoder les journaux de Cedric, à la recherche de la mention d'une formule secrète ou d'un travail fait avec Carruthers. Elle avait découvert que les entrées n'étaient pas en ordre chronologique. Sur chaque sujet donné, elles étaient presque fortuites — d'abord dans un livre, puis dans un autre —, reliées semblait-il par un code non écrit.

Ses soirées, elle les passa en ville, dans les bals et les réceptions, toujours avec Tristan à ses côtés. Son attention, fixe et inébranlable, fut remarquée par tous. Les quelques ladies courageuses qui tentèrent de le distraire furent expédiées sans ménagement. Vraiment sans aucun ménagement. Par la suite, la haute société se mit à spéculer sur la date de leur mariage.

Ce soir, tandis qu'ils flânaient dans la salle de bal de Lady Court, elle parla des journaux de Cedric.

Tristan fronça les sourcils.

— Ce que cherche Mountford doit être en lien avec le travail de Cedric. Il semble que rien d'autre au numéro 14 ne pourrait l'intéresser autant.

— L'intéresser à quel point ? demanda-t-elle en le regardant. Qu'avez-vous appris ?

— Mountford — je n'ai toujours pas de meilleur nom — est encore à Londres. Il a été vu, mais il se déplace. Je n'ai pas encore été en mesure de l'attraper.

Elle n'enviait pas Mountford quand cela se produirait.

— Avez-vous appris quelque chose du Yorkshire ?

— Oui et non. Avec les dossiers du notaire, nous avons pu retrouver l'héritier principal de Carruthers, un certain Jonathon Martinbury. Il est clerc de notaire à York. Il a récemment fini son stage et il a planifié de se rendre à Londres, probablement pour fêter.

Il jeta un œil vers elle et croisa son regard.

— Il semble qu'il ait reçu votre lettre, envoyée par le notaire de Harrogate, et qu'il ait devancé ses plans. Il est parti avec la diligence de la poste deux jours plus tard, mais je ne l'ai pas encore trouvé en ville.

Elle fronça les sourcils.

— C'est étrange. J'aurais pensé que s'il avait changé ses plans par rapport à ma lettre, il se serait manifesté.

— En effet, mais on ne devrait jamais présumer des priorités d'un jeune homme. Nous ne savons pas pourquoi il avait décidé de venir à Londres en premier lieu.

Elle grimaça.

— Exact.

Rien d'autre ne fut dit ce soir-là. Depuis leur discussion dans son bureau et leur échange subséquent dans l'entrée du jardin, Tristan s'était empêché de tenter leurs sens au-delà de ce qui pouvait se passer dans les salles de bal. Même là, ils étaient intensément conscients l'un de l'autre, pas juste sur le plan physique. Chaque contact, chaque caresse, chaque regard partagé ne faisaient qu'ajouter au désir.

Elle pouvait le sentir émoustiller ses sens. Elle n'avait pas besoin de rencontrer ses yeux souvent assombris pour savoir qu'il le parcourait de manière encore plus forte.

Mais elle avait voulu du temps, et il le lui donnait

Elle demandait une chose et elle en recevait une.

Tandis qu'elle montait les marches jusqu'à sa chambre ce soir-là, elle le sut et l'accepta.

Une fois plongée dans son lit, douillet et chaud, elle y repensa.

Elle ne pouvait pas toujours hésiter. Pas une journée de plus. Ce n'était pas juste… ni pour lui, ni pour elle. Elle jouait avec eux deux, les tourmentait. Sans aucune raison, aucune qui soit encore pertinente ou influente.

De l'autre côté de la porte, Henrietta grogna, puis elle gratta avec ses griffes avant qu'on entende leur cliquetis. Le bruit s'estompa tandis que le chien se dirigeait vers les marches. Leonora le remarqua, mais distraitement. Elle restait concentrée sur ses pensées.

Accepter Tristan ou vivre sans lui.

Ce n'était pas un choix. Pas pour elle. Pas maintenant.

Elle allait saisir l'occasion, accepter le risque d'avancer.

La décision devint ferme dans son esprit. Elle attendit, s'attendant à un recul instinctif, mais s'il était là, il était envahi sous une vague montante de certitude. D'assurance.

Presque de la joie.

Il lui apparut soudain que décider d'accepter cette vulnérabilité inhérente revenait à gagner au moins la moitié de la bataille. Assurément pour elle.

Elle se sentit subitement heureuse et commença immédiatement à chercher comment faire part de sa décision à Tristan, comment l'informer de la façon la plus appropriée…

Elle n'avait aucune idée du temps qui s'était écoulé quand elle réalisa qu'Henrietta n'était pas revenue à sa place devant la porte.

Elle en fut distraite.

Henrietta se promenait souvent dans la maison la nuit, mais jamais longtemps. Elle revenait toujours à son endroit favori sur le tapis du corridor derrière la porte de Leonora.

Elle ne s'y trouvait pas à présent.

Leonora le sut avant même de passer son peignoir et d'ouvrir la porte pour regarder.

L'espace était vide.

Une faible lumière filtrait du haut de l'escalier dans le corridor. Elle hésita, puis refermant davantage son peignoir, elle se dirigea vers les marches.

Elle se souvint du grognement grave d'Henrietta avant que la chienne s'en aille. Ce devait être en réaction à un chat dans le jardin de derrière. Mais…

Et si Mountford essayait de rentrer de nouveau ?

Et s'il avait fait du mal à Henrietta ?

Son cœur se serra. Elle avait eu la chienne depuis qu'elle était un tout petit tas de poils. Henrietta était en fait sa plus proche confidente, la destinataire silencieuse de centaines de secrets.

Se glissant tel un spectre dans l'escalier, elle se dit de ne pas être idiote. Ce devait être un chat. Il y avait beaucoup de chats place Montrose. Peut-être deux chats, et c'est pourquoi Henrietta n'était pas encore remontée.

Elle atteignit le bas de l'escalier principal et se demanda si elle devait allumer une bougie. Il devait faire noir sous l'escalier. Elle pouvait même buter sur Henrietta, qui s'attendrait à ce qu'elle la voie.

S'arrêtant près de la table basse au fond de l'entrée, elle utilisa le briquet à amadou laissé là et alluma une des bougies disponibles. Prenant le chandelier, elle passa la porte verte matelassée.

Tenant la bougie haut dans les airs, elle avança dans le couloir. Les murs surgissaient devant elle quand la lumière du chandelier les éclairait, mais tout semblait familier, normal. Ses pantoufles claquaient sur le carrelage froid. Elle dépassa l'office du majordome et la pièce de la gouvernante, puis arriva au petit escalier descendant aux cuisines.

Elle s'arrêta et regarda en bas. Tout était noir comme de l'encre, sauf les taches de lumière du faible clair de lune filtrant des fenêtres de la cuisine et à travers la petite imposte au-dessus de la porte de derrière. Dans la lumière diffusée par cette dernière, elle put juste distinguer la silhouette poilue d'Henrietta. La chienne était recroquevillée contre le mur du corridor, la tête sur ses pattes.

– Henrietta ?

Plissant les yeux, Leonora regarda plus attentivement.

Henrietta ne remua pas d'une oreille.

Quelque chose n'allait pas. Henrietta n'était plus très jeune. Craignant que le chien ait souffert d'une attaque, Leonora remonta son peignoir qui traînait et se précipita en bas.

– Henriet… oh!

Elle s'arrêta à la dernière marche, bouche bée, face à face avec l'homme qui avait surgi de l'obscurité pour la rencontrer.

Le chandelier éclaira son visage noir. Il fit une moue hargneuse.

Une douleur éclata à l'arrière de son crâne. Elle laissa tomber le chandelier. Il atterrit devant elle, et toute lumière disparut. Tout devint noir.

Pendant un instant, elle pensa que c'était simplement la bougie qui s'était éteinte, puis d'assez loin, elle entendit Henrietta commencer à hurler. À aboyer. Le plus horrible son du monde, à figer le sang.

Elle essaya d'ouvrir les yeux, mais ne réussit pas.

La douleur s'étendait dans sa tête. Le noir s'intensifia, et elle tomba.

*

Reprendre connaissance ne fut pas agréable. Pendant un long moment, elle hésita, flottant dans cet espace entre deux mondes, tandis que des voix glissaient sur elle, inquiètes, certaines marquées par la colère, d'autres par la peur.

Henrietta était là, à ses côtés. Le chien geignait et lui léchait les doigts. La rude caresse la ramena inexorablement, de la brume, dans le monde réel.

Elle essaya d'ouvrir les yeux. Ses paupières étaient anormalement lourdes. Elle battait des cils. Elle leva mollement une main et réalisa qu'elle avait un large bandage autour de la tête.

Toute discussion cessa subitement.

– Elle est réveillée !

Cela venait de Harriet. Sa femme de chambre se précipita à ses côtés, prit sa main et la tapota.

– Ne vous inquiétez pas. Le médecin est venu et il a dit que vous serez sur pied dans peu de temps.

Laissant sa main se relâcher dans celle de Harriet, elle digéra la nouvelle.

– Tu vas bien ?

Jeremy semblait étrangement secoué. Il semblait rôder près d'elle. Elle était allongée, les pieds surélevés par rapport à sa tête, sur une méridienne… Elle devait être dans le petit salon.

Une main lourde tapota maladroitement son genou.

– Repose-toi, ma chère, conseilla Humphrey. Dieu seul sait ce qui nous attend, mais…

Sa voix tremblait et traînait.

Un instant plus tard surgit un grognement brutal.

– Elle irait mieux si vous n'étiez pas entassés autour d'elle.

Tristan.

Elle ouvrit les yeux et le regarda directement. Il se tenait au bout de la méridienne.

Son visage était plus figé qu'elle ne l'avait jamais vu. L'ensemble de ses traits patriciens lançait un avertissement à quiconque le connaissait.

Ses yeux flamboyants avertissaient tout le monde.

Elle cligna des yeux et ne déplaça pas son regard.

– Que s'est-il passé ?

– Vous avez été frappée à la tête.

– Pour autant que je me souvienne, dit-elle en regardant Henrietta, qui s'approchait, je suis descendue pour aller chercher Henrietta. Elle était descendue, mais ne revenait pas, alors qu'elle le fait toujours.

– Alors, vous êtes allée la chercher.

Elle regarda de nouveau Tristan.

– Je pensais que quelque chose avait pu lui arriver. Et c'était le cas.

Elle regarda Henrietta et grimaça.

– Elle était près de la porte, mais elle ne bougeait pas…

– Elle était droguée. Du laudanum répandu sous la porte de derrière.

Elle tendit la main vers Henrietta, prit sa gueule poilue et regarda ses yeux bruns brillants.

Tristan bougea.

– Elle est complètement guérie. Heureusement, le malfrat n'en a pas utilisé assez pour en faire plus que l'endormir.

Elle prit une profonde respiration et grimaça à cause de sa tête qui lui fit brusquement mal. Elle regarda de nouveau Tristan.

– C'était Mountford. Je suis tombée face à face avec lui en bas de l'escalier.

Pendant un instant, elle pensa qu'il rageait véritablement. La violence qu'elle aperçut en lui, qui transparut dans ses traits, était effrayante. D'autant plus parce qu'une partie de l'agression était dirigée, indubitablement, contre elle.

Sa révélation avait surpris les autres. Ils la regardaient tous, pas Tristan.

— Qui est Mountford ? demanda Jeremy.

Son regard passa de Leonora à Tristan.

— De quoi s'agit-il ?

Leonora soupira.

— C'est à propos du cambrioleur. Il est l'homme que j'ai vu au bout de notre jardin.

Cette partie de l'information saisit Jeremy et Humphrey. Ils étaient horrifiés, et ce, doublement parce qu'ils ne pourraient plus jamais se fermer les yeux, prétendre que l'homme était un produit de son imagination. L'imagination n'avait pas drogué Henrietta ni fracassé le crâne de Leonora. Forcés de reconnaître la réalité, ils s'exclamèrent.

Le bruit était trop fort. Elle ferma les yeux et s'endormit avec gratitude.

Tristan se sentait comme la corde d'un violon qu'on aurait étirée jusqu'à ce qu'elle rompe, mais quand il vit les yeux de Leonora se fermer, qu'il vit son front et ses traits lisses dans le vide de l'inconscience, il prit une profonde respiration, ravala ses démons et fit sortir les autres de la pièce sans vociférer.

Ils s'exécutèrent à contrecœur. Mais après tout ce qu'il avait entendu, tout ce qu'il avait appris, à son avis, ils avaient perdu tout droit qu'ils pouvaient avoir eu de veiller sur elle. Même sa femme de chambre, qui semblait pourtant dévouée.

Il l'envoya préparer une tisane, puis revint près de Leonora pour la regarder. Il la trouva encore pâle, mais sa peau n'était plus aussi cadavérique que lorsqu'il s'était retrouvé à ses côtés.

Jeremy, sans doute poussé par une culpabilité naissante, avait eu le bon sens d'envoyer un valet chez les voisins. Gasthorpe avait pris les choses en main, envoyant un valet jusqu'à la rue Green et un autre chercher le médecin qui, d'après ce qu'il savait, était celui qu'on appelait toujours. Jonas Pringle était un vétéran de la guerre d'Espagne. Il pouvait soigner une blessure au couteau ou par balle sans ciller. Un coup sur la tête était mineur, mais son assurance, soutenue par son expérience, était ce dont Tristan avait eu besoin.

Seul cela parvint à le maintenir très légèrement civilisé.

Réalisant que Leonora pouvait ne pas se réveiller avant un bon moment, il leva la tête et regarda par la fenêtre. L'aube commençait juste à teinter le ciel. L'urgence qui l'avait tenu au cours des dernières heures commençait à décliner.

Tirant un des fauteuils pour faire face à la méridienne, il s'y laissa tomber, étira ses jambes, fixa son regard sur le visage de Leonora et se prépara à attendre.

Elle reprit connaissance une heure plus tard, agita ses paupières, puis ouvrit les yeux tout en cherchant son souffle. Cela semblait douloureux.

Son regard tomba sur lui, et elle en fut surprise. Elle cligna des yeux, puis regarda autour d'elle autant qu'elle put sans bouger sa tête.

Il leva sa mâchoire de son poing.

– Nous sommes seuls.

Son regard se reposa sur lui. Elle étudia son visage, fronça les sourcils et demanda :

– Qu'est-ce qui ne va pas ?

Il avait passé la dernière heure à répéter comment lui dire. Le moment était venu, et il était trop fatigué pour jouer un jeu quelconque. Pas avec elle.

— Votre bonne. Elle était hystérique quand je suis arrivé.

Elle cligna des yeux. Quand ses paupières se levèrent, il vit dans ses yeux qu'elle avait déjà sauté aux conclusions, qu'elle avait compris ce qui avait dû se passer, mais quand elle croisa son regard, il ne put interpréter son expression. Elle ne pouvait sûrement pas avoir oublié les attaques précédentes. De même, il ne pouvait pas comprendre pourquoi elle était surprise de sa réaction.

La voix de Tristan fut plus grave qu'il en avait l'intention quand il dit :

— Elle m'a parlé des deux agressions précédentes que vous avez subies. Vous, spécialement. Une dans la rue et une dans votre jardin à l'avant.

Les yeux rivés sur les siens, elle hocha la tête et grimaça.

— Mais ce n'était pas Mountford.

C'était toute une nouvelle. Une nouvelle qui le fit exploser. Il se leva d'un coup, incapable de prétendre plus longtemps au calme qui était bien au-dessus de ses forces.

Il jura et fit les cent pas. Puis, il pivota pour lui faire face.

— Pourquoi ne me l'avez-vous pas dit ?

Elle rencontra son regard, ne trembla pas le moins du monde, puis dit calmement :

— Je ne pensais pas que c'était important.

— Pas… important.

Les poings serrés, il réussit à garder un ton assez calme.

— Vous étiez menacée et vous ne pensiez pas que c'était important.

Il fixa ses yeux sur les siens.

— Vous ne pensiez pas que je penserais que c'était important ?

— Ce n'était pas…

— Non !

Il la coupa d'un geste net. Il se sentit contraint de marcher de nouveau, la regardant furtivement, luttant pour mettre de l'ordre dans ses pensées, un ordre suffisant pour communiquer avec elle.

Les mots lui brûlaient la langue, trop passionnés, trop violents pour être dits.

Des mots qu'il savait qu'il regretterait à l'instant où il les prononcerait.

Il devait se concentrer. Il utilisa son considérable entraînement pour supporter, se forçant à traiter du vif du sujet. Il écarta impitoyablement le tout dernier voile et fit face à la froide et dure vérité — la réalité essentielle et indéfectible qui était la seule chose qui comptait vraiment.

Subitement, il s'arrêta et inspira nerveusement. Il pivota pour lui faire face et riva ses yeux sur les siens.

— Je suis venu pour prendre soin de vous.

Il dut se forcer pour prononcer ces mots. Sa voix basse et râpeuse l'agaça.

— Pas juste un peu, mais sérieusement. Plus sérieusement, plus à fond que j'ai jamais pris soin de quoi que ce soit ni de qui que ce soit dans ma vie.

Il dut de nouveau prendre son souffle et garda ses yeux sur les siens.

— Prendre soin de quelqu'un signifie, peu importe que ce soit à contrecœur, donner une partie de vous-même.

Il – celui qu'on prend en charge – devient le dépositaire de cette partie de vous, de ce quelque chose que vous avez donné et qui est si profondément précieux. Qui est si profondément important. Donc, il devient important, profondément important.

Il s'arrêta, puis déclara plus simplement :

– Comme vous l'êtes pour moi.

L'horloge sonna. Leurs regards restèrent figés. Aucun ne bougea.

Puis, il remua.

– J'ai fait tout ce que je pouvais pour vous expliquer, pour vous faire comprendre.

Son expression se ferma, et il se tourna vers la porte.

Leonora essaya de se lever, mais ne réussit pas.

– Où allez-vous ?

La main sur la poignée, il se tourna pour la regarder.

– Je pars. Je vais vous envoyer votre bonne.

Ses mots étaient saccadés, mais une émotion, contenue, bouillonnait dessous.

– Quand vous supporterez d'être importante pour quelqu'un, vous saurez où me trouver.

– Tristan…

Avec un effort, elle se tourna, leva la main…

La porte se ferma avec un bruit sec dont l'irrévocabilité résonna à travers la pièce.

Elle regarda la porte pendant un long moment, puis soupira et se cala sur la méridienne. Elle ferma les yeux, comprenant parfaitement ce qu'elle avait fait. Elle savait qu'elle devait réparer son erreur.

Mais pas maintenant. Pas aujourd'hui.

Elle était trop faible même pour penser et elle avait besoin de réfléchir, de trouver exactement quoi dire pour apaiser son loup blessé.

*

Les trois jours suivants furent un défilé d'excuses.

Pardonner à Harriet fut assez facile. La pauvre avait été si renversée de trouver Leonora étendue sans connaissance sur les carreaux de la cuisine qu'elle avait bafouillé follement à propos des hommes qui l'avaient attaquée. Un commentaire mineur avait été suffisant pour attirer l'attention de Tristan. Il avait impitoyablement extirpé tous les détails à Harriet et l'avait laissée dans un état de tension émotive encore pire.

Quand Leonora se retira dans son lit après avoir mangé un bol de soupe pour le déjeuner — tout ce qu'elle imaginait pouvoir avaler —, Harriet l'aida à monter l'escalier et à rentrer dans sa chambre sans un mot, sans lever une fois les yeux sur elle ni croiser son regard.

Soupirant intérieurement, Leonora s'assit sur son lit, puis encouragea Harriet à se libérer de sa culpabilité, de ses inquiétudes et de ses soucis. Ensuite, elle fit la paix avec elle.

Cela s'avéra l'obstacle le plus facile à surmonter.

Épuisée, encore physiquement secouée, elle resta dans sa chambre le reste de la journée. Ses tantes passèrent, mais après un regard sur son visage, elles raccourcirent leur visite. Devant son insistance, elles acceptèrent d'éviter toute mention de l'agression. Pour tous ceux qui se questionneraient à son sujet, elle serait simplement indisposée.

Le lendemain matin, Harriet venait juste d'ôter son plateau de petit déjeuner et de la laisser assise dans un fauteuil près du feu quand un coup résonna à la porte. Elle cria :

— Entrez !

La porte s'ouvrit, et Jeremy regarda autour de lui.

Il la vit.

— Es-tu assez bien pour parler ?

— Oui, bien sûr.

Elle lui fit signe d'entrer.

Il entra lentement, ferma soigneusement la porte derrière lui, puis avança tranquillement pour se placer près de la cheminée. Il la regarda. Son regard se fixa sur le bandage qui faisait le tour de sa tête. Un spasme crispa ses traits.

— C'est ma faute si tu souffres. J'aurais dû t'écouter, te prêter plus d'attention. Je savais que ce que tu disais des cambrioleurs ne venait pas de ton imagination, mais c'était tellement plus facile de simplement tout ignorer.

Il avait vingt-quatre ans, mais il était soudain, une fois encore, son petit frère. Elle le laissa parler, le laissa dire ce qu'il avait besoin de dire. Le laissa aussi faire la paix, pas juste avec elle, mais avec lui-même. L'homme qu'il savait qu'il aurait dû être.

Vingt longues minutes plus tard, il était assis sur le plancher à côté de son fauteuil, la tête appuyée contre son genou.

Elle caressait ses cheveux, si soyeux alors qu'ils étaient ébouriffés comme jamais.

Soudain, il frissonna.

— Si Trentham n'était pas venu…

— S'il n'était pas venu, vous vous seriez débrouillés.

Après un moment, il soupira, puis posa sa joue contre son genou.

— Je suppose.

Elle resta au lit pendant le reste de cette journée aussi. Le lendemain matin, elle se sentait considérablement mieux. Le médecin passa encore, examina sa vision et son équilibre, sonda l'endroit sensible de son crâne, puis se dit satisfait.

— Mais je vous conseillerais d'éviter toute activité qui pourrait vous fatiguer, du moins pendant les prochains jours.

Elle y réfléchit, pensant aux excuses qu'elle devait faire et combien ce serait probablement épuisant mentalement et physiquement, tandis qu'elle descendait l'escalier lentement, prudemment.

Humphrey était assis sur un banc dans l'entrée. Utilisant sa canne, il se leva lentement quand elle descendit. Il sourit, un brin de travers.

— Te voilà, ma chère. Tu te sens mieux ?

— Oui. Bien mieux, merci.

Elle fut tentée de se lancer dans des questions sur la maison, n'importe quoi pour éviter ce qui, d'après elle, allait arriver. Elle repoussa cette forte envie comme n'étant pas justifiée. Humphrey, comme Harriet et Jeremy, avait besoin de parler. Souriant de façon décontractée, elle accepta son bras quand il le lui offrit et l'accompagna dans le petit salon.

La rencontre fut pire — elle eut plus d'implications émotives — qu'elle l'aurait cru. Ils s'assirent côte à côte sur la méridienne dans le petit salon, regardant les jardins dehors sans toutefois rien en voir. À sa grande surprise, la culpabilité de Humphrey remontait à bien plus d'années qu'elle l'avait réalisé.

Il aborda de front ses manquements de ces derniers temps, s'excusant d'un ton bourru, mais ensuite il revint plus loin dans le passé, et elle découvrit qu'il avait passé les derniers jours à réfléchir bien plus profondément qu'elle ne l'aurait deviné.

– J'aurais dû faire venir Mildred dans le Kent plus souvent. Je le savais à l'époque.

Regardant par la fenêtre, il tapota distraitement la main de Leonora.

– Tu vois, quand ta tante Patricia est morte, je me suis renfermé. J'ai juré que je ne m'occuperais plus jamais de quelqu'un comme ça encore, que je ne m'exposerais plus jamais à une telle douleur. J'aimais vous avoir, Jeremy et toi, à la maison. Vous étiez mes distractions, mes soutiens pour survivre au quotidien. Avec vous deux près de moi, il fut facile d'oublier ma blessure et de mener une vie assez normale.

» Mais j'étais très déterminé à ne jamais laisser personne s'approcher et devenir important pour moi. Pas encore. Alors, je me suis toujours tenu à distance de toi, et de Jeremy aussi, de diverses manières.

Les yeux âgés et fatigués, à moitié remplis de larmes, il se tourna vers elle. Il sourit légèrement, ironiquement.

– Et c'est ainsi que j'ai échoué, ma chère, échoué à prendre soin de toi comme je devais et j'en ai terriblement honte. Mais j'ai échoué envers moi-même aussi, à plus d'un titre. Je me suis privé de ce qu'il aurait pu exister entre nous, toi et moi, et avec Jeremy aussi. J'ai été injuste avec nous tous à cet égard. Mais je n'ai pas encore réalisé ce que je voulais. J'étais trop arrogant pour voir que prendre soin des autres n'était pas tout à fait une décision consciente.

Ses doigts se resserrèrent autour des siens.

– Quand nous t'avons trouvée étendue sur le carrelage, cette nuit…

Sa voix chevrota, s'éteignit.

– Oh, mon oncle !

Leonora leva les bras et l'étreignit.

– Ça n'a pas d'importance. Plus maintenant.

Elle posa sa tête sur son épaule.

– C'est du passé.

Il mit sa main dans son dos, mais répondit subitement :

– Ça a de l'importance, mais nous n'allons pas en débattre parce que tu as raison… C'est du passé. À partir de maintenant, nous devons avancer comme nous aurions dû le faire.

Il baissa la tête pour la regarder dans les yeux.

– Hein ?

Elle sourit, un brin larmoyante.

– Oui, bien sûr.

– Bien !

Humphrey la libéra et soupira.

– À présent, tu dois me dire tout ce que Trentham et toi avez découvert. Je suppose que c'est en lien avec le travail de Cedric ?

Elle expliqua. Quand Humphrey demanda à voir les journaux de Cedric, elle alla en chercher quelques-uns dans la pile au coin.

– Sapristi !

Humphrey lut une page, puis regarda la pile de journaux.

— Où en es-tu avec ceux-là ?

— J'en suis seulement au quatrième, mais…

Elle expliqua que les journaux n'étaient pas classés en ordre chronologique.

— Il a dû utiliser un autre ordre…, un journal par idée, par exemple.

Humphrey ferma le livre sur ses genoux.

— Il n'y a aucune raison pour que Jeremy et moi ne puissions mettre notre travail de côté pour te donner un coup de main avec ça. Ce n'est pas ta spécialité, mais c'est la nôtre après tout.

Elle réussit à ne pas rester bouche bée.

— Mais, et les Mésopotamiens ? Et les Sumériens ?

Le travail dans lequel ils s'étaient tous deux engagés était une commande du British Museum.

Humphrey grommela et fit un geste pour écarter sa protestation tandis qu'il se redressait.

— Le musée peut attendre. Ceci, manifestement pas. Pas si un goujat malfaisant et dangereux cherche quelque chose ici. En plus…

Il se releva et sourit à Leonora.

— … qui d'autre le musée peut-il trouver pour de telles traductions ?

C'était un point indiscutable. Elle se leva et se rendit à la sonnette. Quand Castor entra, elle lui demanda de déplacer la pile de journaux à la bibliothèque. Le journal qu'il avait regardé plié sous son bras, Humphrey avança d'un pas traînant dans cette direction, accompagné de Leonora. Un valet transportant les journaux les dépassa dans l'entrée. Ils le suivirent dans la bibliothèque.

Jeremy leva les yeux. Comme toujours, des livres ouverts recouvraient son bureau.

Humphrey agita sa canne.

– Fais de l'espace. Nouvelle tache. Affaire urgente.

– Ah?

À la grande surprise de Leonora, Jeremy obéit, fermant les livres et les déplaçant pour que le valet puisse déposer la pile imposante de journaux.

Jeremy prit immédiatement celui du dessus et l'ouvrit.

– De quoi s'agit-il?

Humphrey lui expliqua. Leonora ajouta qu'ils présumaient qu'une formule précieuse se cachait quelque part dans les journaux.

Déjà absorbé dans le volume qu'il tenait dans ses mains, Jeremy bougonna.

Humphrey retourna à son siège et revint au volume qu'il avait transporté depuis le petit salon. Leonora réfléchit, puis partit voir le personnel pour passer en revue toutes les tâches de la maison.

Une heure plus tard, elle retourna dans la bibliothèque. Jeremy et Humphrey avaient tous les deux la tête penchée. Le front de Jeremy restait plissé. Il leva les yeux quand elle ôta le volume du dessus de la pile de journaux.

– Ah?

Il cligna des yeux d'un air myope en la regardant.

Elle sentit sa tentation instinctive de reprendre le livre.

– Je pensais que je pourrais aider.

Jeremy rougit et jeta un œil vers Humphrey.

— En fait, cela ne va pas être facile à faire à moins que tu ne restes ici la plus grande partie de la journée.

Elle fronça les sourcils.

— Pourquoi ?

— Ce sont des références croisées. Nous ne faisons que commencer, mais cela va être un cauchemar jusqu'à ce que nous découvrions le lien entre les journaux et leur suite exacte aussi. Nous devrons le faire verbalement. C'est simplement un trop gros travail, et nous avons besoin de la réponse très rapidement pour tenter de noter des liens.

Il la regarda.

— Nous y sommes habitués. Si d'autres possibilités avaient besoin d'être étudiées, tu pourrais être plus utile. Nous pourrions résoudre ce mystère plus tôt si tu t'en occupais.

Aucun ne voulait l'exclure. Cela se voyait dans leurs yeux, dans leurs expressions sincères. Toutefois, Jeremy disait la vérité. Ils étaient des spécialistes dans ce domaine. Et elle n'avait effectivement pas envie de passer le reste de la journée ainsi que la soirée à plisser les yeux sur l'écriture tremblotante de Cedric.

Et il y avait beaucoup d'autres choses à faire.

Elle sourit avec bienveillance.

— Il y a d'autres possibilités qu'il serait intéressant d'explorer, si vous pouvez vous débrouiller sans moi.

— Oh, oui.

— Nous nous débrouillerons.

Son sourire s'élargit.

— Bien, alors, je vous laisse à votre travail.

Se tournant, elle alla vers la porte. Elle regarda derrière elle tandis qu'elle tournait la poignée et vit les deux têtes à nouveau baissées. Souriant toujours, elle partit.

Elle tourna alors résolument son esprit vers sa tâche la plus urgente : s'occuper de son loup blessé.

Chapitre 15

Réaliser ce but – faire la paix avec Tristan –, s'arranger pour y parvenir, nécessitait un degré d'ingéniosité et de témérité qu'elle n'avait jamais eu à utiliser auparavant. Mais elle n'avait pas le choix. Elle fit venir Gasthorpe et lui donna des ordres clairs. Il devait s'arranger pour louer une voiture, la faire conduire aux écuries derrière la rue Green, et le cocher devait attendre son retour.

Le tout, bien sûr, en insistant fermement sur le fait que sous aucun prétexte son maître, le comte, ne devait en être informé. Elle avait découvert une vive intelligence chez Gasthorpe. Bien qu'elle n'eût pas aimé compromettre sa loyauté envers Tristan, il s'avérait en fin de compte que c'était pour le bien de Tristan.

Quand, dans l'obscurité de la nuit tombante, elle se retrouva dans les buissons au bout du jardin de Tristan et qu'elle vit la lumière briller aux fenêtres de son bureau, elle sentit qu'elle avait raison à tous les égards.

Il n'était allé à aucun bal et à aucun dîner. Étant donné l'absence de Leonora de la haute société, le fait que lui non plus n'avait pas assisté aux événements usuels générerait de vives spéculations. Suivant l'allée à travers les buissons jusqu'à l'endroit où elle contournait la maison, elle se demanda à quel point il aimerait que leur mariage ait lieu rapidement. Pour elle, ayant pris sa décision, cela n'avait vraiment aucune importance… En fait, elle préférerait que ce soit tôt plutôt que tard.

Cela laissait moins de temps pour anticiper comment les choses se passeraient, mais c'était bien mieux pour se jeter à l'eau et aller directement au but.

Elle sourit. Elle soupçonnait qu'il partagerait son opinion, même si ce n'était pas pour les mêmes raisons.

S'arrêtant devant son bureau, elle se mit sur la pointe des pieds et jeta un œil à l'intérieur. Le plancher était considérablement plus haut que le sol. Tristan était assis à son bureau, dos à elle, la tête penchée tandis qu'il travaillait. Une pile de papiers était posée à sa droite. À sa gauche, un registre était ouvert.

Elle en voyait assez pour être sûre qu'il était seul.

En fait, quand il se tourna pour vérifier une entrée dans le registre et qu'elle aperçut son visage, il semblait très seul. Un loup solitaire qui avait dû changer ses manières de reclus et vivre dans la haute société, avec titre, maisons et personnes à charge, et toutes les exigences que cela entraînait.

Il avait abandonné sa liberté, sa vie excitante, dangereuse et solitaire, et avait pris les rênes qu'on lui avait léguées sans se plaindre.

En retour, il demandait peu, ni en excuses ni en récompenses.

La seule chose qu'il demandait à sa nouvelle vie, c'était de l'avoir comme femme. Il lui avait offert tout ce qu'elle pouvait espérer, lui avait donné tout ce qu'elle pouvait et voulait accepter.

En retour, elle lui avait donné son corps, mais pas ce qu'il voulait le plus. Elle ne lui avait pas donné sa confiance. Ni son cœur.

Ou plutôt, elle l'avait fait, mais elle ne l'avait jamais admis. Elle ne lui avait jamais dit.

Elle était là pour rectifier cette omission.

Se détournant, prenant soin de marcher silencieusement, elle continua vers le petit salon. Elle supposait qu'il resterait à travailler à la gestion de ses biens, chose qu'il avait sans doute négligée tandis qu'il s'était concentré sur Mountford. Le bureau était là où elle espérait qu'il serait. Elle avait vu la bibliothèque et le bureau, et c'était le bureau qui lui correspondait le plus, qui semblait être la pièce dans laquelle il se retirait. Son repaire.

Elle était heureuse de ne pas s'être trompée. La bibliothèque était dans l'autre aile, de l'autre côté de l'entrée principale.

Atteignant les portes-fenêtres par lesquelles ils étaient entrés lors de sa précédente visite, elle se plaça en plein milieu devant elles, posa ses mains sur la jointure comme il l'avait fait – utilisant ses deux mains plutôt que juste une – et appuya fortement.

Les portes vibrèrent, mais restèrent fermées.

– Bon sang !

Elle fronça les sourcils, puis elle s'approcha davantage des portes et mit son épaule au milieu. Elle compta jusqu'à trois et appuya de tout son poids.

Elles s'ouvrirent. Leonora faillit s'effondrer sur le sol.

Retrouvant son équilibre, elle se tourna et ferma les portes, remit sa cape autour d'elle et entra furtivement dans la pièce. Elle attendit, retenant son souffle, pour voir si quelqu'un avait été alerté. Elle ne pensait pas avoir fait beaucoup de bruit.

Elle n'entendit aucun bruit de pas. Personne ne venait. Ses battements de cœur ralentirent graduellement.

Prudemment, elle avança. La dernière chose qu'elle espérait, c'était d'être découverte en train de rentrer par effraction dans cette maison pour y rencontrer clandestinement son propriétaire. Si elle se faisait prendre, une fois qu'ils seraient mariés, elle devrait congédier ou soudoyer tout le personnel. Elle ne voulait pas avoir à faire face à ce choix.

Elle vérifia l'entrée principale. Comme précédemment, à ce moment de la nuit, aucun valet n'était en place. Havers, le majordome, devait être en bas. La voie était libre. Elle se glissa dans l'obscurité du corridor menant au bureau avec une prière sur les lèvres.

Elle remerciait le ciel pour ce qu'elle avait reçu jusqu'à présent et demandait que sa chance dure.

S'arrêtant devant la porte du bureau, elle fit face aux panneaux et essaya d'imaginer, dans une répétition de dernière minute, comment leur conversation allait se dérouler… Mais son esprit restait obstinément bloqué.

Elle devait s'excuser et faire une déclaration. Prenant une profonde respiration, elle saisit la poignée.

Brusquement, elle fut tirée de sa prise. La porte s'ouvrait. Elle cligna des yeux et vit Tristan à côté d'elle, qui la dominait.

Il regarda devant elle, dans le corridor, puis prit sa main et l'attira dans la pièce. Baissant le pistolet qu'il tenait dans l'autre main, il la libéra et ferma la porte.

Elle regarda l'arme.

– Bon sang !

Elle leva ses yeux stupéfaits vers son visage.

– M'auriez-vous tuée ?

Il plissa les yeux.

– Pas vous. Je ne savais pas qui…

Il pinça ses lèvres et se détourna.

– Me prendre par surprise n'est jamais une bonne idée.

Elle ouvrit grand les yeux.

– Je m'en souviendrai à l'avenir.

Il se dirigea vers un buffet et posa le pistolet dans la vitrine en haut. Son regard était sombre tandis qu'il se tournait pour la regarder. Puis il repartit se placer près de son bureau.

Elle resta où elle s'était arrêtée, plus ou moins au milieu de la pièce. Ce n'était pas une grande pièce, et il s'y trouvait.

Son regard se posa sur son visage et se durcit :

– Que faites-vous ici ? Non… Attendez !

Il leva une main.

– D'abord, dites-moi comment vous êtes arrivée ici.

Elle s'était attendue à cette question. Elle hocha la tête en joignant ses mains.

– Vous ne veniez pas, ce à quoi je ne m'attendais pas…

Elle l'avait fait, mais avait réalisé son erreur.

– … alors, je devais venir ici. Comme vous l'avez déjà remarqué, se voir pendant les heures habituelles de visite est peu favorable à fournir de nombreuses occasions de se parler en privé, alors…

Elle prit une profonde respiration et se lança :

— J'ai fait venir Gasthorpe et j'ai loué une voiture par son intermédiaire. J'ai insisté pour qu'il garde le secret absolu, alors vous ne pouvez pas lui en tenir rigueur. La voiture…

Elle lui dit tout, soulignant le fait que la voiture avec le cocher et le valet attendaient dans les écuries pour la ramener chez elle. Quand elle arriva à la fin de son récit, il laissa un moment passer, puis haussa légèrement les sourcils. C'était le premier changement dans son expression depuis qu'elle était entrée dans la pièce.

Il se déplaça et s'appuya contre le bord de son bureau. Son regard restait figé sur son visage.

— Jeremy… Où croit-il que vous êtes ?

— Humphrey et lui sont sûrs que je dors. Ils se sont lancés d'eux-mêmes dans les journaux de Cedric et ils y sont plongés.

Un subtil changement se forma dans ses traits, les aiguisant, les durcissant. Elle ajouta rapidement :

— Malgré cela, Jeremy s'est assuré que toutes les serrures ont été changées, comme vous l'avez suggéré.

Il soutint son regard. Un long moment passa, puis il inclina peu à peu la tête, sachant qu'elle lisait très bien ses pensées. Réprimant une forte envie de sourire, elle continua :

— Néanmoins, j'ai gardé Henrietta dans ma chambre le soir pour qu'elle ne puisse pas aller se promener…

Et la perturber, l'inquiéter. Elle cligna des yeux et poursuivit :

— Ainsi, j'ai dû la prendre avec moi quand je suis partie ce soir... Elle est avec Biggs dans la cuisine du numéro 12.

Tristan réfléchit et maugréa mentalement. Elle avait pensé à tous les détails. Il pouvait être tranquille sur ce point. Elle était là, en sécurité. Elle avait même arrangé un retour sécuritaire. Il se cala contre son bureau et croisa les bras. Il laissa son regard, fixé sur son visage, devenir encore plus résolu.

— Donc, pourquoi êtes-vous ici ?

Elle croisa son regard directement, sans le détourner, parfaitement calme.

— Je suis venue m'excuser.

Il haussa les sourcils. Elle continua :

— J'aurais dû me rappeler ces premières agressions et vous en parler, mais avec tout ce qui s'est passé récemment, elles m'étaient sorties de la tête.

Elle étudia ses yeux, réfléchissant plutôt que cherchant à savoir. Il réalisa qu'elle rassemblait les mots comme ils venaient. Ce n'était pas un discours préparé.

— Néanmoins, au moment où les agressions se sont passées, nous ne nous connaissions pas, et il n'y avait personne qui me considérait comme assez importante pour que je me sente obligée de l'informer. De l'avertir.

Elle leva le menton tout en maintenant son regard sur ses yeux.

— J'accepte et je concède que la situation a changé à présent, que je suis importante pour vous et que, par conséquent, vous devez savoir...

Elle hésita, grimaça, puis corrigea à contrecœur :

– Peut-être même que vous êtes en droit de savoir si quelque chose constitue une menace pour moi.

Elle s'arrêta de nouveau, comme si elle réentendait ses mots, puis se redressa et hocha la tête en se concentrant de nouveau sur lui.

– Alors, je vous offre sincèrement mes excuses pour ne pas vous avoir parlé de ces incidents, pour ne pas avoir reconnu que je le devais.

Il cligna des yeux, lentement. Il ne s'était pas attendu à des excuses en des termes si poussés et parfaitement limpides. Ses nerfs commencèrent à le titiller, et un empressement nerveux le saisit. Il reconnut sa réaction typique due au fait qu'il était sur le point de réussir, que la victoire – complète et absolue – était à sa portée.

Qu'il était seulement à un pas de la saisir.

– Vous êtes d'accord que j'ai le droit de savoir quelles sont les menaces envers vous ?

Elle rencontra son regard et hocha résolument la tête.

– Oui.

Il réfléchit pendant seulement une seconde, puis demanda :

– Dois-je comprendre que vous êtes d'accord pour m'épouser ?

Elle n'hésita pas.

– Oui.

Le nœud serré de tension qu'il subissait depuis si longtemps qu'il en était devenu inconscient se défit et le quitta. Le soulagement fut immense. Il prit une profonde respiration et se sentit comme si c'était la première fois qu'il respirait depuis des semaines.

Mais il n'en avait pas fini avec elle. Il n'avait pas encore fini de lui extraire des promesses.

Il s'écarta de son bureau et saisit son regard.

— Vous acceptez d'être ma femme, d'agir en tout point comme ma femme et de m'obéir en tout ?

Cette fois, elle hésita et grimaça.

— Il y a trois questions. Oui, oui, et en tout ce qui sera raisonnable.

Il haussa un sourcil.

— « En tout ce qui sera raisonnable. » Il semble qu'il faille éclairer ce point.

Il diminua la distance entre eux et s'arrêta directement devant elle. Il la regarda dans les yeux.

— Acceptez-vous, peu importe où vous alliez, ce que vous faisiez, toute activité impliquant le moindre danger pour vous, de m'en informer d'abord avant de vous engager ?

Elle pinça ses lèvres et garda ses yeux rivés sur les siens.

— Si c'est possible, oui.

Il plissa les yeux.

— Vous pinaillez.

— Vous êtes excessif.

— Il est excessif pour un homme de vouloir savoir sa femme en sécurité en tout temps ?

— Non. Mais il est excessif de l'envelopper dans un genre de cocon protecteur pour le réaliser.

— C'est une question d'opinion.

Il marmonna ces mots à voix basse, mais Leonora les entendit. Il s'approcha davantage, de façon intimidante. Sa colère commençait à monter. Elle la contrôla avec détermination. Elle n'était pas venue se battre avec lui. Il était bien trop habitué aux conflits. Elle était résolue à ce qu'il n'y en ait pas entre eux. Elle soutint son regard dur, aussi résolue que lui.

— Je suis parfaitement prête à faire tout ce qui est possible — dans la limite du raisonnable — pour satisfaire vos tendances protectrices.

Elle insuffla dans ses mots toute sa détermination et son engagement. Il s'en rendit compte. Elle vit la compréhension — et l'acceptation — passer derrière ses yeux.

Ils demeurèrent perçants jusqu'à ce que son regard fût d'une couleur noisette cristalline, absorbés par elle.

— Si telle est la meilleure offre que vous êtes prête à faire…

— C'est le cas.

— Alors, j'accepte.

Son regard dévia vers ses lèvres.

— Maintenant… Je veux savoir jusqu'où vous êtes prête à aller pour satisfaire mes autres tendances.

Ce fut comme s'il baissait son bouclier, qu'il laissait brusquement tomber la barrière entre eux. Une vague de chaleur sensuelle la submergea. Elle se souvint soudain qu'il était un loup blessé — un loup sauvage blessé — et qu'elle devait l'apaiser. Du moins, sur ce point. Logiquement, rationnellement — avec des mots —, elle s'était rachetée, et il avait accepté. Mais ce n'était pas le seul plan sur lequel ils interagissaient.

Ses poumons se comprimèrent lentement.

— Quelles autres tendances ?

Elle prononça ces mots avant que sa voix devienne trop faible. Tout pour gagner quelques secondes.

Le regard de Tristan se baissa davantage. La poitrine de Leonora se gonfla et la fit souffrir. Puis, il releva les paupières et regarda son visage.

– Ces tendances que vous fuyez, que vous essayez d'éviter, mais que vous appréciiez pourtant ces dernières semaines.

Il s'approcha encore. Sa veste frôla son corsage. Ses cuisses touchèrent les siennes.

Son cœur battait à tout rompre dans sa gorge. Le désir se répandit comme une traînée de poudre sous sa peau. Elle regarda son visage, ses lèvres fines et mobiles, et sentit ses propres battements. Puis, elle leva les yeux vers ses yeux noisette hypnotiques, et la vérité éclata en elle. De tout ce qui s'était passé entre eux, de tout ce qu'ils avaient partagé jusqu'ici, il ne lui avait pas encore tout montré, tout révélé.

Il ne lui avait pas révélé, laissé voir, les profondeurs, la véritable étendue de sa possessivité. De sa passion, de son désir de la posséder.

Il tendit le bras vers les attaches de sa cape et, d'un coup, les défit. Le vêtement glissa sur le sol, s'étalant derrière elle. Elle portait une robe du soir simple, d'un bleu profond. Elle vit son regard traîner sur ses épaules de manière ouvertement possessive, ouvertement avide. Puis une fois de plus, il croisa son regard. Il haussa un sourcil.

– Alors… Qu'allez-vous me donner ? Qu'allez-vous me céder ?

Ses yeux étaient rivés sur ceux de Leonora. Elle savait ce qu'il voulait.

Tout.

Sans réserve, sans restriction.

Elle savait dans son cœur, au bondissement de ses sens, que sur ce plan, ils étaient assortis, qu'indépendamment de toute opinion contraire, elle était et serait toujours incapable de lui refuser exactement ce qu'il voulait.

Parce qu'elle le voulait aussi.

Malgré son agressivité, malgré son désir noir qui couvait dans ses yeux, il n'y avait rien là pour lui faire peur.

Seulement du bonheur.

Même si elle finissait par en payer le prix.

Elle s'humecta les lèvres et regarda les siennes.

— Que voulez-vous que je dise ?

Sa voix était basse, son ton ouvertement voluptueux. Rencontrant son regard, elle haussa fièrement un sourcil.

— Prenez-moi, je suis vôtre ?

Ce fut comme une étincelle. Des flammes s'embrasèrent dans ses yeux. Elles crépitèrent entre eux.

Il tendit les bras vers elle, ses mains se déployant autour de sa taille, et il l'attira implacablement contre lui.

— Cela fera l'affaire.

Penchant la tête, il posa ses lèvres sur les siennes et les emmena tous deux directement dans les flammes.

Elle lui ouvrit ses lèvres, l'accueillant à l'intérieur, heureuse de la chaleur qu'elle sentait s'infiltrer dans ses veines.

Heureuse dans la possession de sa bouche. C'était une promesse progressive, minutieuse, puissante de tout ce qui suivrait.

Levant les bras, elle les passa autour de son cou et s'abandonna à son sort.

Il semblait savoir, sentir son total et complet abandon — à lui, à ça, au moment enflammé.

À la passion et au désir qui les parcouraient.

Il leva ses mains et prit son visage, l'immobilisant tandis qu'il approfondissait le baiser. Leurs bouches fusionnèrent jusqu'à ce qu'ils respirent à l'unisson, jusqu'à ce que le même rythme cardiaque résonne dans leurs veines.

Dans un murmure, elle se pressa contre lui, le provoquant de façon osée. Les mains de Tristan quittèrent son visage, descendirent, caressèrent ses épaules, puis saisirent audacieusement ses seins. Il referma ses doigts, et les flammes jaillirent. Elle frissonna et l'incita à poursuivre. Elle l'embrassa, avide et passionnée tout comme lui. Il céda, ses doigts trouvant les pics fermes de ses mamelons, qu'il serra lentement, les tourmentant.

Elle interrompit le baiser, le souffle coupé. Les mains de Tristan ne s'arrêtèrent pas. Elles étaient partout, pétrissant, caressant. Possédant.

La réchauffant. Envoyant des flammes sous sa peau, rendant son pouls déchaîné.

— Cette fois, je vous veux nue.

Elle put à peine distinguer ses mots.

— Sans une maille pour vous cacher derrière.

Elle ne comprenait pas ce qu'il pensait qu'elle pouvait cacher. Peu lui importait. Quand il la fit tourner et qu'il mit ses doigts sur ses lacets, elle attendit seulement jusqu'à ce qu'elle sente le corsage se détacher pour faire glisser la robe de ses épaules. Elle allait dégager ses bras des petites manches…

— Non. Attendez !

Un ordre auquel elle n'était pas en position de désobéir. Son esprit tourbillonnait, ses sens étaient en émoi, le plaisir anticipé s'intensifiait à chaque souffle, à chaque contact possessif. Mais il ne la touchait pas à présent. Levant la tête, elle tenta de respirer. Son souffle était irrégulier, saccadé.

— Tournez-vous.

Elle s'exécuta tandis que l'intensité de l'éclairage de la petite pièce augmenta. Deux lampes massives se trouvaient de chaque côté de l'imposant bureau. Il avait allongé les mèches. Tandis qu'elle lui faisait face, il s'installa, s'appuyant contre le bord avant de son bureau, à mi-chemin des deux lampes.

Il croisa son regard, puis baissa le sien. Vers ses seins, encore cachés derrière la soie chatoyante et transparente de sa chemise.

Il tendit une main et lui fit signe.

— Venez ici.

Elle obtempéra et, à travers le flot de pensées qui l'assaillirent, elle se rappela que, malgré le fait qu'ils avaient été intimes à de multiples occasions, il ne l'avait jamais vue nue à la lumière.

Un coup d'œil sur son visage confirma qu'il avait l'intention de tout voir ce soir.

Sa main glissa vers sa hanche. Il l'attira pour qu'elle se tienne devant lui, entre ses jambes. Il prit ses mains, une dans chacune des siennes, et les déploya, les paumes à plat, sur ses propres cuisses.

— Ne les déplacez pas avant que je vous le dise.

La bouche de Leonora était sèche. Elle ne répondit pas. Elle ne fit que regarder son visage tandis qu'il faisait glisser les manches de son corsage plus bas sur ses bras. Puis, il tendit le bras, non pas vers les attaches de sa chemise comme elle l'aurait cru, mais vers les monticules de ses seins dissimulés par la soie.

Ce qui suivit fut un délicieux tourment. Il traça, caressa, soupesa, massa… Et tout le long, il la regarda, jaugeant ses réactions. Sous ses soins experts, ses seins se gonflèrent, devinrent plus lourds et plus fermes… jusqu'à ce qu'ils soient douloureux. La délicate pellicule de soie était juste suffisante pour la taquiner, la tourmenter, pour la faire gémir de désir… du désir de ses mains sur elle.

Sa peau était brûlante contre la sienne.

– S'il vous plaît…

La demande émergea de ses lèvres tandis qu'elle levait les yeux vers le plafond, essayant de reprendre ses esprits.

Les mains de Tristan la quittèrent. Elle attendit, puis sentit ses doigts se refermer autour de ses poignets. Il leva ses mains tandis qu'elle baissait la tête et le regardait.

Ses yeux étaient de sombres réservoirs éclairés par des flammes dorées.

– Montrez-moi.

Il guida ses mains vers les attaches de ruban.

Le regard de Leonora fusionna avec le sien. Elle saisit les extrémités de ses rubans et tira, puis, totalement captivée par ce qu'elle pouvait voir dans son visage, la passion brute, le désir cinglant, elle ôta lentement le délicat tissu, dévoilant ses seins à la lumière.

Et à lui. Son regard était comme des flammes, léchant, réchauffant. Sans lever les yeux, il saisit les mains de Leonora et les plaça de nouveau sur ses cuisses.

– Laissez-les là.

Il les relâcha, puis posa les siennes sur ses seins.

La réelle torture commença. Il semblait savoir exactement ce qu'elle pouvait supporter, puis il pencha la tête, apaisa un mamelon douloureux avec sa langue et le prit dans sa bouche.

Se régala.

Jusqu'à ce qu'elle pousse un cri. Jusqu'à ce que l'extrémité de ses doigts se cramponne aux muscles d'acier de ses cuisses. Il téta, et ses genoux tremblèrent. Il referma un bras sous ses hanches et la soutint, l'aidant à rester stable tandis qu'il faisait ce qu'il voulait, posant son empreinte sur sa peau, sur ses nerfs, sur ses sens.

Elle ouvrit les paupières, haleta et baissa les yeux. Elle vit et sentit sa tête brune se mouvoir contre elle tandis qu'il assouvissait ses désirs — et les siens.

À chaque contact de ses lèvres, chaque mouvement de sa langue, chaque succion émoustillante, il alimentait impitoyablement et inexorablement le feu en elle.

Jusqu'à ce qu'elle brûle. Jusqu'à ce que, incandescente et vide, elle ressente comme un gouffre qu'elle désirait ardemment qu'il remplisse, pour lequel elle souffrait et qu'il fallait absolument qu'il comble.

Elle leva les mains et libéra ses bras de ses manches en les tortillant. Puis elle tendit les mains vers lui, caressa sa mâchoire avec ses paumes, les sentit travailler tandis qu'il tétait. Elle refit glisser ses doigts dans ses cheveux. À contrecœur, il recula et libéra sa douce chair.

Il regarda son visage, rencontra ses yeux, puis il la remit debout. Ses grandes paumes descendirent le long de son corps jusqu'à sa taille, en suivant ses contours de façon possessive, faisant glisser sa robe et sa chemise sur la rondeur de ses hanches, jusqu'à ce qu'avec un doux bruissement, elles tombent à ses pieds.

Son regard avait suivi le tissu jusqu'à ses genoux. Il les étudia, puis, lentement, délibérément, il leva les yeux, passa ses cuisses, s'attarda sur leur sommet avant de se déployer lentement sur le léger bombement de son ventre, sur son nombril, sa taille, ses seins, et enfin, son visage, ses lèvres, ses yeux. Il la détaillait si longuement qu'elle n'eut aucun doute qu'il considérait que tout ce qu'il voyait, tout ce qu'elle était, lui appartenait.

Elle frémit, non pas de froid, mais du désir qui s'intensifiait. Elle tendit la main vers sa cravate.

Il saisit ses mains.

— Non. Pas ce soir.

Malgré la force du désir, elle réussit à froncer légèrement les sourcils.

— Je veux vous voir aussi.

— Vous me verrez assez pendant les années à venir.

Il se leva, tenant toujours ses mains, et se plaça à côté d'elle.

— Ce soir…, je vous veux. Nue. Mienne.

Il saisit son regard.

— Sur ce bureau.

« Le bureau ? » Elle le regarda.

Il libéra ses mains, referma les siennes autour de sa taille et la souleva, l'asseyant sur le devant du bureau, où il s'était tenu appuyé.

La sensation de l'acajou ciré sous ses fesses nues la déconcentra temporairement.

Tristan saisit ses genoux, les écarta et se plaça entre ses jambes. Il prit son visage dans ses mains tandis qu'elle levait les yeux, surprise..., et l'embrassa.

Il laissa aller son contrôle à la dérive, le laissa simplement aller, laissa le désir se déchaîner et se déverser en lui et en elle. Leurs bouches se mêlèrent, leurs langues fusionnèrent. Ses mains se refermèrent autour de sa mâchoire tandis que les siennes descendaient, ayant besoin de retrouver sa douce chair, de sentir encore son désir, ses réactions surgir à son toucher... Preuve qu'elle était vraiment sienne.

Le corps de Leonora était telle de la soie fluide entre ses mains, une passion enflammée et avide. Il prit ses hanches et se pencha sur elle, la repoussant graduellement jusqu'à ce qu'elle se retrouve étendue sur le bureau de son grand-oncle.

Il interrompit le baiser, se redressa à moitié, et profita du moment pour baisser les yeux sur elle, étendue nue, passionnée et haletante, contre l'acajou brillant. Le bois n'était pas aussi riche que ses cheveux, encore pris dans un chignon sur le dessus de sa tête.

Il y pensa tandis qu'il plaçait une main sur un genou nu et qu'il remontait lentement, traçant le muscle ferme de sa cuisse pendant qu'il se penchait sur elle et reprenait sa bouche.

Il la remplit, la posséda tel un conquérant, puis instaura un rythme de poussées et de retraits que Leonora et son corps connaissaient bien. Elle était avec lui en pensées et en actes, en désir et en insistance. Elle remuait sous ses mains. Il en referma une autour de sa hanche, l'immobilisa, puis fit traîner ses doigts sur l'autre à partir du milieu de sa poitrine jusqu'à sa taille, puis son ventre, pour finir par caresser de façon provocante les poils humides recouvrant son pubis.

Elle gémit au travers de leur baiser. Il l'interrompit, se recula suffisamment pour saisir son regard, étincelant dans un bleu violet intense sous ses cils.

– Détachez vos cheveux.

Leonora cligna des yeux, pleinement consciente de ses doigts caressant oisivement son pubis. Ils ne touchaient pas vraiment sa chair douloureuse. Elle vibrait. Tout son corps battait au rythme du désir. Du besoin sexuel impossible à renier.

Elle leva les bras, les yeux rivés sur les siens, et les tendit lentement vers les pinces qui retenaient ses longues mèches. Tandis qu'elle saisissait la première, il la caressa, puis posa l'extrémité de son doigt sur sa chair tendre.

Son corps se tendit, s'arquant légèrement. Elle ferma les yeux, s'empara de la pince et la détacha. Elle sentit la satisfaction de Tristan dans son toucher, dans sa caresse lente et taquine. Ouvrant les paupières, elle le regarda l'observer. En fouillant avec ses doigts, elle trouva une autre pince.

Elle dut refermer ses yeux tandis qu'elle libérait ses cheveux… et qu'elle libérait son corps. Son corps qu'il touchait, caressait.

Puis qu'il explorait délicatement.

Une douce pression à l'entrée de son corps.

Assez pour taquiner, pas assez pour assouvir.

Les yeux fermés, elle ôta une autre pince. Un doigt plus large se glissa un tout petit peu plus loin.

Elle était enflée, palpitante, humide. Prenant son souffle, elle chercha avec ses deux mains, tira et laissa retomber les pinces une à une sur le bureau.

Le temps que ses cheveux se défassent, il affaira ses doigts dans son fourreau, la pénétrant, la caressant, alimentant le feu. Elle cherchait sa respiration. Ses nerfs étaient sensibles et son corps se tordait sous ses poussées. Ses longs cheveux se répandirent autour de ses épaules, sur le bureau. Elle leva les yeux vers lui et vit son regard errer sur elle, s'imprégnant de son abandon. La possession à l'état brut marquait ses traits.

Il saisit son regard, l'étudia, puis se pencha et l'embrassa. Il prit sa bouche, captura ses sens dans un baiser enivrant. Puis, ses lèvres quittèrent les siennes. Il releva le menton de Leonora et baissa sa tête pour déposer des baisers voraces le long de la ligne tendue de sa gorge jusqu'à la rondeur de ses seins. Il s'y attarda, léchant, lavant, tétant, mais légèrement, puis ses cheveux effleurèrent les douces parties cachées dessous tandis qu'il suivait la ligne de son corps plus bas. Elle luttait pour respirer, se rendant bien au-delà d'un abandon libertin. Les sentiments, les sensations, se déversaient irrésistiblement en elle, la remplissaient, la parcouraient de part en part.

Ses mains étaient posées sur les épaules de Tristan. Il était encore vêtu de sa veste. Le souvenir du tissu mit l'accent sur sa vulnérabilité. Elle était complètement nue, se tortillant devant lui, étendue sur son bureau telle une houri… Elle gémit quand ses lèvres parcoururent son ventre.

Il ne s'arrêta pas.

– Tristan… Tristan !

Il n'en tint pas compte. Elle dut ravaler ses cris tandis qu'il écartait davantage ses cuisses et qu'il plongeait entre elles. Installé pour se délecter comme il l'avait déjà fait une fois, mais cette fois-là, elle n'était pas nue, exposée. Si vulnérable.

Elle ferma les yeux. Fermement. Elle essaya de refouler la vague montante…

Elle s'élevait inexorablement, à chaque coup de langue, à chaque légère intrusion, jusqu'à ce qu'elle s'empare d'elle. La saisisse.

Elle jouit.

Son corps s'arqua.

Ses sens explosèrent. Le monde disparut en éclats de lumière vive, en un rayonnement vibrant qui l'enveloppa, plongeant en elle, à travers elle. Ses os s'attendrirent, ses muscles se relâchèrent, laissant une profonde intensité de chaleur en elle, encore vide.

Incomplète.

Elle était étourdie, presque paralysée, mais elle se força à ouvrir les yeux et le regarda tandis qu'il se relevait.

Il joua de sa large musculature avec une agressivité contenue et une tension puissante mais soigneusement maîtrisée. Ses mains saisirent ses cuisses nues, et il se tint debout à la regarder, ses yeux noisette brûlant tandis qu'elles erraient sur son corps.

Ce qu'elle vit dans son visage lui coupa le souffle. Son cœur se figea, puis se mit à battre la chamade.

Le désir brut marquait ses traits, délimitait rudement chaque ligne de son visage.

Pourtant, il y avait là une solitude, ainsi qu'une vulnérabilité, un espoir.

Elle le vit, le comprit.

Puis, les yeux de Tristan rencontrèrent les siens. Pendant un instant, le temps resta suspendu, puis elle leva les bras, même s'ils étaient faibles, et l'attira vers elle.

Il remua. Ses yeux se braquèrent sur les siens. Il ôta sa veste, enleva sa cravate, ouvrit sa chemise, dénudant les contours musclés de sa poitrine, légèrement parsemée de poils noirs. La sensation remémorée du contact de ces poils qui râpaient sa peau sensible tandis qu'il bougeait en elle fit enfler ses seins jusqu'à en être douloureux, ses mamelons se durcissant fermement. Il le vit et tendit son bras vers sa ceinture. Il donna un coup pour défaire les boutons et libéra son sexe en érection.

Il baissa les yeux seulement furtivement, s'installant adéquatement contre Leonora, puis il entra, juste un peu.

Et il leva les yeux. Il saisit de nouveau son regard, puis se pencha, plaça ses mains sur la table de chaque côté de la tête de Leonora et repoussa ses cheveux avec ses doigts. Il se pencha davantage et frôla ses lèvres.

Les yeux de nouveau braqués sur les siens, il s'enfonça en elle.

Elle se redressa sous lui. Leurs souffles se confondirent tandis qu'elle se cambrait, s'ajustait, le prenait en elle. Il finit par s'enfoncer profondément et la remplir. Leonora laissa échapper un soupir. Elle ferma les yeux, savourant la sensation de l'avoir enfoui en elle. Puis, elle leva une main, déploya ses doigts dans ses cheveux, attira sa tête vers la sienne et posa ses lèvres sur les siennes. Elle lui ouvrit sa bouche, l'invitant à y pénétrer.

Elle l'invitait ouvertement à la piller.

Et il s'exécuta.

Chaque mouvement puissant la soulevait, la faisait bouger.

Ils interrompirent le baiser. Sans attendre ses instructions, elle leva ses jambes et les passa autour de ses hanches. Elle l'entendit geindre, vit l'absence d'expression se répandre sur son visage tandis qu'il profitait de la situation et entrait plus profondément, poussait davantage, plus loin. Il s'enfonça lui-même en elle.

Il referma une main autour de sa hanche, immobilisant Leonora contre ses invasions répétitives. Tandis que le tempo augmentait, il se pencha de nouveau contre elle, laissa ses lèvres effleurer les siennes, puis plongea dans sa bouche tandis que son membre plongeait frénétiquement en elle.

Toute modération cessa, et il s'abandonna à elle.

Comme elle s'était déjà donnée à lui corps et âme, lui avait cédé son esprit et son cœur.

Elle laissa les choses aller, se libéra vraiment, le laissa la prendre avec lui comme il voulait.

Même s'il était aux prises avec une passion incroyablement puissante, Tristan sentit sa décision, son total abandon à ce moment – son abandon à lui. Elle était avec lui, pas juste liée à lui physiquement, mais dans un autre ordre, d'une autre manière, sur un autre plan.

Il n'avait jamais atteint cet endroit mystique avec une autre femme. Il n'avait jamais rêvé qu'une expérience si enflammée puisse être sienne un jour. Pourtant, elle l'y emmenait, répondait à chacune de ses poussées, l'enveloppait dans la chaleur de son corps – et jovialement, avec un réel abandon, lui donnait tout ce qu'il pouvait espérer, tout ce qu'il désirait.

Un abandon inconditionnel.

Elle avait dit qu'elle serait sienne. À présent, elle l'était. Pour toujours.

Il n'avait pas besoin de plus de garanties, de preuves au-delà de l'étreinte ferme de son corps, du léger tortillement de ses courbes nues sous son corps.

Mais il avait toujours voulu plus, et elle lui avait donné sans qu'il ait à demander.

Pas juste son corps, mais ceci : un engagement sans retenue envers lui, envers elle, envers ce qu'il y avait entre eux.

Cet engagement se dressait telle une vague, impossible à contrôler. Elle roulait sur eux deux, les écrasait, les faisait tourbillonner, leur coupait le souffle et les saisissait. Ils luttaient pour respirer. Luttaient pour reprendre vie, puis la perdait tandis qu'un éclat de lumière les inondait, tandis que leurs corps se cramponnaient, se collaient, frémissaient.

Il répandit sa semence profondément en elle, la tint serrée, immobile, tandis que l'orgasme les submergeait.

Les remplissait, s'enfonçait en eux, puis il déclina lentement et se dissipa.

Il laissa les choses aller, sentit ses muscles se détendre, la laissa le tenir délicatement. Le front de Tristan s'inclina vers le sien.

Serrés l'un contre l'autre, leurs lèvres se frôlant, ils s'abandonnèrent à leur sort.

*

Elle était restée des heures. Quelques mots avaient été prononcés. Il n'y avait nul besoin entre eux de s'expliquer. Aucun n'avait besoin de formuler de mots inadéquats ni ne le voulait.

Il avait entretenu le feu. Calé dans un fauteuil devant la cheminée avec Leonora sur ses genoux, encore nue, avec sa cape jetée sur elle pour garder sa chaleur, les bras de Tristan sous la cape, ses mains sur sa peau nue, les cheveux de Leonora telle de la soie naturelle collés sur eux deux…, il serait volontiers resté ainsi pour toujours.

Il baissa les yeux vers elle. La lumière du feu dorait son visage. Plus tôt, elle avait doré son corps quand elle s'était trouvée nullement décontenancée devant les flammes et qu'elle l'avait laissé examiner chaque courbe, chaque ligne. Cette fois, il ne lui avait laissé aucune marque. Seules les empreintes de ses doigts sur sa hanche, là où il l'avait maintenue, étaient encore visibles.

Leonora leva les yeux, saisit son regard, sourit, puis pencha sa tête en arrière sur son épaule. Sous la paume de sa main déployée sur sa poitrine nue, son cœur battait régulièrement. Le battement résonnait dans son sang. Dans son corps.

L'intimité les enveloppait, les liait d'une manière qu'elle ne pouvait définir et à laquelle elle ne se serait certainement jamais attendue.

Lui non plus d'ailleurs, mais tous deux l'acceptaient.

Une fois acceptée, elle ne pouvait être reniée.

Ce devait être l'amour, mais qui était-elle pour le dire ? Tout ce qu'elle savait, c'était que, pour elle, c'était immuable. Inaltérable, fixe, et ce, pour toujours.

Peu importe leur avenir – mariage, famille, personnes à charge et autres –, elle aurait cela, cette force, dont elle pourrait se prévaloir.

Cela faisait du bien. Plus de bien qu'elle avait imaginé pouvoir ressentir.

Elle était là où elle devait être. Dans ses bras. Avec de l'amour entre eux.

Chapitre 16

Le lendemain matin, Leonora descendait d'un air dégagé vers la salle du petit déjeuner un peu plus tard que d'habitude. Elle était normalement la première de la famille à être debout et prête, mais ce matin, elle avait dormi tard. Avançant d'un pas allègre et le sourire aux lèvres, elle passa le seuil… et s'arrêta brusquement.

Tristan était assis à côté de Humphrey à l'écouter attentivement tandis qu'il engloutissait calmement une assiette de jambon et de saucisses.

Jeremy était assis en face. Les trois hommes levèrent les yeux, puis Tristan et Jeremy se levèrent.

Humphrey lui adressa un grand sourire.

– Eh bien, ma chère ! Mes félicitations ! Tristan nous a dit la nouvelle. Je dois dire que je suis absolument ravi !

– En effet, ma sœur. Félicitations !

Se penchant au-dessus de la table, Jeremy prit sa main et l'attira vers lui pour déposer un baiser sur sa joue.

– Excellent choix, murmura-t-il.

Le sourire de Leonora devint légèrement figé.

– Merci.

Elle regarda Tristan, s'attendant à voir une forme d'excuses. À la place, il rencontra son regard avec une expression calme, assurée… confiante. Elle prit note de cette dernière caractéristique et inclina la tête.

— Bonjour.

Le « Monsieur » se noua dans sa gorge. Elle n'oublierait pas de sitôt son idée d'une issue appropriée à leur réconciliation de la veille au soir. Plus tard, il l'avait habillée, puis conduite à sa voiture, avait passé outre à ses très minces protestations et l'avait accompagnée à la place Montrose. Là, il l'avait laissée dans le petit salon du numéro 12 tandis qu'il allait chercher Henrietta. Puis il les avait raccompagnées toutes les deux devant chez elle.

Il prit suavement sa main, la porta fugacement à ses lèvres, puis lui tint une chaise.

— Je vois que vous avez bien dormi ?

Elle le regarda tandis qu'il reprenait sa place à côté d'elle.

— Comme un loir.

Il fit un rictus, mais il inclina simplement la tête.

— Nous disions à Tristan que les journaux de Cedric, à première vue, ne correspondaient à aucun schéma habituel.

Humphrey s'arrêta pour manger une bouchée d'œuf.

Jeremy poursuivit le récit.

— Ils ne sont pas organisés par sujet, ce qui est plus usuel avec de telles choses, et d'après ce que tu as trouvé — il pencha la tête vers Leonora —, les entrées ne sont en aucun cas en ordre chronologique.

— Hum…

Humphrey mâcha, puis avala.

— Il doit y avoir une clé, mais il est tout à fait possible que Cedric l'ait gardée dans sa tête.

Tristan fronça les sourcils.

— Cela veut-il dire que vous ne serez pas en mesure de donner un sens à ces journaux ?

— Non, répondit Jeremy. Cela veut juste dire que cela nous prendra plus de temps.

Il jeta un œil vers Leonora.

— Je me souviens vaguement que tu as mentionné des lettres ?

Elle opina.

— Il y en a beaucoup. J'ai seulement regardé celles de la dernière année.

— Tu ferais mieux de nous les donner, dit Humphrey. Toutes. En fait, n'importe quel morceau de papier de Cedric que tu pourras trouver.

— Les scientifiques, ajouta Jeremy, surtout les herboristes, sont reconnus pour écrire des informations cruciales sur n'importe quel morceau de papier qui leur tombe sous la main.

Leonora grimaça.

— Je demanderai aux domestiques de rassembler tout ce qu'ils trouveront dans l'atelier. J'irai fouiller la chambre de Cedric. Je m'en occupe aujourd'hui.

Tristan la regarda.

— Je vous aiderai.

Elle tourna la tête pour vérifier son expression afin de voir ce qu'il avait vraiment l'intention de faire…

— Aaaah ! Oh, non !

Les hurlements hystériques venaient de loin. Ils les entendirent tous. Les cris continuèrent clairement pendant un instant, puis ils furent assourdis… par la porte verte matelassée. Tous comprirent quand un valet, effrayé et pâle, s'arrêta en dérapant à la porte du petit salon.

– M. Castor ! Vous devez venir vite !

Castor, une assiette de service dans ses vieilles mains, le regarda les yeux ronds.

Humphrey demanda :

– Que diable se passe-t-il ?

Le valet, ayant complètement perdu son aplomb habituel, se pencha et salua tous ceux réunis autour de la table.

– C'est Daisy, Monsieur. De la maison d'à côté.

Il fixa Tristan, qui s'était levé.

– Elle vient juste d'arriver en hurlant et en faisant une scène. Il semble que Mlle Timmins soit tombée dans l'escalier et… eh bien, Daisy dit qu'elle est morte, Monsieur.

Tristan posa sa serviette sur la table et contourna sa chaise.

Leonora se leva à côté de lui.

– Où est Daisy, Smithers ? Dans la cuisine ?

– Oui, Mademoiselle. Elle a subi quelque chose de terrible.

– Je vais aller la voir.

Leonora se glissa dans l'entrée, consciente que Tristan la suivait de près. Elle se tourna pour le regarder, saisit son air grave et croisa son regard.

– Allez-vous à la maison voisine ?

– Dans une minute.

Sa main toucha son dos, un geste étrangement réconfortant.

— Je veux entendre ce que Daisy a à dire d'abord. Elle n'est pas idiote. Si elle dit que Mlle Timmins est morte, alors elle l'est probablement. Elle n'ira nulle part.

Leonora grimaça intérieurement et poussa la porte menant au couloir qui donnait sur la cuisine. Tristan, se souvint-elle, était bien plus habitué à faire face à la mort qu'elle. Ce n'était pas une pensée agréable, mais dans les circonstances, cela lui procurait un certain réconfort.

— Oh, Mademoiselle ! Oh, Mademoiselle !

Daisy s'adressa à elle dès qu'elle la vit.

— Je ne sais pas quoi faire. Je ne pouvais rien faire !

Elle renifla, puis essuya ses yeux avec le torchon que la cuisinière lui mit dans la main.

— À présent, Daisy…

Leonora tendit le bras vers une des chaises de la cuisine. Tristan la précéda, prit la chaise et la disposa de sorte qu'elle puisse s'asseoir face à Daisy. Leonora prit place, sentant Tristan poser ses mains sur le dossier de sa chaise.

— Ce que vous devez faire à présent, Daisy, ce qui aiderait le plus Mlle Timmins, c'est vous reprendre. Prenez quelques profondes respirations. Vous êtes une bonne personne. Dites-nous — à Monsieur le Comte et à moi — ce qui s'est passé.

Daisy opina, inspira difficilement, puis déballa :

— Tout s'est déroulé normalement, ce matin. Je suis descendue de ma chambre par l'escalier de service, j'ai secoué la grille du foyer et allumé le feu de la cuisine. Ensuite, j'ai préparé le plateau de Mlle Timmins. J'allais le lui porter…

Les yeux écarquillés de Daisy se brouillèrent de larmes.

– J'ai franchi la porte comme d'habitude et j'ai posé le plateau sur la table du vestibule pour arranger mes cheveux et les remonter avant de monter..., et elle était là.

La voix de Daisy tremblota, et elle se tut. Les larmes jaillirent, et elle les épongea furieusement.

– Elle était étendue là, en bas de l'escalier, comme un petit oiseau blessé. Je me suis précipitée, bien sûr, et j'ai vérifié, mais il n'y avait plus rien à faire. Elle était morte.

Pendant un moment, personne ne dit rien. Ils connaissaient tous Mlle Timmins.

– L'avez-vous touchée ? demanda Tristan d'un ton calme, presque apaisant.

Daisy opina.

– Oui. J'ai tapoté sa main et sa joue.

– Sa joue... Était-elle froide ? Vous souvenez-vous ?

Daisy leva les yeux vers lui en réfléchissant. Puis, elle hocha la tête.

– Oui, vous avez raison. Sa joue était froide. Je ne me suis pas fiée à ses mains. Elles étaient toujours froides. Mais sa joue... Oui, elle était froide.

Elle cligna des yeux en regardant Tristan.

– Cela veut-il dire qu'elle était morte depuis quelque temps ?

Tristan se redressa.

– Cela veut dire qu'elle est probablement morte il y a quelques heures, quelque part dans la nuit.

Il hésita, puis demanda :

– Se lève-t-elle habituellement la nuit ? Le savez-vous ?

Daisy secoua la tête. Elle avait cessé de pleurer.

— Pas que je sache. Elle n'a jamais mentionné une telle chose.

Tristan hocha la tête et recula.

— Nous allons nous occuper de Mlle Timmins.

Son regard incluait Leonora. Elle se leva aussi, mais regarda de nouveau Daisy.

— Vous feriez mieux de rester ici. Pas juste aujourd'hui, mais cette nuit aussi.

Elle vit Neeps, le valet de chambre de son oncle, qui faisait du surplace, inquiet.

— Neeps, vous aiderez Daisy à prendre ses affaires après le déjeuner.

L'homme s'inclina.

— Entendu, Mademoiselle.

Tristan fit signe à Leonora d'avancer. Elle le conduisit hors de la cuisine. Ils trouvèrent Jeremy, qui attendait dans l'entrée principale.

Il semblait vraiment pâle.

— Est-ce vrai ?

— Très probablement, j'en ai peur.

Leonora alla au portemanteau prendre sa cape. Tristan l'avait suivie et il la lui prit des mains.

Il la tint et baissa les yeux vers elle.

— Je suppose que je ne vous convaincrai pas d'attendre avec votre oncle dans la bibliothèque ?

Elle croisa son regard.

— Non.

Il soupira.

— Je pensais bien que non.

Il passa la cape sur ses épaules, puis il la contourna pour ouvrir la porte d'entrée.

— Je viens aussi.

Jeremy les suivit sur le porche, puis dans l'allée sinueuse.

Ils arrivèrent à la porte du numéro 16. Daisy avait laissé le verrou ouvert. Ils ouvrirent la porte et entrèrent.

La scène était exactement comme Leonora l'avait imaginée d'après les mots de Daisy. Contrairement à leur maison avec son vaste vestibule et l'escalier au fond faisant face à la porte d'entrée, ici, le vestibule était étroit et le haut de l'escalier était au-dessus de la porte. Le bas était au bout du vestibule.

C'était là que se trouvait Mlle Timmins, ratatinée comme une poupée de chiffon. Tout comme Daisy l'avait dit, il semblait y avoir peu de doute qu'elle était morte, mais Leonora avança. Tristan s'était arrêté devant elle, bloquant l'entrée. Elle mit ses mains sur son dos et le poussa doucement. Après une légère hésitation, il se déplaça sur le côté et la laissa passer.

Leonora s'accroupit près de Mlle Timmins. Elle portait une épaisse robe de nuit en coton avec une collerette de dentelle autour de ses épaules. Ses membres étaient enchevêtrés, mais décemment couverts. Une paire de chaussons roses recouvrait ses pieds menus.

Ses paupières étaient fermées et ses yeux d'un bleu délavé, cachés. Leonora repoussa les délicates boucles blanches et remarqua l'extrême fragilité de sa peau fine comme du papier. Prenant une de ses frêles mains crochues dans les siennes, elle leva les yeux vers Tristan tandis qu'il se plaçait à côté d'elle.

— Pouvons-nous la déplacer ? Il ne semble y avoir aucune raison de la laisser comme ça.

Il étudia le corps pendant un moment. Elle eut l'impression qu'il voulait figer sa position dans sa mémoire. Il leva les yeux vers l'escalier jusqu'en haut. Puis, il hocha la tête.

— Je vais la porter. Au petit salon ?

Leonora opina, relâcha la main osseuse, se leva et alla ouvrir la porte du petit salon.

— Oh !

Jeremy, qui avait dépassé le corps, la table du vestibule avec le plateau du petit déjeuner et l'escalier de la cuisine, revint par la porte battante.

— Qu'est-ce qu'il y a ?

Sans voix, Leonora regarda simplement.

Portant Mlle Timmins dans les bras, Tristan arriva derrière elle, regarda par-dessus sa tête, puis la poussa à avancer.

Elle s'exécuta brusquement, puis se pressa d'arranger les coussins sur la méridienne.

— Allongez-la ici.

Elle regarda autour d'elle le fouillis de la pièce autrefois si nette. Les tiroirs étaient ouverts, vidés sur les tapis. Les tapis eux-mêmes avaient été soulevés et poussés sur le côté. Certains des bibelots avaient été jetés dans l'âtre. Les tableaux aux murs, ceux qui étaient encore accrochés, tenaient par miracle.

— Ce doit être des voleurs. Elle a dû les entendre.

Tristan se redressa après avoir étendu Mlle Timmins avec précaution. Avec ses membres allongés et sa tête sur un coussin, elle avait simplement l'air de dormir à poings fermés. Il se tourna vers Jeremy, qui se tenait sur le seuil de la porte à regarder autour de lui avec stupéfaction.

– Allez au numéro 12 et dites à Gasthorpe que nous avons encore besoin de Pringle. Immédiatement.

Jeremy leva les yeux jusqu'à son visage, puis hocha la tête et partit.

Leonora, ajustant la robe de nuit de Mlle Timmins et réarrangeant sa dentelle comme elle savait qu'elle l'aurait aimée, leva les yeux vers lui.

– Pourquoi Pringle ?

Tristan croisa son regard, hésita et dit :

– Parce que je veux savoir si elle est tombée, ou si on l'a poussée.

*

– Tombée.

Pringle remplit minutieusement son sac noir.

– Il n'y a pas une marque sur elle qui ne puisse être due à la chute et aucune qui ressemble à des ecchymoses causées par la prise d'un homme. À son âge, il y aurait des bleus.

Il regarda par-dessus son épaule le corps menu étendu sur la méridienne.

– Elle était fragile et âgée et n'en avait plus pour longtemps dans ce monde, mais quand même. Même si un homme pouvait facilement l'avoir saisie et l'avoir envoyée débouler l'escalier, il n'aurait pu le faire sans laisser de traces.

Le regard de Tristan se porta sur Leonora, qui arrangeait un vase sur une table à côté de la méridienne, et il hocha la tête.

– C'est une moindre consolation.

Pringle ferma sa mallette d'un bruit sec et le regarda tandis qu'il se redressait.

— Peut-être. Mais il reste encore à savoir pourquoi elle avait quitté son lit à cette heure — tôt dans la nuit, disons entre une et trois heures du matin — et ce qui lui a fait peur à ce point. Ce fut très probablement assez effrayant pour qu'elle s'évanouisse.

Tristan se concentra sur Pringle.

— Vous pensez qu'elle s'est évanouie ?

— Je ne peux pas le prouver, mais je crois deviner ce qui s'est passé…

Pringle fit un geste vers le désordre dans la pièce.

— Elle a dû entendre des bruits venant d'ici et elle a voulu venir voir. Elle s'est tenue en haut de l'escalier et a regardé en bas. Elle a vu un homme. Soudain, choc, évanouissement, chute. Et voilà le résultat.

Tristan, regardant la méridienne et Leonora un peu plus loin, ne dit rien pendant un moment, puis il hocha la tête, regarda Pringle et offrit sa main.

— Comme vous dites… Voilà le résultat. Merci d'être venu.

Pringle lui serra la main, un sourire grave se dessinant sur ses lèvres.

— Je pensais que quitter l'armée signifierait une pratique monotone… Avec vous et vos amis dans le coin, au moins, je ne m'ennuierai pas.

Échangeant des sourires, ils se quittèrent. Pringle partit en refermant la porte derrière lui.

Tristan contourna la méridienne jusqu'à Leonora, qui regardait Mlle Timmins. Il mit un bras autour de Leonora, l'étreignant légèrement.

Elle le lui permit et se reposa contre lui un moment. Elle tenait ses mains fermement jointes.

– Elle a l'air si paisible.

Un moment passa, puis elle se redressa et poussa un profond soupir. Elle défroissa ses jupes et regarda autour d'elle.

– Donc… Un voleur est entré et a fouillé la pièce. Mlle Timmins l'a entendu et est sortie de sa chambre pour vérifier. Quand le voleur est revenu dans l'entrée, elle l'a vu, s'est évanouie et est tombée… morte.

Comme il ne dit rien, elle se tourna vers lui. Elle scruta ses yeux et fronça les sourcils.

– Qu'est-ce qui ne va pas avec cette déduction ? Elle est parfaitement logique.

– En effet.

Il prit sa main et se dirigea vers la porte.

– Je soupçonne que c'est précisément ce que nous sommes censés penser.

– Censés penser ?

– Vous avez oublié quelques faits pertinents. Le premier, il n'y a aucune fenêtre ou porte ayant été forcée ou étonnamment laissée ouverte. Jeremy et moi avons vérifié. Le deuxième…

Il avança dans l'entrée, la plaçant devant lui, et regarda derrière dans le petit salon.

– … aucun voleur qui se respecte ne laisserait une pièce comme ça. Il n'y a aucune raison, et surtout la nuit, pour risquer de faire du bruit.

Leonora fronça les sourcils.

— Y a-t-il un troisième fait ?

— Aucune autre pièce n'a été fouillée et rien d'autre dans la maison ne semble dérangé. Sauf…

Il ouvrit la porte d'entrée et lui fit signe d'avancer devant lui. Elle sortit sur le porche, attendit impatiemment qu'il ferme la porte et mette la clé dans sa poche.

— Et alors ? demanda-t-elle en mettant son bras dans le sien. Sauf quoi ?

Ils descendirent les marches. Le ton de Tristan devint plus dur, plus froid, encore plus distant quand il répondit :

— Sauf quelques éraflures, tout à fait nouvelles, et quelques craquelures dans le mur des fondations.

Les yeux de Leonora s'écarquillèrent.

— Le mur est mitoyen avec le numéro 14, n'est-ce pas ?

Il opina.

Leonora baissa les yeux vers les fenêtres du petit salon.

— Donc, c'était l'œuvre de Mountford !

— Je le crois. Et il ne veut pas que nous le sachions.

*

— Que cherchons-nous ?

Leonora suivit Tristan dans la chambre que Mlle Timmins utilisait. Ils étaient retournés au numéro 14 et avaient donné les nouvelles à Humphrey, puis étaient allés dans la cuisine pour confirmer à Daisy que son employeuse était bien morte. Tristan avait demandé si elle avait de la famille. Daisy n'en connaissait aucun membre. Aucun n'était venu lui rendre visite depuis les six années qu'elle travaillait place Montrose.

Jeremy s'était attelé à la tâche de prendre les arrangements nécessaires. Avec Tristan, Leonora était retournée au numéro 16 pour essayer d'identifier un proche.

— Des lettres, un testament, des notes d'un notaire, n'importe quoi qui puisse nous mener à un lien.

Il ouvrit le petit tiroir de la table de chevet.

— Il serait très inhabituel qu'elle n'ait absolument aucune famille.

— Elle ne l'a jamais mentionnée.

— Quoi qu'il en soit, cherchons !

Ils se mirent à fouiller. Elle remarqua qu'il faisait des choses — regardait à des endroits — auxquelles elle n'aurait jamais pensé. Comme l'arrière et le dessous des tiroirs, la surface supérieure du tiroir d'en haut. Derrière les tableaux.

Après un moment, elle s'assit sur une chaise devant le secrétaire et regarda toutes les notes et les lettres à l'intérieur. Il n'y avait aucune trace d'une correspondance récente ou prometteuse. Quand il la regarda, elle lui fit signe.

— Vous êtes bien meilleur que moi pour ça.

Mais ce fut elle qui trouva le lien, dans une vieille lettre très jaunie et bien plus froissée qui se trouvait au fond du plus petit tiroir.

— Le révérend M. Henry Timmins, de Shacklegate Lane, à Strawberry Hills.

Triomphante, elle lut l'adresse à Tristan, qui s'était arrêté sur le seuil.

Il fronça les sourcils.

— Où est-ce ?

— Je crois que c'est après Twickenham.

Il traversa la pièce, lui prit la lettre des mains et la regarda. Il maugréa.

– Elle date d'il y a huit ans. On peut quand même essayer.

Il regarda la fenêtre, puis sortit sa montre et regarda l'heure.

– Si nous prenons ma voiture…

Elle se leva, sourit et mit son bras dans le sien. Elle approuvait très manifestement son « nous ».

– Je dois aller chercher ma pelisse. Allons-y.

*

Le révérend Henry Timmins était un homme relativement jeune, avec une femme, quatre filles et une paroisse fréquentée.

– Oh, mon Dieu !

Il s'assit brusquement dans un fauteuil dans le petit salon où il les avait conduits. Puis, il le réalisa et entreprit de se lever.

Tristan lui fit signe de rester assis et indiqua la méridienne à Leonora. Il s'assit à côté d'elle.

– Donc, vous connaissiez Mlle Timmins ?

– Oh, oui ! Elle était ma grand-tante.

Pâle, il les regarda à tour de rôle.

– Nous n'étions pas proches. En fait, elle semblait toujours des plus nerveuses quand je venais. Je lui ai écrit à quelques reprises, mais elle n'a jamais répondu…

Il rougit.

– Et ensuite, j'ai eu mon avancement… Je me suis marié. Cela peut paraître sans cœur, mais elle n'était pas du tout encourageante, vous savez.

Tristan serra la main de Leonora, l'avertissant de rester silencieuse. Il inclina la tête impassiblement.

— Mlle Timmins a trépassé cette nuit, mais pas, je le crains, de mort naturelle. Elle est tombée dans l'escalier très tôt dans la nuit. Comme nous n'avons aucune preuve qu'elle a bien été agressée, nous croyons qu'elle est tombée sur un voleur chez elle — son petit salon à l'entrée a été fouillé — et qu'en raison du choc, elle s'est évanouie et est tombée.

Le visage du révérend Timmins était horrifié.

— Bonté divine ! Comme c'est affreux !

— En effet. Nous avons des raisons de croire que le cambrioleur en cause est le même homme qui a eu l'intention de forcer l'entrée du numéro 14.

Tristan regarda furtivement Leonora.

— Les Carling y vivent, et Mlle Carling elle-même a été victime de plusieurs agressions. Nous présumons qu'il a l'intention de pousser les propriétaires à partir. Il y a aussi eu des tentatives de cambriolage au numéro 14 et au numéro 12, la maison dont je suis un des propriétaires.

Le révérend Timmins cligna des yeux. Tristan continua calmement, expliquant que, selon leur raisonnement, le cambrioleur qu'ils savaient être Mountford tentait d'accéder à quelque chose de caché au numéro 14, et que ses incursions au numéro 12 et la nuit dernière au numéro 16 visaient à chercher un moyen d'entrer par les murs de fondation.

— Je vois.

Fronçant les sourcils, Timmins hocha la tête.

— J'ai vécu dans des maisons alignées comme ça, et vous avez raison. Les murs de fondation sont souvent une série de voûtes murées. Il est assez facile de les percer pour passer.

— En effet.

Tristan s'arrêta, puis continua avec le même ton autoritaire.

— Voilà pourquoi nous devions vous retrouver et pourquoi nous vous en parlons si franchement.

Il se pencha en avant et plaça ses mains entre ses genoux afin de capturer le regard bleu pâle de Henry Timmins.

— La mort de votre grand-tante est fort regrettable, et si Mountford est responsable, il mérite qu'on l'attrape et qu'il rende des comptes. Dans les circonstances, je crois qu'il n'est que justice d'utiliser la situation comme elle se présente maintenant — la situation qui résulte de la mort de Mlle Timmins — pour lui tendre un piège.

— Un piège?

Leonora n'avait pas besoin d'entendre ce mot pour savoir que Henry Timmins était saisi, abasourdi. Tout comme elle. Elle avança doucement de sorte qu'elle puisse voir le visage de Tristan.

— Il n'y a aucune raison que quiconque en dehors de ceux qui savent déjà puisse imaginer que Mlle Timmins n'est pas décédée de cause naturelle. Elle sera pleurée par ceux qui la connaissaient, et puis… Si je peux me permettre, vous, comme héritier, pourriez mettre le numéro 16 de la place Montrose en location.

D'un geste, Tristan indiqua la maison autour d'eux.

— Vous n'avez apparemment nullement besoin d'une maison en ville en ce moment. D'un autre côté, étant un homme prudent, vous ne voulez pas vendre précipitamment. Louer la propriété serait judicieux, et personne ne s'en étonnera.

Henry hochait la tête.

— C'est juste, en effet.

— Si vous êtes d'accord, je m'arrangerai pour qu'un ami se présente comme agent immobilier et s'occupe de la location pour vous. Bien sûr, nous ne la louerons pas à n'importe qui.

— Vous pensez que Mountford se présentera pour louer la maison ?

— Pas Mountford lui-même. Mlle Carling et moi l'avons vu. Il utilisera un intermédiaire, mais c'est lui qui veut avoir accès à la maison. Une fois qu'il sera entré…

Tristan se rassit. Un sourire qui n'en était pas un s'imprima sur ses lèvres.

— Il suffit de dire que j'ai les bons contacts pour m'assurer qu'il ne s'échappera pas.

Henry Timmins, les yeux toujours écarquillés, continuait à hocher la tête.

Leonora était moins impressionnable.

— Croyez-vous vraiment qu'après tout cela, Mountford osera se montrer ?

Tristan se tourna vers elle. Il avait un regard froid, dur.

— Étant donné le mal qu'il s'est déjà donné, je suis prêt à parier qu'il ne sera pas capable de résister.

*

Ils retournèrent place Montrose le soir même avec la bénédiction de Henry Timmins et, plus important, une lettre de Henry pour le notaire de la famille lui indiquant d'agir selon les instructions de Tristan par rapport à la maison de Mlle Timmins.

Il y avait de la lumière dans les pièces du premier étage du Bastion Club. Aidant Leonora à descendre de voiture sur le trottoir, Tristan la vit et se demanda…

Leonora secoua ses jupes, puis glissa sa main dans son bras.

Il baissa les yeux vers elle, s'empêchant de mentionner combien il aimait ce petit geste d'acceptation féminine. Il avait appris qu'elle faisait souvent de petites choses révélatrices instinctivement, sans le remarquer. Il ne vit aucune raison de porter une telle transparence à son attention.

Ils empruntèrent l'allée du numéro 14.

— Qui prendrez-vous pour jouer le rôle de l'agent immobilier ?

Leonora le regarda.

— Vous ne pouvez pas le faire. Il sait à quoi vous ressemblez.

Elle parcourut ses traits du regard.

— Même avec un de vos déguisements… Il n'y a aucun moyen d'être sûr qu'il ne vous identifiera pas malgré ça.

— En effet.

Tristan jeta un œil sur le Bastion Club tandis qu'ils grimpaient les marches du porche.

— Je vous accompagne à l'intérieur pour parler à Humphrey et à Jeremy, et ensuite, j'irai chez moi.

Il croisa son regard tandis que la porte d'entrée s'ouvrait.

— Il est possible que certains de mes associés soient en ville. Si c'est le cas…

Elle arqua un sourcil.

— Vos ex-collègues ?

Il opina, la suivant dans l'entrée.

— Je ne pense pas que d'autres gentlemen soient plus appropriés pour nous aider là-dedans.

*

Charles, comme prévu, fut ravi.

— Excellent ! J'ai toujours su que cette idée de club était une brillante idée.

Il était presque vingt-deux heures. Ayant consommé un magnifique dîner dans l'élégante salle à manger du rez-de-chaussée, ils — Tristan, Charles et Deverell — étaient à présent assis à se prélasser confortablement dans la bibliothèque, chacun tenant délicatement un ballon généreusement rempli d'un excellent cognac.

— En effet.

Malgré ses manières plus réservées, Deverell semblait également intéressé. Il regarda Charles.

— Je crois que je devrais être l'agent d'immeubles. Tu as déjà collaboré dans ce drame.

Charles sembla mécontent.

— Mais je pourrais toujours jouer quelqu'un d'autre.

— Je pense que Deverell a raison.

Tristan prit fermement les choses en main.

— Il peut être l'agent immobilier. C'est seulement sa deuxième visite place Montrose, alors il y a des chances que Mountford et ses amis ne le reconnaissent pas. Même si c'était le cas, il n'y a aucune raison qu'il ne puisse rester très vague et qu'il dise qu'il s'occupe de cette affaire pour un ami.

Tristan regarda Charles.

— En attendant, je pense qu'il y a autre chose dont toi et moi pourrions nous occuper.

Charles sembla immédiatement plein d'espoir.

– Quoi ?

– Je t'ai parlé de ce clerc de notaire qui a hérité de Carruthers.

Il leur avait raconté toute l'histoire, tous les faits pertinents, pendant le dîner.

– Celui qui est venu à Londres et qui a disparu dans la foule ?

– En effet. Je crois que j'ai mentionné qu'il avait au départ projeté de venir en ville, n'est-ce pas ? En cherchant des renseignements à York, mon agent a appris que ce Martinbury s'était arrangé dès le départ pour rencontrer un ami, un autre clerc de son bureau, ici, en ville. Avant qu'il parte subitement, il a confirmé le rendez-vous.

Charles haussa nettement les sourcils.

– Où et quand ?

– À midi, demain, au Red Lion dans la rue Gracechurch.

Charles hocha la tête.

– Donc, nous le pincerons après la rencontre. Je suppose que tu as une description ?

– Oui, mais l'ami est d'accord pour me présenter, alors tout ce que nous devons faire, c'est d'être là. Ensuite, nous verrons ce que nous pourrons apprendre de M. Martinbury.

– Il ne peut pas être Mountford, n'est-ce pas ? demanda Deverell.

Tristan secoua la tête.

– Martinbury était à York pendant la plupart du temps où Mountford a agi ici.

– Hum.

Deverell se cala dans son siège et fit tourner le cognac dans son ballon.

– Si ce n'est pas Mountford qui m'aborde – et je suis d'accord que c'est improbable –, alors qui crois-tu essaiera de louer la maison ?

– Je crois, dit Tristan, que ce serait un spécimen maigre, au visage sournois, de taille petite ou moyenne. Leonora – Mlle Carling – l'a vu deux fois. Il semble certain qu'il est associé à Mountford.

Charles ouvrit grand les yeux.

– Leonora, c'est ça ?

Se tournant dans son fauteuil, il fixa Tristan de ses yeux sombres.

– Alors, dis-nous… Comment se présentent les choses dans ce domaine, hein ?

Impassible, Tristan étudia le visage diabolique de Charles et se demanda ce que ce sacré Charles, qu'il savait espiègle, concocterait s'il ne leur disait pas…

– Il se trouve que l'annonce de nos fiançailles paraîtra dans la Gazette de demain matin.

– Oh, oh !

– Je vois !

– Eh bien, ce fut vite fait !

Charles se leva et prit la carafe pour remplir de nouveau les verres.

– Il faut que nous portions un toast. Voyons…

Il prit une pose devant la cheminée, tendant son verre bien haut.

– À toi et à ta lady, la charmante Mlle Carling. Buvons à la reconnaissance de ton succès à établir ton propre destin — à ta victoire sur les entremetteuses — et à l'inspiration et à l'encouragement que cette victoire fournira à tes camarades membres du Bastion Club !

— Bravo !

Charles et Deverell burent tous les deux. Tristan les salua avec son verre, puis but aussi.

— Alors, le mariage est pour quand ? demanda Deverell.

Tristan étudia le liquide ambré qui tournait dans son verre.

— Dès que nous aurons coincé Mountford.

Charles fit une moue désapprobatrice.

— Et si ça prend plus de temps que prévu ?

Tristan leva les yeux et rencontra le regard sombre de Charles. Il sourit.

— Crois-moi, ça n'arrivera pas.

*

Tôt le lendemain matin, Tristan se rendit au numéro 14 de la place Montrose. Il partit avant que Leonora ou un membre de sa famille descende, persuadé qu'il avait résolu le mystère de la façon dont Mountford était entré au numéro 16.

Comme Jeremy avait, selon ses instructions, changé les serrures du numéro 16, Mountford devait avoir essuyé une autre déception. Tout pour le conduire dans leur piège. Il n'avait pas d'autre choix à présent que de louer la maison.

Quittant le numéro 14 par le portail à l'avant, Tristan vit un ouvrier occupé à installer une pancarte sur le muret devant le numéro 16. La pancarte annonçait que la maison était à louer et donnait les détails pour joindre l'agent. Deverell n'avait pas perdu de temps.

Il retourna rue Green pour le petit déjeuner, attendant vaillamment que les six vieilles dames qui habitaient là soient présentes avant de faire sa déclaration. Elles furent toutes plus que ravies.

— Elle est exactement le genre de femme que nous espérions pour vous, lui dit Millicent.

— En effet, confirma Ethelreda. C'est une jeune femme si intelligente. Nous avions terriblement peur que vous nous rameniez une tête de linotte. Une de ces filles sans cervelle qui rit bêtement tout le temps. Dieu seul sait comment nous aurions supporté cela.

Manifestant vivement son accord avec elles, il les pria de l'excuser et alla se réfugier dans son bureau. Refoulant impitoyablement toute distraction manifeste, il passa une heure à faire face aux affaires plus urgentes nécessitant son attention, se souvenant d'écrire une brève lettre à ses grands-tantes pour les informer de ses noces imminentes. Quand l'horloge sonna onze heures, il posa sa plume, se leva et quitta la maison sans bruit.

Il rencontra Charles au coin de la place Grosvenor. Ils hélèrent un fiacre. À midi moins dix, ils passèrent la porte du Red Lion. C'était une auberge populaire qui accueillait toutes sortes de professionnels : des marchands, des agents, des affréteurs et des clercs de toutes sortes. La pièce principale était bondée, mais après un rapide coup d'œil, la plupart se poussèrent du chemin de Tristan et Charles. Ils allèrent au bar et furent servis immédiatement. Puis, leurs chopes de bière en main, ils se tournèrent et observèrent la salle.

Après un moment, Tristan prit une gorgée de sa bière.

— Il est par là, à une table du coin. Celui qui regarde autour de lui comme un chiot impatient.

— C'est l'ami ?

— Il correspond parfaitement à la description. La casquette est dure à manquer.

Une casquette de tweed était posée sur la table à laquelle le jeune homme en question attendait.

Tristan réfléchit, puis dit :

— Il ne nous reconnaîtra pas. Pourquoi ne prenons-nous pas simplement la table à côté de lui ? On pourrait attendre le bon moment pour nous présenter.

— Bonne idée.

De nouveau, la foule se divisa comme la mer Rouge. Ils s'installèrent à la petite table dans le coin sans attirer plus qu'un rapide coup d'œil et un sourire poli de la part du jeune homme.

Il semblait terriblement jeune pour Tristan.

Le jeune homme continua à attendre. Eux aussi. Ils discutèrent de sujets variés — des difficultés auxquelles ils faisaient face en ayant pris les rênes de grandes propriétés. Il y avait plus qu'il ne fallait pour fournir une couverture crédible au jeune homme qui pourrait les écouter. Mais il ne le faisait pas. Tel un épagneul, il gardait les yeux sur la porte, prêt à bondir et à faire un signe quand son ami entrerait.

Peu à peu, tandis que les minutes passaient, son enthousiasme déclina. Il fit durer sa bière, et ils firent de même avec les leurs. Mais quand le son métallique d'un clocher à proximité annonça la demi-heure, il sembla certain que celui qu'ils attendaient tous ne viendrait pas.

Ils attendirent quand même encore, de plus en plus soucieux.

Tristan finit par échanger un regard avec Charles, puis il se tourna vers le jeune homme.

– M. Carter ?

Le jeune homme cligna des yeux et se concentra correctement sur Tristan pour la première fois.

– Ou... i ?

– Nous ne nous sommes pas présentés.

Tristan prit une carte et la tendit à Carter.

– Mais je crois qu'un de mes associés vous a dit que nous voulions rencontrer M. Martinbury pour une affaire d'intérêt mutuel.

Carter prit la carte. Son jeune visage s'éclaircit.

– Oh, oui... Bien sûr !

Puis, il regarda Tristan et grimaça.

– Mais comme vous pouvez le voir, Jonathon ne vient pas.

Il regarda autour de lui, comme pour s'assurer que Martinbury ne s'était pas montré dans la dernière minute. Carter fronça les sourcils.

– Je ne comprends vraiment pas.

Il regarda de nouveau Tristan.

– Jonathon est très ponctuel, et nous sommes très bons amis.

L'inquiétude assombrit son visage.

– Avez-vous eu de ses nouvelles depuis qu'il est en ville ? demanda Charles.

Comme Carter le regarda en clignant des yeux, Tristan ajouta doucement :

— Par un autre associé ?

Carter secoua la tête.

— Non. Personne de chez nous, à York en fait, n'a eu de ses nouvelles. Sa logeuse était surprise. Elle m'a fait promettre de lui dire qu'il lui écrive quand je le verrai. C'est étrange… C'est une personne vraiment très sérieuse, et il l'aime beaucoup. Elle est comme une mère pour lui.

Tristan échangea un regard avec Charles.

— Je pense qu'il est temps que nous cherchions plus activement M. Martinbury.

Se tournant vers Carter, il inclina la tête vers la carte que le jeune homme tenait toujours en main.

— Si vous entendez parler de Martinbury, de n'importe quelle manière, je vous serais reconnaissant si vous m'envoyiez un message immédiatement à cette adresse. De même, si vous me fournissez votre adresse, je m'assurerai que vous serez informé si nous trouvons votre ami.

— Oh, oui. Merci.

Carter sortit un bloc-notes de sa poche, trouva un crayon et rédigea rapidement l'adresse de sa pension. Il tendit le papier à Tristan, qui le lut. Il hocha la tête et mit la note dans sa poche.

Carter fronçait les sourcils.

— Je me demande s'il est jamais arrivé à Londres.

Tristan se leva.

— Oui.

Il vida sa chope et la déposa sur la table.

— Il est descendu de voiture quand il est arrivé en ville, pas avant. Malheureusement, retrouver un homme célibataire dans les rues de Londres n'est pas du tout facile.

Il dit cette dernière phrase avec un sourire rassurant. Saluant Carter, Charles et lui partirent.

Ils s'arrêtèrent sur le trottoir à l'extérieur.

— Retrouver un homme célibataire arpentant les rues de Londres n'est peut-être pas facile, dit Charles en regardant Tristan. Retrouver un mort n'est pas si dur.

— Non, en effet.

L'expression de Tristan s'était durcie.

— Je m'occupe des services de police.

— Et je m'occupe des hôpitaux. On se retrouve au club plus tard dans la soirée ?

Tristan opina. Puis, il grimaça.

— Je viens juste de me rappeler…

Charles le regarda, puis éclata de rire.

— Je viens de me rappeler que tu as annoncé tes fiançailles… Bien sûr ! Ce n'est plus une vie facile pour toi… Pas jusqu'au mariage.

— Ce qui ne me rend que plus résolu à trouver Martinbury le plus vite possible. J'envoie un message à Gasthorpe si je trouve quelque chose.

— Je ferai de même.

Charles le salua et descendit la rue.

Tristan le regarda partir, puis jura et se tourna pour se diriger dans la direction opposée.

Chapitre 17

Le jour se dissipait, balayé par des bourrasques, tandis que Tristan grimpait les marches du numéro 14 et demandait à voir Leonora. Castor le dirigea vers le petit salon. Congédiant le majordome, il ouvrit la porte du boudoir et entra.

Leonora ne l'entendit pas. Elle était assise sur la méridienne face aux fenêtres à regarder le jardin et les arbustes qui remuaient à cause des rafales. À côté d'elle, un feu brûlait vivement dans le foyer, crépitant et grésillant joyeusement. Henrietta était allongée devant le feu à savourer la chaleur des flammes.

La pièce était confortable, douillette – chaleureuse d'une manière qui n'avait rien à voir avec la température, un subtil réconfort pour le cœur.

Il fit un pas et laissa ses talons atterrir lourdement.

Elle l'entendit et se tourna… Puis elle le vit, et son visage s'illumina. Pas juste en prévision de ce qui allait se passer et pas juste parce qu'elle était impatiente d'entendre ce qu'il avait appris. En fait, c'était un accueil chaleureux, comme si elle retrouvait une part d'elle-même.

Il s'approcha, et elle se leva. Elle tendit ses mains. Il les prit, porta d'abord la première, puis l'autre, à ses lèvres.

Ensuite, il la rapprocha de lui et inclina la tête. Il prit sa bouche dans un baiser qu'il tenta de garder léger, laissa ses sens se délecter, puis les réfréna.

Quand il leva la tête, elle lui souriait. Leurs regards se rencontrèrent, se maintinrent un moment, puis elle se rassit sur la méridienne.

Il s'accroupit pour pouvoir tapoter Henrietta.

Leonora le regarda, puis dit :

— Maintenant, avant que vous ne disiez quoi que ce soit d'autre, expliquez-moi comment Mountford est entré au numéro 16, la nuit dernière. Vous disiez que les serrures n'avaient pas été forcées, et Castor m'a raconté que vous vous intéressiez à un inspecteur pour le drainage. Qu'a-t-il à y voir ? S'agit-il de Mountford ?

Tristan la regarda, puis hocha la tête.

— La description de Daisy concorde. Il semble qu'il se soit fait passer pour un inspecteur et qu'il lui ait dit qu'il devait inspecter la cuisine, l'arrière-cuisine et les canalisations de la laverie.

— Et quand elle ne regardait pas, il a pris une empreinte de la clé, c'est ça ?

— Cela semble très probable. Aucun inspecteur n'est venu ici ni au numéro 12.

Elle fronça les sourcils.

— C'est un homme très… calculateur.

— Il est brillant.

Après un moment à étudier son visage, Tristan dit :

— En plus de ça, il doit commencer à s'arracher les cheveux. J'aimerais que vous en teniez compte.

Elle rencontra son regard, puis sourit d'une manière rassurante.

– Bien sûr !

Le regard qu'il lui lança quand il se leva semblait plus résigné que rassuré.

– J'ai vu la pancarte devant le numéro 16. Cela a été rapide.

Elle laissa son approbation paraître sur son visage.

– En effet. J'ai laissé cet aspect à un gentleman du nom de Deverell. Il est le vicomte de Paignton.

Elle ouvrit grand les yeux.

– Avez-vous d'autres… associés qui vous aident ?

Plongeant ses mains dans ses poches, la chaleur du feu dans le dos, Tristan baissa les yeux sur son visage, sur ses yeux qui reflétaient une intelligence qu'il ne se permettrait pas de sous-estimer.

– J'ai une petite armée qui travaille pour moi, comme vous le savez. La plupart d'entre eux, vous ne les rencontrerez jamais, mais il y en a d'autres qui m'aident activement…, une partie des autres propriétaires du numéro 12.

– Comme Deverell ? demanda-t-elle.

Il opina.

– L'autre gentleman est Charles St-Austell, comte de Lostwithiel.

– Lostwithiel ?

Elle fronça les sourcils.

– J'ai entendu parler des deux derniers comtes morts dans des circonstances tragiques…

– Il s'agissait de ses frères. Il était le troisième fils, et il est maintenant comte.

— Ah. Et en quoi vous aide-t-il ?

Il expliqua la rencontre qu'ils avaient espéré avoir avec Martinbury et leur déception. Elle l'écouta en silence, observant son visage. Quand il s'arrêta après avoir expliqué l'accord qu'ils avaient passé avec l'ami de Martinbury, elle dit :

— Vous pensez qu'il lui est arrivé quelque chose.

Ce n'était pas une question. Ses yeux rivés sur les siens, il hocha la tête.

— Tout ce qu'on m'a rapporté de York, tout ce que son ami Carter a dit de lui, dépeint Martinbury comme un homme consciencieux, fiable et honnête, pas un homme du genre à oublier un rendez-vous qu'il avait pris soin de confirmer.

De nouveau, il hésita, se demandant jusqu'où il pouvait aller dans ce qu'il racontait, puis il écarta sa réticence.

— J'ai commencé à vérifier les services de police pour les morts rapportées, et Charles vérifie les hôpitaux au cas où il aurait été emmené vivant, puis qu'il serait mort.

— Il est peut-être encore vivant, peut-être gravement blessé, mais sans amis ni connaissances à Londres…

Il réfléchit à cette possibilité, puis grimaça.

— Exact. Je vais mettre d'autres hommes pour vérifier. Toutefois, étant donné que cela fait longtemps qu'il n'a donné de nouvelles à personne, nous devons vérifier les morts. Malheureusement, ce n'est pas le genre de recherches que d'autres en dehors de Charles et moi, ou quelqu'un comme nous, peuvent entreprendre.

Il rencontra son regard.

— Les membres de la noblesse, surtout ceux ayant notre formation, peuvent obtenir des réponses, demander à voir des rapports et des dossiers que les autres ne peuvent pas consulter.

– J'avais remarqué.

Elle se cala sur la méridienne, pensant à lui.

– Donc, vos journées vont être occupées. J'ai passé celle d'aujourd'hui avec les domestiques à fouiller chaque coin et recoin dans l'atelier de Cedric. Nous avons trouvé divers papiers et notes qui se trouvent maintenant avec Humphrey et Jeremy dans la bibliothèque. Ils sont encore plongés dans les journaux. Humphrey est de plus en plus certain qu'il doit y avoir plus. Il croit qu'il y a des passages – des parties de dossiers – manquants. Pas des bouts déchirés, mais des écrits quelque part ailleurs.

– Hum.

Tristan caressa la tête d'Henrietta avec sa botte, puis regarda Leonora.

– Et la chambre de Cedric ? Avez-vous déjà cherché ?

– Demain. Les domestiques m'aideront. Nous serons cinq. S'il y a quelque chose à cet endroit, nous le trouverons.

Il hocha la tête, parcourant mentalement sa liste de choses dont il voulait discuter avec elle.

– Ah oui.

Il se concentra de nouveau sur son visage et saisit son regard.

– J'ai fait passer l'annonce habituelle dans la Gazette avisant de nos fiançailles. C'était dans le numéro de ce matin.

Un subtil changement traversa son visage. Une expression qu'il ne parvenait pas bien à identifier – un amusement résigné ? – envahit ses yeux bleus.

– Je me demandais quand vous alliez le mentionner.

Soudain, il ne fut plus sûr de trouver ses marques. Il haussa les épaules, les yeux toujours braqués sur les siens.

– C'est l'usage, la chose prévue.

– En effet, mais vous auriez pu penser à m'en aviser… Ainsi, quand mes tantes m'ont assaillie d'un tourbillon de félicitations à peine dix minutes avant la première d'au moins deux douzaines de visiteuses, qui voulaient toutes me féliciter, je ne me serais pas sentie coincée comme un cerf dans la mire d'un chasseur.

Il soutint son regard. Pendant un moment, le silence régna. Puis, il grimaça.

– Toutes mes excuses. Avec la mort de Mlle Timmins et tout le reste, ça m'est sorti de la tête.

Elle l'étudia, puis inclina la tête. Ses lèvres n'étaient pas tout à fait droites.

– Excuses acceptées. Toutefois, vous réalisez qu'à présent que la nouvelle est sortie, nous devrons nous plier aux apparitions de rigueur.

Il baissa les yeux vers elle.

– Quelles apparitions ?

– Les apparitions requises auxquelles chaque couple fiancé doit se plier. Par exemple, ce soir, tout le monde s'attend à ce que nous assistions à la soirée de Lady Hartington.

– Pourquoi ?

– Parce que c'est l'événement majeur de la soirée, et ainsi on pourra nous féliciter, nous regarder, nous analyser et nous disséquer, s'assurer que nous sommes bien assortis, et le reste.

– Et c'est obligatoire ?

Elle opina.

– Pourquoi ?

Elle ne se méprenait pas.

– Parce que si nous ne leur donnons pas cette chance, nous subirons une attention injustifiée – et incroyablement intrusive. Nous n'aurons plus un moment de paix. On viendra nous voir constamment, et pas juste pendant les heures convenables. Si les matrones sont dans le coin, elles descendront la rue et regarderont à partir de leur voiture. Vous trouverez des filles ricaneuses sur le trottoir chaque fois que vous sortirez de chez vous ou de votre club. Et vous n'oserez pas vous montrer dans le parc ni dans la rue Bond.

Elle le fixa droit dans les yeux.

– Est-ce ce que vous voulez ?

Il déchiffra son regard, qui confirmait qu'elle était sérieuse. Il frissonna.

– Mon Dieu ! soupira-t-il, les lèvres pincées. Très bien. Chez Lady Hartington. Je vous y retrouve, ou je vais vous chercher avec ma voiture ?

– Il serait plus approprié que vous nous accompagniez, mes tantes et moi. Mildred et Gertie seront ici vers vingt heures. Si vous arrivez un peu après, vous pourrez nous accompagner, dans la voiture de Mildred.

Il maugréa, mais opina sèchement. Il ne prenait pas bien les ordres, mais dans ce domaine… C'était une raison pour laquelle il avait besoin d'elle. Il se préoccupait très peu de la société, en connaissait à la fois assez et trop peu sur ses manières alambiquées pour se sentir totalement à l'aise sous ses feux. Bien qu'il eût la nette intention d'y passer le moins de temps possible, étant donné son titre, sa position, si une vie calme était son but, elle ne lui permettrait jamais de faire ouvertement un pied de nez aux rites sacrés des ladies.

Tels que juger les couples nouvellement fiancés.

Il se concentra de nouveau sur le visage de Leonora.

— Pendant combien de temps devrons-nous céder aux exigences de leur intérêt lubrique ?

Elle pinça ses lèvres.

— Au moins une semaine.

Il prit un air renfrogné et grogna littéralement.

— À moins qu'un scandale n'intervienne ou à moins que…

Elle soutint son regard.

Il réfléchit, puis, encore perdu, demanda :

— À moins que quoi ?

— À moins que nous n'ayons une excuse sérieuse… comme être activement impliqués dans l'arrestation d'un cambrioleur.

*

Il quitta le numéro 14 une demi-heure plus tard, résigné à assister à la soirée. Étant donné les actions de plus en plus risquées de Mountford, il doutait qu'ils aient longtemps à attendre avant sa prochaine tentative et qu'il tombe dans leur piège. Ensuite…

Avec de la chance, il n'aurait pas à assister à de nombreux autres événements de la haute société, du moins pas en tant qu'homme célibataire.

Cette pensée le remplit d'une terrible détermination.

Il marcha d'un air résolu, planifiant mentalement son lendemain et comment il étendrait les recherches sur Martinbury. Il avait tourné dans la rue Green et se trouvait presque devant sa porte d'entrée quand il entendit quelqu'un le héler.

Il s'arrêta, se tourna et vit Deverell, qui descendait d'un fiacre. Il attendit que Deverell paie le cocher et qu'il le rejoigne.

– Puis-je t'offrir à boire ?

– Merci.

Ils attendirent d'être confortablement installés dans la bibliothèque et que Havers se soit retiré avant d'aborder leurs affaires.

– J'ai eu une touche, répondit Deverell en réponse au haussement de sourcil de Tristan. Et je jurerais que c'est la fouine dont tu m'as parlé. Il est entré juste quand j'allais partir. Il surveillait depuis environ deux heures. J'utilise le petit bureau qui fait partie d'une propriété que je possède dans la rue Sloane. Il était vide et disponible, bref le genre d'endroit parfait.

– Qu'a-t-il dit ?

– Il voulait des détails sur la maison du numéro 16 pour son maître. J'ai passé en revue les choses habituelles, les installations et le reste, ainsi que le prix.

Deverell sourit.

– Il m'a laissé comprendre que son maître pourrait être intéressé.

– Et ?

– J'ai expliqué comment la propriété était devenue à louer et j'ai dit que, dans les circonstances, je devais avertir son maître que la maison ne serait disponible que pendant quelques mois, le temps que le propriétaire se décide à vendre.

— Et ça ne l'a pas dissuadé ?

— Pas le moins du monde. Il m'a assuré que son maître était seulement intéressé par une courte location et qu'il ne voulait pas savoir ce qui était arrivé à l'ancienne propriétaire.

Tristan sourit, l'air mauvais et féroce.

— On dirait que c'est notre proie.

— En effet. Mais je ne crois pas que Mountford se montrera en personne. La fouine m'a demandé une copie du bail et l'a apportée. Il a dit que son maître voudrait l'étudier. Si Mountford le signe et qu'il me le renvoie avec le premier mois de loyer, eh bien, quel agent immobilier chercherait plus loin ?

Tristan opina et plissa les yeux.

— Nous allons laisser les choses aller, mais ça s'annonce assurément prometteur.

Deverell vida son verre.

— Avec de la chance, nous l'aurons d'ici quelques jours.

*

La soirée de Tristan commença mal et empira peu à peu.

Il arriva place Montrose tôt. Il se trouvait dans l'entrée quand Leonora descendit l'escalier. Il se tourna, la vit et se figea. La vision qu'elle offrait dans sa robe de soie moirée d'un bleu profond, ses épaules et sa gorge ressortant comme de la délicate porcelaine de son large décolleté, ses cheveux grenat brillants remontés sur sa tête, lui coupa le souffle. Un châle translucide cachait et dévoilait ses bras et ses épaules, bougeant et glissant sur ses courbes sveltes. Ses paumes le picotèrent.

Puis, elle le vit, rencontra ses yeux et sourit.

Le sang quitta son visage. Il se sentit pris de vertige.

Elle traversa l'entrée jusqu'à lui, la couleur bleu pervenche de ses yeux illuminée par l'expression accueillante qu'elle semblait ne réserver qu'à lui. Elle lui tendit ses mains.

– Mildred et Gertie devraient être ici dans une minute.

Un vacarme à la porte s'avéra provenir de ses tantes. Leur apparition le sauva d'avoir à formuler une réponse intelligente. Ses tantes le félicitèrent grandement, et il eut droit à une myriade d'instructions. Il opina, essayant de tout absorber, de s'adapter à ce champ de bataille, conscient tout le long de Leonora et du fait que, très bientôt, elle serait entièrement sienne.

Le jeu en valait assurément la chandelle.

Il les accompagna dehors à la voiture. La maison de Lady Hartington n'était pas loin. Bien sûr, elle était transportée de joie de les recevoir. Elle s'exclama, s'excita, s'extasia et s'informa malicieusement de leurs projets de mariage. Impassible, il se tint à côté de Leonora et écouta tandis qu'elle détournait calmement toutes les questions de l'hôtesse sans répondre à aucune d'elles. D'après l'expression de Lady Hartington, les réponses de Leonora étaient parfaitement acceptables. C'était tout un mystère pour lui.

Puis, Gertie intervint et mit fin à l'inquisition. À la suite du coup de coude de Leonora, il la conduisit ailleurs. Comme d'habitude, il se dirigea vers une méridienne près du mur.

Les doigts de Leonora se plantèrent dans son bras.

– Non. Hors de question. Ce soir, nous ferions mieux de nous placer au-devant de la scène.

Après un mouvement de tête, elle le dirigea presque au centre du vaste salon. Grimaçant intérieurement, il hésita, puis s'exécuta. Son instinct se manifesta. L'endroit était si à découvert qu'ils seraient facilement entourés, voire encerclés.

Il devait se fier à son jugement. Dans ce domaine, ses connaissances étaient gravement sous-développées. Mais même dans ce cas, se laisser guider par un autre ne venait pas facilement.

Comme prévu, ils furent vite entourés de jeunes et de vieilles ladies voulant les féliciter et entendre de leurs nouvelles. Certaines étaient gentilles, agréables, candides, des ladies envers lesquelles il déployait son charme. D'autres l'horripilaient. Après une rencontre du genre, interrompue nettement par Mildred qui entraîna presque physiquement la mégère ailleurs, Leonora leva les yeux vers Tristan et lui donna furtivement un coup de coude dans les côtes.

Il baissa les yeux sur elle et fronça les sourcils. Elle sourit sereinement.

— Cessez d'avoir l'air si sombre.

Il réalisa que son masque avait glissé et remit rapidement sa façade charmante. Pendant ce temps, à mi-voix, il l'informa :

— Cette mégère m'a donné des envies de meurtre, alors mon air sombre était une réaction tempérée.

Il croisa ses yeux.

— Je ne sais pas comment vous pouvez supporter qu'elle, en fait, qu'elles soient si manifestement peu sincères et qu'elles n'essaient même pas de le cacher.

Son sourire était à la fois compréhensif et taquin. Elle s'appuya un bref instant plus lourdement sur son bras.

— Vous vous y habituerez. Quand elles deviennent pénibles, laissez cela glisser sur vous et souvenez-vous que ce qu'elles veulent, c'est une réaction. Si vous les en privez, vous gagnez.

Il comprenait ce qu'elle voulait dire et essaya de suivre cette ligne de pensée, mais la situation elle-même échauffait son humeur. Pendant la dernière décennie, il avait évité toute situation qui pouvait attirer l'attention sur lui. Se tenir là, dans un salon de la haute société, être le point de mire de tous les regards et d'au moins la moitié des conversations, allait directement à l'encontre de ce qui était devenu une habitude bien enracinée.

La soirée s'écoulait, mais beaucoup trop lentement pour lui. Le nombre de ladies et de gentlemen qui attendaient de leur parler ne décroissait pas de manière sensible. Il continuait à se sentir mal à l'aise, exposé. Il se sentait complètement perdu en face de certains des spécimens les plus dangereux.

Leonora s'occupa d'eux avec une prestance assurée qu'il ne pouvait qu'admirer. Le degré parfait de hauteur, le degré parfait de confiance. Heureusement qu'il l'avait trouvée !

Puis, Ethelreda et Edith se présentèrent. Elles saluèrent Leonora comme si elle était déjà un membre de la famille, et elle leur rendit la pareille. Mildred et Gertie les accueillirent. Il saisit une brève question posée par Edith, à laquelle Gertie répondit d'un mot rapide et d'un petit grognement. Puis, des regards furent échangés entre les vieilles ladies, suivis de sourires conspirateurs.

Passant devant eux, Ethelreda tapota le bras de Tristan.

— Tenez le coup, mon garçon. Nous sommes ici, maintenant.

Edith et elle s'éloignèrent, mais pas plus loin qu'à côté de Leonora. Pendant les quinze minutes suivantes, ses autres cousines – Millicent, Flora, Constance et Helen – arrivèrent aussi. Comme Ethelreda et Edith, elles félicitèrent Leonora, échangèrent des plaisanteries avec Mildred et Gertie, puis rejoignirent Ethelreda et Edith dans un groupe rassemblé aux côtés de Leonora.

Ensuite, les choses changèrent.

La foule dans le salon avait pris des proportions embarrassantes. Il y avait encore plus de gens qui faisaient du surplace, attendant de leur parler. C'était la bousculade, et il n'avait jamais aimé s'y trouver coincé. Or, Leonora continua à saluer ceux qui se pressaient vers elle, à le présenter, gérant adroitement les interactions, mais si une lady montrait une tendance quelconque à la méchanceté ou à la froideur, ou simplement un désir de monopoliser la conversation, Mildred, Gertie ou une de ses cousines intervenaient et, avec un accès d'observations apparemment sans importance, écartaient de telles personnes.

En peu de temps, sa vision de ses vieilles cousines se brisa et se reforma. Même Flora, la plus effacée, fit preuve d'une détermination remarquable en distrayant et en faisant partir une lady tenace. Gertie, aussi, ne laissa aucun doute sur la couleur de ses opinions.

Le renversement des rôles le déstabilisait. Dans ce domaine, elles étaient ses protectrices, assurées et efficaces, et il était celui qui avait besoin de leur protection.

Une partie de cette protection consistait à l'empêcher de réagir à celles qui voyaient ses fiançailles avec Leonora comme une perte pour elles-mêmes, qui voyaient Leonora comme si elle l'avait d'une certaine manière prise au piège, quand la vérité était tout à fait le contraire. Il n'aurait pas pensé que la compétition dans le marché du mariage soit si forte et puissante ni que le succès apparent de Leonora qui l'aurait conquis puisse faire d'elle une source de jalousie.

Il y voyait clair à présent.

Lady Hartington avait choisi d'égayer sa soirée avec une courte période de danse. Tandis que les musiciens s'installaient, Gertie se tourna vers lui.

— Saisissez l'occasion tandis que vous le pouvez.

Elle enfonça ses doigts dans son bras.

— Il vous reste encore une heure ou plus à supporter avant que nous puissions partir.

Il n'attendit pas. Il tendit le bras vers la main de Leonora, sourit de façon charmante et les excusa auprès des deux ladies avec lesquelles ils conversaient. Constance et Millicent avancèrent, couvrant en douceur leur retraite.

Leonora soupira et alla dans ses bras avec un réel soulagement.

— C'est épuisant ! Je ne pensais vraiment pas que ce serait si pénible, pas si tôt dans l'année.

Tout en la faisant tourner dans la pièce, il rencontra son regard.

— Vous voulez dire que cela pourrait être pire ?

Elle le regarda dans les yeux et sourit.

— Tout le monde n'est pas encore en ville.

Elle ne dit rien de plus. Il étudia son visage tandis qu'ils tournoyaient, valsaient et remontaient la salle. Elle semblait s'abandonner, abandonner ses sens, à la valse. Il la laissait mener.

Il y trouva une certaine forme de réconfort. Un réconfort apaisant à la sentir dans ses bras, dans le fait que ses mains soient posées sur elle, dans le frôlement de leurs cuisses quand ils tournaient, l'harmonie coulante avec laquelle leurs corps bougeaient, à l'unisson, en parfait accord. Ensemble.

Quand la musique finit par s'arrêter, ils étaient à l'autre bout de la pièce. Sans demander, il posa la main de Leonora sur sa manche et la ramena vers l'endroit où leurs alliées les attendaient, telle une petite île de sécurité relative.

Elle lui lança un regard de biais, le sourire aux lèvres, les yeux compréhensifs.

— Comment trouvez-vous cela ?

Il la regarda.

— Je me sens comme un général entouré d'un troupeau de gardes personnels bien armés avec des initiatives et de l'expérience.

Il prit son souffle, regarda devant lui vers leur groupe de gentilles vieilles ladies qui attendaient.

— Le fait qu'elles soient des femmes est un brin déstabilisant, mais je dois admettre que je suis humblement reconnaissant.

Elle réagit par un gloussement étouffé.

— En effet, vous pouvez.

— Croyez-moi, murmura-t-il tandis qu'ils approchaient des autres, je connais mes limites. Ceci est un monde féminin dominé par des stratégies féminines trop alambiquées pour la compréhension de tout homme.

Elle lui lança un regard rieur des plus personnels, puis ils reprirent leur personnage public et allèrent affronter la petite horde qui attendait de les féliciter.

*

La soirée, comme il s'y attendait même si cela le contrariait, finit sans permettre que Leonora et lui aient l'occasion d'assouvir le désir physique qui avait éclos, nourri par leur contact rapproché, par l'espoir animé par la valse, par son inévitable réaction aux moments les moins civilisés de la soirée.

« Mienne. »

Ce mot résonnait dans la tête de Tristan, piquant son instinct chaque fois qu'elle était proche, plus spécialement chaque fois que d'autres semblaient ne pas comprendre ce fait.

Ce n'était pas une réaction civilisée, mais une réaction primitive. Il le savait et ne s'en préoccupait pas.

Le lendemain matin, il quitta la rue Green impatient et insatisfait. Il se lança lui-même à la recherche de Martinbury. Ils étaient tous de plus en plus convaincus que l'objet de la recherche de Mountford était caché quelque part dans les papiers de Cedric. De plus, A. J. Carruthers avait été le plus proche confident de Cedric. Martinbury était manifestement l'héritier auquel Carruthers avait confié ses secrets — et Martinbury avait curieusement disparu.

Trouver Martinbury ou découvrir ce qu'ils pouvaient de son sort semblait le moyen le plus plausible de connaître le but de Mountford et de faire face à sa menace.

La façon la plus rapide de régler cette affaire pour que Leonora et lui puissent se marier.

Mais aller dans les postes de police, gagner la confiance des hommes, accéder à des dossiers à la recherche des personnes décédées récemment prenait du temps. Il avait commencé par les postes de police les plus près de l'auberge de relais où Martinbury était descendu. Tandis que, dans un fiacre, il rentrait chez lui tard dans l'après-midi, pas plus avancé, il se demanda si ce n'était pas une mauvaise hypothèse. Martinbury pouvait avoir été à Londres quelques jours avant de disparaître.

Il entra chez lui pour découvrir Charles, qui attendait dans la bibliothèque pour les nouvelles.

– Rien, dit Charles à l'instant où il ferma la porte.

Assis dans un des fauteuils devant le feu, il se tourna et leva les yeux sur lui.

– Et toi ?

Tristan grimaça.

– Même histoire.

Il prit la carafe dans le buffet, remplit un verre, puis traversa la pièce pour rajouter du cognac dans le verre de Charles avant de s'installer dans l'autre fauteuil. Il prit un air renfrogné en regardant le feu.

– Quels hôpitaux as-tu vérifiés ?

Charles lui fit son rapport sur les hôpitaux et les hospices les plus près de l'auberge de relais où les cochers des diligences en provenance de York s'arrêtaient.

Tristan hocha la tête.

– Nous devons avancer plus vite et élargir nos recherches.

Il expliqua son raisonnement.

Charles inclina la tête en signe d'approbation.

– La question est comment, même avec l'aide de Deverell, allons-nous élargir nos recherches et simultanément aller plus vite ?

Tristan but, puis déposa son verre.

– Nous avons pris le risque calculé de restreindre le territoire. Leonora a mentionné que Martinbury était peut-être vivant, mais s'il est blessé, sans amis ni parents en ville, il peut être simplement couché dans un lit d'hôpital n'importe où.

Charles grimaça.

– Pauvre type !

– En effet. En réalité, ce scénario est le seul qui ferait avancer rapidement notre cause. Si Martinbury est mort, alors il est improbable que celui qui a commis cet acte ait laissé des papiers utiles derrière lui, ceux qui nous mettraient dans la bonne direction.

– Exact.

Tristan but de nouveau, puis dit :

– J'envoie mes hommes chercher dans les hôpitaux si un gentleman correspondant à la description de Martinbury est encore vivant. Ils n'ont pas besoin de notre autorité pour ça.

Charles hocha la tête.

– Je ferai de même. Je suis sûr que Deverell aussi…

Ils entendirent le son d'une voix masculine dans l'entrée. Tous deux regardèrent vers la porte.

– Quand on parle du loup… dit Charles.

La porte s'ouvrit. Deverell entra.

Tristan se leva et lui versa un cognac. Deverell le prit et s'assit élégamment sur la méridienne. Contrairement à leurs expressions graves, ses yeux verts étaient étincelants. Il les salua avec son verre.

– J'apporte des nouvelles.

– Des nouvelles positives ? demanda Charles.

— Le seul genre de nouvelles qu'un homme sage apporte.

Deverell s'arrêta pour boire son cognac. Baissant son verre, il sourit.

— Mountford a mordu à l'hameçon.

— Il a loué la maison ?

— La fouine a rapporté le bail ce matin avec le premier mois de loyer. Un certain M. Caterham a signé le bail et a l'intention d'emménager immédiatement.

Deverell s'arrêta et fronça légèrement les sourcils.

— J'ai fourni les clés et offert de leur faire visiter la propriété, mais la fouine — il s'est présenté sous le nom de Cummings — a décliné. Il a dit que son maître était un reclus et qu'il insistait pour une totale intimité.

Le froncement de sourcils de Deverell s'accrut.

— Je pensais suivre la fouine jusqu'à son terrier, mais j'ai décidé que le risque de les faire fuir était trop élevé.

Il jeta un œil vers Tristan.

— Étant donné que Mountford, ou peu importe son nom, semble disposé à aller dans la maison immédiatement, le laisser poursuivre son but et tomber rapidement dans notre piège semble la méthode la plus judicieuse.

Tristan et Charles hochèrent tous deux la tête.

— Excellent !

Tristan fixa le feu, le regard distant.

— Donc, nous l'avons et nous savons qui il est. Nous continuerons à essayer de résoudre le mystère de ce qu'il cherche, mais même si nous ne réussissons pas, nous attendrons sa prochaine manœuvre. Nous attendrons qu'il se dévoile lui-même.

— Au succès, déclara Charles.

Les autres répétèrent ses mots, puis ils vidèrent leurs verres.

*

Après avoir raccompagné Charles et Deverell, Tristan se dirigea vers son bureau. Dépassant les arches du petit salon, il entendit l'habituel brouhaha des voix des vieilles dames et regarda à l'intérieur.

Il s'arrêta net. Il pouvait à peine en croire ses yeux.

Ses grands-tantes étaient arrivées, accompagnées de – il compta les têtes – ses six autres pensionnaires de sa propriété de Mallingham. Les quatorze de ses vieilles dames à charge étaient à présent rassemblées sous son toit de la rue Green, dispersées dans le petit salon… à comploter.

Il fut saisi d'une appréhension.

Hortense leva les yeux et le vit.

– Vous voilà, mon garçon ! Quelle merveilleuse nouvelle ce qui vous arrive à Mlle Carling et à vous !

Elle donna un coup sur l'accoudoir de son fauteuil.

– Exactement comme nous l'avions toutes espéré.

Il descendit les marches. Hermione agita sa main vers lui.

– En effet, mon cher. Nous sommes extrêmement ravies !

S'inclinant au-dessus de sa main, il accepta ces expressions de ravissement et les autres dites à voix basse avec un doux « Merci ».

– Bien !

Hermione se tourna pour le regarder.

– J'espère que vous ne penserez pas que nous nous sommes trop impliquées, mais nous avons organisé un dîner familial pour ce soir. Ethelreda a parlé avec la famille de Mlle Carling – Lady Warsingham et son mari, Mlle Carling, la tante de Leonora, et Sir Humphrey et Jeremy Carling. Ils étaient tous d'accord, tout comme Mlle Carling, bien sûr. Étant donné que nous sommes nombreuses, que certaines d'entre nous avancent en âge et que le cours normal des choses serait que nous rencontrions Mlle Carling et sa famille officiellement à un tel dîner, nous espérions aussi que vous accepteriez qu'il ait lieu ce soir.

Hortense grommela.

– En plus de tout, nous sommes trop exténuées par le trajet de cet après-midi pour assister ce soir à un autre événement.

– Et, mon cher, ajouta Millicent, nous nous sommes souvenues que Mlle Carling et Sir Humphrey ainsi que le jeune Carling assistaient à des funérailles ce matin. Une voisine, je crois ?

– En effet.

Une vision traversa l'esprit de Tristan, celle d'un agréable dîner, bien qu'il y aurait du monde, qui serait bien moins formel qu'on aurait pu l'imaginer. Il connaissait très bien ses grands-tantes et les autres à sa charge… Il regarda autour de lui et rencontra leurs regards brillants et manifestement pleins d'espoir.

– Dois-je comprendre que vous suggérez que ce dîner remplace une apparition dans la haute société ce soir ?

Hortense grimaça.

– Eh bien, si vous voulez vraiment assister à un bal ou autre…

– Non, non !

Le soulagement qui l'envahit était très sincère. Il sourit, s'efforçant de contenir sa joie.

– Je ne vois aucune raison pour que votre dîner ne puisse avoir lieu, surtout comme vous l'avez organisé. En fait…

Son masque glissa. Il laissa sa gratitude transparaître.

– … j'apprécie toute excuse d'éviter la haute société ce soir.

Il s'inclina devant ses tantes avec un regard qui étendit son geste aux autres, déployant son charme pour un effet maximal.

– Merci.

Les mots étaient sincères.

Toutes sourirent et firent une petite révérence, ravies d'avoir été utiles.

– Cela m'étonnait que vous appréciiez autant les foules envahissantes.

Hortense hocha la tête. Elle le regarda en souriant.

– Pour ça, n'ayez crainte. Nous non plus.

*

Il les aurait embrassées. Sachant combien cela troublerait la plupart d'entre elles, il se contenta de se vêtir avec un soin particulier, puis de se trouver dans le salon pour les accueillir quand elles entreraient, de leur baiser la main et de commenter leurs robes et leurs coiffures ainsi que leurs bijoux – de déployer pour elles cet irrésistible charme qu'il savait bien utiliser, mais dont il se servait rarement sans avoir un but en tête.

Ce soir, son but était simplement de leur rendre leur gentillesse, leur prévenance.

Il n'avait jamais été si soulagé d'entendre parler d'un dîner de famille de sa vie.

Tandis qu'ils attendaient dans le salon que leurs invités arrivent, il pensa combien leur groupe pouvait sembler déconcertant. Il se tenait devant la cheminée et il était le seul homme entouré de quatorze femmes plus âgées. Mais elles étaient sa famille. En fait, il se sentait plus à l'aise entouré par elles et leur bavardage amical que dans le monde plus éclatant, plus trépidant, mais aussi plus malveillant de la haute société. Elles et lui partageaient quelque chose — une union impalpable de lieu et de personnes qui se propageait dans le temps.

Leonora en ferait bientôt partie et elle s'intégrerait parfaitement.

Havers entra pour annoncer Lord et Lady Warsingham ainsi que Mlle Carling — Gertie. Dans leur sillage, Sir Humphrey, Leonora et Jeremy arrivèrent.

Toute pensée qu'il devrait agir comme un hôte cérémonieux s'évapora en quelques minutes. Sir Humphrey fut accaparé par Ethelreda et Constance, Jeremy par un groupe d'autres ladies, tandis que Lord et Lady Warsingham profitèrent du charme de Wemyss, tout comme de celui d'Hermione et d'Hortense. Gertie et Millicent, qui s'étaient rencontrées la veille au soir, restèrent ensemble.

Après avoir échangé quelques mots avec les autres vieilles dames, Leonora le rejoignit. Elle lui donna la main et lui adressa son sourire particulier — celui qu'elle réservait juste pour lui.

— Je dois dire que je suis extrêmement satisfaite de la suggestion de vos grands-tantes. Après avoir assisté aux funérailles de Mlle Timmins ce matin, aller au bal de Lady Willoughby ce soir et faire face à l'intérêt lubrique des invités – comme vous l'avez décrit – aurait gravement altéré mon humeur.

Elle leva les yeux et croisa son regard.

– Et la vôtre.

Il inclina la tête.

– Comme je n'ai pas assisté aux funérailles, comment était-ce ?

– Intime, mais sincère. Je pense que Mlle Timmins aurait été contente. Henry Timmins a partagé la messe avec le pasteur local et Mme Timmins était là aussi. C'est une femme charmante.

Après un instant, elle se tourna vers lui et baissa la voix.

– Nous avons trouvé des papiers dans la chambre de Cedric, cachés dans le fond de son panier en osier. Ce n'étaient pas des lettres, mais des papiers avec des entrées similaires à celles des journaux, et encore plus important, ce n'était pas l'écriture de Cedric. Elles ont été écrites par Carruthers. Humphrey et Jeremy se concentrent dessus maintenant. Humphrey dit que ce sont des descriptions d'expériences similaires à celles des journaux de Cedric, mais il n'y a encore aucun moyen de les comprendre, de savoir si elles signifient quelque chose. Il semble que tout ce que nous ayons découvert à ce jour contienne seulement une partie de ce à quoi ils travaillent.

– Ce qui laisse à penser encore plus qu'il existe une découverte, quelque chose que Cedric et Carruthers pensaient être assez intéressant pour en prendre particulièrement soin.

— En effet.

Leonora scruta son visage.

— Au cas où vous vous poseriez la question, le personnel du numéro 14 est très vigilant, et Castor doit faire savoir à Gasthorpe tout ce qui pourrait être fâcheux.

— Bien.

— Avez-vous appris quelque chose ?

Il sentit ses mâchoires se serrer et remit en place son masque charmant.

— Rien sur Martinbury, mais nous essayons une nouvelle tactique qui nous permettrait d'avancer plus rapidement. Toutefois, la grande nouvelle, c'est que Mountford — ou peu importe son nom — a mordu à l'hameçon. Par l'intermédiaire de la fouine, il a loué le numéro 16 en fin d'après-midi.

Les yeux de Leonora s'écarquillèrent. Elle les garda fixés sur les siens.

— Ainsi, les choses commencent à avancer.

— En effet.

Il se tourna, souriant, tandis que Constance les rejoignait. Leonora se plaça près de lui et discuta avec les ladies qui arrivaient. Elles lui parlèrent de la kermesse et des petits changements de la routine quotidienne, des modifications que les saisons créaient à la propriété. Elles lui parlèrent un peu de tout, se souvenant des fragments de l'enfance de Tristan, de son père et de son grand-père.

Elle le regardait occasionnellement et le voyait déployer tout son charme — elle voyait aussi en dessous. En parlant avec Lady Hermione et Lady Hortense, elle pouvait comprendre d'où il le tenait. Elle se demanda à quoi avait ressemblé son père.

Mais dans ce domaine, les manières de Tristan étaient plus sincères. Sa vraie nature se voyait à travers, pas juste dans ses forces, mais dans ses faiblesses aussi. Il était à l'aise, détendu. Elle soupçonnait qu'auparavant, il devait avoir passé des années sans avoir baissé la garde. Maintenant, les chaînes du pont-levis étaient rouillées.

Elle fit le tour de la pièce, bavardant ici et là, toujours consciente de Tristan, du fait qu'il la regardait tout comme elle le regardait. Puis, Havers annonça le dîner et ils se dirigèrent tous dans la salle à manger, Leonora au bras de Tristan.

Il l'assit à côté de lui à une extrémité de la table. Lady Hermione était à l'autre extrémité. Elle faisait un discours concis exprimant son plaisir à l'idée de céder bientôt sa place à Leonora et porta un toast au couple fiancé. Puis, le premier plat fut servi. Le discret bourdonnement de la conversation s'éleva et envahit la table.

La soirée se déroula tout à fait agréablement. Les ladies se retirèrent au salon, laissant les gentlemen à leur porto. Ce ne fut pas long avant qu'ils les rejoignent.

Son oncle Winston, Lord Warsingham, le mari de Mildred, s'arrêta à côté de Leonora.

— Excellent choix, ma chère.

Ses yeux pétillaient. Il avait été inquiet de son manque d'intérêt dans le mariage, mais n'avait jamais cherché à interférer.

— Il t'aura fallu un temps démesuré pour faire ton choix, mais le résultat en vaut la peine, n'est-ce pas ?

Elle sourit et inclina la tête. Tristan les rejoignit, et elle dirigea la conversation sur la dernière pièce de théâtre.

Elle continuait, avec une assiduité qu'elle n'était pas sûre de comprendre, à regarder Tristan. Elle ne gardait pas toujours les yeux sur lui, pourtant elle était tout à fait consciente de sa présence – c'était une observation émotionnelle, si tant est qu'une telle chose pût exister, une concentration des sens.

Elle avait remarqué à maintes reprises son hésitation momentanée quand, en discutant de quelque chose avec elle, il vérifiait, s'arrêtait, réfléchissait, puis continuait. Elle commençait à reconnaître les indices qui lui indiquaient à quoi il pensait, quand et de quelle façon il pensait à elle…, les décisions qu'il prenait.

Le fait qu'il n'eut rien fait pour l'exclure de leur enquête active l'encourageait. Il aurait pu être bien plus difficile. En fait, elle s'y serait attendue. À la place, il agissait à sa guise, la satisfaisant comme il pouvait. Cela renforçait son espoir que, à l'avenir – l'avenir dans lequel ils s'engageaient ensemble –, ils s'entendraient bien ensemble.

Qu'ils seraient capables de satisfaire la nature et les besoins de l'autre.

Les siens, sa nature et ses besoins, étaient plus complexes que la plupart. Elle l'avait réalisé il y a quelque temps. Cela faisait partie de l'attirance qu'il exerçait sur elle et du fait qu'il était différent des autres. Il avait besoin de quelque chose d'un peu différent et voulait évoluer sur un plan différent.

Étant donné son passé dangereux, il était moins disposé à exclure les femmes et infiniment plus disposé à les utiliser. Elle l'avait senti dès le début. Il était moins enclin que ses camarades à dorloter les femmes. Elle le connaissait maintenant assez bien pour deviner qu'en accomplissant son devoir, il avait été froidement impitoyable. C'était ce côté de sa nature qui lui avait permis de s'impliquer autant dans leur enquête avec une résistance seulement relativement minime.

Toutefois, avec elle, ce côté plus pragmatique était entré directement en conflit avec quelque chose de plus profond. Avec davantage d'impulsions primitives, d'instincts presque primaires, le besoin impératif de la protéger pour toujours, de la préserver de toute souffrance.

À maintes reprises, ce conflit avait obscurci le regard de Tristan. Ses mâchoires se serraient, il la regardait brièvement, hésitait, puis laissait les choses comme elles étaient.

Adaptation. Lui à elle, elle à lui.

Ils se complétaient tous les deux, apprenant peu à peu comment leur vie s'imbriquerait l'une dans l'autre. Pourtant, ce conflit fondamental restait. Elle soupçonnait qu'il durerait toujours.

Elle devrait le supporter, s'y adapter. Accepter, mais ne pas réagir à ses instincts refoulés mais encore présents et à sa méfiance. Elle ne croyait pas qu'il puisse mettre ces derniers en mots, pas même pour lui, mais ils étaient toujours là, sous toutes ses forces et les faiblesses qu'elle avait fait jaillir. Elle le lui avait dit, avait admis pourquoi elle n'acceptait pas facilement de l'aide, pourquoi elle ne pouvait pas facilement lui faire confiance ni à quiconque sur des choses qui comptaient pour elle.

Logiquement, consciencieusement, il croyait en sa décision de lui faire confiance, de l'accepter dans la sphère la plus intime de sa vie. À un niveau plus profond, instinctif, il continuait à chercher des signes qu'elle aurait oubliés.

Des signes qu'elle l'excluait.

Elle l'avait blessé une fois précisément de cette manière. Elle ne voulait pas le refaire, mais seul le temps le lui dirait.

Son cadeau pour elle avait été, depuis le début, de l'accepter comme elle était. Celui de Leonora en retour serait d'accepter tout ce qu'il était et de lui donner le temps de ne plus avoir de soupçons.

D'apprendre à lui faire confiance tout comme elle.

Jeremy les rejoignit. Son oncle saisit l'occasion pour parler biens avec Tristan.

— Eh bien, ma sœur…

Jeremy regarda l'assemblée autour de lui.

— Je t'imagine bien ici avec toutes ces ladies, à les organiser, à gérer en douceur toute la maisonnée.

Il lui sourit, puis se calma.

— Elles ont de la chance. Tu nous manqueras.

Elle sourit, mit sa main sur son bras et le serra.

— Je ne vous ai pas encore quittés.

Jeremy posa son regard sur Tristan, de l'autre côté d'elle. Il sourit à moitié tandis qu'il la regardait de nouveau.

— Je pense que tu t'apercevras que si.

Chapitre 18

Malgré sa relative naïveté, Jeremy avait raison sur un aspect : Tristan considérait manifestement leur union comme déjà acceptée, établie et reconnue.

Les Warsingham furent les premiers à partir, Gertie les accompagnant. Quand Humphrey et Jeremy se préparèrent à les suivre, Tristan plaça le bras de Leonora sur sa manche et déclara qu'elle et lui devaient discuter en privé de sujets se rapportant à leur avenir. Il la raccompagnerait chez elle dans sa voiture d'ici environ une demi-heure.

Il le déclara de façon si désinvolte, avec une telle assurance, que tout le monde hocha docilement la tête et acquiesça. Humphrey et Jeremy partirent. Ses grands-tantes et ses cousines leur souhaitèrent bonne nuit et se retirèrent.

Le laissant la conduire dans la bibliothèque, enfin seuls.

Il s'arrêta pour donner des instructions à Havers concernant la voiture. Leonora alla devant le feu, une flambée importante dispersant sa chaleur dans la pièce. À l'extérieur, un vent froid soufflait et d'épais nuages faisaient obstacle à la lune. Ce n'était pas une belle soirée.

Tendant ses mains vers les flammes, elle entendit le verrou de la porte se fermer doucement et sentit Tristan approcher.

Elle se tourna. Les mains de Tristan glissèrent autour de sa taille. Les paumes de Leonora allèrent se poser sur sa poitrine. Elle riva ses yeux sur les siens.

— Je suis heureuse que vous ayez organisé ceci. Il y a un grand nombre de sujets dont nous devrions parler.

Il cligna des yeux. Il ne la laissa pas aller, mais il ne l'attira pas plus près. Leurs hanches et leurs cuisses se frôlaient légèrement de façon taquine. Ses seins touchaient à peine sa poitrine. Ses mains s'étendirent sur sa taille. Elle n'était ni dans ses bras ni hors d'eux, mais totalement sous son emprise. Il baissa les yeux pour la regarder.

— Quels sont ces sujets ?

— Des sujets comme où nous allons vivre, comment vous imaginez que notre vie se déroulera.

Il hésita, puis demanda :

— Voulez-vous vivre ici, à Londres, parmi les gens de la haute société ?

— Pas particulièrement. Je n'ai jamais ressenti de grande attirance pour la haute société. J'y suis assez à l'aise, mais je ne suis pas avide de ses douteux emballements.

Il fit un rictus et baissa la tête.

— Merci mon Dieu pour ça.

Elle posa un doigt sur ses lèvres avant qu'elles puissent capturer les siennes. Elle sentit ses mains libérer sa taille et ses paumes glisser sur son dos vêtu de soie. Elle croisa son regard et prit une rapide respiration.

— Donc, nous vivrons au domaine de Mallingham ?

Il sourit d'une façon taquine sous son doigt.

– Si vous pouvez supporter de vivre enterrée à la campagne.

– Le Surrey n'est pas vraiment perdu dans une rusticité bucolique, dit-elle en baissant sa main.

Les lèvres de Tristan se rapprochèrent, suspendues à quelques centimètres des siennes.

– Je voulais parler des vieilles dames. Pourrez-vous y faire face ?

Il attendit. Elle lutta pour penser.

– Oui.

Elle comprenait les vieilles dames, comprenait leurs manières et prévoyait ne pas avoir de difficulté à s'entendre avec elles.

– Elles sont bien disposées. Je les comprends, et elles nous comprennent.

Il émit un bruit moqueur. Il soupira sur ses lèvres, les faisant vibrer.

– Vous pouvez les comprendre. Elles me laissent fréquemment complètement perdu. Il s'est passé quelque chose il y a quelques mois à propos des rideaux du presbytère qui m'a complètement dépassé.

Elle eut du mal à ne pas rire. Les lèvres de Tristan étaient si près que cela semblait terriblement dangereux, comme baisser sa garde devant un loup sur le point de bondir.

– Donc, vous serez vraiment mienne ?

Elle était sur le point de lui offrir sa bouche et elle-même en riant comme preuve quand quelque chose dans son intonation la frappa. Elle croisa son regard et réalisa qu'il était terriblement sérieux.

— Je suis déjà vôtre. Vous le savez.

Ses lèvres, encore si dangereusement proches, revêtirent un sourire. Il bougea, l'attirant plus près. Son agitation l'atteignit, la submergea en une vague d'incertitude tangible et mouvante. Au contact plus prononcé de leurs corps, une sensation de chaleur s'éveilla. Il pencha sa tête et posa ses lèvres à la commissure des siennes.

— Je ne suis pas un gentleman ordinaire.

Il murmura ses mots sur sa joue.

— Je sais.

Elle tourna la tête, et leurs lèvres se rencontrèrent.

Après un bref échange, il s'écarta, fit remonter ses lèvres sur sa pommette jusqu'à sa tempe, puis il les fit descendre jusqu'à ce que son souffle réchauffe le creux sous son oreille.

— J'ai vécu dangereusement, au-delà de toute loi, pendant une décennie. Je ne suis pas aussi civilisé que je devrais l'être. Vous le savez, n'est-ce pas ?

En effet, elle le savait. Cette connaissance se répandit dans ses veines, l'excitation glissant en elle comme de la soie chaude. À ce moment précis, aussi extraordinaire cela pouvait-il être, elle réalisa qu'il n'était pas encore sûr d'elle. Et que, peu importe de quoi il voulait discuter, c'était encore dans sa tête, et elle allait devoir l'écouter.

Elle fit remonter ses mains, prit son visage et l'embrassa hardiment. Elle le captura, le saisit, l'attira en elle. Elle s'approcha de lui et sentit sa réaction, sentit ses mains se déployer sur son dos, fermement, puis il la plaqua contre lui.

Quand elle finit par consentir à le libérer, il leva la tête et baissa les yeux sur elle. Les yeux de Tristan étaient sombres, agités.

— Dites-moi…

La voix de Leonora était enrouée, mais impérieuse. Autoritaire.

— Que vouliez-vous me dire ?

Un long moment s'écoula. Elle était consciente de leur respiration, de leur pouls qui battait. Elle pensa qu'il n'allait pas répondre, puis il prit une brève respiration. Les yeux de Tristan n'avaient jamais quitté les siens.

— Ne. Vous. Mettez. Pas. En. Danger.

Il n'avait rien besoin d'ajouter. C'était là dans ses yeux. Là pour qu'elle le voie. Une vulnérabilité si profondément ancrée en lui, en celui qu'il était, qu'elle serait toujours là alors qu'il serait avec elle.

Un dilemme qu'il ne pourrait jamais résoudre, mais qu'il pouvait seulement accepter. En la prenant pour femme, c'était ce qu'il avait choisi de faire.

Elle se pencha contre lui. Ses mains étaient encore autour de son visage.

— Je ne me mettrai jamais volontairement en situation de danger. J'ai décidé d'être vôtre. J'ai l'intention de continuer dans ce rôle, de rester importante pour vous.

Elle soutint son regard.

— Croyez-le.

Les traits de Tristan se durcirent. Il ignora ses mains et baissa la tête. Il prit ses lèvres, sa bouche dans un baiser fulgurant qui frôlait le délire.

Il se recula pour murmurer contre ses lèvres.

— J'ai dit que j'essaierais, si vous vous rappelez bien. Si vous échouez, nous en paierons tous les deux le prix.

Elle traça le contour de sa joue osseuse et attendit jusqu'à ce qu'il rencontre son regard.

– Je n'échouerai pas, et vous non plus.

Leurs cœurs battaient la chamade. Des flammes familières léchaient avidement leur peau. Elle scruta ses yeux.

– *Ceci* – elle bougea avec une grâce ondoyante contre lui et sentit son souffle s'arrêter – devait se passer ainsi. Nous ne l'avons pas décidé, ni vous ni moi, mais c'était là, attendant de nous faire tomber dans le piège. À présent, le défi est de faire en sorte que tout le reste fonctionne – ce n'est pas un effort auquel nous pouvons échapper ou que nous pouvons décliner, pas si nous le voulons.

– Je le veux assurément et plus encore. Je ne vous laisserai pas partir. Pour aucune raison. Jamais.

– Donc, nous sommes engagés vous et moi.

Elle soutint son regard rendu noir.

– Nous ferons en sorte que cela fonctionne.

Deux secondes passèrent, puis il pencha la tête. Ses mains se raffermirent, et il la souleva contre lui.

Elle posa ses mains sur ses épaules et se repoussa.

– Mais…

Il s'arrêta et croisa son regard.

– Mais quoi ?

– Mais nous n'avons plus de temps ce soir.

*

En effet. Tristan resserra ses bras, l'embrassa frénétiquement, puis réprima les démons qui la réclamaient et, le regard sévère, la relâcha.

Elle semblait aussi chagrinée que lui, ce qui était une maigre consolation.

Plus tard.

Une fois qu'ils auraient coincé Mountford, rien ne se mettrait en travers de leur chemin.

Sa voiture attendait. Il y accompagna Leonora, l'aida à monter et suivit. Tandis que la voiture roulait sur les pavés à présent mouillés, il revint à quelque chose qu'elle avait mentionné plus tôt.

— Pourquoi Humphrey pense-t-il que des morceaux du casse-tête relatif à Cedric manquent ? Comment peut-il le savoir ?

Leonora s'installa confortablement à côté de lui.

— Les journaux sont des détails d'expériences — ce qui a été fait et les résultats, rien de plus. Ce qui manque, c'est la logique qui leur donne un sens — les hypothèses, les conclusions. Les lettres de Carruthers réfèrent à certaines expériences de Cedric et d'autres, d'après Humphrey et Jeremy, doivent être celles de Carruthers. Quant aux papiers avec des descriptions de Carruthers, que nous avons trouvés dans la chambre de Cedric, Humphrey pense qu'au moins certains correspondent aux expériences que l'on retrouve dans les lettres de Carruthers.

— Ainsi, Cedric et Carruthers semblent avoir échangé des détails sur leurs expériences ?

— Oui, mais Humphrey ne peut pas encore être certain qu'ils travaillaient au même projet ou s'ils échangeaient simplement des nouvelles. Plus pertinent encore, il n'a rien trouvé pour déterminer leur projet commun, en supposant qu'il y en ait un.

Il évalua l'information, se demandant si cela rendait Martinbury, l'héritier de Carruthers, plus ou moins important. La voiture ralentit, puis s'arrêta. Il regarda à l'extérieur, puis sortit devant le numéro 14 de la place Montrose et aida Leonora à descendre.

Dans le ciel, les nuages filaient, et le voile noir se déchirait devant le vent. Elle glissa sa main dans son bras. Il la regarda tandis qu'il ouvrait le portail. Ils avancèrent sur l'allée sinueuse, tous deux distraits par le décor excentrique créé par Cedric. La verdure brillait dans le clair de lune changeant. Les feuilles aux formes étranges et les buissons étaient brodés de gouttes de pluie.

La lumière filtrait depuis l'entrée. Tandis qu'ils montaient les marches du porche, la porte s'ouvrit.

Jeremy regarda dehors, le visage tendu. Il les vit, et ses traits se relâchèrent.

— Il était temps ! La canaille commence déjà à creuser un tunnel.

*

Dans un silence absolu, ils firent face au mur à côté de la cuve de lessive, vers les fondations du numéro 14, et écoutèrent le furtif scritch-scritch de quelqu'un qui creusait le mortier.

Tristan indiqua à Leonora et à Jeremy de rester immobiles, puis il tendit une main et la posa sur les briques derrière lesquelles le bruit émanait.

Après un moment, il ôta sa main et leur fit signe de partir. À l'entrée de la laverie, un valet attendait. Leonora et Jeremy le dépassèrent en silence. Tristan s'arrêta.

— Bon travail.

Sa voix était juste assez audible pour que le valet l'entende.

— Je doute qu'ils finissent cette nuit, mais nous organiserons une ronde. Fermez la porte et assurez-vous que personne ne fera de bruit inhabituel dans cette zone.

Le valet opina. Tristan le laissa et suivit les autres dans la cuisine au bout du couloir. D'après leurs visages, Leonora et Jeremy étaient prêts à le submerger de questions. Il leur fit signe de rester silencieux et s'adressa à Castor et aux autres valets, tous rassemblés à attendre avec le reste du personnel.

En peu de temps, il organisa une ronde alternée pour la nuit et rassura la gouvernante, la cuisinière et les domestiques qu'il n'y avait aucune chance que les bandits entrent sans qu'on s'en aperçoive pendant qu'ils dormaient.

— Au train où ils vont — et ils devront aller doucement —, ils ne peuvent risquer de donner des coups de marteau et de burin ; il leur faudra au moins quelques nuits pour disjoindre assez de briques afin qu'un homme puisse passer à travers.

Il regarda autour de lui le groupe qui était rassemblé autour de la table de la cuisine.

— Qui a remarqué quelque chose… ?

Une bonne rougit et fit un signe de tête.

— Moi, Monsieur… Monsieur le Comte. Je suis entrée pour prendre le deuxième fer chaud et j'ai entendu le bruit. J'ai cru que c'était une souris d'abord, puis je me suis souvenue de ce que M. Castor avait dit sur des bruits étranges et je suis venue tout de suite lui en parler.

Tristan sourit.

— Vous avez bien fait.

Son regard se posa sur la pile élevée de paniers avec des draps et du linge pliés posés entre les domestiques et le poêle.

– Était-ce un jour de lessive aujourd'hui ?

– Oui, dit la gouvernante, qui opina. Nous faisons toujours la lessive principale le mercredi, puis une petite le lundi.

Tristan la regarda pendant un moment, puis dit :

– J'ai une dernière question. Est-ce que l'un de vous, à un moment quelconque des derniers mois, depuis novembre environ, a vu un de ces deux gentlemen ou lui a parlé ?

Il entreprit de donner quelques indications sur Mountford et son complice à tête de fouine.

***

– Comment avez-vous deviné ? demanda Leonora tandis qu'ils étaient retournés dans la bibliothèque.

Les deux bonnes plus âgées et deux des valets avaient été abordés indépendamment à divers moments de novembre, les deux bonnes par Mountford lui-même, les valets par son complice. Les bonnes avaient pensé avoir trouvé un nouveau soupirant, et les valets, une nouvelle connaissance inattendue et aisée, toujours prête à leur offrir la prochaine bière.

Tristan s'assit sur la méridienne à côté de Leonora et étira ses jambes.

– Je me suis toujours demandé pourquoi Mountford essayait juste d'acheter la maison. Comment savait-il que l'atelier de Cedric avait été fermé et laissé essentiellement dans le même état ? Il ne pouvait pas voir à l'intérieur. Les fenêtres sont si vieilles, si embrumées et craquelées qu'il est impossible de voir quoi que ce soit à travers elles.

– Il le savait parce qu'il a dupé les bonnes.

Jeremy était assis à sa place habituelle derrière son bureau. Humphrey était dans son fauteuil devant le foyer.

– En effet. Et c'est comme ça qu'il a su d'autres choses…

Tristan regarda Leonora.

– Comme votre propension à marcher seule dans le jardin et à quelle heure vous sortiez. Il s'est concentré sur les habitants de cette maison pendant des mois et il a fait un bon travail de reconnaissance.

Leonora fronça les sourcils.

– Cela soulève la question de savoir comment il savait qu'il pouvait trouver quelque chose ici.

Elle regarda Humphrey, qui tenait un des journaux de Cedric ouvert sur ses genoux, une loupe grossissante dans la main.

– Nous ne savons pas encore s'il y a quelque chose de valeur là-dedans. Nous pouvons seulement le supposer en raison de l'intérêt de Mountford.

Tristan serra la main de Leonora.

– Croyez-moi, les hommes comme Mountford ne sont jamais intéressés à moins qu'il n'y ait quelque chose à gagner.

« Et il était encore moins facile d'attirer l'attention des gentlemen étrangers. »

Tristan garda cette observation pour lui. Il regarda Humphrey.

– Des progrès ?

Humphrey répondit longuement, mais la réponse fut non.

À la fin de son explication, Tristan s'agita. Ils étaient tous tendus. Il leur serait difficile de dormir sachant que, dans le sous-sol, Mountford creusait discrètement un trou dans le mur.

— Que pensez-vous qu'il va se passer maintenant? demanda Leonora.

Il la regarda.

— Rien cette nuit. Vous pouvez être tranquille sur ce point. Il faudra au moins trois nuits de travail incessant pour ouvrir un trou assez grand pour qu'un homme passe de ce côté sans alerter personne.

— Je suis plus inquiète que ce soit quelqu'un de ce côté qui l'alerte.

Il sourit de son sourire de prédateur.

— J'ai des hommes tout autour. Ils seront ici nuit et jour. Maintenant que Mountford est là, il ne s'échappera pas.

Leonora le regarda dans les yeux. Elle resta bouche bée et ne dit mot.

Jeremy maugréa. Il prit une liasse des papiers qu'ils avaient trouvés dans la chambre de Cedric.

— Nous ferions mieux de continuer avec ceci. Quelque part ici, il doit y avoir un indice. Bien que j'ignore la raison pour laquelle notre cher défunt parent ne pouvait utiliser un système de références croisées simple et compréhensible.

Le grognement de Humphrey fut éloquent.

— C'était un scientifique, voilà pourquoi. Ils ne montrent jamais aucune considération pour quiconque pourrait avoir à donner un sens à leur travail une fois qu'ils ne seront plus là. Je n'en ai jamais rencontré un qui l'a fait de toute ma vie.

Tristan se leva et s'étira. Il échangea un regard avec Leonora.

— Je dois bien réfléchir à notre plan. Je viendrai demain matin, et nous prendrons certaines décisions.

Il regarda Humphrey et inclut Jeremy quand il dit :

— Je viendrai probablement avec certains de mes associés dans la matinée. Puis-je vous demander de nous faire un rapport de ce que vous avez découvert jusqu'ici ?

— Bien sûr, dit Humphrey en faisant un geste. Nous vous verrons au petit déjeuner.

Jeremy leva à peine les yeux.

Leonora le raccompagna à la porte d'entrée. Ils se donnèrent un rapide baiser peu satisfaisant devant Castor, qui, influencé par un quelconque instinct de majordome, apparut pour ouvrir la porte.

Tristan baissa les yeux vers ceux, obscurcis, de Leonora.

— Dormez bien. Croyez-moi, vous ne courez aucun risque.

Elle croisa son regard, puis sourit.

— Je sais. J'en ai la preuve.

Perplexe, il haussa un sourcil.

Son sourire s'élargit, puis elle déclara :

— Vous me laissez ici.

Il scruta son visage et vit de la compréhension dans ses yeux. Il la salua, puis partit.

*

Le temps qu'il atteigne la rue Green, son plan était clair dans sa tête. Il était tard. Sa maison était silencieuse. Il se rendit directement à son bureau, s'assit et prit une plume.

*

Le lendemain matin, Charles, Deverell et lui se rencontrèrent au Bastion Club peu après l'aube. C'était le mois de mars. L'aube ne se levait pas très tôt, mais ils avaient besoin d'assez de lumière pour voir tandis qu'ils faisaient le tour du numéro 16 de la place Montrose. Ils vérifièrent chaque échappatoire possible, testèrent les gardes que Tristan avait mis en place et organisèrent des renforts là où c'était nécessaire.

À sept heures trente, ils se retirèrent dans la salle de réunion de leur club pour réexaminer et rapporter tout ce que chacun avait fait individuellement, avait mis en place depuis la veille au soir. À huit heures, ils gagnèrent le numéro 14, où Humphrey et Jeremy, fatigués d'avoir travaillé la plus grande partie de la nuit, et Leonora, impatiente, attendaient.

Prenant un petit déjeuner substantiel, Leonora avait manifestement donné l'ordre qu'ils soient bien nourris.

Assise à une extrémité de la table, Leonora buvait son thé. Par-dessus le bord de sa tasse, elle regarda le trio d'hommes dangereux qui avait envahi sa maison.

C'était la première fois qu'elle rencontrait St-Austell et Deverell. Un regard fut suffisant pour qu'elle remarque les similitudes entre eux et Tristan. De même, ils évoquaient tous la même méfiance qu'elle avait ressentie au départ chez Tristan. Elle ne leur ferait pas confiance, pas entièrement, pas comme une femme fait confiance à un homme, pas avant qu'elle en vienne à mieux les connaître.

Elle regarda Tristan, à côté d'elle.

— Vous avez dit que vous vouliez discuter d'un plan.

Il opina.

— Un plan sur la meilleure façon de réagir à la situation comme nous la connaissons en ce moment.

Il jeta un œil vers Humphrey.

— Peut-être que si j'expose brièvement la situation, vous pourriez me corriger si vous avez des informations plus récentes.

Humphrey inclina la tête.

Tristan baissa les yeux sur la table, manifestement pris par ses pensées.

— Nous savons que Mountford recherche quelque chose qu'il croit caché dans cette maison. Il s'est montré résolu, tenace, indéfectiblement fixé sur son but pendant des mois. Il semble incroyablement prêt à tout et il ne cessera manifestement pas avant d'avoir trouvé ce qu'il cherche. Nous avons un lien entre Mountford et un étranger, lequel peut être pertinent ou non. Mountford est maintenant sur les lieux, essayant d'accéder au sous-sol ici. Il a un complice connu, un homme au visage de fouine.

Tristan s'arrêta pour boire son café.

— Voici donc ce que nous savons de l'ennemi.

» À présent, voyons ce qu'ils cherchent. Notre meilleure supposition est qu'il s'agit de quelque chose que feu Cedric Carling, l'ancien propriétaire de cette maison et herboriste de renom, a découvert, probablement en travaillant avec un autre herboriste, A. J. Carruthers, malheureusement à présent aussi décédé. Les journaux de Cedric, ainsi que les lettres et les notes de Carruthers, tout ce que nous avons trouvé jusqu'ici, suggèrent une collaboration, mais le projet lui-même reste peu clair.

Tristan regarda Humphrey.

Humphrey jeta un œil vers Jeremy. Il lui fit signe de poursuivre.

Jeremy croisa le regard des autres.

— Nous avons trois sources d'information — les journaux de Cedric, les lettres de Carruthers adressées à Cedric et un ensemble de notes de Carruthers, lesquelles, croyons-nous, étaient jointes avec les lettres. Je me suis concentré sur les lettres et les notes. Certaines des notes détaillent des expériences individuelles discutées dont on retrouve les références dans les lettres. D'après ce que nous avons pu faire comme liens jusqu'à présent, il semble certain que Cedric et Carruthers travaillaient ensemble à une préparation spécifique. Ils discutaient des propriétés d'un certain fluide sur lequel ils essayaient d'influer avec cette préparation.

Jeremy s'arrêta et grimaça.

— Nous n'avons rien trouvé sur l'identification de ce fluide, mais selon diverses références, je crois que ce doit être du sang.

L'effet de cette déclaration sur Tristan, St-Austell et Deverell fut marqué. Leonora les regarda échanger des regards éloquents.

— Donc, murmura St-Austell, le regard rivé sur celui de Tristan, nous avons deux herboristes de renom qui travaillaient à quelque chose qui modifiait le sang, et un possible lien avec un étranger.

L'expression de Tristan s'était durcie. Il fit un signe de tête en direction de Jeremy.

— Cela clarifie la seule incertitude que j'avais au sujet de la suite. Manifestement, l'héritier de Carruthers, Jonathon Martinbury, un jeune homme droit et honnête qui a mystérieusement disparu après être arrivé à Londres, venant apparemment en raison d'une lettre concernant la collaboration entre Carruthers et Cedric, est un pion potentiellement crucial dans ce jeu.

– En effet, dit Deverell en regardant Tristan. Je vais diriger mes hommes sur ce front aussi.

Leonora les regarda, l'un et l'autre.

– Quel front ?

– Il est à présent impératif de trouver Martinbury. S'il est mort, cela prendra un certain temps – probablement plus que celui que nous avons avec Mountford qui creuse en bas. Mais si Martinbury est vivant, il y a une chance pour nous puissions chercher suffisamment bien dans les hôpitaux et les hospices pour le trouver.

– Les couvents.

Quand Tristan la regarda, Leonora développa son idée.

– Vous ne les avez pas mentionnés, mais il y en a beaucoup dans la ville, et la plupart recueillent autant de malades et de blessés qu'ils peuvent.

– Elle a raison, dit St-Austell en regardant Deverell.

Celui-ci opina.

– Je vais envoyer mes hommes les visiter.

– Quels hommes ?

Jeremy fronça les sourcils devant le trio.

– Vous parlez comme si vous aviez des troupes à votre disposition.

St-Austell haussa les sourcils, amusé. Tristan revêtit un sourire et répondit :

– D'une certaine façon, nous en avons. Dans notre précédent métier, nous avions besoin de… liens à tous les niveaux de la société. Et il y a un grand nombre d'anciens soldats que nous pouvons contacter pour nous aider. Chacun de nous connaît des gens qui sont habitués à aller chercher des choses pour nous.

Leonora prit un air renfrogné en regardant Jeremy, qui allait poser d'autres questions.

— Donc, vous avez associé vos troupes et les avez envoyées à la recherche de Martinbury. Qu'est-ce qui nous reste à faire ? Quel est votre plan ?

Tristan rencontra son regard, puis jeta un œil sur Humphrey et Jeremy.

— Nous ne savons pas encore ce que cherche Mountford. Nous pourrions simplement nous détendre et attendre qu'il arrive, puis nous verrions ce qu'il fait. Cela, toutefois, est le choix le plus dangereux. Le laisser entrer dans cette maison et le laisser à tout moment pouvoir mettre la main sur ce qu'il cherche devrait être notre dernier recours.

— Quelle est l'autre option ? demanda Jeremy.

— C'est de continuer à suivre les directions de l'enquête que nous menons déjà. Premièrement, chercher Martinbury — il pourrait avoir plus d'informations précises sur Carruthers. Deuxièmement, continuer à rassembler les morceaux du casse-tête que nous pouvons, selon les trois sources que nous avons — les journaux, les lettres et les notes. Elles font probablement partie de ce que cherche Mountford. S'il accède aux morceaux qui nous manquent, cela aurait un sens.

» Troisièmement… dit Tristan en regardant Leonora. Nous présumons que ce quelque chose — appelons-le « la formule » — est caché dans l'atelier de Cedric. Ce qui peut être toujours le cas. Nous avons seulement pris tous les écrits évidents à trouver. S'il y a quelque chose de spécialement caché dans l'atelier, il doit encore y être. Enfin, la formule est peut-être complète, écrite et cachée quelque part ailleurs dans la maison.

Il s'arrêta, puis continua.

— Le risque de laisser quelque chose comme ça tomber dans les mains de Mountford est trop grand. Nous devons fouiller cette maison.

Se rappelant comment il avait fouillé les pièces de Mlle Timmins, Leonora opina.

— Je suis d'accord.

Elle regarda autour de la table.

— Donc, Humphrey et Jeremy vont continuer avec les journaux, les lettres et les notes dans la bibliothèque. Vos hommes parcourront Londres à la recherche de Martinbury. Ce qui fait qu'il reste vous trois, je suppose ?

Tristan lui sourit d'un de ses sourires charmants.

— Et vous. Si vous pouvez aviser votre personnel et nous faciliter la tâche, nous chercherons tous les trois. Nous pourrions avoir à fouiller du grenier jusqu'au sous-sol, et c'est une grande maison.

Il revêtit un sourire de biais.

— Mais nous sommes excellents pour fouiller.

*

Ils l'étaient.

Leonora observait depuis le seuil de l'atelier tandis que, aussi silencieux que des souris, les trois aristocrates fouillaient, fouinaient et sondaient tous les coins et recoins, escaladaient les massives étagères, jetaient un œil à l'arrière des placards, exploraient des fissures cachées avec des cannes et se couchaient sur le sol pour inspecter les dessous des bureaux et des tiroirs. Ils n'oubliaient rien.

Et ne trouvèrent rien, sauf de la poussière.

À partir de là, ils poursuivirent leur recherche à l'extérieur et à l'étage, en passant par la cuisine et les offices — même la laverie actuellement silencieuse — et par chaque pièce du sous-sol. Puis ils montèrent l'escalier et, discrètement et résolument, ils se mirent à exercer leurs talents inattendus dans les pièces du rez-de-chaussée. Une heure plus tard, ils s'attaquaient au grenier dans lequel elle avait catégoriquement refusé de s'aventurer. Elle ressentit les vibrations dans l'escalier quand ils descendirent.

Elle se leva et se tourna. Leurs pas, lourds et lents, lui indiquèrent qu'ils n'avaient rien trouvé du tout. Ils apparurent devant elle, repoussant des toiles d'araignée de leurs cheveux et de leurs vestes. Shultz n'aurait pas approuvé.

Tristan croisa son regard et conclut d'un air assez grave :

— Si une formule précieuse est cachée dans cette maison, c'est dans la bibliothèque.

Dans les journaux de Cedric ou dans les lettres et les notes de Carruthers.

— Au moins, nous en sommes sûrs maintenant.

Elle se tourna et les reconduisit vers l'escalier principal pour descendre à la salle à manger.

Jeremy et Humphrey les y rejoignirent.

Jeremy secoua la tête et s'assit.

— Rien de plus, j'en ai peur.

— Sauf, dit Humphrey tandis qu'il secouait sa serviette, que je suis de plus en plus certain que Cedric ne conservait aucune note à lui comme des raisonnements et des conclusions qu'il tirait de ses expériences.

Il grimaça.

— Certains scientifiques sont comme ça. Ils gardent tout dans leur tête.

— Pour le mystère ? demanda Deverell, qui commençait sa soupe.

Humphrey secoua la tête.

— D'habitude, non. C'est plus le fait qu'ils ne veulent pas perdre de temps à écrire ce qu'ils savent déjà.

Ils se mirent tous à manger, puis Humphrey, toujours l'air renfrogné, continua :

— Si Cedric n'a pas laissé de dossier — et la plupart des livres dans la bibliothèque sont les nôtres —, il n'y a qu'une poignée de textes anciens qui s'y trouvent et qui étaient là avant que nous emménagions.

Jeremy opina.

— Et je les ai tous parcourus. Il n'y a aucune note à l'intérieur ou écrite dans ces pages.

Humphrey continua :

— S'il en est ainsi, alors nous allons devoir prier pour que Carruthers ait laissé des comptes-rendus plus détaillés. Les lettres et les notes nous donnent un espoir, et je ne dis pas que nous n'aurons jamais la réponse si c'est tout ce que nous avons pour travailler, mais un journal correctement entretenu avec une liste consécutive d'expériences… Si nous avions cela, nous pourrions savoir quelles recettes de cette préparation étaient les dernières. Surtout laquelle était la version définitive.

— Il existe de nombreuses versions, vous savez.

Jeremy poursuivit l'explication.

— Mais il n'y a aucun moyen de dire à partir des journaux de Cedric laquelle vient après laquelle, encore moins pourquoi. Cedric devait le savoir, et d'après les commentaires dans les lettres, Carruthers le savait aussi, mais... jusqu'ici, nous avons seulement été capables d'associer une poignée de notes sur des expériences de Carruthers avec ses lettres, lesquelles sont les seules choses étant datées.

Humphrey mâcha, puis hocha la tête d'un air morose.

— C'est assez pour qu'on s'arrache les cheveux.

Au loin, la sonnette de la porte retentit. Castor les laissa, réapparaissant une minute plus tard avec un message plié sur un plateau.

Il avança à côté de Deverell.

— Un valet de la maison voisine a apporté ceci pour vous, Monsieur.

Deverell jeta un œil sur Tristan et Charles tandis qu'il déposait sa fourchette et prenait le message. C'était un morceau de papier simple avec un gribouillage peu lisible écrit au crayon. Deverell le parcourut, puis regarda Tristan et Charles en face de lui.

Ils se redressèrent tous les deux.

— Quoi ?

Tout le monde regarda Deverell. Un lent sourire marqua son visage.

— Les sœurs des Petites Sœurs de la Miséricorde dans la rue Whitechapel ont pris soin d'un jeune homme qui répond au nom de Jonathon Martinbury.

Deverell regarda le message. Son visage se durcit.

— Il leur a été amené il y a deux semaines, victime de coups violents et laissé pour mort dans un caniveau.

*

Prendre des dispositions pour aller chercher Martinbury — ils étaient tous d'accord qu'il fallait aller le chercher — fut un exercice de logistique. À la fin, il fut décidé que Leonora et Tristan devaient y aller. Ni St-Austell ni Deverell ne voulaient risquer d'être vus en train de quitter le numéro 14 ou d'y rentrer. Même Leonora et Tristan durent faire attention. Ils quittèrent la maison par la porte d'entrée avec Henrietta.

Une fois dans la rue, la rangée d'arbres délimitant le numéro 12 les dissimulait de quiconque regarderait depuis le numéro 16. Ils rentrèrent par le portail du club et, au plus grand mécontentement d'Henrietta, la laissèrent dans les cuisines.

Tristan pressa Leonora de prendre l'allée du club, puis de sortir par la ruelle en arrière. De là, il fut facile de rejoindre la rue suivante, où ils louèrent un fiacre. Ensuite, ils se dirigèrent à vive allure vers la rue Whitechapel.

Dans l'hôpital du couvent, ils trouvèrent Jonathon Martinbury. C'était un jeune homme qui semblait vaillant, carré à la fois de musculature et de figure, avec des cheveux bruns visibles par les espaces dans les bandages qui enveloppaient son crâne. La plus grande partie de son corps était bandé. Un bras reposait dans une écharpe. Son visage était sérieusement contusionné et coupé, avec une ecchymose imposante au-dessus d'un œil.

Il était lucide mais faible. Quand Leonora lui expliqua la raison de leur présence en disant qu'ils le recherchaient en lien avec le travail de Cedric Carling avec A. J. Carruthers, ses yeux s'illuminèrent.

– Merci, mon Dieu!

Brièvement, il ferma les yeux, puis les ouvrit. Sa voix était âpre, encore enrouée.

– J'ai eu votre lettre. Je suis venu tôt en ville avec l'intention d'aller vous voir…

Il s'interrompit, le visage plus sombre.

– Depuis, tout est devenu un cauchemar.

*

Tristan parla aux sœurs. Bien qu'inquiètes, elles s'accordèrent pour dire que Martinbury était assez bien pour être déplacé, étant donné qu'il était maintenant avec des amis.

À eux deux, Tristan et le jardinier du couvent portèrent Jonathon jusqu'au fiacre qui attendait. Leonora et les sœurs s'inquiétaient. Grimper dans la voiture éprouva sérieusement la contenance du jeune homme. Il ne desserra pas les dents et était pâle quand ils finirent par l'installer sur le siège, enveloppé dans une couverture et calé dans de vieux oreillers. Tristan avait donné son pardessus à Jonathon. Le manteau du jeune homme avait été déchiré et était irréparable.

Avec Leonora, Tristan renouvela les remerciements aux sœurs pour Jonathon et promit un don de charité bien nécessaire dès qu'il pourrait s'en occuper. Leonora lui adressa un regard approbateur. Il l'aida à monter en voiture et allait suivre quand une sœur particulièrement maternelle arriva avec empressement.

– Attendez! Attendez!

Traînant un grand sac en cuir, elle s'arrêta en soufflant au portail du couvent.

Tristan avança et lui prit le sac. Elle fit un grand sourire à l'attention de Jonathon.

– Il serait dommage après tout ce que vous avez traversé de perdre l'objet qui a eu tant de chance !

Tandis que Tristan hissait le sac sur le plancher de la voiture, Jonathon se pencha, tendit le bras pour le toucher comme si cela le rassurait.

– En effet, souffla-t-il en hochant la tête autant qu'il pouvait. Merci mille fois, Ma Sœur.

Les sœurs firent des signes et les bénirent. Leonora les salua en retour. Tristan grimpa et ferma la porte, s'installant à côté de Leonora tandis que la voiture partait.

Il regarda le grand sac de voyage en cuir posé sur le sol entre les sièges et jeta un œil sur Jonathon.

– Qu'y a-t-il dedans ?

Jonathon pencha sa tête en arrière contre le dossier.

– Je crois que c'est ce que les gens qui m'ont fait ça cherchaient.

Leonora et Tristan regardèrent tous deux le sac.

Jonathon prit une respiration difficile.

– Vous voyez…

– Non, dit Tristan en levant une main. Attendez. Ce voyage sera assez pénible. Reposez-vous. Quand vous serez confortablement installé de nouveau, alors vous pourrez nous raconter à tous votre histoire.

– Tous ?

À travers ses paupières à moitié fermées, Jonathon le regarda.

— Combien êtes-vous ?

— Un certain nombre. Ce serait mieux si vous racontiez votre histoire seulement une fois.

*

Un accès d'impatience saisit Leonora, concentrée sur le sac en cuir noir de Jonathon. Un sac de voyage parfaitement ordinaire, mais elle pouvait imaginer ce qu'il pouvait contenir. Elle fut presque hors d'elle en raison de sa curiosité frustrée jusqu'au moment où la voiture finit par s'arrêter dans la ruelle, le long du portail à l'arrière du numéro 14 de la place Montrose.

Tristan avait d'abord arrêté la voiture dans une rue plus près du parc. Il les avait laissés là, disant qu'il devait organiser les choses.

Il était revenu plus d'une demi-heure plus tard. Jonathon s'était endormi. Il était encore dans les brumes quand ils s'arrêtèrent pour la dernière fois et que Deverell ouvrit la porte de la voiture.

— Allez-y, l'encouragea doucement Tristan.

Elle donna sa main à Deverell, et il l'aida à descendre. Derrière lui, le portail du jardin était ouvert, et Charles St-Austell se tenait derrière. Il lui fit signe d'entrer.

Leur valet le plus costaud, Clyde, se tenait derrière Charles avec ce que Leonora réalisa être un brancard improvisé dans les mains.

Charles vit son air.

— Nous allons le transporter dans cette civière. Ce serait trop long et trop douloureux autrement.

Elle le regarda furtivement.

— Long ?

De la tête, il indiqua la maison voisine.

— Nous essayons de minimiser les chances que Mountford voie quoi que ce soit.

Ils avaient présumé que Mountford, ou plus probablement son acolyte, surveillerait les allées et venues du numéro 14.

— Je pensais que nous le conduirions au numéro 12, dit Leonora en regardant vers leur club.

— Trop difficile de faire en sorte que nous soyons tous là pour écouter son histoire sans éveiller les soupçons.

Gentiment, Charles l'écarta tandis que Tristan et Deverell aidèrent Jonathon à passer le portail.

— Nous y voilà.

À eux quatre, ils installèrent Jonathon dans le brancard formé de draps pliés et de deux longs manches à balai. Deverell passa en tête. Clyde et Charles suivirent, transportant le brancard. Portant le sac de Jonathon dans une main, Tristan ferma la marche, Leonora devant lui.

— Et le fiacre ? murmura Leonora.

— Je m'en suis occupé. J'ai payé le cocher pour qu'il reste là encore dix minutes avant de partir, juste au cas où le bruit, quand il passera derrière la porte voisine, les alerte.

Il avait pensé à tout — même à couper une nouvelle arche étroite dans la haie divisant le jardin de la cuisine bien caché de la pelouse plus à découvert. Au lieu de remonter l'allée centrale et de passer sous l'arche centrale et d'ensuite traverser une vaste pelouse, ils remontèrent un étroit chemin secondaire suivant le mur mitoyen avec le numéro 12, puis passèrent par la brèche nouvellement taillée dans la haie et émergèrent directement près du mur du jardin, largement cachés par son ombre.

Il ne leur restait plus qu'une courte distance à couvrir avant d'atteindre l'aile en saillie de la cuisine, qui les cachait du numéro 16. Puis, ils furent libres de monter les marches de la terrasse et de rentrer par les portes du petit salon.

Quand Tristan ferma les portes-fenêtres derrière elle, elle saisit son regard.

— Excellent.

— Cela fait partie du service.

Le regard de Tristan se porta plus loin qu'elle, en avant. Elle se tourna pour voir qu'on aidait Jonathon à quitter le brancard pour l'installer sur un lit de repos déjà préparé.

Pringle attendait là. Tristan prit la parole :

— Nous vous laissons à votre patient. Nous serons dans la bibliothèque. Rejoignez-nous quand vous aurez fini.

Pringle hocha la tête et se tourna vers Jonathon.

Ils sortirent tous. Clyde prit le brancard et se dirigea vers les cuisines. Le reste d'entre eux se rassembla dans la bibliothèque.

L'impatience de Leonora de voir ce que Jonathon avait dans son sac n'était rien en comparaison de celle de Humphrey et de Jeremy. Si Tristan et les autres n'avaient pas été là, elle doutait qu'elle eût été capable de les empêcher d'aller chercher le sac et de « simplement vérifier » ce qu'il contenait.

La confortable vieille bibliothèque avait rarement semblé si pleine et encore plus rarement si animée. Tristan de même que Charles et Deverell arpentaient la pièce, attendant, le visage sévère et absorbé. Leur énergie refoulée semblait contaminer Jeremy et même Humphrey. Cela, pensa-t-elle, assise à feindre la patience sur la méridienne avec Henrietta couchée à ses pieds, à les regarder tous, devait ressembler à l'atmosphère dans un campement plein de cavaliers juste avant l'appel du combat.

Finalement, la porte s'ouvrit, et Pringle entra. Tristan versa du cognac dans un verre et le lui tendit. Pringle le prit en hochant la tête, but, puis soupira de reconnaissance.

— Il va assez bien, certainement assez bien pour parler. En fait, il est impatient de le faire, et je suggère que vous l'écoutiez rapidement.

— Ses blessures ? demanda Tristan.

— Je dirais que ceux qui l'ont agressé avaient la nette intention de le tuer.

— Des professionnels ? demanda Deverell.

Pringle hésita.

— D'après moi, ce sont des professionnels, mais plus habitués aux couteaux ou aux pistolets. Or, dans ce cas, ils ont essayé de faire ressembler cette attaque à un travail de voyous du coin. Toutefois, ils n'ont pas tenu compte des os plutôt massifs de Martinbury. Il est très meurtri et maltraité, mais les sœurs ont bien travaillé, et avec le temps, il sera comme neuf. Si une bonne âme ne l'avait pas conduit au couvent, je n'aurais pas donné cher de sa peau.

Tristan opina.

— Merci encore.

— Ne me remerciez pas.

Pringle rendit son verre vide.

— Chaque fois que j'ai des nouvelles de Gasthorpe, je sais au moins que ce sera quelque chose de plus intéressant que des furoncles.

Les saluant tous de la tête, il les quitta.

Ils échangèrent tous des regards. L'excitation venait de monter d'un cran.

Leonora se leva. Les verres furent rapidement vidés et déposés. Elle secoua ses jupes, puis se dirigea vers la porte et les conduisit tous de nouveau au petit salon.

Chapitre 19

— Tout cela reste encore un mystère pour moi. Je n'y comprends rien du tout. Si vous pouviez m'éclairer sur cette affaire, je vous en serais reconnaissant.

Jonathon plaça sa tête contre le dossier de la méridienne.

— Commencez par le début, lui conseilla Tristan.

Ils étaient tous rassemblés autour de lui — dans des fauteuils appuyés contre le manteau de cheminée —, tous vivement concentrés.

— Quand avez-vous d'abord entendu parler de quelque chose en lien avec Cedric Carling ?

Le regard de Jonathon se fixa et devint distant.

— Par A. J., quand elle était sur son lit de mort.

Tristan et tous les autres clignèrent des yeux.

— Elle ?

Jonathon regarda autour de lui.

— Je pensais que vous saviez que A. J. Carruthers était ma tante.

— Elle était herboriste ? A. J. Carruthers ?

L'incrédulité de Humphrey transparaissait dans son intonation.

Jonathon, le regard quelque peu sévère, opina.

— Oui, elle l'était. Et c'est pourquoi elle aimait vivre cachée dans le nord du Yorkshire. Elle avait sa maison, faisait pousser ses herbes et menait ses expériences sans que personne l'ennuie. Elle collaborait et correspondait avec bon nombre d'autres herboristes très respectés, mais ils la connaissaient tous seulement comme A. J. Carruthers.

Humphrey fronça les sourcils.

— Je vois.

— Une chose, ajouta Leonora. Est-ce que Cedric Carling, notre cousin, savait qu'elle était une femme ?

— Honnêtement, je ne sais pas, répondit Jonathon. Mais connaissant A. J., j'en doute.

— Alors, quand avez-vous pour la première fois entendu parler de Carling ou de quelque chose ayant rapport avec cette affaire ?

— J'ai entendu le nom de Carling de la bouche de A. J. pendant des années, mais seulement en tant qu'autre herboriste. La première fois que j'ai entendu parler de cette affaire, c'était juste quelques jours avant qu'elle meure. Sa santé se détériorait depuis des mois. Sa mort ne fut pas une surprise. Mais l'histoire qu'elle me raconta alors… Eh bien, elle commençait à divaguer, alors je n'étais pas sûr de pouvoir y accorder du crédit.

Jonathon prit une respiration.

— Elle m'a dit que Cedric Carling et elle travaillaient en collaboration à une pommade particulière dont ils étaient tous deux convaincus qu'elle serait extrêmement utile. Elle était douée pour travailler à des choses utiles. Ils ont travaillé à cette pommade pendant deux ans, avec acharnement, et dès le début, ils s'étaient formellement mis d'accord pour partager tout profit tiré de cette découverte. Ils ont rédigé un document légal. Elle m'a dit que je le trouverais dans ses papiers, et ce fut le cas, plus tard. Toutefois, la chose qu'elle était le plus pressée de me dire alors, c'était qu'ils avaient réussi dans leur recherche. Leur pommade, peu importe de quoi il s'agissait, était efficace. Ils y étaient parvenus environ deux mois avant, et ensuite, elle n'avait plus entendu parler de Carling. Elle avait attendu, puis écrit aux autres herboristes qu'elle connaissait dans la capitale, s'informant de Carling, et elle avait simplement su qu'il était mort.

Jonathon s'arrêta pour regarder leurs visages, puis il continua :

— Elle était trop âgée et frêle pour faire quoi que ce soit et elle présumait qu'avec la mort de Cedric, il faudrait du temps à ses héritiers pour passer à travers tous ses effets et la contacter, ou ses héritiers à elle, à ce sujet. Elle m'en a parlé pour que je sois préparé et que je sache de quoi il retournait quand le moment viendrait.

Il prit son souffle.

— Elle est morte peu après et m'a laissé tous ses journaux et papiers. Je les ai pris, bien sûr. Mais avec tout ce qu'il y avait à faire, mon travail pour mon stage, et comme je n'ai entendu personne parler de cette découverte, j'ai plus ou moins oublié, jusqu'en octobre dernier.

— Que s'est-il passé à ce moment-là ? demanda Tristan.

— J'avais tous ses journaux chez moi et, un jour, j'en ai pris un et j'ai commencé à lire. C'est là que j'ai compris qu'elle devait avoir raison, que Cedric et elle avaient bel et bien découvert quelque chose de très utile.

Jonathon s'agita de manière embarrassée.

— Je ne suis pas herboriste, mais il semblait que la pommade qu'ils avaient créée aiderait à faire coaguler le sang, surtout dans les plaies.

Il jeta un œil sur Tristan.

— Je me suis dit que cela pouvait avoir des usages très précis.

Tristan le regarda, sachant que Charles et Deverell faisaient de même et qu'ils revivaient tous la même journée, qu'ils revivaient le carnage de la bataille de Waterloo.

— Une pommade qui coagule le sang.

Tristan sentit ses mâchoires se serrer.

— Très utile, en effet.

— Nous aurions dû garder Pringle, dit Charles.

— Nous pourrions avoir ses conseils assez rapidement, répondit Tristan. Mais d'abord, écoutons la suite. Nous en ignorons encore beaucoup…, comme l'identité de Mountford.

— Mountford ? demanda Jonathon, l'air ébahi.

Tristan fit un geste.

— Nous l'aurons — peu importe qui il est — avec le temps. Que s'est-il passé ensuite ?

— Eh bien, j'ai voulu aller à Londres pour vérifier, mais j'étais juste en plein milieu de mes derniers examens. Je ne pouvais pas quitter York. La découverte n'avait servi à rien pendant deux ans — j'en ai déduit que ça pourrait attendre jusqu'à ce que j'aie fini mon stage et que je puisse m'y consacrer comme il faut. Alors, c'est ce que j'ai fait. J'en ai discuté avec mon employeur, M. Mountgate, ainsi qu'avec le notaire de longue date de A. J., M. Aldford.

— Mountford, ajouta Deverell.

Tous le regardèrent.

Il grimaça.

– Mountgate plus Aldford égale Mountford.

– Grands Dieux! s'exclama Leonora en regardant Jonathon. À qui d'autre en avez-vous parlé?

– Personne.

Il cligna des yeux, puis modifia :

– En fait, pas au départ.

– Qu'est-ce que cela veut dire? demanda Tristan.

– La seule autre personne à laquelle j'en ai parlé, c'est Duke, Marmaduke Martinbury. C'est mon cousin et l'autre héritier de A. J., son autre neveu. Elle m'a laissé tous ses journaux, papiers et affaires d'herboriste, car Duke n'a jamais consacré un moment à son intérêt pour les herbes. Toutefois, ses biens ont été divisés entre nous deux. Et, bien sûr, la découverte comme telle faisait partie de ses biens. Aldford s'est senti obligé d'en parler à Duke, alors il lui a écrit.

– Duke a-t-il répondu?

– Pas par lettre.

Jonathon pinça ses lèvres.

– Il est venu me rendre visite pour me parler de cette affaire.

Après un moment, il continua :

– Duke est le mouton noir de la famille. Il l'a toujours été. Pour autant que je sache, il n'a pas de domicile fixe, mais on le trouve habituellement dans un quelconque champ de courses lors de carnavals.

» Étrangement – probablement parce qu'il était à court d'argent et donc dans la maison de son autre tante à Derby –, la lettre d'Aldford lui est parvenue. Duke a voulu savoir quand il pourrait espérer avoir sa part de l'argent. Je me suis senti tenu par l'honneur de tout lui expliquer. Après tout, la part de la découverte de A. J. était à moitié la sienne.

Jonathon s'arrêta, puis continua :

— Même s'il était de nature habituellement exécrable, il n'a pas du tout semblé intéressé une fois qu'il eut compris ce qu'était l'héritage.

— Décrivez-moi Duke.

Jonathon regarda Tristan, remarquant son intonation.

— Plus mince que moi, quelques centimètres de plus. Les cheveux foncés, noirs en fait. Les yeux noirs, la peau claire.

Leonora observa le visage de Jonathon, fit un rapide arrangement mental, puis hocha résolument la tête.

— C'est lui.

Tristan jeta un œil vers elle.

— Vous en êtes sûre ?

Elle le regarda.

— Combien de jeunes hommes minces, grands et aux cheveux noirs avec, dit-elle en montrant Jonathon, un nez comme ça pensez-vous être en lien avec cette affaire ?

Il fit un rictus, puis pinça immédiatement ses lèvres. Il inclina la tête.

— Ainsi, Duke est Mountford, ce qui explique certaines choses.

— Pas pour moi, dit Jonathon.

— Tout sera clair au moment approprié, promit Tristan. Mais continuez votre récit. Que s'est-il passé ensuite ?

— Rien immédiatement. J'ai fini mes examens et je me suis organisé pour venir à Londres. Ensuite, j'ai reçu la lettre de Mlle Carling, par l'intermédiaire de M. Aldford.

Il semblait clair que les héritiers de M. Carling en savaient moins que moi, alors j'ai devancé ma visite…

Jonathon s'arrêta, perplexe, et regarda Tristan.

– Les sœurs ont dit que vous aviez envoyé des hommes à ma recherche. Comment saviez-vous que j'étais à Londres, et blessé en plus ?

Tristan expliqua, succinctement, depuis le début des étranges événements de la place Montrose jusqu'à ce qu'ils comprennent que le travail de A. J. Carruthers avec Cedric était la clé de l'intérêt désespéré du mystérieux Mountford. Ensuite, il révéla comment ils avaient suivi sa trace puis retrouvé Jonathon lui-même.

Il regarda Tristan, abasourdi.

– Duke ?

Il fronça les sourcils.

– Il est le mouton noir, mais bien qu'il soit désagréable, malveillant, même un genre de brute, c'est une apparence. J'ai toujours pensé qu'il avait un petit quelque chose de lâche sous son air bravache. Je peux concevoir qu'il ait fait la plus grande partie de ce que vous dites, mais honnêtement, je ne le vois pas s'organiser pour me faire battre à mort.

Charles sourit du sourire fatal que Tristan, Deverell et lui semblaient tous avoir dans leur répertoire.

– Duke ne l'a peut-être pas fait, mais ceux avec qui il fait affaire maintenant n'auraient aucun scrupule à se débarrasser de vous, si vous menaciez de mettre votre grain de sel.

– Si ce que vous dites est vrai, ajouta Deverell, ils ont probablement des problèmes à ce que Duke se montre à la hauteur. Ça correspondrait certainement.

— La fouine, dit Jonathon. Duke a un… disons, un valet, je suppose. Un domestique. Cummings.

— C'est le nom qu'il m'a donné, dit Deverell, qui haussa les sourcils. Presque aussi brillant que son maître.

— Donc… dit Charles, qui s'éloigna du manteau de la cheminée, que faisons-nous maintenant ?

Il regarda Tristan. Ils regardèrent tous Tristan. Il sourit, pas de façon charmante, et se leva.

— Nous avons appris tout ce qu'il fallait pour le moment.

Ajustant ses manches, il regarda Charles et Deverell.

— Je crois qu'il est temps que nous invitions Duke à nous rejoindre. Écoutons ce qu'il a à dire.

Le sourire de Charles était diabolique.

— Ouvrons la voie.

— En effet.

Deverell suivait déjà Tristan quand il se dirigea vers la porte.

— Attendez !

Leonora regarda le sac noir posé à côté de la méridienne, puis leva les yeux vers le visage de Jonathon.

— S'il vous plaît, dites-moi que vous avez tous les journaux de A. J. et toutes ses lettres reçues de Cedric dans ce sac.

Jonathon sourit, un brin de travers. Il hocha la tête.

— Ce fut de la pure chance, mais oui, je les ai.

Tristan se retourna.

— Voilà un point que nous n'avons pas évoqué. Comment vous ont-ils attrapé, et pourquoi n'ont-ils pas pris les lettres et les journaux ?

Jonathon leva les yeux vers lui.

— Comme il faisait très froid, il y avait peu de passagers dans la diligence. Elle est donc arrivée plus tôt.

Il regarda Leonora.

— Je ne sais pas comment ils ont su que j'y étais…

— Quelqu'un devait vous surveiller à York, dit Deverell. Je parie que vous n'avez pas changé votre programme immédiatement après avoir reçu la lettre de Leonora pour vous précipiter ?

— Non. Il m'a fallu deux jours pour organiser mon départ.

Jonathon se cala sur la méridienne.

— Quand j'ai quitté la diligence, un message m'attendait, me disant de rencontrer M. Simmons au coin de Green Dragon Yard et de la rue Old Montague à dix-huit heures pour discuter d'une affaire d'intérêt mutuel. C'était une lettre bien formulée, avec une belle écriture et une belle qualité de papier. Je pensais que ça venait de vous, des Carling, à propos de la découverte. Je n'ai pas vraiment réfléchi, car vous ne pouviez pas savoir que j'étais dans cette diligence. Mais à ce moment-là, tout semblait correspondre.

— Ce coin de rue est à quelques minutes de l'auberge de relais. Si la diligence avait été à l'heure, je n'aurais pas eu le temps de me trouver une chambre avant d'aller au rendez-vous. Or, j'ai eu une heure pour chercher, trouver une chambre convenable et y laisser mon sac avant d'aller au rendez-vous.

Le sourire déroutant de Tristan resta figé sur son visage.

— Ils ont pensé que vous n'aviez aucun papier avec vous. Ils ont dû chercher.

Jonathon opina.

— Mon manteau a été déchiré en lambeaux.

— Donc, ne trouvant rien, ils vous ont battu et laissé pour mort. Mais ils n'ont pas vérifié à quel moment la diligence était arrivée. Tss… Quel travail bâclé ! dit Charles en se dirigeant vers la porte. Nous y allons ?

— Oui.

Tristan tourna les talons et se dirigea vers la porte.

— Allons chercher Mountford.

Leonora regarda la porte se fermer derrière eux.

Humphrey s'éclaircit la gorge et saisit le regard de Jonathon avant de montrer le sac noir.

— Pouvons-nous ?

Jonathon fit un geste.

— Je vous en prie.

*

Leonora hésitait.

Jonathon souffrait manifestement en raison de la fatigue et de ses blessures qui le rattrapaient. Elle l'exhorta à s'étendre et à récupérer. Devant sa suggestion, Humphrey et Jeremy se rendirent avec le sac dans la bibliothèque.

Fermant la porte du petit salon derrière elle, elle hésita. Une part d'elle-même voulait se précipiter derrière son frère et son oncle pour les aider et partager l'excitation intellectuelle de donner un sens à la découverte de Cedric et de A. J.

Mais pour l'essentiel, elle était attirée par la réelle et plus physique excitation de la recherche de Mountford.

Elle réfléchit pendant dix bonnes secondes, puis se dirigea vers la porte d'entrée. Elle l'ouvrit et laissa le verrou ouvert. La nuit était tombée et l'obscurité se faisait plus imposante. Elle hésita sur le porche, se demandant si elle devait emmener Henrietta. Mais la chienne était encore dans les cuisines du club. Elle n'était pas allée la chercher. Elle regarda attentivement vers le numéro 16, mais la porte d'entrée était plus proche de la rue, et elle ne put rien voir.

« Ne. Vous. Mettez. Pas. En. Danger. »

Ils étaient trois à être partis devant elle. Quel danger pouvait-il y avoir ?

Elle descendit rapidement les marches et emprunta sans tarder l'allée de devant.

D'après elle, ils allaient faire sortir Mountford de son trou. Elle était curieuse, après tout ce temps, de voir à quoi il ressemblait vraiment, quel genre d'homme il était. La description de Jonathon était ambivalente. Oui, Mountford — Duke — était une petite brute, mais pas un meurtrier.

Il était assez violent pour qu'elle en soit inquiète…

Elle approcha de la porte d'entrée du numéro 16 avec une prudence de circonstance.

La porte était à moitié ouverte. Elle tendit l'oreille, mais n'entendit rien.

Elle regarda derrière la porte.

La faible lueur du clair de lune projetait son ombre en plein dans l'entrée. Le résultat en fut que l'homme sur le seuil de l'escalier menant à la cuisine s'arrêta et se tourna.

C'était Deverell. Il lui fit signe de se taire et de rester en arrière, puis il se tourna et se fondit dans l'obscurité.

Leonora hésita pendant une seconde. Elle resta en arrière, mais pas si loin.

Ses pantoufles ne faisaient pas de bruit sur le carrelage. Elle se glissa dans l'entrée et suivit Deverell.

L'escalier descendant aux cuisines et au sous-sol était juste après l'entrée. D'après sa visite plus tôt, quand elle avait suivi Tristan, Leonora savait que l'escalier à double volée donnait sur un long corridor. Les portes des cuisines et de l'arrière-cuisine se trouvaient du côté gauche. Du côté droit, l'office du majordome était suivi d'une longue cave.

Mountford creusait un tunnel à partir de la cave.

S'arrêtant en haut de l'escalier, elle se pencha sur la rampe et regarda en bas. Elle put distinguer trois hommes se déplaçant en dessous, de grandes ombres dans l'obscurité. Une faible lumière brillait quelque part devant eux. Tandis qu'ils avançaient hors de sa vue, elle descendit les marches.

Elle s'arrêta sur le palier. De là, elle put voir tout le corridor devant et sous elle. Il y avait deux portes dans la cave. La plus près était entrebâillée. La faible lumière provenait de là.

On entendait un *scritch-scratch* régulier encore plus faible, comme un frisson à travers ses nerfs.

Tristan, Charles et Deverell arrivèrent ensemble devant la porte. Bien qu'elle les vît bouger, présumant qu'ils parlaient, elle n'entendit rien, pas le moindre son.

Puis, Tristan se tourna vers la porte de la cave, la poussa et entra.

Charles et Deverell le suivirent.

Le silence dura une seconde.

— Hé!

— Qu'est-ce... ?

Bruits sourds. Coups. Cris et jurons étouffés. C'était plus qu'une simple bagarre.

Combien d'hommes se trouvaient là ? Elle aurait cru qu'il n'y en avait que deux, Mountford et la fouine, mais on aurait dit qu'ils étaient plus nombreux…

Un fracas épouvantable secoua les murs.

Elle haleta et regarda en bas. La lumière n'était plus.

Dans l'obscurité, une silhouette sortit en trombe par la seconde porte de cave, celle au bout du corridor. Il se tourna, claqua la porte et fit jouer la poignée. Elle entendit le son grinçant d'un vieux verrou en fer se fermer.

L'homme quitta la porte en courant, les cheveux et le manteau voletant dans tous les sens, et prit le corridor vers l'escalier.

Surprise et paralysée par l'identification de l'homme – c'était Mountford –, Leonora retint son souffle. Elle força ses mains à saisir ses jupes pour se tourner et s'enfuir, mais Mountord ne l'avait pas encore vue. Il s'arrêta en dérapant près de la porte de la cave la plus proche, à présent grande ouverte.

Il tendit le bras, saisit la porte et la ferma aussi. Il tint la poignée, désespérément résolu.

Au milieu du silence soudain survinrent un grincement révélateur, puis un bruit sourd quand le lourd verrou se ferma.

Le torse bombé, Mountford recula. La lame du couteau qu'il tenait dans une main brillait faiblement.

Un cognement provint de la porte, puis la poignée fut secouée.

Un juron étranglé filtra à travers les épais panneaux.

– Ha ! Vous êtes coincés !

Le visage illuminé, Mountford se tourna.

Et la vit.

Leonora pivota et s'enfuit.

Elle était loin d'être assez rapide.

Il la rattrapa en haut de l'escalier. Insérant ses doigts dans ses bras, il la renversa brusquement contre le mur.

– Garce !

Le mot était brutal, hargneux.

Regardant le visage vraiment pâle tout près du sien, Leonora eut une seconde pour reprendre ses esprits.

Étrangement, ce fut tout ce qu'il lui fallut – juste une seconde pour que ses émotions la guident, pour que son esprit fonctionne de nouveau. Tout ce qu'elle avait à faire, c'était de retarder Mountford, le temps que Tristan vienne la sauver.

Elle cligna des yeux. Elle faiblit un bref instant, perdant un peu de son assurance. Elle insuffla sa meilleure imitation de l'air distrait de Mlle Timmins dans son attitude.

– Oh, mon Dieu. Vous devez être M. Martinbury ?

Il prit un air renfrogné, puis son regard s'embrasa. Il la secoua.

– Comment le savez-vous ?

– Eh bien…

Elle laissa sa voix trembloter et garda les yeux grands ouverts.

– Vous êtes le M. Martinbury qui est un parent de A. J. Carruthers, n'est-ce pas ?

Malgré tout son travail de reconnaissance, Mountford – Duke – n'aurait pas découvert quel genre de femme elle était. Elle était tout à fait certaine qu'il n'aurait pas pensé à demander.

— Oui. C'est moi.

Saisissant son bras, il la poussa devant lui dans l'entrée.

— Je suis ici pour obtenir quelque chose qui appartenait à ma tante et qui est à moi maintenant.

Il n'éloigna pas le couteau, un genre de poignard. Une tension frénétique grouillait en lui, autour de lui. Son attitude était tendue, nerveuse.

Elle ouvrit lentement la bouche, s'efforçant de sembler suffisamment stupide.

— Oh ! Vous voulez parler de la formule ?

Elle devait l'éloigner du numéro 16 et de préférence le conduire au numéro 14. En chemin, elle devrait le convaincre qu'elle était complètement démunie et en rien menaçante, qu'il n'avait pas besoin de la garder. Si Tristan et les autres montaient l'escalier maintenant... Mountford la tenait et avait un poignard. Il ne lui semblait pas que cela lui serait profitable.

Il la scruta à travers ses yeux plissés.

— Que savez-vous de la formule ? L'ont-ils trouvée ?

— Oh, je crois que oui. Du moins, je crois que c'est ce qu'ils ont dit. Mon oncle, vous savez, et mon frère. Ils ont travaillé avec les journaux de notre pauvre cousin Cedric Carling, et je crois qu'ils ont dit il y a seulement quelques heures qu'ils croyaient enfin avoir élucidé le mystère !

Pendant son discours naïf, elle s'était dirigée vers la porte d'entrée. Il avait avancé avec elle.

Elle s'éclaircit la gorge.

— J'en déduis qu'il doit y avoir un certain malentendu.

D'un geste désinvolte, elle écarta d'emblée ce qui avait pu se passer en bas.

— Mais je suis sûre que si vous parlez à mon oncle et à mon frère, ils seront heureux de partager la formule avec vous, étant donné que vous êtes l'héritier de A. J. Carruthers.

Émergeant sur le porche au clair de lune, il la regarda.

Elle garda une expression aussi vide qu'elle put et essaya de ne pas réagir à sa menace. La main qui tenait le couteau était tremblante. Il semblait hésitant, déstabilisé, luttant pour réfléchir.

Il regarda le numéro 14.

— Oui, souffla-t-il. Votre oncle et votre frère vous aiment beaucoup, n'est-ce pas ?

— Oh, oui.

Elle rassembla ses jupes et sans se presser le moindrement, elle descendit les marches. Il ne lâcha toujours pas son bras, mais il descendit à côté d'elle.

— En fait, je me suis occupée de cette maison pour eux pendant dix ans, vous savez. Ils seraient perdus sans moi…

Elle continua dans une veine désinvolte, totalement naïve, tandis qu'ils descendaient l'allée, tournaient dans la rue, parcouraient la courte distance jusqu'au numéro 14 et entraient. Il marchait à côté d'elle, tenant toujours son bras, sans dire un mot. Il était si tendu, nerveux, tremblant, que s'il avait été une femme, elle aurait diagnostiqué le début d'une hystérie.

Quand ils atteignirent l'escalier, il l'attira brusquement plus près. Il leva son poignard pour qu'elle le voie.

— Nous n'avons pas besoin que vos domestiques interviennent.

Elle regarda nerveusement le poignard, puis forçant ses yeux à s'écarquiller, elle les leva vers lui, l'air ébahi.

– La serrure est ouverte. Nous n'aurons pas besoin de les déranger.

Sa tension se relâcha d'un cran.

– Bien.

Il la poussa à monter les marches. Il semblait essayer de regarder dans toutes les directions en même temps.

Leonora tendit le bras vers la porte. Elle regarda le visage blanc de Duke, crispé, tendu, et se demanda un instant s'il était judicieux qu'elle se fie à Tristan…

Elle inspira, leva la tête et ouvrit la porte. Elle pria pour que Castor n'apparaisse pas.

Duke entra à côté d'elle, la maintenant tout près. Sa prise sur son bras se relâcha quand il scruta l'entrée vide.

Refermant silencieusement la porte, elle dit d'un ton décontracté et léger, sans conséquence :

– Mon oncle et mon frère doivent être dans la bibliothèque. C'est par ici.

Il garda une main sur son bras, regardant toujours dans toutes les directions, mais il traversa rapidement et silencieusement l'entrée avec elle jusqu'au corridor qui menait à la bibliothèque.

Leonora pensa avec acharnement, essayant de trouver ce qu'elle pourrait dire. Les nerfs de Duke étaient à fleur de peau, sur le point de craquer. Dieu seul savait ce qu'il ferait alors. Elle n'avait pas osé regarder pour voir si Tristan et les autres suivaient, mais les vieux verrous des portes de la cave devaient prendre plus de temps à ouvrir que les verrous modernes moins massifs.

Elle ne pensait toujours pas avoir pris la mauvaise décision. Tristan la secourrait, elle, et Jeremy et Humphrey, bientôt. D'ici là, il lui incombait de tous – Jeremy, Humphrey et elle-même – les garder en sécurité.

Son stratagème avait fonctionné jusqu'à maintenant. Elle ne trouva rien de mieux que de continuer dans cette voie.

Ouvrant la porte de la bibliothèque, elle y pénétra.

– Mon oncle, Jeremy... Nous avons un invité.

Duke avança en même temps qu'elle, fermant la porte du pied derrière eux.

Marmonnant intérieurement – quand la lâcherait-il ? –, elle garda une expression idiote et naïve plaquée sur son visage.

– J'ai trouvé M. Martinbury à côté. Il semble qu'il cherche la formule de cousin Cedric. Il semble penser qu'elle lui appartient. Je lui ai dit que vous ne verriez aucune objection à la partager avec lui...?

Elle insuffla chaque bribe de vulnérabilité tremblotante dans sa voix et chaque dernier grain de détermination dans ses yeux. Si des personnes pouvaient confondre et perdre quelqu'un avec des mots écrits sur une page, c'étaient son frère et son oncle.

Tous deux étaient à leur place habituelle. Tous deux levèrent les yeux, puis restèrent figés.

Jeremy croisa son regard et lut le message dans ses yeux. Son bureau était envahi de papiers. Il entreprit de se lever de sa chaise.

Mountford paniqua.

– Attendez !

Ses doigts se resserrèrent sur le bras de Leonora. Il l'attira contre lui, lui faisant perdre l'équilibre de sorte qu'elle trébucha sur lui. Il brandit son poignard devant son visage.

– Ne faites rien d'irréfléchi ! s'écria-t-il, son regard agité passant de Jeremy à Humphrey. Je veux juste la formule. Donnez-la-moi, et je ne lui ferai rien.

Elle sentit la poitrine de Duke se gonfler quand il prit une profonde respiration.

– Je ne veux blesser personne, mais je le ferai. Je veux cette formule.

La vue du couteau avait choqué Jeremy et Humphrey. La hausse du ton de Duke l'avait effrayée.

– Vous, écoutez-moi bien !

Humphrey se leva de son fauteuil sans se soucier du journal qui tomba sur le sol.

– Vous ne pouvez pas simplement venir ici et…

– Taisez-vous !

Mountford trépignait d'impatience. Ses yeux restèrent rivés vers le bureau de Jeremy.

Leonora ne pouvait s'empêcher de fixer la lame qui valsait devant ses yeux.

– Écoutez, vous pouvez avoir la formule.

Jeremy se mit à faire le tour de son bureau.

– Elle est ici.

Il fit un geste vers le bureau.

– Si vous voulez…

– Arrêtez-vous ici ! Pas un pas de plus, ou je lui coupe la joue.

Jeremy pâlit. Il s'arrêta.

Leonora essaya de ne pas penser au couteau découpant sa joue. Elle ferma brièvement les yeux. Elle devait réfléchir. Trouver un moyen… un moyen de prendre le contrôle…

de perdre du temps, de garder Jeremy et Humphrey en sécurité...

Elle ouvrit les yeux et se concentra sur son frère.

— Ne t'approche pas autant!

Sa voix était faible et hésitante, totalement contraire à elle.

— Il pourrait vous enfermer quelque part, et je me retrouverais seule avec lui!

Mountford bougea, l'attirant contre lui pour qu'il puisse avoir à la fois Humphrey et Jeremy en vue, mais il ne se tenait plus directement devant la porte.

— Parfait, siffla-t-il. Si je vous enferme tous les deux, comme j'ai enfermé les autres, je pourrais prendre la formule et m'en aller.

Jeremy la fixa.

— Ne soyez pas stupide.

Il pesait chaque mot. Puis, il regarda Mountford.

— De toute façon, il ne peut nous enfermer nulle part. C'est la seule pièce de cet étage avec une serrure.

— En effet! souffla Humphrey. Cette suggestion est absurde.

— Oh, non, roucoula-t-elle en priant pour que Mountford la croie. Il pourrait vous enfermer dans le placard à balais de l'entrée. Vous rentreriez tous les deux.

Le regard que Jeremy lui adressa était furieux.

— Tu es folle!

Sa réaction fit son jeu. Mountford, si nerveux qu'il trépignait, bondit sur cette idée.

— Tous les deux... Maintenant!

Il fit un geste avec son couteau.

— Vous — il montra Jeremy —, accompagnez le vieil homme jusqu'à la porte. Vous ne voulez pas que le charmant visage de votre sœur soit balafré, n'est-ce pas ?

Lançant un dernier regard furieux sur elle, Jeremy alla prendre le bras de Humphrey. Il accompagna son oncle vers la porte.

— Arrêtez.

Mountford la contourna de sorte qu'ils soient directement derrière les deux autres, face à la porte.

— Bien. Aucun bruit, aucune bêtise. Ouvrez la porte, allez au placard à balais, ouvrez sa porte et entrez. Fermez la porte doucement derrière vous. Souvenez-vous… Je surveillerai chacun de vos mouvements, et mon poignard restera sur la gorge de votre sœur.

Elle vit Jeremy inspirer, puis Humphrey et lui firent exactement ce que Mountford avait ordonné. Mountford avança doucement tandis qu'ils entrèrent dans le placard à balais directement en face du large corridor. Il regarda le couloir en direction de l'entrée, mais personne ne venait par là.

À l'instant où la porte du placard à balais se ferma, Mountford la fit avancer. La clé était dans la serrure. Sans relâcher Leonora, il tourna la clé.

— Excellent !

Il se tourna vers elle, les yeux fiévreusement brillants.

— Maintenant, vous pouvez me donner la formule, et je partirai.

Il la ramena dans la bibliothèque. Il ferma la porte et la pressa vers le bureau.

— Où est-elle ?

Leonora déploya ses mains et déplaça les papiers, brouillant l'ordre relatif qu'il y avait.

– Il a dit que c'était ici…

– Trouvez-la, bon sang !

Mountford la libéra et passa ses doigts dans ses cheveux.

Plissant le front comme si elle se concentrait, déguisant son soudain regain de soulagement, Leonora fit le tour du vaste bureau, écartant et classant des papiers.

– Si mon frère a dit que c'était ici, je peux vous assurer que ça y est…

Elle continua à discourir, tout comme les vieilles dames indécises qu'elle avait aidées pendant des années. Et progressivement, papier après papier, elle réussit à faire le tour du bureau.

– C'est ça ?

Enfin en face de Mountford, elle leva un papier, plissa les yeux devant la recette, puis secoua la tête.

– Non. Mais ça doit être ici… peut-être que c'est celle-ci ?

Elle sentit Mountford frémir et commit l'erreur de lever les yeux. Il saisit son regard et vit…

Son visage blanchit, puis la rage se déversa dans son expression.

– Pourquoi vous… !

Il bondit vers elle.

Elle recula.

– C'était une ruse, n'est-ce pas ? Je vais vous apprendre…

Il devait d'abord l'attraper. Leonora ne perdit pas de temps à discuter. Elle se concentra sur un moyen de lui échapper, de filer. Le bureau était assez grand pour qu'il ne puisse pas l'atteindre par-dessus.

— Ah!

Il se lança sur le bureau pour l'attraper.

Poussant un cri, elle se plaça rapidement hors de sa portée. Elle regarda la porte, mais il s'était déjà remis sur pied, son visage revêtant un masque de fureur.

Il se rua sur elle. Elle se précipita.

Dans tous les sens.

La porte s'ouvrit.

Elle fit le tour du bureau et se retrouva directement contre la grande silhouette qui entrait.

Elle se jeta contre lui et s'accrocha.

Tristan l'attrapa, puis saisit ses mains et la plaça derrière lui.

— Sortez.

Un seul mot, mais le ton n'en était pas un auquel on pouvait désobéir. Tristan ne la regarda pas. Essoufflée, elle suivit son regard vers Mountford penché, haletant, du côté opposé du bureau. Il tenait encore le poignard dans la main.

— Maintenant.

Un avertissement. Elle recula de quelques pas, puis se tourna. Il n'avait pas besoin qu'elle soit là pour le distraire.

Elle se rua dans le corridor avec l'intention de demander de l'aide pour seulement réaliser que Charles et Deverell étaient là, se tenant dans l'obscurité.

Charles passa devant elle et ferma la porte. Puis, il se pencha nonchalamment contre le cadre et lui sourit d'un air résigné.

Deverell, les lèvres revêtant le même sourire semblant presque féroce, s'adossa contre le mur du corridor.

Elle les regarda. Indiqua la bibliothèque.

– Mountford a un poignard!

Deverell haussa les sourcils.

– Juste un?

– Eh bien, oui…

Un bruit sourd résonna depuis la bibliothèque. Elle sursauta, pivota et regarda la porte, du moins autant qu'elle pouvait en voir derrière les épaules de Charles. Elle le regarda.

– Pourquoi ne l'aidez-vous pas?

– Qui? Mountford?

– Non! Tristan!

Charles fit la grimace.

– Je doute qu'il ait besoin d'aide.

Il jeta un œil sur Deverell.

Qui avait un air renfrogné aussi.

– Malheureusement.

Le mot « dommage » dansait dans l'air.

Des bruits sourds et des grognements émergèrent de la bibliothèque, puis un corps tomba sur le sol. Durement.

Leonora tressaillit.

Le silence régna un moment, puis l'expression de Charles changea, et il se repoussa de la porte.

Elle s'ouvrit. Tristan se tenait sur le seuil.

Son regard se riva sur Leonora, puis dévia vers Charles et Deverell.

– Il est tout à vous.

Il tendit le bras pour saisir celui de Leonora et la conduire dans le corridor.

– Si vous voulez bien nous excuser un moment?

Question rhétorique. Charles et Deverell étaient déjà entrés dans la bibliothèque.

Leonora sentit son cœur battre la chamade. Il ne ralentit pas. Elle étudia Tristan rapidement, tout ce qu'elle pouvait voir de lui tandis qu'il la conduisait dans le couloir. Son visage était crispé et assurément grave.

— Vous a-t-il fait mal ?

Elle put à peine retenir la panique dans sa voix. Les poignards pouvaient être mortels.

Il la regarda en plissant les yeux. Ses mâchoires se serrèrent encore davantage.

— Bien sûr que non.

Il semblait insulté. Elle fronça les sourcils.

— Est-ce que vous allez bien ?

Ses yeux s'embrasèrent.

— Non !

Ils avaient atteint l'entrée. Tristan ouvrit la porte du salon et la poussa à l'intérieur. Il la suivit de près, claquant presque la porte.

— Alors, rafraîchissez-moi la mémoire ! Que vous ai-je vivement conseillé il y a juste une journée si je me souviens bien ? De ne jamais, jamais faire ?

Elle cligna des yeux et observa la fureur à peine réprimée de son regard habituellement calme.

— Vous m'avez dit de ne jamais me mettre en danger.

— Ne. Vous. Mettez. Pas. En. Danger.

Il s'approcha, délibérément intimidant.

— Précisément. Alors…

Sa poitrine se gonfla tandis qu'il tentait de prendre une respiration, sentant son humeur redoutable s'adoucir malgré tout.

— … que diable pensiez-vous être en train de faire en nous suivant à côté ?

Il ne haussa pas la voix ; au contraire, il la baissa. Il insufflait chaque dernière bribe de pouvoir dans sa diction pour que les mots claquent comme un fouet. Qu'ils cinglent aussi.

— Je…

— Si c'est un exemple de votre intention de m'obéir à l'avenir, de votre façon de fonctionner, en dépit de mon avertissement bien clair, je me permets de vous dire que cela ne se passera pas comme ça !

Il passa une main dans ses cheveux.

— Si…

— Bon sang ! J'ai vieilli de dix ans quand Deverell m'a dit qu'il vous avait vue là-bas. Alors, nous avons dû maîtriser les copains de Mountford avant de nous retrouver enfermés, et c'étaient de vieux et durs verrous. Je ne me souviens pas m'être senti aussi désespéré de toute ma vie !

— Je comp…

— Non, vous ne comprenez pas !

Il la foudroya du regard.

— Et ne croyez pas que cela signifie que nous n'allons pas nous marier parce que nous le ferons… C'est irrévocable !

Il mit l'accent sur « irrévocable » avec un geste rapide de la main.

— Mais comme on ne peut pas vous faire confiance pour ce qui est d'attirer l'attention, de vous comporter avec un minimum de bon sens — d'utiliser l'intelligence dont Dieu vous a assurément dotée et de m'épargner ce genre de tourments —, soyez maudite si je ne construis pas une fichue tour à Mallingham pour vous y enfermer !

Il s'arrêta pour prendre son souffle et remarqua que ses yeux brillaient étrangement. En signe d'avertissement.

— Avez-vous terminé ?

Son ton était infiniment plus glacial que le sien.

Comme il ne répondit pas immédiatement, elle continua :

— Au cas où vous ne le sauriez pas, ce que vous dites de ce qui s'est passé ici ce soir est entièrement faux.

Elle haussa le menton et le regarda avec défi.

— Je ne me suis pas mise en danger — pas du tout !

Ses yeux étaient mauvais. Elle leva un doigt pour l'empêcher d'éclater, de l'interrompre.

— Voici ce qui est arrivé. Je vous ai suivis, Charles, Deverell et vous — trois gentlemen avec une expérience et des capacités non négligeables — dans une maison qui, nous le savions tous, hébergeait seulement deux hommes bien moins doués.

Elle le transperça du regard, le défiant de la contredire.

— Nous croyions tous qu'il n'y avait pas de grand danger. Il se trouve que le destin s'en est mêlé et que la situation est devenue étonnamment dangereuse.

— Toutefois…

Elle le fixa d'un air aussi furieux que celui qu'il avait eu.

— … ce que vous refusez obstinément de voir dans tout ceci, c'est ce qui est pour moi le point crucial !

Elle agita ses mains.

— Je vous faisais confiance !

Elle se tourna, avança, puis faisant rageusement bruire ses jupes, elle lui fit face et enfonça un doigt dans sa poitrine.

— Je vous faisais confiance pour vous libérer, venir me chercher et me secourir. Et vous l'avez fait. Je vous ai fait confiance pour me sauver, et oui, vous êtes arrivé et vous avez fait face à Mountford. Mais borné, comme le sont typiquement les hommes, vous refusez de le comprendre !

Il prit son doigt. Elle braqua ses yeux sur les siens. Son menton se redressa.

– Je vous ai fait confiance, et vous ne m'avez pas laissée tomber. J'ai eu raison. Nous avons eu raison.

Elle soutint son regard. Un léger éclat teintait ses yeux bleus.

– Je vous mets en garde, dit-elle, la voix basse. Ne. Gâchez. Pas. Votre. Chance.

S'il avait appris quelque chose dans sa longue carrière, c'était que, dans certaines circonstances, la retraite était le choix le plus judicieux.

– Ah.

Il scruta ses yeux, puis opina et relâcha sa main.

– Je comprends. Je n'avais pas réalisé.

– Hum !

Elle baissa sa main.

– Aussi longtemps que vous…

– Oui.

Un sentiment d'euphorie monta en lui, menaçant de déborder et de l'emporter.

– Je comprends…

Elle le regarda, attendit, pas convaincue par son intonation.

Il hésita, puis demanda :

– Vous voulez vraiment dire que vous me faites confiance au point de risquer votre vie ?

Les yeux de Leonora étaient assurément brillants à ce moment, mais pas de colère. Elle sourit.

– Oui, absolument. Si je ne vous avais pas fait confiance, je ne sais pas ce que j'aurais fait.

Elle avança dans ses bras. Il les referma autour d'elle. Elle redressa la tête pour regarder son visage.

– Avec vous dans ma vie, la décision était facile.

Levant les bras, elle les plaça sur ses épaules et le regarda dans les yeux.

– Alors, maintenant, tout va bien.

Il scruta son visage, puis acquiesça.

– En effet.

Il baissa la tête pour l'embrasser quand son cerveau de stratège, vérifiant systématiquement que tout était bien pour le mieux, accrocha sur un point.

Il hésita, leva les paupières et attendit qu'elle fasse de même. Il fronça les sourcils.

– Je présume que Jonathon Martinbury est encore dans le petit salon, mais qu'est-il arrivé à Humphrey et à Jeremy ?

Les yeux de Leonora s'écarquillèrent. Son expression se dissolut en un air légèrement horrifié.

– Oh, mon Dieu !

Chapitre 20

– Je suis tellement désolée !

Leonora aida Humphrey à sortir du placard.

– Ça s'est passé… comme ça.

Jeremy sortit après Humphrey, donnant un coup de pied dans le balai à franges.

Il lui lança un regard noir.

– C'est le numéro le plus nul dont j'ai jamais été témoin…, et le poignard était très coupant, pour l'amour du ciel !

Leonora le regarda dans les yeux, puis l'étreignit rapidement.

– Ne t'en fais pas. Ça a fonctionné. C'est ce qui est important.

Jeremy maugréa et regarda vers la porte fermée de la bibliothèque.

– Tant mieux ! Nous ne voulions pas cogner et attirer l'attention sur nous. On ne savait pas si cela distrairait quelqu'un au mauvais moment.

Il regarda Tristan.

– Je suppose que vous l'avez coincé ?

– En effet.

Tristan fit un signe vers la porte de la bibliothèque.

— Allons-y. Je suis sûr que St-Austell et Deverell lui auront déjà expliqué sa situation.

La scène à laquelle ils assistèrent quand ils entrèrent dans la bibliothèque suggérait que tel était le cas. Mountford — Duke — était avachi, la tête et les épaules affaissées, dans un fauteuil à dossier droit au milieu de la bibliothèque. Ses mains, qui retombaient mollement entre ses genoux, étaient ligotées avec un cordon de rideau. Une cheville était attachée à une patte du fauteuil.

Charles et Deverell étaient appuyés côte à côte contre l'avant du bureau, les bras croisés, à observer leur prisonnier comme s'ils imaginaient ce qu'ils pourraient lui faire ensuite.

Leonora vérifia, mais ne put voir qu'une éraflure sur une des pommettes de Duke. Néanmoins, malgré le manque de dommages apparents, il ne semblait pas bien du tout.

Deverell leva les yeux tandis qu'ils allaient prendre leurs places habituelles. Leonora aida Humphrey à s'asseoir dans son fauteuil. Deverell saisit le regard de Tristan.

— Ce pourrait être une bonne idée de faire entrer Martinbury pour entendre ça.

Il regarda autour de lui le nombre limité de places assises.

— On pourrait transporter son lit de repos ici.

Tristan opina.

— Jeremy ?

Tous trois sortirent, laissant Charles surveiller.

Une minute plus tard, un aboiement prononcé résonna depuis l'avant de la maison, suivi du cliquetis des griffes d'Henrietta tandis qu'elle arrivait vers eux à grands pas.

Surprise, Leonora regarda Charles.

Il ne fit pas dévier ses yeux de Mountford.

— Nous pensions qu'elle pourrait s'avérer utile pour persuader Duke de reconnaître ses méfaits.

Henrietta grognait déjà quand elle apparut sur le seuil. Ses poils étaient hérissés. Elle riva ses yeux ambre sur Duke. Raide, immobile, attaché au fauteuil, il la regarda, horrifié.

Le grognement d'Henrietta diminua d'une octave. Elle baissa la tête et fit deux pas menaçants en avant.

Duke semblait prêt à défaillir.

Leonora claqua des doigts.

— Ici, mon chien. Viens ici.

— Viens, ma vieille fille, ajouta Humphrey en tapant sur sa cuisse.

Henrietta regarda de nouveau Mountford, puis renifla et se dirigea tranquillement vers Leonora et Humphrey. Après leur avoir fait la fête, elle décrivit des cercles, puis s'affala pour former un tas poilu entre eux. Elle posa sa grosse tête sur ses pattes et riva un regard implacablement hostile sur Duke.

Leonora regarda Charles. Il semblait très satisfait.

Jeremy réapparut et tint la porte de la bibliothèque grande ouverte. Tristan et Deverell avaient transporté le lit sur lequel Jonathon Martinbury était allongé du petit salon jusqu'à la bibliothèque.

Duke perdit le souffle. Il regarda Jonathon. Le dernier vestige de couleur reflua de son visage.

— Bon sang ! Que t'est-il arrivé ?

Aucun acteur n'aurait pu livrer une telle interprétation. Il était manifestement choqué par l'état de son cousin.

Tristan et Deverell déposèrent le lit. Jonathon croisa les yeux de Duke sans détourner le regard.

— Je suppose que j'ai rencontré tes amis.

Duke semblait mal à l'aise. Le visage cireux, il le regarda, puis secoua lentement la tête.

— Mais comment ont-ils su ? Moi-même, je ne savais pas que tu étais en ville.

— Tes amis sont déterminés, et ils ont le bras long.

Tristan s'assit sur la méridienne à côté de Leonora.

Jeremy ferma la porte. Deverell avait repris sa place à côté de Charles. Traversant la pièce, Jeremy tira son fauteuil derrière le bureau et s'assit.

— Bien.

Tristan échangea des regards avec Charles et Deverell, puis il regarda Duke.

— Vous êtes dans une situation sérieuse et désespérée. Si vous êtes le moindrement intelligent, vous répondrez aux questions que nous vous poserons rapidement, simplement et honnêtement. Et, plus important, précisément.

Il s'interrompit, puis reprit :

— Nous n'avons pas envie d'entendre vos excuses — des justifications seraient une perte de temps. Mais par souci de clarté, dites-nous ce qui vous a poussé à concevoir ce plan ?

Les yeux noirs de Duke se posèrent sur le visage de Tristan. De sa position à côté de Tristan, Leonora pouvait lire leur expression. Toute bravade violente de Duke l'avait déserté. La seule émotion qui remplissait à présent ses yeux était la peur.

Il avala sa salive.

— Newmarket. Au carnaval d'automne de l'an dernier. Avant, je n'avais jamais fait affaire avec les preneurs de paris de Londres, mais il y avait ce satané canasson... J'étais certain...

Il grimaça.

— Bref, j'ai perdu... perdu plus que jamais. Et ces requins... Ils ont des voyous qui agissent pour encaisser. Je suis allé au nord, mais ils m'ont suivi. Et là, j'ai eu la lettre à propos de la découverte de A. J.

— C'est pourquoi tu es venu me voir, ajouta Jonathon.

Duke le regarda et opina.

— Quand les encaisseurs m'ont coincé quelques jours plus tard, je leur en ai parlé. Ils me l'ont fait écrire et ont donné la lettre au preneur de paris. Je pensais que cela le calmerait quelque temps...

Il jeta un œil sur Tristan.

— C'est là que les choses sont allées de mal en pis.

Il prit son souffle. Son regard se fixa sur Henrietta.

— Le preneur de paris a revendu ma dette, en raison de la découverte.

— À un gentleman étranger ? demanda Tristan.

Duke acquiesça.

— Au début, cela semblait bien se passer. Lui — l'étranger — m'a encouragé à obtenir la découverte. Il m'a dit combien il était totalement inutile d'inclure les autres...

Duke rougit.

— ... Jonathon et les Carling, car ils ne s'étaient pas intéressés à la découverte pendant tout ce temps...

– Donc, vous avez essayé par divers moyens d'entrer dans l'atelier de Cedric Carling, lequel, d'après les réponses des domestiques, avait été fermé depuis sa mort.

De nouveau, Duke acquiesça.

– Vous n'avez pas pensé à vérifier les journaux de votre tante ?

Duke cligna des yeux.

– Non. Je veux dire... En fait, c'était une femme. Elle ne pouvait qu'avoir aidé Carling. La formule finale devait être dans les livres de Carling.

Tristan jeta un œil vers Jeremy, qui lui renvoya un regard narquois.

– Très bien, continua Tristan. Donc, votre nouveau créancier vous a encouragé à trouver cette formule.

– Oui.

Duke s'agita sur le fauteuil.

– Au début, cela semblait être de la vraie rigolade. Un défi pour voir si je pouvais obtenir la chose. Il était même disposé à financer l'achat de la maison.

Son visage s'obscurcit.

– Mais les choses se sont compliquées.

– Nous pouvons nous passer de la suite. Nous la connaissons. Je suppose que votre ami étranger est devenu de plus en plus insistant ?

Duke frémit. Ses yeux, quand ils rencontrèrent ceux de Tristan, semblaient tourmentés.

– J'ai offert de trouver l'argent, de rembourser ma dette, mais il n'en voulait pas. Il voulait la formule. Il était disposé à me donner autant d'argent qu'il fallait pour l'obtenir, mais je devais faire ce sale boulot pour lui… ou mourir. Il en avait l'intention.

Le sourire de Tristan était froid.

– Les étrangers de son genre le font habituellement.

Il s'arrêta, puis demanda :

– Comment s'appelle-t-il ?

La légère couleur qui était revenue sur le visage de Duke disparut. Un moment passa, puis il s'humecta les lèvres.

– Il m'a dit que si je parlais de lui à quelqu'un, il me tuerait.

Tristan inclina la tête et dit en douceur :

– Et que pensez-vous qu'il vous arrivera si vous ne nous le dites pas ?

Duke le fixa, puis regarda Charles.

Qui croisa son regard.

– Vous ne connaissez pas les châtiments pour trahison ?

Un moment passa, puis Deverell ajouta calmement :

– Cela suppose, bien sûr, que vous vous rendiez à l'échafaud.

Il haussa les épaules.

– Avec tous ces anciens soldats en prison de nos jours…

Les yeux écarquillés, Duke prit son souffle et regarda Tristan.

– Je ne savais pas qu'il s'agissait de trahison !

– J'ai bien peur que ce que vous avez fait le soit assurément.

Duke prit une autre respiration, puis laissa échapper :

– Mais je ne connais pas son nom.

Tristan hocha la tête, acceptant sa réponse.

– Comment le contactez-vous ?

— Je ne le contacte pas. Il a tout organisé au début. Je dois le rencontrer dans le parc St-James tous les trois jours pour lui dire ce qui s'est passé.

*

La prochaine rencontre devait avoir lieu le lendemain.

Tristan, Charles et Deverell travaillèrent Duke pendant plus d'une demi-heure, mais n'apprirent plus grand-chose. Duke était manifestement coopératif. Leonora se rappela comment il avait été agité, pris de panique plus tôt. Elle le réalisait maintenant et soupçonnait qu'il avait compris qu'ils étaient son seul espoir, que s'il les aidait, il pourrait échapper à une situation qui se transformait en cauchemar.

L'appréciation de Jonathon s'était révélée juste. Duke était un mouton noir avec peu de morale, une brute lâche et violente, indigne de foi et pire, mais il n'était pas un tueur et il n'aurait jamais dû être un traître.

Sa réaction aux questions de Tristan à propos de Mlle Timmins fut révélatrice. Le visage livide, Duke avait raconté en hésitant comment il était monté vérifier les murs du rez-de-chaussée, qu'il avait entendu un bruit d'étouffement dans l'obscurité, qu'il avait levé les yeux et qu'il avait vu la vielle dame fragile dégringoler l'escalier pour atterrir morte à ses pieds. Son horreur n'était pas feinte. Ce fut lui qui avait fermé les yeux de la vieille dame.

Le regardant, Leonora conclut d'un air grave qu'une certaine justice avait été rendue. Duke n'oublierait jamais ce qu'il avait vu, ce qu'il avait involontairement provoqué.

Finalement, Charles et Deverell conduisirent Duke au club, où il serait emmené au sous-sol sous la surveillance de

Biggs et de Gasthorpe, avec la fouine et les quatre voyous que Duke avait engagés pour l'aider à creuser.

Tristan jeta un œil sur Jeremy.

– Avez-vous trouvé la dernière formule ?

Jeremy sourit. Il prit un morceau de papier.

– Je viens juste de la recopier. Elle était dans les journaux de A. J., proprement notée. Tout le monde pouvait la trouver.

Il tendit la feuille à Tristan.

– C'était bien à moitié le travail de Cedric, mais sans A. J. et ses dossiers, cela aurait été l'enfer à reconstituer.

– Oui, mais est-ce que ça fonctionne ? demanda Jonathon.

Il était resté silencieux pendant l'interrogatoire, enregistrant calmement les informations. Tristan lui tendit le papier. Il l'étudia.

– Je ne suis pas herboriste, dit Jeremy. Mais si les résultats inscrits dans les journaux de votre tante sont exacts, alors oui, leur préparation aidera assurément le sang à coaguler quand elle sera appliquée sur les blessures.

– Et elle est restée là, à York, pendant les deux dernières années.

Tristan pensa à la bataille de Waterloo, puis réprima cette vision et se tourna vers Leonora.

Elle croisa son regard et serra sa main.

– Au moins, nous l'avons maintenant.

– Il y a une chose que je n'ai pas comprise, ajouta Humphrey. Si cet étranger était si avide de trouver la formule et qu'il était capable d'ordonner de faire tuer Jonathon ici, pourquoi n'est-il pas venu chercher la formule lui-même ?

Humphrey haussa ses sourcils en broussailles.

– Remarquez que je suis diablement content qu'il ne l'ait pas fait. Mountford était assez méchant, mais au moins, nous avons survécu.

– La réponse est une de ces subtilités diplomatiques.

Tristan se leva et ajusta sa veste.

– Si un étranger d'une ambassade est impliqué dans une agression, voire dans la mort de quelqu'un, un jeune homme inconnu ou même deux du nord, le gouvernement désapprouverait, mais l'ignorerait largement. Toutefois, si le même étranger était impliqué dans le cambriolage et l'usage de violence dans une maison d'un quartier riche de Londres, la maison d'hommes de lettres distingués, le gouvernement serait assurément plus contrarié et ne serait pas du tout enclin à l'ignorer.

Il les regarda tous avec un sourire légèrement cynique.

– L'attaque d'une propriété proche du cœur du gouvernement pourrait créer un incident diplomatique, alors Duke était un pion nécessaire.

– Et maintenant ? demanda Leonora.

Il hésita, baissa les yeux vers elle, puis sourit légèrement, juste pour elle.

– Maintenant, nous – Charles, Deverell et moi – devons fournir cette information à qui de droit et voir ce qui doit être fait.

Elle le fixa.

– Votre ancien employeur ?

Il opina et se redressa.

– Nous nous reverrons ici pour le petit déjeuner si vous êtes d'accord et organiserons tous les plans nécessaires.

– Oui, bien sûr.

Leonora tendit le bras et lui toucha la main en signe d'au revoir.

Humphrey hocha la tête avec magnanimité.

– À demain.

– Malheureusement, votre rencontre avec votre contact au gouvernement devra attendre à demain, dit Jeremy en indiquant l'horloge sur le manteau de la cheminée. Il est plus de vingt-deux heures.

Tristan, se dirigeant vers la porte, se tourna, souriant, tandis qu'il tendait le bras vers elle.

– En fait, non. L'État ne dort jamais.

*

L'État, pour eux, signifiait Dalziel.

Ils envoyèrent un message avant. Néanmoins, tous trois durent faire le pied de grue dans l'antichambre du chef de l'espionnage pendant vingt minutes avant que la porte s'ouvre et que Dalziel leur fasse signe d'entrer.

Tandis qu'ils s'installaient dans les trois fauteuils face au bureau, ils regardèrent autour d'eux, puis échangèrent des regards. Rien n'avait changé.

Y compris Dalziel. Il fit le tour du bureau. Il avait les cheveux noirs, les yeux noirs et était toujours vêtu de manière austère. Son âge était inhabituellement difficile à évaluer. Quand il avait commencé à travailler pour ce service, Tristan avait supposé que Dalziel était considérablement plus âgé que lui. Maintenant..., il commençait à se demander s'il y avait tant d'années que ça entre eux. Il avait visiblement vieilli, pas Dalziel.

Aussi froid que toujours, Dalziel s'assit derrière son bureau pour leur faire face.

— Alors, expliquez-moi, s'il vous plaît. Commencez par le début.

Tristan s'exécuta, adaptant largement son récit, laissant de côté la plus grande partie de la participation de Leonora. Dalziel était connu pour désapprouver que les ladies interviennent dans ces histoires.

Malgré tout, il était difficile de deviner ce qui pouvait échapper à ce regard noir et calme.

À la fin du récit, Dalziel hocha la tête, puis regarda Charles et Deverell.

— Et comment se fait-il que vous deux soyez impliqués ?

Charles sourit tel un prédateur.

— Nous partageons le même intérêt.

Dalziel soutint son regard pendant un instant.

— Ah, oui ! Votre club place Montrose, bien sûr !

Il baissa les yeux. Tristan était certain qu'ils étaient tranquilles dans cet endroit. L'homme était une menace. Ils ne faisaient plus partie de son réseau dorénavant.

— Donc…

Dalziel leva les yeux des notes qu'il avait gribouillées pendant qu'il écoutait. Il se pencha en arrière et colla le bout de ses doigts ensemble. Il les regarda tous fixement.

— … nous avons un Européen inconnu qui a l'intention — la ferme intention — de voler une formule potentiellement précieuse pour aider à guérir les blessures. Nous ne savons pas qui ce gentleman peut être, mais nous avons la formule et nous avons ce pion local. C'est exact ?

Ils opinèrent tous.

— Très bien. Je veux savoir qui est cet Européen, mais je ne veux pas qu'il sache que je sais. Je suis certain que vous me suivez. Ce que je veux que vous fassiez, c'est ça. Premièrement, falsifiez la formule. Trouvez quelqu'un qui puisse la rendre crédible. Nous ignorons la formation de cet étranger. Deuxièmement, convainquez le pion de se rendre à la prochaine rencontre et de donner la formule. Assurez-vous qu'il comprend sa situation et que son avenir dépend de son interprétation. Troisièmement, je veux que vous suiviez le gentleman jusqu'à son repaire et que vous l'identifiiez pour moi.

Tous acquiescèrent. Puis, Charles grimaça.

— Pourquoi faisons-nous encore cela… obéir à vos ordres ?

Dalziel le regarda, puis dit doucement :

— Pour la même raison que je donne ces ordres dans le but qu'on y obéisse. Parce que nous sommes qui nous sommes.

Il haussa un sourcil noir.

— N'est-ce pas ?

Il n'y avait rien d'autre à dire. Ils se comprenaient parfaitement les uns les autres.

Ils se levèrent.

— Une chose…

Tristan saisit l'expression interrogatrice de Dalziel.

— Duke Martinbury. Une fois qu'il aura la formule, cet étranger risque de vouloir régler les derniers détails.

Dalziel opina.

— On peut s'y attendre. Que suggérez-vous ?

— Nous pouvons nous assurer que Martinbury quitte la rencontre, mais après ? En plus, il doit subir un châtiment pour son implication dans cette affaire. Tout compte fait, se retrouver dans l'armée pendant trois ans devrait faire l'affaire à tous les niveaux. Étant donné qu'il est du Yorkshire, je pensais au régiment près de Harrogate. Les troupes doivent y être un peu maigres ces temps-ci.

— En effet.

Dalziel en prit note.

— Le colonel de Muffleton est là. Je lui dirai d'attendre Martinbury — Marmaduke, c'est ça ? — dès qu'il aura fini d'être utile ici.

Hochant la tête, Tristan se tourna. Il partit avec les autres.

*

— Une fausse formule ?

Les yeux rivés sur le papier contenant la formule de Cedric, Jeremy grimaça.

— Je ne saurais pas par où commencer.

— Ici ! Laisse-moi voir !

Assise au bout de la table du petit déjeuner, Leonora tendit la main.

Tristan s'arrêta de manger son imposante assiette de jambon et d'œufs pour lui donner le papier.

Elle but son thé et l'étudia tandis que les autres se consacraient à leur petit déjeuner.

— Savez-vous quels sont les ingrédients essentiels ?

Humphrey regarda vers elle.

— D'après ce que j'ai rassemblé dans les expériences, la bourse-à-pasteur, la lysimaque et la consoude sont toutes indispensables. Comme pour toute autre substance, c'est plus une question d'amélioration de l'action.

Leonora hocha la tête et déposa sa tasse.

— Donnez-moi quelques minutes pour consulter la cuisinière et Mme Wantage. Je suis certaine que nous pourrons concocter quelque chose de crédible.

Elle revint un quart d'heure plus tard. Ils étaient assis, repus, à se délecter du café. Elle posa une formule écrite avec soin devant Tristan et reprit sa place.

Il la prit, la lut et opina.

— Ça me paraît crédible.

Il la passa à Jeremy et regarda Humphrey.

— Pouvez-vous nous la recopier ?

Leonora le regarda.

— Qu'est-ce qui ne va pas avec ma copie ?

Tristan la regarda.

— Cela n'a pas été écrit par un homme.

— Ah !

Calmée, elle se versa une autre tasse de thé.

— Alors, quel est votre plan ? Que devons-nous faire ?

Tristan saisit le regard interrogateur qu'elle dirigea vers lui au-dessus du bord de sa tasse, soupira intérieurement et expliqua.

*

Comme il l'avait prévu, aucun argument n'influença Leonora pour qu'elle n'intervienne pas dans la chasse à l'étranger.

Charles et Deverell crurent que c'était une plaisanterie jusqu'à ce que Humphrey et Jeremy insistent aussi pour jouer un rôle.

À moins de les attacher et de les laisser dans le club sous la surveillance de Gasthorpe – ce que Tristan avait vraiment envisagé –, il n'y avait aucun moyen de les empêcher de se présenter dans le parc St-James. Finalement, tous les trois décidèrent de s'en accommoder.

Leonora s'avéra étonnamment assez facile à déguiser. Elle était de la même taille que sa bonne, Harriet, alors elle put lui emprunter ses vêtements. Avec une application judicieuse d'un peu de suie et de poussière, elle pouvait passer pour une bouquetière.

Ils vêtirent Humphrey avec de vieux habits de Cedric. Ignorant tous les décrets de l'élégance, il fut transformé en un homme très peu recommandable et manifestement négligé avec ses cheveux blancs clairsemés ébouriffés. Deverell, qui était retourné chez lui à Mayfair pour prendre son propre déguisement, était revenu. Son apparence avait été approuvée, et il s'occupa de Humphrey. Ils partirent en fiacre pour prendre leur position.

Jeremy fut le plus dur à déguiser. Son corps élancé et ses traits bien dessinés et bien nets criaient qu'il était de bonne famille. Finalement, Tristan le conduisit chez lui, rue Green. Ils revinrent une demi-heure plus tard comme deux terrassiers aux airs de voyous. Leonora dut le regarder deux fois avant de reconnaître son frère.

Il sourit.

– Cela est presque pire que d'être enfermé dans un placard.

Tristan le regarda en fronçant les sourcils.

– Ce n'est pas une plaisanterie.

– Non. Bien sûr que non.

Jeremy essaya de paraître suffisamment réprimandé et échoua lamentablement.

Ils dirent au revoir à Jonathon, malheureux, mais résigné à rater toute l'aventure, lui promettant de tout lui raconter quand ils reviendraient, puis ils se rendirent au club pour retrouver Charles et Duke.

Duke était extrêmement nerveux, mais Charles le contrôlait. Tous deux avaient des rôles précis à jouer. Duke connaissait le sien. Il lui avait été expliqué dans les moindres détails, mais encore plus important, on lui avait dit clairement quel était le rôle de Charles. Ils étaient tous convaincus que quoi qu'il arrive, le simple fait qu'il sache ce que Charles ferait s'il ne se comportait pas comme on lui avait demandé serait suffisant pour s'assurer de la poursuite de la coopération de Duke.

Charles et Duke seraient les derniers à partir pour le parc St-James. La rencontre était prévue pour quinze heures près du portail Queen Anne. Il était juste un peu plus de quatorze heures quand Tristan aida Leonora à monter dans un fiacre et qu'il fit un signe à Jeremy avant de monter à son tour.

Ils laissèrent le fiacre à l'extrémité la plus proche du parc. Ils marchèrent sur la pelouse, puis se quittèrent. Tristan avança en tête, marchant nonchalamment, s'arrêtant ici et là comme s'il cherchait un ami. Leonora suivait à quelques mètres derrière, une corbeille vide à son bras, telle une bouquetière rentrant chez elle après une belle journée. Derrière elle, Jeremy traînait, faisant apparemment la tête et prêtant peu d'attention aux autres.

Tristan finit par atteindre l'entrée connue comme le portail Queen Anne. Il s'adossa contre le tronc d'un arbre à proximité et s'installa l'air quelque peu maussade pour attendre. Suivant ses instructions, Leonora avança davantage en biais dans le parc. Un banc en fer forgé se trouvait à côté de l'allée cheminant depuis le portail Queen Anne. Elle s'y installa et étira ses jambes devant elle, balançant le panier vide contre elles. Elle fixa son regard sur la vue devant elle, sur les pelouses et les arbres menant au lac.

Sur le banc en fer forgé suivant le long de l'allée se trouvait un vieil homme aux cheveux blancs croulant sous le poids d'une montagne de manteaux et d'écharpes disparates. Humphrey. Plus près du lac, mais dans l'alignement du portail, Leonora pouvait juste voir le vieux chapeau écossais que Deverell avait abaissé sur son visage. Il était assis contre le tronc d'un arbre, apparemment en train de dormir.

Sans sembler remarquer qui que ce soit, Jeremy marchait, le dos voûté. Il passa le portail, traversa la route et s'arrêta pour regarder la vitrine d'un tailleur.

Leonora balançait légèrement ses jambes et sa corbeille, se demandant combien de temps ils devraient attendre.

C'était une belle journée, pas ensoleillée, mais assez agréable pour que plusieurs flânent, profitant des pelouses et du lac. Assez au moins pour que leur petite bande ne se fasse pas du tout remarquer.

Duke avait été capable de décrire l'étranger en seulement quelques termes grossiers. Comme Tristan l'avait quelque peu amèrement fait remarquer, la majorité des gentlemen étrangers d'origine allemande actuellement à Londres feraient l'affaire. Néanmoins, Leonora garda les yeux bien ouverts, examinant les promeneurs qui passaient devant elle, comme une bouquetière oisive qui n'avait plus de travail à faire pour le reste de la journée.

Elle vit un gentleman arriver sur l'allée en provenance du lac. Il était parfaitement vêtu d'un costume gris. Il portait un chapeau gris et avait une canne, qu'il tenait fermement dans une main. Quelque chose en lui attira l'attention de Leonora, activa sa mémoire, quelque chose d'étrange dans sa façon de marcher… Puis, elle se souvint de la description de la logeuse de Duke à propos de son visiteur étranger. « Raide comme la justice. »

Il devait être leur homme.

Il passa près d'elle, puis avança vers le bas-côté, juste un peu avant l'endroit où Tristan était avachi, le regard fixé sur le portail, tapotant sa cuisse d'une main avec impatience. L'homme sortit sa montre et regarda l'heure.

Leonora regarda Tristan. Elle était certaine qu'il n'avait pas vu l'homme. Faisant dévier sa tête comme si elle venait juste de le remarquer, elle s'arrêta, comme si elle hésitait, puis se leva et s'éloigna d'un pas nonchalant, balançant ses hanches au rythme de sa corbeille, jusqu'à se trouver à côté de lui.

Il la regarda et se redressa tandis qu'elle arrivait à côté de lui.

Son regard passa au-delà d'elle, remarqua l'homme, puis se reposa sur son visage.

Elle sourit, le frôla avec son épaule, se rapprochant davantage de biais, faisant de son mieux pour imiter les rencontres dont elle avait parfois été témoin dans le parc.

— Faites semblant que je vous suggère un bref flirt pour animer la journée.

Il lui sourit, lentement, largement, mais ses yeux restèrent froids.

— Que croyez-vous faire ?

— C'est l'homme là-bas, et dans une minute Duke et Charles vont arriver. Je nous donne une raison parfaitement raisonnable de suivre l'homme quand il partira, ensemble.

Il maintint son sourire. Il glissa un bras autour de sa taille et l'approcha, penchant sa tête pour murmurer à son oreille :

— Vous ne venez pas avec moi.

Elle sourit en le regardant et tapota sa poitrine.

— À moins que l'homme ne se mette dans tous ses états, et cela semble peu probable, je viens.

Il la regarda en plissant les yeux. Elle sourit encore plus intensément, mais le regarda directement dans les yeux.

— Je fais partie de cette aventure depuis le début. Je pense que je devrais faire partie de la fin.

À ces mots, Tristan s'arrêta. Puis, le destin intervint et prit la décision pour lui.

Les clochers des églises de Londres sonnèrent l'heure — trois coups résonnèrent et se répétèrent dans des notes variées — et Duke arriva rapidement sur le trottoir avant de tourner au portail Queen Anne.

Charles, déguisé en bagarreur de taverne, arriva d'un pas nonchalant pas loin derrière, calculant son approche.

Duke s'arrêta, vit son rendez-vous et avança vers lui. Il ne regarda ni à droite ni à gauche. Tristan soupçonna que Charles l'avait tellement entraîné qu'il était si concentré sur ce qu'il avait à faire, si désespéré de bien faire, que se laisser distraire par autre chose lui était actuellement impossible.

Le vent venait du bon côté. Il leur apportait les mots de Duke.

— Avez-vous ma reconnaissance de dettes?

La demande déconcerta l'étranger, mais il se reprit rapidement.

— Je dois l'avoir. Avez-vous la formule?

— Je sais où elle est et je peux vous l'obtenir en moins d'une minute, si vous me donnez ma reconnaissance de dettes en retour.

À travers ses yeux plissés, l'étranger scruta le visage pâle de Duke, puis il haussa les épaules et fouilla dans la poche de son manteau.

Tristan se tendit et vit Charles allonger le pas. Ils se détendirent tous les deux immédiatement quand l'homme sortit une petite liasse de papiers.

Il les tint devant Duke pour qu'il voie.

— Maintenant, dit-il, la voix froide avec un soudain accent, la formule, s'il vous plaît.

Charles, qui semblait sur le point de les dépasser, changea de direction et les rejoignit.

— Je l'ai ici.

L'étranger sursauta. Charles revêtit un sourire des plus diaboliques.

— Ne vous souciez pas de moi. Je suis juste ici pour m'assurer que mon ami M. Martinbury ne sera pas blessé. Donc, dit-il en montrant les papiers et en regardant Duke, elles sont toutes là, n'est-ce pas?

Duke tendit le bras vers les reconnaissances de dettes.

L'étranger les retint.

— La formule ?

Poussant un soupir, Charles sortit la copie de la fausse formule que Humphrey et Jeremy avaient préparée et à laquelle ils avaient donné une apparence vieillie. Il la déplia, la leva où l'étranger pouvait la voir sans bien pouvoir la lire.

— Pourquoi ne puis-je pas juste la tenir ici, puis que dès que Martinbury aura vérifié ses reconnaissances de dettes, vous la repreniez.

L'étranger était visiblement mécontent, mais il n'avait pas le choix. Charles était assez intimidant dans son costume raffiné — dans son déguisement actuel, il respirait l'agressivité.

Duke prit les papiers, vérifia rapidement, puis regarda Charles et hocha la tête.

— Oui.

Sa voix était faible.

— Tout est là.

— Parfait.

Revêtant un sourire inquiétant, Charles donna la formule à l'étranger.

Il la prit et l'étudia soigneusement.

— C'est la bonne formule ?

— C'est ce que vous vouliez. C'est ce que vous avez, dit Charles. Maintenant que c'est fait, mon ami et moi avons d'autres affaires en cours.

Il salua l'étranger, une parodie de geste. Prenant le bras de Duke, il se tourna. Ils marchèrent directement vers le portail. Charles héla un fiacre, y poussa Duke, qui tremblait à présent, et grimpa après lui.

Tristan regarda l'attelage partir bruyamment. L'étranger leva les yeux, les regarda s'en aller, puis avec précaution, presque avec vénération, il plia la formule et la glissa dans la poche intérieure de son manteau. Cela étant fait, il ajusta sa prise sur sa canne, redressa son dos, pivota et repartit avec raideur vers le lac.

— Venez !

Le bras autour de Leonora, Tristan se repoussa de l'arbre et se mit à suivre l'homme.

Ils dépassèrent Humphrey. Il ne leva pas les yeux, mais Tristan vit qu'il avait sorti un bloc et un crayon et qu'il dessinait rapidement une vue quelque peu incongrue.

L'étranger ne regarda pas derrière lui. Il semblait avoir avalé leur petite comédie. Ils avaient espéré qu'il se dirige directement vers son bureau plutôt que dans un des quartiers moins respectables non loin du parc. La direction qu'il prit était prometteuse. La plupart des ambassades étrangères étaient situées dans le quartier nord du parc St-James, à proximité du palais St-James.

Tristan libéra Leonora, puis lui prit la main et baissa les yeux sur elle.

— Faisons comme si nous étions partis pour une soirée de divertissement et que nous avions décidé d'aller dans les music-halls de Piccadilly.

Elle écarquilla les yeux.

— Je n'y suis jamais allée. Je suppose que je devrais accueillir cette perspective avec enthousiasme ?

— Tout à fait.

Il ne put s'empêcher de sourire devant son ravissement, qui n'avait rien à voir avec aucun des music-halls, mais qui était le résultat d'une pure excitation.

Ils dépassèrent Deverell, qui s'était levé et se nettoyait en vue de les rejoindre à la poursuite de leur proie.

Tristan était un expert pour suivre les gens dans les villes et les foules, tout comme Deverell. Tous deux avaient essentiellement travaillé dans les plus grandes villes françaises. Les meilleures méthodes de chasse étaient une seconde nature.

Jeremy passerait prendre Humphrey, et ils retourneraient place Montrose pour attendre les nouvelles. Charles serait là avant eux avec Duke. C'était le travail de Charles de garder le fort jusqu'à ce qu'ils reviennent avec la dernière pièce d'information cruciale.

Leur proie traversa le pont sur le lac et continua vers les environs du palais St-James.

— Suivez toujours ma direction, murmura Tristan, les yeux rivés sur le dos de l'homme.

Comme il s'y attendait, l'homme s'arrêta juste devant le portail menant en dehors du parc et se pencha comme pour ôter un caillou de sa chaussure.

Glissant son bras autour de Leonora, Tristan la chatouilla. Elle rit, se tortilla. Riant également, il l'installa avec familiarité contre lui tout en continuant à marcher. Ils dépassèrent l'homme sans même un coup d'œil.

Le souffle court, Leonora se pencha plus près tandis qu'ils continuaient à avancer.

— Est-ce qu'il regarde ?

– Oui. Nous nous arrêterons un peu plus loin et discuterons de la route que nous suivrons quand il nous dépassera de nouveau.

Ils s'exécutèrent. Leonora pensa qu'ils donnaient une interprétation crédible d'un couple d'amoureux de la classe populaire débattant de l'intérêt des music-halls.

Quand l'homme fut de nouveau devant eux, à avancer à grands pas, Tristan lui prit la main, et ils le suivirent, à présent plus rapidement, comme s'ils s'étaient décidés.

Le quartier entourant le palais St-James était criblé de minuscules ruelles et de chemins reliés entre eux et de cours. L'homme tourna dans le labyrinthe, avançant avec assurance.

– Ça ne fonctionnera pas. Laissons-le à Deverell et allons dans la rue Pall Mall. Nous le retrouverons là-bas.

Leonora sentit un certain tiraillement quand ils quittèrent la trace de l'homme, qui continuait directement vers l'endroit où il avait tourné à gauche. À quelques maisons de là, elle regarda derrière elle et vit Deverell tourner dans le sillage de l'homme.

Ils atteignirent la rue Pall Mall et tournèrent à gauche, marchant très lentement, scrutant les ouvertures des chemins en avant. Ils n'eurent pas à attendre longtemps avant que leur proie surgisse, marchant encore plus rapidement.

– Il est pressé.

– Il est excité, dit-elle, sentant que c'était la vérité.

– Peut-être.

Tristan l'entraîna avec lui. Ils changèrent avec Deverell de nouveau dans les rues au sud de Piccadilly, puis rejoignirent la foule qui profitait d'une promenade en soirée le long de cette importante artère.

– C'est là que nous risquons de le perdre. Gardez vos yeux bien ouverts.

Elle le fit, scrutant la foule qui se bousculait dans la douce soirée.

– Voilà Deverell.

Tristan s'arrêta et lui donna un petit coup de coude pour lui indiquer de regarder à droite. Deverell venait juste de pénétrer dans Pall Mall. Il le regardait.

– Bon sang !

Tristan se redressa.

– Nous l'avons perdu !

Il se mit à scruter ouvertement la foule devant eux.

– Où diable est-il allé ?

Leonora avança plus près des immeubles et regarda le petit espace que les gens avaient laissé. Elle saisit du gris, mais ensuite il disparut.

– Là !

Elle saisit le bras de Tristan et indiqua les rues devant.

– À deux rues plus loin.

Ils se frayèrent un chemin, louvoyèrent, coururent... atteignirent le coin et en firent le tour, puis ralentirent.

Leur proie – elle ne s'était pas trompée – était presque au bout de la petite rue.

Ils se précipitèrent, puis l'homme tourna à droite et disparut de leur vue. Tristan fit signe à Deverell, qui se mit à courir après l'homme dans la rue.

– En bas de la ruelle.

Tristan poussa Leonora vers l'entrée d'un étroit chemin.

Il coupait directement en traversant vers la rue suivante, parallèle à celle dans laquelle ils étaient. Ils coururent, Tristan tenant sa main, la soutenant quand elle glissa.

Ils atteignirent l'autre rue et y tournèrent, flânant de nouveau, reprenant leur souffle. L'ouverture de la rue dans laquelle l'homme avait tourné rejoignait celle où ils se trouvaient maintenant et s'étendait devant eux à leur gauche. Ils la regardèrent tout en marchant, attendant qu'il réapparaisse.

Ce ne fut pas le cas.

Ils atteignirent le coin et regardèrent la petite rue. Deverell se trouvait contre une grille à l'autre bout.

Il n'y avait absolument aucun signe de l'homme qu'ils avaient suivi.

Deverell se repoussa de la grille et avança vers eux. Il ne lui fallut que quelques minutes pour les rejoindre.

Il semblait grave.

— Il a disparu le temps que j'arrive.

Leonora eut une mine découragée.

— Donc, c'est fini. Nous l'avons perdu.

— Non, dit Tristan. Pas tout à fait. Attendez ici.

Il la laissa avec Deverell et traversa la rue jusqu'à l'endroit où un balayeur se tenait penché sur son balai au milieu de la petite rue. Tendant la main sous son manteau dépenaillé, Tristan trouva un souverain. Il le plaça entre ses doigts, où le balayeur pouvait le voir, tandis qu'il s'appuyait sur les barreaux à côté de lui.

— Le type en gris qui est entré dans la maison en face. Vous connaissez son nom ?

Le balayeur le regarda avec méfiance, mais la lueur dorée fut plus efficace.

— Je ne connais pas exactement son nom. Il est du genre fier. J'ai entendu le portier l'appeler « comte quelque chose » avec un nom imprononçable commençant par un F.

Tristan hocha la tête.

— Ça ira.

Il laissa tomber la pièce dans la main du balayeur.

Retournant vers Leonora et Deverell, il ne fit pas l'effort de réprimer le sourire de satisfaction de ses lèvres.

— Alors ?

Comme il fallait s'y attendre, ce fut la lumière de sa vie qui lui posa la question.

Il sourit.

— L'homme en gris est connu par le portier de la maison au milieu de la rangée comme le « comte quelque chose » avec un nom imprononçable commençant par un F.

Leonora haussa les sourcils, puis regarda la maison en question plus loin. Elle plissa les yeux en la regardant.

— Et ?

Son sourire s'élargit et parut incroyablement bon.

— La maison est la maison Hapsburg.

*

À dix-neuf heures ce soir-là, Tristan conduisait Leonora dans l'antichambre du bureau de Dalziel, cachée dans les profondeurs du Whitehall.

— Voyons combien de temps il va nous faire attendre.

Leonora arrangea ses jupes sur le banc en bois que Tristan lui avait indiqué.

— J'aurais pensé qu'il était ponctuel.

Assis à côté d'elle, Tristan sourit ironiquement.

— Ça n'a rien à voir avec la ponctualité.

Elle scruta son visage.

— Ah. Un de ces jeux étranges auxquels jouent les hommes.

Il ne dit rien. Il sourit simplement et se pencha en arrière.

Ils n'attendirent que cinq minutes.

La porte s'ouvrit. Un homme sombrement élégant apparut. Il les vit. Un temps d'arrêt momentané s'ensuivit. Puis, d'un geste gracieux, il les invita à entrer.

Tristan se leva, aida Leonora à faire de même et à se placer à ses côtés, puis il installa sa main sur sa manche. Il la conduisit à l'intérieur, s'arrêta devant le bureau et les fauteuils placés devant.

Après avoir fermé la porte, Dalziel les rejoignit.

— Mlle Carling, je suppose.

— En effet.

Elle lui donna la main et croisa son regard — aussi pénétrant que celui de Tristan — sans la moindre gêne.

— Je suis heureuse de faire votre connaissance.

Le regard de Dalziel dévia vers le visage de Tristan. Ses fines lèvres décrivaient un léger sourire quand il inclina la tête et leur fit signe vers les fauteuils.

Il fit le tour du bureau et s'assit.

— Donc… Qui était derrière les incidents de la place Montrose ?

— Un « comte quelque chose » avec un nom imprononçable commençant par un F.

Peu impressionné, Dalziel haussa les sourcils.

Tristan sourit de son sourire froid.

— Le comte est connu à la maison Hapsburg.

— Ah.

– Et…

De sa poche, Tristan retira l'esquisse que Humphrey avait faite, à la surprise générale, du comte.

– Ceci devrait nous aider à l'identifier. C'est remarquablement ressemblant.

Dalziel la prit, l'étudia, puis hocha la tête.

– Excellent. Et il a accepté la fausse formule ?

– À notre connaissance, oui. Il a donné la reconnaissance de dettes à Martinbury en échange.

– Bien. Et Martinbury est en route vers le nord ?

– Pas encore, mais il le fera. Il a semblé vraiment horrifié par les blessures de son cousin et il le raccompagnera à York une fois qu'il – Jonathon – sera assez en forme pour voyager. Jusque-là, ils resteront à notre club.

– Et St-Austell et Deverell ?

– Tous les deux ont négligé leurs propres affaires. Des affaires urgentes ont nécessité leur retour dans leurs propres foyers.

– Vraiment ?

Dalziel haussa furtivement un sourcil, puis il fit dévier son regard noir sur Leonora.

– J'ai mené une enquête dans le gouvernement, et on porte un grand intérêt à la formule de votre défunt cousin, Mlle Carling. On m'a demandé d'informer votre oncle que certains gentlemen aimeraient lui rendre visite dès que cela sera possible. Il serait bien sûr utile que leur visite ait lieu avant le départ des Martinbury de Londres.

Elle inclina la tête.

— Je transmettrai ce message à mon oncle. Peut-être vos gentlemen pourraient-ils envoyer un messager demain pour fixer un rendez-vous ?

Dalziel inclina la tête à son tour.

— Je les aviserai de le faire.

Son regard, impénétrable, s'attarda sur elle pendant un moment, puis se tourna vers Tristan.

— Je suppose — les mots étaient calmes, même doux — que ce sont des adieux alors ?

Tristan soutint son regard, puis sembla surpris. Il se leva et tendit la main.

— En effet. Le même genre d'adieux que ceux que l'on peut formuler dans notre champ d'activité.

Dalziel répondit par un sourire qui adoucit fugitivement son visage tandis qu'il se levait aussi et serrait la main de Tristan. Puis, il la relâcha et salua Leonora.

— À votre service, Mlle Carling. Je ne prétendrai pas que je préférerais que vous n'existiez pas, mais le sort en a manifestement décidé autrement.

Son sourire nonchalant ôtait toute offense à ses mots.

— Je vous souhaite sincèrement à tous les deux d'être heureux.

— Merci.

Se sentant plus à l'aise avec lui qu'elle n'aurait cru, Leonora hocha poliment la tête.

Puis, elle se tourna. Tristan prit sa main, ouvrit la porte, et ils quittèrent le petit bureau dans les profondeurs du Whitehall.

*

— Pourquoi m'avez-vous emmenée le rencontrer ?

— Dalziel ?

— Oui, Dalziel. Manifestement, il ne m'attendait pas. Il a clairement vu ma présence comme un message. Lequel ?

Tristan regarda son visage tandis que la voiture ralentissait à un coin, puis tournait à droite et poursuivait sa route.

— Je vous ai emmenée parce que vous voir, vous rencontrer, est le seul message qu'il ne pourra jamais ignorer ni mal interpréter. Il est mon passé. Vous…

Il leva la main de Leonora, déposa un baiser dans sa paume, puis referma sa main autour de la sienne.

— Vous, dit-il, la voix grave et basse, êtes mon avenir.

Elle réfléchit au peu qu'elle pouvait lire dans son visage ombragé.

— Donc, tout ça — avec son autre main, elle fit un geste pour montrer le Whitehall derrière eux — marque une fin. C'est derrière vous ?

Il opina et porta ses doigts captifs à ses lèvres.

— La fin d'une vie…, le début d'une autre.

Elle scruta son visage, ses yeux bruns, puis sourit doucement. Laissant sa main dans la sienne, elle se pencha davantage.

— Bien.

*

Sa nouvelle vie… Il était impatient de la connaître.

C'était un maître de la stratégie et des tactiques, de l'exploitation des situations à ses propres fins. Le lendemain matin, il mit son dernier plan en place.

À dix heures, il alla chercher Leonora pour une promenade et l'enleva. Il la conduisit au domaine Mallingham, actuellement déserté par les vieilles dames. Elles étaient encore toutes à Londres, occupées à se dévouer à sa cause.

La même cause pour laquelle, après un déjeuner intime, il se dévoua avec un zèle exemplaire.

Quand l'horloge sur le manteau de la cheminée de la chambre à coucher du comte sonna quinze heures, il s'étira, savourant les draps de soie glissant sur sa peau et encore plus la chaleur de Leonora étendue alanguie contre lui.

Il baissa les yeux vers elle. La cascade de soie acajou de ses cheveux voilait son visage. Sous le drap, il plaça sa main autour de sa hanche et la caressa de manière possessive.

— Hmm… mm…

Ce son assouvi était celui d'une femme comblée en amour. Après un moment, elle marmonna :

— Vous l'aviez organisé, n'est-ce pas ?

Il sourit. Il restait un petit peu du loup.

— J'ai conspiré depuis un certain temps pour vous emmener dans ce lit.

Son lit, le lit du comte. Auquel elle appartenait.

— Assez différent de tous ces coins que vous trouviez avec tant de succès dans les maisons de toutes les hôtesses ?

Levant la tête, elle repoussa ses cheveux, puis se replaça contre lui et appuya ses bras sur sa poitrine de sorte qu'elle puisse regarder son visage.

— En effet. Il s'agissait simplement de maux nécessaires, dictés par les caprices du combat.

Elle le regarda dans les yeux.

— Je ne suis pas un combat. Je vous l'ai déjà dit.

— Mais vous êtes quelque chose que je devais gagner.

Il laissa une seconde passer, puis ajouta :

— Et j'ai triomphé.

Souriant, Leonora scruta ses yeux et ne se soucia pas de le démentir.

— Et avez-vous trouvé que la victoire était douce ?

Il referma ses mains sur ses hanches et la tint contre lui.

— Plus douce que je l'avais prévu.

— Vraiment ?

Ignorant l'accès de chaleur sur sa peau, elle haussa un sourcil.

— Eh bien, maintenant que vous avez comploté, planifié, et que vous m'avez mise dans votre lit, quelle est la suite ?

— Comme j'ai l'intention de vous garder ici, je soupçonne que nous devrions nous marier.

Levant une main, il prit une mèche et joua dans ses cheveux.

— Je voulais vous demander… Voulez-vous un grand mariage ?

Elle n'y avait pas vraiment réfléchi. Il la précipitait. Dictait sa loi. Pourtant…, elle ne voulait pas perdre plus de leurs vies non plus.

Ici — étendue nue avec lui dans son lit —, les sensations physiques soulignaient la réelle attirance, tout ce qui l'avait attirée dans ses bras. Ce n'était pas juste le plaisir qui les enveloppait, mais le réconfort, la sécurité, la promesse de ce que serait toute leur vie.

Elle se concentra de nouveau sur ses yeux.

— Non. Une petite cérémonie avec nos familles conviendra très bien.

— Bien.

Il baissa les paupières.

Elle sentit le soudain soulagement qu'il tentait de cacher.

— Qu'y a-t-il ?

Elle apprenait. Il était rare qu'il n'avait pas un plan en cours.

Il leva les paupières pour la regarder et haussa légèrement les épaules.

— J'espérais que vous accepteriez un petit mariage. Plus facile et plus rapide à organiser.

— Eh bien, nous pouvons discuter des détails avec vos grands-tantes et mes tantes quand nous retournerons en ville.

Elle fronça les sourcils, se rappelant quelque chose.

— C'est le bal des De Veres ce soir. Nous devons y assister.

— Non. Nous ne le devons pas.

Son ton était ferme..., décidé. Elle le regarda, perplexe.

— Non ?

— J'ai connu assez des divertissements de la haute société pour un an. Et quand elles entendront la nouvelle, je suis certain que les hôtesses nous excuseront. Après tout, elles adorent ce genre de commérages et devraient être reconnaissantes que nous leur en fournissions.

Elle le regarda fixement.

— Quelle nouvelle ? Quels commérages ?

— Le fait que nous soyons si follement amoureux que nous refusions d'accepter un délai et que nous avons planifié de nous marier dans la chapelle ici demain, en présence de nos familles respectives et de quelques amis choisis.

Le silence régna. Elle pouvait à peine le croire..., puis elle le fit.

— Dites-moi les détails.

Avec un doigt, elle toucha sa poitrine nue et ajouta :

— Tous. Comment est-ce censé se dérouler ?

Il prit son doigt et raconta consciencieusement :

— Jeremy et Humphrey arriveront ce soir, puis…

Elle écouta et dut approuver. Ensemble, les vieilles dames de Tristan, ses tantes à elle, et lui avaient pensé à tout, même à une robe pour elle. Il avait eu une autorisation spéciale. Le pasteur de l'église du village, qui agissait comme aumônier pour la propriété, était ravi de les marier…

« Follement amoureux. »

Elle réalisa soudain qu'il ne l'avait pas seulement dit, mais qu'il le ressentait. Sans fard, d'une manière qui assurait qu'il en ferait la démonstration devant toute la haute société.

Elle se concentra de nouveau sur son visage, sur les angles et les traits durs qui n'avaient pas changé, qui ne s'étaient pas adoucis le moins du monde. Son visage était maintenant, ici avec elle, totalement dépourvu de son masque charmant social. Il parlait encore, lui expliquant les arrangements pour le petit déjeuner du mariage. Les yeux de Leonora s'embuèrent. Libérant son doigt, elle le posa en travers de ses lèvres.

Il cessa de parler et croisa son regard.

Elle lui sourit. Son cœur débordait.

— Je vous aime. Alors oui, je vous épouserai demain.

Il scruta ses yeux, puis ses bras se refermèrent autour d'elle.

— Merci, mon Dieu.

Elle gloussa, s'installa, posa sa tête sur son épaule. Elle sentit son bras se placer pour la tenir serrée contre lui.